口腔保健・予防歯科学

第2版

Oral Health and Preventive Dentistry

編集

安井 利一
山下 喜久
廣瀬 公治
小松﨑 明
山本 龍生
弘中 祥司

執筆（執筆順）

九州歯科大学客員教授
九州大学名誉教授
山下 喜久

鹿児島大学名誉教授
於保 孝彦

松本歯科大学教授
吉田 明弘

九州歯科大学教授
安細 敏弘

九州歯科大学助教
角田 聡子

朝日大学歯学部教授
友藤 孝明

朝日大学歯学部准教授
東 哲司

大阪大学名誉教授
天野 敦雄

松本歯科大学教授
山賀 孝之

元明海大学歯学部准教授
松本 勝

元長崎大学大学院教授
齋藤 俊行

愛知学院大学歯学部教授
嶋﨑 義浩

東京歯科大学教授
杉原 直樹

九州大学大学院准教授
古田 美智子

九州大学大学院教授
竹下 徹

東京科学大学大学院教授
相田 潤

日本大学歯学部教授
川戸 貴行

明海大学歯学部教授
竹下 玲

日本大学松戸歯学部教授
有川 量崇

徳島大学名誉教授
伊藤 博夫

元鶴見大学歯学部学内教授
野村 義明

鶴見大学歯学部非常勤講師
山本 健

岡山大学名誉教授
森田 学

福岡歯科大学名誉教授
埴岡 隆

北海道医療大学歯学部教授
三浦 宏子

東北大学大学院教授
小関 健由

日本歯科大学客員教授
明海大学名誉教授
安井 利一

新潟大学大学院教授
大内 章嗣

奥羽大学歯学部教授
廣瀬 公治

日本歯科大学新潟生命歯学部教授
小松﨑 明

大阪歯科大学教授
三宅 達郎

岩手医科大学歯学部教授
岸 光男

日本大学客員教授
尾﨑 哲則

神奈川歯科大学教授
山本 龍生

昭和大学歯学部教授
弘中 祥司

新潟大学大学院教授
小川 祐司

東北大学大学院特任講師
中久木 康一

医歯薬出版株式会社

This book is originally published in Japanese
under the title of :

KOUKUUHOKEN·YOBOUSHIKAGAKU
(Oral Health and Preventive Dentistry)

Editors :
YASUI, Toshikazu et al.
YASUI, Toshikazu
  Professor, Meikai University School of Dentistry

© 2017 1st ed.
© 2023 2nd ed.

ISHIYAKU PUBLISHERS, INC.
  7-10, Honkomagome 1 chome, Bunkyo-ku,
  Tokyo 113-8612, Japan

第2版　序

　本書は2017年2月に第1版を出版してから今年で6年が経過する．歯科医師国家試験出題基準にも変化が出てきた．ご存じのように，歯科医師国家試験は歯科医師法第9条に基づいて，「臨床上必要な歯科医学および口くう衛生に関して，歯科医師として具有すべき知識および技能について」行うとされている．直近の令和5年版歯科医師国家試験出題基準改定において下記4項目については，今後も充実を図り出題を行うと記載されている．すなわち「高齢化等による疾病構造の変化に伴う歯科診療の変化に関する内容」「地域包括ケアシステムの推進や多職種連携等に関する内容」「口腔機能の維持向上や摂食機能障害への歯科診療に関する内容」「医療安全やショック時の対応，職業倫理等に関する内容」である．いずれの項目においても口腔保健・予防歯科学の知識と技能が必要不可欠であることが理解できるであろう．

　元々，歯科医師の任務は歯科医師法第1条に示されている．すなわち「歯科医師は，歯科医療及び保健指導を掌ることによって，公衆衛生の向上及び増進に寄与し，もつて国民の健康な生活を確保するものとする」ということである．「国民の健康な生活を確保する」ためには，国民一人ひとりに対する臨床的なアプローチが必要であるが，一方で，地域や組織的な努力を通じてのアプローチも必要である．言うなれば，「右手に臨床，左手に地域保健」を携えている必要がある．したがって，本書も「口腔保健・予防歯科学」なのである．

　また，視点を変えても，いわゆる政府の「経済財政運営と改革の基本方針2022（骨太の方針2022）」にも記載されている通りに「全身の健康と口腔の健康に関する科学的根拠の集積と国民への適切な情報提供，生涯を通じた歯科健診（いわゆる国民皆歯科健診）の具体的な検討，オーラルフレイル対策・疾病の重症化予防につながる歯科専門職による口腔健康管理の充実，歯科医療職間・医科歯科連携をはじめとする関係職種間・関係機関間の連携，歯科衛生士・歯科技工士の人材確保，歯科技工を含む歯科領域におけるICTの活用を推進し，歯科保健医療提供体制の構築と強化に取り組む．また，市場価格に左右されない歯科用材料の導入を推進する」とされており，少子高齢化，要介護高齢者の増加，地域包括ケアシステムの確立などのわが国を取り巻く環境を見ても口腔保健・予防歯科学を十分に理解できている歯科医師と歯科医療関係者が必要不可欠なのである．特に，歯科保健医療チームを牽引している歯科医師にその知識と実践力が備わっていることは，今後のわが国の歯科保健の基礎基本であるとの認識が必要である．

　本書は，最新のデータを利用して最新の知見をわかりやすく解説することを心がけた．したがって，学生諸氏ばかりでなく地域で活躍する歯科医師の皆様にもおおいに役立つ内容であると自負している．是非，本書を十分に活用して，今後のわが国の歯科保健医療を支えてほしいと願っている．

2023年1月

安井利一　山下喜久
廣瀬公治　小松﨑　明
山本龍生　弘中祥司

序

　本書は，これまで医歯薬出版が発行してきた『新口腔保健学』と『新予防歯科学』を一体化させ，口腔保健分野における新たな時代を見据えて企画された出版物である．

　歯科医師には，歯科医師法第1条にあるように「歯科医療及び保健指導を掌ることによって，公衆衛生の向上及び増進に寄与し，もって国民の健康な生活を確保するものとする」という明確な任務がある．そして，歯科医療は臨床であり，保健指導には患者さんに対する個別で臨床的な保健指導から，学校保健や地域保健のような集団に対する保健指導もある．これらの臨床的な個別支援と集団に対する支援の両方の支援をもって国民の健康な生活を確保するのが歯科医師である．

　『新口腔保健学』と『新予防歯科学』の前身である『口腔保健学』と『予防歯科学』は，それぞれ1996年，1983年に初版本が刊行され，長い歴史の中で改訂を経て，予防臨床と地域保健活動の基礎から応用までを，学修する者にとってわかりやすく記載されてきた．

　しかし，昨今のわが国の口腔保健を取り巻く環境は教育もパラダイムシフトを余儀なくされている．2016（平成28）年9月の総務省発表によると，高齢者人口は3,461万人，総人口に占める割合は27.3%となり，21%（超高齢社会）になって久しい．特に，女性の高齢者割合が30%を超えている．この先も高齢者人口は増加の一途をたどり，2042（平成54）年の約3,900万人でピークを迎えるが，その後も，75歳以上の人口割合は増加し続けることが予想されている．このような状況の中，団塊の世代（約800万人）が75歳以上となる2025（平成37）年以降は，国民の医療・介護の需要がさらに増加することが見込まれており，いわゆる2025年問題に対して，国は「重度な要介護状態となっても住み慣れた地域で自分らしい暮らしを人生の最後まで続けることができるよう，住まい・医療・介護・予防・生活支援が一体的に提供される地域包括ケアシステムの構築」を実現すべく施策を展開している．

　「むし歯の洪水時代」といわれた1970（昭和45）年代から，わずかに40年が経過しただけであるが，歯科保健医療は福祉を含めて，これまで経験したことのない保健医療福祉の一体改革が必要な時代に突入したといえよう．いまや，口腔基礎医学の知識と予防臨床，そして地域保健医療福祉の知識と実践力を有する歯科医師が必要欠くべからざる存在になっている．

　本書は，このような時代において，国民の健康と豊かな生活，そして満足のいく人生に必要な知識と技術を一体化して，現在から未来の歯科医師に届けるべく，多くの専門家の力を結集して作製した教科書であり実用書である．多くの歯科医師が本書によって，来るべき日本社会の中で歯科医師がいかに重要な任務を背負っているのかを認識して活躍していただくことを心から願うものである．

　2017年2月

　　　　　　　　　　　　　　　　　　　　　　　　安井利一　宮﨑秀夫
　　　　　　　　　　　　　　　　　　　　　　　　鶴本明久　川口陽子
　　　　　　　　　　　　　　　　　　　　　　　　山下喜久　廣瀬公治

第1編	口腔保健・予防歯科学総論

第1章 序　論

山下喜久　2

1. 口腔保健・予防歯科学とは　2

1) 口腔保健・予防歯科学の位置づけ　2
2) 口腔保健・予防歯科学の定義　2
3) 口腔保健・予防歯科学の展開　3
4) 口腔保健・予防歯科学の展望　4

2. 健康の概念　6

1) 健康とは　6
2) 疾病予防の概念　7

3. 口腔保健の現状と今後　8

1) プライマリヘルスケア　8
2) ヘルスプロモーション　8
3) ユニバーサル・ヘルス・カバレッジ（UHC）　9
4) 日本の健康政策　9
5) 口腔保健と医の倫理　10

第2章 口腔の組織と発育・機能

於保孝彦　11

1. 口腔の組織と発育　11

1) 口腔の組織　11
2) 口腔の発育　12

2. 口腔の機能　13

1) 摂食嚥下　13
2) 発声と構音　13
3) 表情と審美性　14
4) 味覚　14
5) 唾液の役割　14

第3章 口腔細菌の病原性

吉田明弘　16

1. ペリクル　16

1) ペリクルとは　16
2) ペリクルの構成成分　16
3) ペリクルの生理機能　16

2. 口腔バイオフィルム　18

1) バイオフィルムの定義　18
2) 口腔バイオフィルムと菌体外多糖　18
3) 歯面の口腔バイオフィルムの形成　18
4) 口腔バイオフィルム感染症　19

v

5）マイクロバイオーム ………………………………………………………… 19

3. プラーク …………………………………………………………………………… 20

　　　1）歯肉縁上プラーク ……………………………………………………………… 20
　　　2）歯肉縁下プラーク ……………………………………………………………… 22
　　　3）プラークの形成機序 …………………………………………………………… 23
　　　4）プラークの病原性 ……………………………………………………………… 26

4. 舌　苔 …………………………………………………………………………………… 29

　　　1）舌苔とは ………………………………………………………………………… 29
　　　2）舌苔と口臭 ……………………………………………………………………… 30

5. 歯　石 …………………………………………………………………………………… 30

　　　1）歯肉縁上歯石と歯肉縁下歯石 ………………………………………………… 30
　　　2）歯石の組成 ……………………………………………………………………… 31
　　　3）歯石の形成機序 ………………………………………………………………… 32
　　　4）歯石の病原性 …………………………………………………………………… 32

6. その他の沈着物（歯の着色） ………………………………………………………… 32

　　　1）外因性着色 ……………………………………………………………………… 33
　　　2）内因性着色 ……………………………………………………………………… 34

第4章　齲　蝕　　　　　　　　　　　　　　　　　　　　　　　　　　35

1. 齲蝕の概念 …………………………………………………………………………… 35

　　　1）齲蝕の定義 ……………………………………………………… 安細敏弘　35
　　　2）齲蝕の進行 ……………………………………………………………………… 36
　　　3）齲蝕の病因論 …………………………………………………………………… 37

2. 齲蝕の発生要因 ………………………………………………… 安細敏弘，角田聡子　39

　　　1）齲蝕の発生要因にかかわる変遷 ……………………………………………… 39
　　　2）宿主と歯の要因（宿主要因） ………………………………………………… 39
　　　3）微生物の要因（病原要因） …………………………………………………… 41
　　　4）飲食物の要因（環境要因） …………………………………………………… 41
　　　5）生活環境の要因（環境要因） ………………………………………………… 45

3. フッ化物の応用 ………………………………………………… 友藤孝明，東　哲司　48

　　　1）フッ化物とは …………………………………………………………………… 48
　　　2）フッ化物の歴史 ………………………………………………………………… 48
　　　3）フッ化物応用法 ………………………………………………………………… 48
　　　4）フッ化物による齲蝕予防機序 ………………………………………………… 53
　　　5）フッ化物の代謝 ………………………………………………………………… 55
　　　6）過量フッ化物の為害作用 ……………………………………………………… 55

第5章　歯周病　　　　　　　　　　　　　　　　　　　　　天野敦雄　57

1. 歯周病の定義と分類 ………………………………………………………………… 57

　　　1）歯周病の定義 …………………………………………………………………… 57

vi

2) 歯周病の特徴	58
3) 歯周病の分類	59

2. 歯周病の発症要因 ……………………………………… 63

1) 歯周病発症に関与するプラーク細菌	63
2) 歯周組織とプラークの均衡崩壊	64
3) 歯周組織における免疫応答と炎症反応	65
4) 歯周病の病態を修飾する因子	67
5) 全身の健康への影響	68

第6章　口　臭　　　　　　　　　　　山賀孝之　69

1. 口臭の定義と分類 ……………………………………… 69

1) 口臭の定義	69
2) 口臭の分類	69

2. 真性口臭症の原因 ……………………………………… 71

1) 口腔由来の病的口臭	71
2) 全身由来の病的口臭	71

3. 口臭強度の日内変動 …………………………………… 73

4. 口臭による障害 ………………………………………… 73

1) 対人関係，社会性の障害	73
2) 歯周組織の障害	73

第7章　その他の口腔疾患と予防　　　　75

1. Tooth wear（トゥースウェア）………………… 松本　勝　75

1) 咬耗症	75
2) 摩耗症	75
3) 歯の酸蝕症	75

2. 外　傷 …………………………………………………… 76

1) 口腔外傷の原因	76
2) 口腔外傷の予防とマウスガード	77

3. 口腔粘膜疾患・口腔がん ……………………………… 79

1) 口腔粘膜疾患	79
2) 口腔がん	79

4. 不正咬合 …………………………………………… 於保孝彦　81

1) 不正咬合の種類	81
2) 不正咬合の評価法	81
3) 不正咬合の予防	81

5. 顎関節症 …………………………………………… 松本　勝　82

1) 局所因子	82

2）精神的・社会的因子 ··· 83

第8章　口腔と全身の健康　84

1. ライフスタイルと口腔保健　齋藤俊行　84

1）食生活 ·· 84
2）喫煙 ·· 86
3）飲酒 ·· 87
4）ストレス ·· 88

2. 全身の疾患・異常と口腔保健　嶋﨑義浩　90

1）糖尿病・腎疾患 ··· 90
2）循環器疾患・心疾患 ·· 91
3）メタボリックシンドローム（内臓脂肪症候群） ································· 92
4）呼吸器疾患 ·· 92
5）骨粗鬆症 ·· 93
6）がん ·· 94
7）早産・低体重児出産 ·· 94
8）フレイル，ロコモティブシンドローム ·· 95

第9章　行動科学と健康教育　杉原直樹　97

1. 行動科学　97

1）行動科学の成立 ··· 97
2）口腔保健における行動科学（歯科保健行動） ································· 98
3）保健行動の定義と分類 ··· 98
4）健康行動理論 ·· 99

2. 健康教育　103

1）健康教育の定義 ··· 103
2）健康教育の目的 ··· 103
3）健康教育の要素 ··· 104

第10章　口腔保健と疫学　106

1. 口腔疫学　山下喜久，古田美智子　106

1）疫学の定義と目的 ·· 106
2）疫学研究方法 ·· 106
3）データの種類と分類 ··· 116
4）調査と健康管理のための集団口腔診査 ·· 117
5）口腔診査法 ·· 119
6）EBM（evidence based medicine） ·· 120

2. 口腔保健の指標　竹下　徹　123

1）齲蝕の指標 ·· 123
2）歯周病の指標 ·· 125
3）口腔清掃状態の指標 ·· 130

viii

4) 歯のフッ素症の指標 ………………………………… 134
5) 不正咬合の指標 …………………………………………… 134
6) WHO における自己評価の指標 ……………………… 135

第11章　国民の口腔保健の状況　　　相田　潤　136

1. 口腔保健の統計調査　……………………………………… 136

1) 歯科疾患実態調査 ………………………………………… 137
2) 学校保健統計調査 ………………………………………… 142
3) 患者調査 …………………………………………………… 144
4) 国民生活基礎調査 ………………………………………… 144
5) 国民健康・栄養調査 ……………………………………… 145
6) その他の調査など ………………………………………… 145

第2編　予防歯科臨床

第1章　齲蝕予防　　　148

1. 検査・診断　　　川戸貴行　148

1) リスクの早期発見のための検査・診断 ……………… 148
2) 疾病の早期発見のための検査・診断 ………………… 151

2. 予防・管理　……………………………………………… 152

1) リスクの早期発見後の予防・管理 …………………… 152
2) 疾病の早期発見後の予防・管理 ……………………… 153
3) CAMBRA™　　　竹下　玲　153

3. フッ化物の局所応用　　　有川量崇　155

1) フッ化物の齲蝕予防機序 ……………………………… 155
2) フッ化物の局所応用法 ………………………………… 156

4. 予防填塞（シーラント）　……………………………… 158

1) 材料と術式 ………………………………………………… 158
2) 適応 ………………………………………………………… 158

第2章　歯周病予防　　　伊藤博夫　160

1. 歯周病の検査・診断　…………………………………… 160

1) 基本的な検査 ……………………………………………… 160
2) 先進的な検査 ……………………………………………… 164
3) 歯周病の診断・歯周組織の健康の診断 ……………… 165

2. 歯周病の予防・管理　…………………………………… 166

1) リスクの診断 ……………………………………………… 166
2) リスクの管理（排除・軽減） …………………………… 166

ix

3）歯周病予防の場面 ……………………………………………………… 166

第3章　口臭予防
山本　健，野村義明　167

1. 検査・診断 …………………………………………………………………… 167
　　1）官能検査（OLS） ……………………………………………………… 168
　　2）ガスクロマトグラフィ検査 …………………………………………… 168
　　3）半導体ガスセンサー検査 ……………………………………………… 169
　　4）口臭の測定条件 ………………………………………………………… 169

2. 予防・管理 …………………………………………………………………… 170
　　1）口腔清掃の徹底 ………………………………………………………… 170
　　2）舌苔の制御 ……………………………………………………………… 170
　　3）洗口液などによる口臭予防 …………………………………………… 170
　　4）口腔内の保湿と唾液分泌促進 ………………………………………… 171
　　5）原因となる口腔疾患の治療と不定愁訴への対応 …………………… 171
　　6）医科との連携 …………………………………………………………… 171

第4章　プラークコントロール
森田　学　172

1. プラークコントロールの分類 ……………………………………………… 172
　　1）セルフケア，プロフェッショナルケア，コミュニティケア ……… 173
　　2）機械的プラークコントロールと化学的プラークコントロール …… 173
　　3）歯肉縁上プラークコントロールと歯肉縁下プラークコントロール … 173

2. ブラッシング ………………………………………………………………… 174
　　1）歯ブラシ ………………………………………………………………… 174
　　2）ブラッシング方法 ……………………………………………………… 176

3. 歯間清掃 ……………………………………………………………………… 177
　　1）デンタルフロス ………………………………………………………… 177
　　2）歯間ブラシ ……………………………………………………………… 179
　　3）歯間刺激子 ……………………………………………………………… 180
　　4）口腔洗浄器 ……………………………………………………………… 180

4. プラークコントロールに対する動機づけ ………………………………… 180

5. PTC，PMTC ………………………………………………………………… 181

6. 歯磨剤・洗口液 ……………………………………………………………… 181
　　1）歯磨剤 …………………………………………………………………… 181
　　2）洗口液（洗口剤） ……………………………………………………… 182
　　3）義歯洗浄剤 ……………………………………………………………… 183

第5章　禁煙支援・指導
埴岡　隆　184

1. タバコ使用への介入の背景 ………………………………………………… 184
　　1）喫煙・受動喫煙の健康影響 …………………………………………… 184

2）禁煙介入を行う理由		184
3）歯科で禁煙介入を行う理由		184

2. 禁煙支援・指導の実際 186

1）WHO の簡易的禁煙支援 186
2）喫煙状況の質問（Ask）と禁煙の助言（Advice）..................... 186
3）禁煙の準備状況の評価（Assess）..................... 187
4）禁煙の準備ができていない患者への動機づけ支援 187
5）禁煙を希望する患者への禁煙支援（Assist）..................... 187
6）禁煙した患者に対する支援と調整（Arrange）..................... 189
7）非喫煙患者に対する受動喫煙を避ける支援 189
8）加熱式タバコへの対応 190

第6章　栄養・食生活指導　　　　　三浦宏子　191

1. 栄養・食生活に関する健康課題と施策 191

2. 食生活指針と食事バランスガイド 192

3. 食事摂取基準 193

1）エネルギーの指標 193
2）栄養素の指標 193
3）2020 年版食事摂取基準の特色 193

4. 歯科における食生活指導 194

1）齲蝕の予防・管理における食生活指導と代用甘味料 194
2）保健機能食品・特別用途食品を活用した食生活指導 194

5. 食育と歯科保健 196

6. 栄養サポートチーム（NST）における歯科の役割 196

第7章　高齢者・有病者の口腔健康管理　　　　　小関健由　197

1. 口腔健康管理の定義 197

1）口腔へのかかわりと口腔のケア 197
2）口腔健康管理 197

2. 口腔機能向上支援 198

1）口腔の健康とフレイル対策 198
2）口腔機能向上プログラム 198

3. 訪問指導 199

1）訪問指導時のチーム医療 199
2）在宅訪問指導時の留意点 199
3）施設訪問指導時の留意点 200

4. 摂食嚥下指導 200

5. 周術期等の口腔健康管理 ………………………… 201

1) 周術期等における口腔健康管理の意義 ……………… 201
2) 医科処置に対応した口腔健康管理の留意点 ………… 201
3) 周術期の口腔健康管理の支援計画の策定 …………… 202

第3編　地域口腔保健

第1章　地域口腔保健序論　　204

1. 地域保健の概要 ………………………… 安井利一　204

1) 地域保健の概念 …………………………………………… 204
2) 地域社会と地域での生活 ……………………………… 205
3) 地域保健に関する法律 ………………………………… 206
4) 地域保健に関係する組織 ……………………………… 207
5) 地域保健の関係職種 …………………………………… 208

2. 健康増進法と国民健康づくり ……………… 大内章嗣　209

1) 地域保健の増進 …………………………………………… 209
2) 地域と学校，職場との連携 …………………………… 209
3) 健康づくり対策の沿革 ………………………………… 210
4) 健康増進法と健康日本 21 ……………………………… 211
5) 8020 運動と「歯・口腔の健康」 ……………………… 214
6) 歯科口腔保健の推進に関する法律（歯科口腔保健法） … 216

3. 地域口腔保健活動の進め方 ………………………… 218

1) 活動の場 …………………………………………………… 218
2) 地域口腔保健活動を進める際の基本的考え方 ……… 219
3) 地域診断 …………………………………………………… 219
4) 活動計画の立案と実践 ………………………………… 220
5) 活動の実践と評価 ……………………………………… 221
6) 個人情報の保護 ………………………………………… 221

4. 地域活動と口腔保健医療 …………………………… 222

1) 地域口腔保健をめぐる諸問題 ………………………… 222
2) 地域と歯科医療施設の連携 …………………………… 223
3) 生涯を通じた口腔保健管理とかかりつけ歯科医の役割 … 223

第2章　母子の口腔保健　　225

1. 母子保健の概要 ………………………… 廣瀬公治　225

1) 母子保健の意義 …………………………………………… 225
2) 母子保健に関する法律 ………………………………… 228
3) 母子保健事業 …………………………………………… 230

2. 妊産婦の口腔保健 …………………………………… 232

1) 口腔の特徴 ………………………………………………… 232

2）妊産婦に対する口腔保健管理と指導 ·········· 233

3. 乳幼児の口腔保健　　　　　　　　　　小松﨑　明　235

1）乳幼児口腔保健の現状と目標 ·········· 235
2）歯と口腔の疾病・異常 ·········· 236
3）乳児期の口腔保健指導 ·········· 237
4）1歳6か月児歯科健康診査 ·········· 237
5）3歳児歯科健康診査 ·········· 240
6）4，5歳児の口腔保健 ·········· 243
7）児童虐待と歯科医療 ·········· 243

第3章　学校での口腔保健　　　　　　三宅達郎　245

1. 学校保健の概要　　　　　　　　　　　　　　　245

1）学校保健の意義と領域 ·········· 245
2）学校保健の現状 ·········· 246
3）学校保健関連法規 ·········· 248
4）学校保健関係者 ·········· 249

2. 学校歯科保健教育　　　　　　　　　　　　　250

1）歯・口の健康づくり ·········· 250
2）学校歯科保健の現状 ·········· 252

3. 学校歯科医と学校歯科保健管理　　　　　　255

1）学校歯科医の職務 ·········· 255
2）歯・口腔の健康診断 ·········· 255
3）健康相談，保健指導 ·········· 261
4）学校安全対策 ·········· 263
5）その他の保健管理 ·········· 264

第4章　成人の口腔保健　　　　　　　　岸　光男　265

1. 成人保健の概要　　　　　　　　　　　　　　265

1）成人保健の特徴 ·········· 265
2）成人保健に関連する法律 ·········· 266
3）成人保健の実態 ·········· 267

2. 成人の口腔保健の概要　　　　　　　　　　271

1）成人の口腔の特徴 ·········· 271
2）成人の口腔保健状況の特徴 ·········· 271
3）成人の口腔保健事業 ·········· 272

第5章　職域での口腔保健　　　　　　　尾﨑哲則　274

1. 産業保健の概要　　　　　　　　　　　　　　274

1）産業保健の現状 ·········· 274
2）産業保健活動 ·········· 277

xiii

2. 職場における口腔保健 283

1) 歯科医師による健康診断 283
2) 健康保持増進対策での口腔保健 283
3) 職場での口腔保健管理 284

3. 口腔にみられる職業性疾患 284

1) 歯の酸蝕症 285
2) 黄色環（カドミウムリング） 286
3) 摩耗症 286
4) いわゆる菓子屋齲蝕 286

第6章 高齢者の口腔保健 山本龍生 287

1. 高齢者保健の概要 287

1) 高齢者保健の特徴 287
2) 高齢者保健に関する法律 289
3) 高齢者保健の実態 289
4) 地域包括ケアシステム 289

2. 高齢者の口腔保健の概要 290

1) 高齢者の口腔の特徴 290
2) 高齢者の口腔保健状況の特徴 291
3) 高齢者の口腔保健事業 291

第7章 障害児・者の口腔保健 弘中祥司 296

1. 障害の概念 296

1) 法と障害のとらえ方 296
2) 口腔保健の現状と今後 297

2. 障害者の口腔保健上の特性 298

1) 歯科治療の困難性 298
2) 歯科保健指導，管理とその困難性 299
3) 障害者の特性 301

第4編 国際口腔保健と災害時口腔保健

第1章 国際口腔保健 小川祐司 306

1. 国際協力 306

2. 国際協力機関 306

1) 世界保健機関（WHO） 306
2) 政府援助機関 307
3) 非政府機関（NGO/NPO） 307

3. 国際保健 308

 1）開発途上国における健康問題 308
 2）日本における保健問題 308
 3）開発途上国に必要な口腔保健 308

4. 世界の口腔保健状況と口腔保健従事者 309

 1）口腔保健状況の国際比較 309
 2）歯科医師数の国際比較 310
 3）WHO STEPwise によるサーベイランス 310

5. 国際口腔保健の推進 311

 1）WHO 口腔保健決議 311
 2）WHO 世界口腔保健戦略 312
 3）今後の動き 313

第2章　災害時の口腔保健
中久木康一　314

1. 災害時における医療救護・保健医療体制 314

2. 災害時の歯科医師の責務 314

3. 災害時の歯科の役割 315

4. フェーズごとの歯科保健医療対策 315

5. 多職種連携とコーディネーターの役割 316

6. 災害時における地域歯科保健体制の継続 318

 本書で使用した英語略称 319
 文　献 322
 索　引 334

XV

第1編

口腔保健・予防歯科学総論

第1編　口腔保健・予防歯科学総論

第1章　序論

本章の要点

・口腔保健・予防歯科学は，社会系歯科医学領域に分類される国民の健康な生活の確保を目指す科学と技術を取り扱う学問である．
・その活動には，地域で集団を対象とする展開と診療室で個人を対象とする展開がある．
・口腔疾患とNCDsは相互に発症や進行に影響する．
・口腔疾患とNCDsの予防は，共通するリスクファクターの改善によってはかられる．
・口腔保健の推進には医の倫理を考慮する必要がある．

Keywords　社会系歯科医学領域，口腔衛生学，健康の概念，予防の概念，プライマリヘルスケア，ヘルスプロモーション，ユニバーサル・ヘルス・カバレッジ，共通リスクファクター，医の倫理

1　口腔保健・予防歯科学とは

1）口腔保健・予防歯科学の位置づけ

　歯科医学は基礎歯科医学と臨床歯科医学に大別される．歯科医学教授要綱平成19年改訂版では，歯科医師養成に必要な教育領域を基礎系歯科医学領域，臨床系歯科医学領域のほかに社会系歯科医学領域，総合医学系領域を加えた4つに分類している．本書では，これらの4つの教育領域の中でも社会系歯科医学領域に分類される社会歯科・口腔衛生学分野，障害者歯科分野，高齢者歯科分野および歯科医療統計学分野を取り扱う．口腔衛生学は，歯科医師法第9条に「歯科医師国家試験は，臨床上必要な歯科医学及び口くう衛生に関して，歯科医師として具有すべき知識及び技能について，これを行う」とあり，基礎と臨床の垣根を越えた概念で歯科医師として身につけるべき知識と技能である．まずはじめに口腔衛生学を根幹とする口腔保健・予防歯科学の位置づけを理解することが大切である．

2）口腔保健・予防歯科学の定義

　口腔保健学および予防歯科学は，口腔の保健と口腔疾患の予防を介して正常な口腔の形態・機能の保持ならびに口腔の健康増進を積極的にはかることで，公衆衛生の向上と増進に寄与して，国民の健康な生活の確保を目指す科学と技術を取り扱う学問である．その目的の達成には，実験医学的手法，臨床歯科医学的手法が不可欠である．さらにヒト集団を対象とした統計解析による疫学的手法や疫学的手法で得られた情報を実社会に応用するための健康情報科学や行動科学手法に加えて，保健政策学および社会科学的手法が必要となる．
　地域集団を対象とする口腔保健と口腔疾患の予防が地域口腔保健活動であり，個人を対象とする場合は予防歯科臨床として実践される（図1-1）．いずれも国民の健康な生活の確保を目指すという基本的な考えは同じであるが，前者は保健，後者は医療としての意味合いが

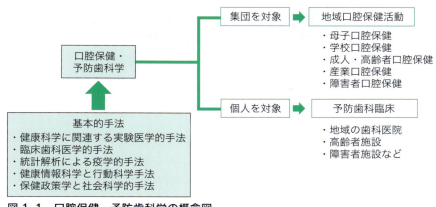

図 1-1　口腔保健・予防歯科学の概念図

強いため，両者を同じ概念でとらえることは必ずしも容易ではない．この点を踏まえて，本書では「地域口腔保健」と「予防歯科臨床」の2つの観点から口腔保健・予防歯科学を論じている．

3）口腔保健・予防歯科学の展開

　医学では疾病予防に関する科学的手法は19世紀に入り衛生学として急速に発展した．感染症の原因となる病原性細菌の発見とその分離は疾病の治療だけにとどまらず，その予防対策を科学的に講じるうえできわめて有用であった．東京帝国大学に日本で初めて開設された衛生学教室の初代教授はベルリン大学で細菌学を学んだ緒方であったことからもそのことがうかがえる．しかし，人類の脅威はやがて細菌感染症からウイルス感染症，悪性新生物，生活習慣病，公害などの環境問題へと変遷して，疾病構造は大きく変貌した．それに伴い衛生学の学問領域はいまや細菌学やウイルス学だけにとどまらず，幅広い分野に大きく広がっている．

　一方で，口腔疾患の疾病構造は過去100年以上大きな変化はなく，齲蝕 caries と歯周病 periodontal diseases が2大疾患のままである．過去の膨大な研究から，特定の口腔細菌種が齲蝕と歯周病の直接の原因となっていることは明らかにされてきたが，口腔には膨大な種類と量の常在細菌が生息することから，従来の感染症のようにワクチンや抗菌薬によってこれらの口腔疾患を制御することは容易ではない．最近では次世代シーケンサーを使って膨大な種類の細菌を網羅的に解析できるようになり，腸内細菌や皮膚の細菌叢の研究が急速に進展している．その結果，常在細菌叢のバランスが乱れた dysbiosis（☞ p.65参照）が腸管や皮膚の疾病に関与していることが明らかにされてきており，齲蝕や歯周病などの予防を介した口腔健康管理にも新しい概念が生まれ，その手法にも新たな兆しがみえ始めている．

　しかし現状では，臨床的効果が明らかな口腔疾患の予防手段はそれほど多くはない．ショ糖の摂取が齲蝕発症に関連することは疫学ならびに動物実験において解明された数少ない齲蝕の因果関係の1つであり，口腔保健指導に食生活や栄養指導が欠かせないことを示唆している．また，ショ糖に代わる齲蝕誘発性が低い，あるいはない代替甘味料の開発などにつながり，齲蝕予防に大きな貢献を果たしてきた．統計学解析手法を駆使した疫学により，歯の

第 1 編　口腔保健・予防歯科学総論

形成異常と齲蝕低感受性との関係を飲料水中のフッ化物の存在に着目して解明し，さらにフッ化物を用いた齲蝕予防法の開発に結びつけた成果は，口腔保健・予防歯科学の輝かしい功績である．その後，フッ化物は全身応用だけでなく，局所応用でも齲蝕を抑制できることが明らかとなり，フッ化物によるさまざまな齲蝕予防法が開発されてきた．ショ糖の摂取制限とフッ化物の応用によって，多くの先進諸国で齲蝕は大きく減少し，齲蝕の一次予防の有効性が確認されていることから，今後のさらなる一次予防の進展が期待される．

　歯周病については，ヒトを用いた実験的歯周病の研究結果から，歯肉炎が口腔清掃によって健康な歯肉を取り戻せる可逆的な疾病であると理解されている．すなわち，歯周病の早期段階で適切な口腔清掃を実施すれば，歯周病の進行を抑えるだけでなく，健康な歯周組織を回復することができるが，これは早期発見・早期治療による二次予防にほかならない．現状では，歯周病の発症を未然に抑える一次予防は，セルフケアによる徹底した口腔清掃に限られるが，専門知識を欠いた我流のセルフケアによって複雑で個体差が大きな口腔内の清掃を完結することはきわめて困難である．そこで必要となるのが，セルフケアによる一次予防を歯科専門職によるプロフェッショナルケアで支えることである．プロフェッショナルケアと聞くと歯科専門職が実施する口腔清掃だけ意味すると考えられがちであるが，歯科専門職による適切なセルフケアの指導もその重要な要素であることを忘れてはならない．

　一次予防に主眼を置いた齲蝕予防と一次予防と二次予防のコンビネーションが重要な歯周病予防を含めた口腔疾患の疾病予防対策においては，その予防効果を高めるために集団すべてに幅広く応用するポピュレーションアプローチと疾病リスクの高い群に集中的に応用するハイリスクアプローチをうまく組み合わせて実施しなくてはならない（**図 1-2**，**表 1-1**）．さらに，健康社会の実現にあたっては単に疾病にならないという消極的な考えではなく，積極的に健康を進展させるヘルスプロモーションを重視する概念が広がっている．

　21 世紀に入り，口腔保健の推進を含めた疾病予防と健康増進の実行性を高めるための法律や条令が整備され，社会基盤の整備も含めて疾病から身体を守るというだけにとどまらず，国民自らの健康づくりへの積極的な働きかけへの重要性がますます高まっている．また，口腔の健康が非感染性疾患 non communicable diseases（NCDs）を中心とした全身疾患に少なからず影響することや，口腔と全身の健康のリスクの多くが共通していることが明らかとなっており（**表 1-2**），口腔の機能を含めた健康の維持向上は，長寿社会において国民の幸福な生活を支える基盤であることを理解する必要がある．

4）口腔保健・予防歯科学の展望

　齲蝕予防に関しては前述のような一次予防の効果が功を奏し，多くの先進国では過去の齲蝕蔓延時代を脱却して齲蝕が減少する傾向にあり，日本の若年者の齲蝕も平成の 30 年間に急激に減少した．その一方で，開発途上国では，今後の社会経済の発展に伴う食生活の変化によって過去に先進国が経験してきた齲蝕蔓延時代を再来させることが危惧されている．日本をはじめとした先進諸国がとってきた適切な齲蝕予防対策を未然に講じることで，齲蝕蔓延時代を繰り返すことなく，社会経済の発展と良好な口腔の健康状況を両立させることができると考えられる．先進諸国の教訓をもとにして開発途上国における齲蝕の予防対策を講じ

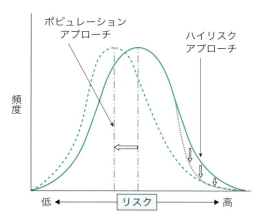

図1-2 ポピュレーションアプローチとハイリスクアプローチ

ポピュレーションアプローチは集団全体を対象としてリスクを低減させる方略であり，ハイリスクアプローチはリスクの高い集団に対象を絞って選択的・集中的にリスク対策を行う方略である．健康対策における両アプローチは対象となる疾病の有病率や原因によってその効果は異なるが，表1-1にあるようにそれぞれには一長一短があること理解したうえで，両アプローチを両輪としたリスク対策をとることで最大の効果が発揮される．

表1-1 ポピュレーションアプローチとハイリスクアプローチの利点と欠点

	ポピュレーションアプローチ	ハイリスクアプローチ
利点	・集団全体に効果が及ぶ． ・抜本的な対策となる．集団全体での発症者の減少効果が大きい． ・社会規範を変える場合に適している．	・個人に適した介入が可能である． ・介入内容が個人に適しているため，強い動機が得られる．介入する側も強い動機となる． ・対象を絞ることができるため，費用対効果に優れている．
欠点	・個人に対しての効果が小さい． ・個人や介入側の動機は弱くなる．	・対象者のスクリーニングが難しく，費用がかかることがある． ・効果は一時的で，限定的である． ・集団全体への波及効果が小さい．

(Rose G：1985[7]を改変)

表1-2 NCDsと口腔疾患の共通リスクファクターの概念

疾病・健康	健康のリスクファクター				
	喫煙	食事（糖摂取）	運動	飲酒	社会的決定要因
がん	○	○	○	○	○
循環器疾患	○	○	○	○	○
糖尿病	○	○	○	○	○
COPD	○				○
口腔の健康	○	○	○	○	○

(文献[8]を参考に健康日本21（第2次）の推進に関する参考資料[9]中の図を改変)

ることは，口腔保健・予防歯科学におけるこれからの国際協力の重要な事業の1つである．

先進諸国の平均寿命は年々延伸しており，日本もその例外ではない．加齢とともに歯を失う傾向にあり，齲蝕と歯周病の最終的な帰結は歯の喪失であることを考えると，口腔保健をおろそかにすれば平均寿命の延伸とともに無歯顎高齢者の割合はさらに増加する．日本では1989年に80歳で20歯以上を残すことを目標に掲げた「8020（ハチマルニイマル）運動」が始まり，当時の8020達成者はわずかに10％以下であったが，2016年の歯科疾患実態調査では8020達成者は50％を超しており，達成者のこれまでの増加率が継続すれば，20年後の2036年には日本人の100％が8020を達成すると予測されている．あくまで机上の空論ではあるが，前述のような齲蝕の減少も8020達成者の増加に貢献してきたと考えられる．

第1編　口腔保健・予防歯科学総論

しかしその一方で，過去の歯科疾患実態調査結果をみると，歯周病に関しては齲蝕のような明確な減少はみられておらず，75歳以上ではむしろ顕著に増加している．その1つの原因として，8020達成者が増加して歯周病に感受性が高い高齢者に多くの歯が残ったことがある．すなわち，高齢者に多くの歯が残ることは口腔保健の向上の結果として望ましいことであるに違いはないが，その一方で平均寿命の延伸による高齢者の増加と相まって歯周病の有病率が今後大きく増加することが危惧される．

このような状況を踏まえて，日本口腔衛生学会では2018年に「健康な歯とともに健やかに生きる―生涯28を達成できる社会の実現を目指す―」を学会声明として採択し，これからの口腔保健・予防歯科学が目指す新しい概念を社会に提唱した．32歯の永久歯から智歯を除いた機能的な永久歯が28歯であることを考えると，8020運動では8本の機能歯を失うことを目標として掲げているともいえる．しかし，齲蝕や歯周病が予防可能な疾患であることを考えると，はじめから8歯を失う前提は，ある意味でネガティブな健康目標であり，ヘルスプロモーションという前向きな健康づくりの概念とは相容れない．「生涯28」の真の目標は歯を無理に残すことではなく，早い段階から口腔保健・予防歯科に国民を目覚めさせ，プロフェッショナルケアに支えられたセルフケアによって生涯健康な歯と歯周組織を維持して，結果として28歯の機能的な永久歯を維持したまま生涯を全うすることである．その理想に近づくための社会制度の構築は，口腔保健・予防歯科学においてすぐにも取り組むべき課題であり，さらにはその制度の実現をより容易にするための技術の開発は，将来を見据えて取り組むべきこれからの課題である．

2 健康の概念

1）健康とは

健康の定義にはさまざまあるが，1946年に世界保健機関（WHO）憲章に制定された「健康とは，肉体的，精神的および社会的に完全に良好な状態であり，単に病気や脆弱でないということではない．（Health is a state of complete physical, mental and social well-being, not merely the absence of disease or infirmity）」の定義が専門分野では広く受け入れられている．しかし，広辞苑には「健康：身体に悪いところがなく心身がすこやかなこと．また，病気の有無に関する身体の状態」とある．すなわち，一般には病気との対比で健康がとらえられており，「病気や脆弱でない」ことが健康の定義として用いられる傾向にある．しかし，健康には社会的に完全に良好な状態が必要という点では，個人が社会と接するうえで口腔機能が発揮する発音，咀嚼・嚥下さらには審美性の役割は大きい．また，口腔領域の知覚は他の部位に比較してきわめて鋭敏であり，口腔領域に生じた機能や形態の異常は大きな不快感を生じて精神状態に大きな影響を及ぼすことを考えると，口腔の健康が「WHOが定義する健康」にきわめて重要である．

日本においては，日本国憲法第25条に「すべて国民は，健康で文化的な最低限度の生活を営む権利を有する．国は，すべての生活部面について，社会福祉，社会保障及び公衆衛生の向上及び増進に努めなければならない」とあり，国が保障する生存権に健康を含めてい

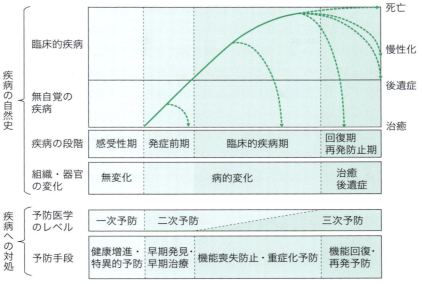

図 1-3 疾病の自然史，健康のレベルと予防手段
(Leavell HR, Clark EG:1965[10] を改変)

表 1-3 口腔保健医療における一次，二次，三次予防の例

一次予防	二次予防	三次予防
①健康増進 ・健康教育・健康相談 ・栄養・食事指導 ・禁煙指導 ・感受性期の口腔清掃指導 ②特異的予防 ・フッ化物の全身応用 ・フッ化物の局所応用 ・ショ糖制限の食事指導 ・代替甘味料の食事指導 ・感受性期のスケーリング ・医薬部外品の薬用成分配合歯磨剤の使用	③早期発見・早期治療 ・健康診査・精密検査 ・フッ化ジアンミン銀塗布 ・初期齲蝕の再石灰化療法 ・齲蝕のレジン充填 ・歯肉炎に対する口腔清掃指導 ・軽度歯周病に対する歯周基本治療（スケーリング，ルートプレーニング，口腔清掃指導など） ④機能喪失防止（重症化予防） ・主訴に対する歯科疾患の一般的治療（修復治療，歯内療法，歯周外科治療，抜歯など）	⑤機能回復（リハビリテーション） ⑥再発防止 ・欠損歯の補綴治療（義歯・ブリッジなど） ・インプラント補綴 ・摂食嚥下リハビリテーション ・再発防止を目的とした口腔衛生管理

(末高ほか編：2009[11] を改変)

る．また，歯科医師法第1条には「歯科医師は，歯科医療及び保健指導を掌ることによって，公衆衛生の向上及び増進に寄与し，もって国民の健康な生活を確保するものとする」とあり，歯科専門職として歯科医師が口腔保健の維持・向上に努めるべきことが明記されている．

2）疾病予防の概念

　一般的に予防といえば疾病がない健康な段階で行う疾病予防を意味する．しかし，LeavellとClarkは予防をより幅広い概念でとらえて疾病の自然史に沿った一次，二次，三次の予防の概念を提唱した（**図 1-3**）．**表 1-3**の例でみると，一次予防は，疾病のない段階で行う文字通りの予防であり，生活環境の改善，健康教育，生活習慣の改善などにより健康

第1編　口腔保健・予防歯科学総論

状態をより良好にすることで非特異的に疾病を予防する「①健康増進」と，ワクチンの予防接種のような特定の疾病を対象とする「②特異的予防」からなる．二次予防は，疾病を多くは自覚症状のない段階で定期的な健康診断などで早期に発見して早期治療で対処する「③早期発見・早期治療」である．三次予防は疾病の治療の過程で保健指導やリハビリテーションなどによる「⑤機能回復」があるが，治癒後の「⑥再発防止」も三次予防とする考え方も最近では受け入れられている．ここで問題となるのは「④機能喪失防止（重症化予防）」である．引用する原著の版や対象とする疾患の違いによって，「④機能喪失防止（重症化予防）」を二次予防とするものと三次予防とする書物があり，その理解に混乱がある．疾病の自然史から考えると，症状はあるが自覚症状のない段階で行う処置を二次予防とし，自覚症状が現れて以降の処置を三次予防とすれば，「④機能喪失防止（重症化予防）」は三次予防とするほうがわかりやすい．しかし，「④（重症化予防）」の意味から考えれば，早期治療も「④（重症化予防）」の1つであり，二次予防とする考え方も否定できない．本書では「④機能喪失防止（重症化予防）」を二次予防と三次予防のいずれにも分類できるとする考え方に立って，**図 1-3** と**表 1-3** を示す．

3　口腔保健の現状と今後

1）プライマリヘルスケア

　WHO は開発途上国での保健医療活動を考慮した「2000 年までにすべてのヒトの健康（Health for all by the year 2000）」を基本目標とした戦略を 1977 年に設定し，翌年 1978 年にアルマ・アタ宣言として，世界中のすべての人々の健康を守り促進するプライマリヘルスケア primary health care（PHC）の根幹となる概念を表出した．プライマリヘルスケアは，健康を基本的人権として，その過程において住民の主体的参加や自己決定権を保障する理念であり，そのために地域住民が最も重要とするニーズに対応し，住民自らの力で総合的にかつ平等に問題を解決していく方法論およびアプローチであり，地域住民が最初に受ける保健医療サービスとなる．そのため，地域住民の自律・自決の精神に基づき，住民参加の考え方が盛り込まれることが重要である．

2）ヘルスプロモーション

　かつて人類にとって生命を脅かす長年の脅威は感染症であり，感染症対策が過去の保健対策の最重要課題であった．しかし，先進国の多くでは，疾病構造が大きく変化して死亡原因の多くを NCDs が占めるようになっており，そのような変化に対応した保健対策の必要性が生まれてきた．そこで，WHO は 1986 年にオタワでヘルスプロモーション health promotion を主題とした第 1 回の国際会議を開催し，その成果をオタワ憲章としてまとめた．ヘルスプロモーションは「自らの健康を決定づける要因を自らよりよくコントロールできるようにしていくこと」と定義されており，自己決定要因が大きく影響する NCDs への対策には不可欠な概念である．2005 年のバンコク憲章でも再提唱され，後述する近年の日本の健康政策においても重要な考え方となっている．

3）ユニバーサル・ヘルス・カバレッジ（UHC）

ユニバーサル・ヘルス・カバレッジ universal health coverage（UHC）とは，すべての人が適切な予防，治療，リハビリなどの保健医療サービスを支払い可能な費用で受けられる状態をいう．WHO は 2021 年に口腔健康に関する報告書「2030 年に向けた UHC と NCDs 対策の一環として，よりよい口腔保健を達成する」を議決し，口腔の健康格差の是正を目指す必要性を説いている．口腔保健に関する歴史的決議として評価する声もあるが，日本においては 1965 年に始まった国民皆保険医療制度にほとんどの歯科医療が組み込まれており，口腔保健の UHC の歴史は半世紀を過ぎている．さらに，2000 年に始まった健康日本 21（第一次）ですでに NCDs 対策として口腔の健康が取り上げられており，2013 年からの健康日本 21（第二次）では健康格差の縮小が目標となっているなど，日本の口腔健康政策は世界の最先端にある．しかしながら，実際の口腔の健康状況は必ずしも世界のトップクラスとはいえず，歯科医療だけに偏った政策では口腔保健の向上が難しいことを示している．今後日本の歯科保健政策では UHC の概念を医療から保健に広げることが望まれる．

4）日本の健康政策

1964 年に開催された東京オリンピックが契機となり，同年 12 月に保健・栄養の改善，体育・スポーツ・レクリエーションの普及，強靱な精神力の養育を 3 本柱とした「国民の健康・体力増強対策について」が閣議決定された．さらに 1978 年からはヘルスプロモーションを基軸にして，生涯を通じた健康づくりの推進，健康づくりの基盤整備，健康づくりの啓発普及推進に重点を置いた第 1 次国民健康づくり対策が展開された．1988 年からは平均寿命が 80 歳を超えたことから 80 歳でも自立できるという趣旨で「アクティブ 80 ヘルスプラン」の名のもとに第 2 次国民健康づくり対策が始まった．第 2 次国民健康づくり対策ではそれまで遅れていた運動面からの健康づくりに力を入れて運動指導者の養成が重視された．

2000 年に入り，第 3 次国民健康づくり対策となる 21 世紀における国民健康づくり運動「健康日本 21（第一次）」が 2010 年の到達目標を掲げて開始された．課題としては糖尿病，循環器病，がんなどの生活習慣病に関連する 9 分野が選定され，一次予防の重視，健康づくり支援のための環境整備，具体的な目標値の設定・評価および多様な実施主体間の連携がはかられた．9 分野の課題には「歯の健康」があり，口腔保健・予防歯科学の分野が生活習慣病対策を主体とした国民の健康づくりに果たす役割が明確に位置づけられた意義は大きい．

2003 年には「健康日本 21」を積極的に推進する法的な基盤として健康増進法が施行された．また，2007 年からの省庁を横断した 10 か年の健康戦略である「新健康フロンティア戦略」が出されたが，ここでも「健康日本 21」と同様に歯の健康力が課題として取り上げられており，日本の健康政策における口腔保健の重要性が再確認されている．

2022 年に終了した「健康日本 21（第二次）」の目標達成の評価が行われた後，2024 年に開始される「健康日本 21（第三次）」は①健康寿命の延伸と健康格差の縮小，②個人の行動と健康状態の改善，③社会環境の質の向上，④ライフコースアプローチを踏まえた健康づくりの 4 つを基本的な目標としている．第二次では栄養・食生活，身体活動・運動，休養，飲

第1編　口腔保健・予防歯科学総論

酒，喫煙および歯・口腔の健康に関する生活習慣と社会環境の改善が5つ目の基本目標となっていたが，第三次ではこれらの各論は②個人の行動と健康状態の改善の中に設定されている．第一次と第二次の健康日本21に引き続き，第三次においても歯・口腔の健康が国民の健康づくりに重要であることが厚生労働政策として位置付けられている意義は大きい．しかし，第一次では生活習慣病の問題としてとらえられていた歯・口腔の健康が，第二次と第三次では生活習慣の問題とされた点で口腔疾患の重要性が軽んじられた感は否めない．口腔保健・予防歯科学の重要性をさらに社会に広めていく必要がある．

5）口腔保健と医の倫理

　口腔疾患の治療行為のみならず人を対象とする予防行為や口腔保健・予防歯科学の推進を目指す疫学研究を実施するにあたり，医の倫理に配慮する必要がある．古来より医師としての職業倫理には患者の利益優先や患者情報の守秘義務などを説いたヒポクラテスの誓いがある．近代医療における倫理規範は，1948年に医師の倫理規定を定めたジュネーブ宣言で合意された．しかし，当時の医師と患者の関係を反映して，患者は治療の客体であり治療におけるすべての決定権は医師にあることが前提とされ，ヒポクラテスの誓いと同様にパターナリズムから脱却できていなかった．医療が高度化して臓器移植が可能となると，より新鮮な臓器を得るためドナーの客観的な死の定義が問題となることで，脳死の判定に関するシドニー宣言（1968年）が採択された．その後，良質な医療を受けること，担当医師や病院を選択・変更すること，他の医師の意見（セカンドオピニオン）を求めることなど，医療を受ける患者の権利が1981年のリスボン宣言（2005年に最終改正）で明記された．

　一方で，医学の進歩や発展には新規の薬剤や医療機器の開発が不可欠であり，そのためには最終段階で人を対象とした臨床研究を避けては通れない．第二次世界大戦中には凄惨な人体実験が実施され，その反省をもとに人を対象とした医学実験に関するニュルンベルグ綱領が1947年に定められた．この綱領では，①被験者への十分な説明と自由意志に基づく同意（インフォームド・コンセント）が不可欠であること，②同意はいつでも取り下げることができること，③他の研究手法では社会的利益に結びつく利益が得られないこと，④過去の実験結果や疾病に関する情報に基づいて安全に配慮されて計画されていること，⑤危険性が得られる社会的利益を超えていないこと，などの取り決めがなされた．さらに，1964年にはヘルシンキ宣言（2013年に最終改正）が決議され，人を対象とした医学研究の倫理原則が見直されている．

　その後，日本でも独自にさまざまな倫理規定が定められている（☞ p.115参照）．

（山下喜久）

第1編　口腔保健・予防歯科学総論

第2章　口腔の組織と発育・機能

- 口腔は顎顔面の一部であり，構成要素として歯，歯周組織，舌，頰，口唇からなる．
- 乳歯列は3歳頃，永久歯列（第三大臼歯を除く）は11〜14歳頃に完成する．
- 歯の萌出と顎骨の成長は密接に関連している．
- 口腔の機能として，摂食嚥下，発声と構音，表情の創出，審美性の維持，味覚がある．
- 唾液はさまざまな作用を有し，口腔の機能を支えている．

Keywords　歯，歯周組織，舌，唾液，歯の萌出と交換，顎顔面の成長，摂食嚥下，味覚，発声と構音，唾液の作用，表情，審美性

1　口腔の組織と発育

1）口腔の組織

（1）歯

　歯冠部および歯根部の外表層は，それぞれエナメル質，セメント質で覆われ，その下層は象牙質からなる．エナメル質の組成の95％はハイドロキシアパタイトを主体とした無機質であり，5％は有機質と水である．エナメル質にはエナメル象牙境から表面に向かってエナメル小柱が走行し，小柱間あるいは小柱を構成する結晶間に存在する空隙は，酸やミネラルの通路となり脱灰や再石灰化を生じる．萌出直後のエナメル質は，唾液中のミネラルを取り込んで徐々に石灰化が進む（萌出後エナメル質成熟）．このことは，萌出直後の歯は十分に石灰化しておらず，齲蝕感受性が高いことの説明となる．象牙質の組成の70％はハイドロキシアパタイトを主体とした無機質であり，30％は有機質と水である．主な有機質はⅠ型コラーゲンである．象牙細管が口腔内に開口すると，刺激感受性が高まり知覚過敏を生じる．

（2）歯周組織

　歯肉，歯根膜，セメント質，歯槽骨は歯周組織を構成し，歯を支持する．歯肉には微小血管が走行しており，組織への栄養源，抗菌因子，免疫因子を供給し歯周組織の健康に寄与している．歯根膜は歯根の部位によって走行を変えながら歯槽骨とセメント質を連結することで咬合圧の緩衝を担っている．

（3）舌

　舌はさまざまな方向に走行する筋からなる．摂食嚥下や発音時に重要な役割を担い，また摂食後には自浄作用にも寄与する．舌表面には4種類の乳頭（糸状乳頭，茸状乳頭，葉状乳頭および有郭乳頭）が存在する．糸状乳頭以外の乳頭に存在する味蕾は，味覚の受容器として働く．

第1編　口腔保健・予防歯科学総論

（4）唾液

　口腔内には常に唾液が分泌され，摂食・咀嚼・嚥下の過程において重要な役割を果たしている．唾液は耳下腺，顎下腺，舌下腺の三大唾液腺と，舌や口腔粘膜に存在する小唾液腺（舌腺，頰腺，口唇腺，口蓋腺，臼歯腺）から分泌される．その量は1日約1.0〜1.5Lといわれており，睡眠中は減少し，昼間，特に摂食時には増加する．唾液腺の腺細胞には漿液細胞と粘液細胞があり，耳下腺は漿液腺で，顎下腺と舌下腺は両方の細胞が混じった混合腺である．小唾液腺は，主に混合腺である．唾液中の主成分は水分であり，その他カリウム，ナトリウム，塩素，重炭酸，カルシウム，マグネシウム，リン酸などの無機成分と，糖タンパク質，酵素，免疫グロブリン，抗菌ペプチド，脂質，ホルモンなどの有機成分からなる．

2）口腔の発育

（1）歯胚・歯冠の形成

　乳歯の歯胚は，歯種により異なるが，胎生7〜10週に形成される（**表2-1**）．胎生4〜6か月にはすべての乳歯の石灰化が始まり，生後1.5〜11か月で歯冠が完成する．永久歯では胎生3.5〜4か月から生後3.5〜4年の間に歯胚が形成される．出生時には第一大臼歯の石灰化が始まり，その後，順次，他の永久歯の石灰化が始まり，数年をかけて歯冠の形成が進む．

（2）歯の萌出と交換

　歯の萌出時期は，歯種によってほぼ決まっている（**表2-1**）．日本で2015〜2016年に行われた調査によると，乳歯は生後5〜11か月頃に下顎乳中切歯の萌出に始まり，3歳頃に20歯が生えそろう．永久歯は5〜8歳頃に乳歯列の後方に第一大臼歯が萌出し，その後，順次，乳歯と交換しながら，11〜14歳頃には第二大臼歯が萌出して，第三大臼歯を除いた永久歯列が完成する．

表2-1　歯の形成および萌出時期

歯　種		歯胚形成	石灰化開始		歯冠完成	萌　出
乳歯	乳中切歯	胎生7週	胎生	4〜4.5か月	1.5〜2.5か月	5〜11か月
	乳側切歯	胎生7週	胎生	4.5か月	2.5〜3か月	9〜15か月
	乳犬歯	胎生7.5週	胎生	5か月	9か月	14〜21か月
	第一乳臼歯	胎生8週	胎生	5か月	5.5〜6か月	13〜19か月
	第二乳臼歯	胎生10週	胎生	6か月	10〜11か月	23〜35か月
永久歯	第一大臼歯	胎生3.5〜4か月	出生時		2.5〜3年	5〜8年
	中切歯	胎生5〜5.25か月	3〜4か月		4〜5年	5〜7年
	側切歯	胎生5〜5.5か月	上顎 10〜12か月		4〜5年	6〜8年
			下顎 3〜4か月			
	犬歯	5.5〜6か月	4〜5か月		6〜7年	8〜12年
	第一小臼歯	出生時	1.5〜2年		5〜6年	8〜11年
	第二小臼歯	7.5〜8か月	2〜2.5年		6〜7年	10〜13年
	第二大臼歯	8.5〜9か月	2.5〜3年		7〜8年	11〜14年
	第三大臼歯	3.5〜4年	7〜10年		12〜16年	―

(Schour I, Massler M：1940[1]，萌出時期は日本小児歯科学会：2019[2, 3])

（3）咬合の成立

　咬合とは，上下顎の歯の接触関係である．正常な咬合状態では上下顎の歯が一定の部位で接触し，最大限の機能を発揮する．多くの歯は1歯に対合する2歯と噛み合うようになっている．上顎の歯は下顎の歯を頬側で少し覆うように，また，下顎の同名歯に加えて1つ遠心側の歯の2歯と噛み合っている．しかし，上下顎関係，歯の形と位置，歯の支持組織，顎関節の状態，咀嚼筋の働き方などで咬合には個人差がある．乳歯の咬合は3歳頃までに完成する．そして，11〜14歳頃の第二大臼歯の萌出によって永久歯の咬合が完成する．

（4）顎顔面の成長

　頭蓋骨は脳頭蓋と顔面頭蓋からなり，後者は鼻骨，頬骨，上顎骨，下顎骨などからなる．新生児の脳頭蓋は顔面頭蓋に比べて非常に大きく，その容積比は8：1である．その後，成長するにつれて顔面頭蓋の比率が高くなり，成人で2：1となる．上顎骨は前頭突起，頬骨突起，口蓋骨などとともに上顎複合体を構成している．上顎複合体は，縫合部における添加性の成長発育により全体が前下方に移動していく．下顎骨は主に上方，後方ならびに側方に成長し，下顎枝後縁での骨添加，下顎頭での軟骨性ならびに添加性の成長は顕著である．また，オトガイ部下縁では添加性に前方成長する．

（5）歯と顎骨の調和

　歯の萌出と顎骨の成長は密接に関連している．歯槽突起における骨梁形成は，骨の高さを増して萌出した歯を支える．また，上顎結節，上下顎骨体における骨添加や下顎枝前縁における骨吸収は歯槽堤の大きさを増加させ，歯の萌出余地を確保する．顎骨の成長が遅れたり，歯の交換がスムーズに進まなかったりする場合は，永久歯の萌出余地が確保できず，歯列に乱れを生じる．また，現代人は古代人に比べて顎骨の成長が劣っており，萌出歯の歯冠近遠心幅径の和が萌出余地より大きな場合は，叢生などの歯列不正を生じる．

2 ─ 口腔の機能

1）摂食嚥下

　口腔の最も基本的な機能として，摂食があげられる．口腔内に摂取された食物は，前歯や犬歯によって咬み切られ，舌や頬の協調的な働きによって臼歯部に運ばれ，そこで咬み砕かれる咀嚼の過程を経て，嚥下される．これらの過程で，歯やその周囲の器官（口唇，舌，頬，顎など）は機能的に働く．病気療養中の栄養摂取方法として，経口摂取は経管栄養に比べて全身状態の回復を早め，口腔顎顔面の廃用性機能低下を防ぐこともできる．超高齢社会を迎え，口からの栄養摂取が困難になる高齢患者が増加しているが，口からものを食べてこそ健康度を高め，自立した生活を営むことが可能となる．さらに健全な摂食嚥下は，誤嚥性肺炎の予防にもつながる．

2）発声と構音

　人間にとって言葉は，直接的なコミュニケーションの道具として重要かつ有効である．人は耳で音を聴き，脳で理解して言葉を組み立て，口腔を通して表現する．この一連の機能の

第1編 　口腔保健・予防歯科学総論

どこかに障害があると，言語障害を生じる．声帯が振動して発せられた音が口腔，鼻腔，咽頭，喉頭前庭などで共鳴することで，声として発せられる．言語の基本単位は母音と子音に分けられるが，子音は，呼気の通過が口唇，舌，口蓋などで遮られたり，通路が狭められたりして発する音声である．したがって，口腔を構成する歯，顎，口唇，口蓋，舌などの形態や機能の異常は，構音障害の原因となる．

3）表情と審美性

言葉と同様に，表情は人と人とのコミュニケーションにおいて重要な役割を果たしている．価値観が多様化し，人間同士のつき合いが複雑になった現代社会においては，感情を素直に出して，表情豊かに自分の考えを伝えることが必要とされている．「きれいな歯と歯ぐき」，「整った歯並び」，「顔とよく調和した口元」は，男女を問わずすべての年齢層において求められる願望である．

4）味覚

"おいしい"ものを食べることは，人生の大きな楽しみの1つである．食物のおいしさを決定する要因には，味覚，食品の色，香り，硬さ，粘度，温度，生体の精神身体的な状態などがある．このうち味覚は口腔に含んだものの化学的特性を認識する感覚であり，特殊感覚の1つである．

味覚情報は，主に舌乳頭に存在する味蕾が受容する．舌乳頭には4種類あるが，その中で味蕾が存在するのは次の3つである．
① 茸状乳頭：舌前方2/3の舌背表面に多く分布する．
② 葉状乳頭：舌後方1/3の外側縁部に分布する．
③ 有郭乳頭：舌後方の分界溝の前にV字形に配列する．

また，舌以外の軟口蓋，口蓋垂，咽頭，喉頭にも味蕾は存在し，成人では口腔全体で約7,000～9,000個の味蕾があるといわれている．これらの味蕾で受容された味覚情報は，味蕾の部位に応じて鼓索神経，舌咽神経，大錐体神経，上喉頭神経を経由して脳に伝えられる．生理学的に，基本味は甘味，酸味，塩味，苦味，うま味の5つに分類される．

5）唾液の役割

口腔内には常に唾液が分泌され，摂食嚥下，発声と構音，味覚の享受などにおいて重要な役割を演じている．唾液は以下の作用を発揮して口腔機能の維持に役立っている（**表2-2**）．

（1）潤滑作用

エナメル質や口腔粘膜表面は，唾液タンパク質によって被覆されており，機械的損傷や感染から防御されている．

（2）洗浄作用

唾液は99%が水分からなり，口腔内に存在する微生物およびその産生物，食物残渣などさまざまな物質を洗い流す．

表 2-2　唾液の機能と関連する成分

機　能	関連する唾液成分
潤　滑	ムチン，高プロリンタンパク質，水分
洗　浄	水分
緩　衝	重炭酸イオン，リン酸イオン，タンパク質
被膜形成	タンパク質
再石灰化	カルシウムイオン，リン酸イオン，高プロリンタンパク質，シスタチン，スタセリン
抗　菌	ムチン，免疫グロブリン，リゾチーム，ラクトフェリン，過酸化酵素，ヒスタチン，シスタチン，スタセリン，高プロリンタンパク質，α-アミラーゼ，ディフェンシン
組織修復	成長因子，水分，ムチン
味　覚	水分，ムチン，ガスチン，タンパク質，電解質
消　化	α-アミラーゼ，リパーゼ
食塊形成	ムチン，水分
構音，会話	ムチン，水分

(Pedersen AML et al.：2018[4] を改変)

（3）緩衝作用

　唾液中の重炭酸イオン，リン酸イオンなどは急激な pH の変動を緩和し，中性に近づける作用がある．特に重炭酸イオンは刺激唾液に多く含まれ，最も強い緩衝作用を発揮する．

（4）被膜形成作用

　エナメル質や粘膜の表面は，唾液タンパク質から形成される被膜で覆われている．これらの被膜は，機械的・化学的刺激から組織を保護する．また一方で，被膜中の唾液タンパク質は口腔微生物との相互作用により，その付着を促進する．

（5）再石灰化作用

　唾液中のカルシウムイオン，リン酸イオン，高プロリンタンパク質などは，脱灰された歯質の再石灰化を促進する．

（6）抗菌作用

　唾液中には細菌，真菌，ウイルスに対して防御作用を発揮する成分が多数含有されている．ムチンや免疫グロブリンは，菌体を凝集させて嚥下することにより口腔内から排除する．リゾチームは主にグラム陽性菌の細胞壁を溶解し破壊する．ラクトフェリンは菌の生育に必要な鉄イオンを奪って静菌的に作用する．また，過酸化酵素は過酸化水素によるチオシアンイオンの酸化反応を触媒して，抗菌性をもつヒポチオシアンイオンの産生に関与する．

（7）組織修復作用

　上皮成長因子 epidermal growth factor（EGF）は，口腔上皮細胞の増殖・遊走による創傷治癒を促進する．また，線維芽細胞成長因子 fibroblast growth factor（FGF）は，血管細胞や線維芽細胞の増殖による組織修復を促進する．

（8）味覚作用

　唾液は食物中の味物質を溶解し，味蕾の受容体（レセプター）へ運搬する．ガスチンは茸状乳頭の成長・発育を促し，味覚感受性の統合に寄与する．さらに，唾液中のタンパク質や無機質の組成は生理的要因（唾液分泌刺激因子，概日リズム，加齢など）によって変化し，味覚の感受性に影響を与える．

（9）消化作用

　α-アミラーゼはデンプンを麦芽糖（マルトース）に分解する．

（10）食塊形成作用（咀嚼・嚥下の補助作用）

　唾液中のムチン，水分により食塊が形成され，咀嚼と嚥下が容易になる．

（11）構音・会話における作用

　唾液中のムチン，水分は口腔組織に潤いを与え，構音・会話を容易にする．

（於保孝彦）

第1編　口腔保健・予防歯科学総論

口腔細菌の病原性

- ペリクルは糖タンパク質を中心とした唾液成分がエナメル質表面に付着した獲得性の被膜であり，齲蝕誘発の促進と抑制の二面性を有する．
- バイオフィルムは細菌が固相面に付着・不動化し，細菌が産生する菌体外多糖に埋入された固着性生物集団である．
- バイオフィルム細菌の抗菌薬・消毒薬，免疫，物理的な力に対する抵抗力は浮遊細菌と比較して高い．
- 口腔バイオフィルムに対する最も有効な予防・治療法は機械的除去である．

Keywords　口腔細菌，バイオフィルム，菌体外多糖，ペリクル，プラーク，グルカン，舌苔，歯石，口臭，外因性着色，内因性着色

1　ペリクル

1）ペリクルとは

　歯の萌出と同時に，唾液の糖タンパク質を中心とした高分子有機物やイオンがエナメル質表面に吸着し，被膜を形成する．この被膜をペリクル（獲得被膜）という．ペリクルは，厚さ0.3～1.0 μmの無色透明な無細胞で非水溶性の有機被膜であり，微生物は含まず，染色性は低い．ペリクルは歯冠のほぼ全体を覆っており，エナメル質への付着は強固で，通常の口腔清掃では除去されない．

2）ペリクルの構成成分

　ペリクルの形成は唾液とエナメル質の接触後数秒以内に開始される．最初にエナメル質のハイドロキシアパタイトに吸着するタンパク質として，高プロリンタンパク質proline-rich proteins（PRP），スタセリン，ヒスタチンが同定されている．これらのタンパク質に加え，ペリクルに多く含まれるタンパク質として，ムチン，α-アミラーゼ，シスタチン，リゾチーム，ラクトフェリンなどが同定されている．ペリクルに含まれる主なタンパク質を表3-1にあげる．

3）ペリクルの生理機能

（1）歯面への潤滑効果

　ペリクルは歯面の潤滑剤として働き，ムチン，スタセリン，高プロリンタンパク質がこれに関与する．ペリクルにはこの潤滑効果により，ブラッシングなどによるエナメル質，象牙質の摩耗などの微少な損傷を減少させる働きがある．

表 3-1　ペリクルに含まれる主な唾液タンパク質とその性質

タンパク質	性　質
高プロリンタンパク質*	口腔細菌のレセプターとして，*Streptococcus gordonii* と *Actinomyces viscosus* の歯面への付着促進．カルシウムとの結合能が高く，ハイドロキシアパタイトへの吸着能が強いため，エナメル質の再石灰化作用がある．唾液カルシウムイオンと結合して，カルシウム塩の析出（沈殿）を阻害（カルシウムの過飽和状態の維持）．
スタセリン* （高チロシンペプチド）	口腔細菌のレセプターとして，*A. viscosus* の歯面への付着促進．ペリクル中では高プロリンタンパク質同様，カルシウム塩との結合によるエナメル質の再石灰化作用および唾液カルシウムイオンとの結合による，カルシウム塩の析出（沈殿）阻害．
ヒスタチン* （高ヒスチジンペプチド）	ヒスタチン5は真菌の細胞膜結合による抗真菌作用をもつ．*Porphyromonas gingivalis* など歯周病原細菌が産生するトリプシン様プロテアーゼを阻害し，抗菌的に働く．
ムチン	塩基性糖タンパク質．潤滑・保護作用．糖鎖の末端にシアル酸をもつものが多く，口腔細菌のシアリダーゼ（ノイラミニダーゼ）によりシアル酸が除去されるとムチンのタンパク性の骨格が歯面に沈着する．低分子ムチンは細菌を凝集させて排除する．
α-アミラーゼ	デンプンのα-1,4グリコシド結合を加水分解する．口腔細菌のレセプターにもなる．
システチン	細菌のシステインプロテアーゼを阻害することで歯周組織破壊の抑制作用がある．
リゾチーム	ペプチドグリカンの *N*-アセチルムラミン酸と *N*-アセチルグルコサミン間のβ-1,4結合を加水分解することで溶菌作用を示す．
ラクトフェリン	鉄結合性塩基性タンパク質で細菌の生育に必要な鉄を奪い，細菌の生育を阻害する．
アグルチニン	細菌の凝集素．
ペルオキシダーゼ	H_2O_2 存在下でチオシアンイオン（SCN^-）（ロダン）を酸化し，不安定な抗菌因子であるヒポチオシアンイオン（$OSCN^-$）を生成する．$OSCN^-$ は口腔細菌の解糖系酵素を阻害することで，細菌，真菌の増殖抑制および酸産生を阻害する．ペルオキシダーゼはエナメル質表面に強く結合し，歯面への付着細菌に対する抗菌活性を維持する．
炭酸脱水素酵素 （カーボニックアンヒドラーゼ）	$CO_2 + H_2O \leftrightarrows H^+ + HCO_3^-$ を触媒する酵素．HCO_3^- は口腔内の重炭酸緩衝系を構成し，ペリクルやプラーク中で酸を中和することで，齲蝕予防に働く．
分泌型 IgA	細菌やウイルスを凝集させて，粘膜への付着を抑制する．

＊唾液固有のタンパク質

（2）歯質の脱灰抑制および再石灰化の促進

　ペリクルは，飲食物や口腔細菌の産生する酸による脱灰に対して，物理的バリアとなり歯面を保護する．ヒスタチンは脱灰に対する抵抗性をもつ．ペリクル中の高プロリンタンパク質やスタセリンなどはカルシウムイオンと結合し，エナメル質表層の脱灰部分の再石灰化を促進する．

（3）口腔細菌の歯面への誘導

　細菌表層に存在する線毛などの付着素（アドヘジン）は，ペリクルに含まれる唾液成分をレセプター（受容体）として結合する．細菌表層の糖タンパク質は他の細菌のアドヘジンのレセプターとなることで共凝集する．このようにペリクルは口腔細菌を歯面に付着させる（☞詳細は p.24 図 3-2 を参照）．

（4）プラーク細菌への栄養の供給源

　ペリクルにはアミノ酸や糖が含まれており，プラーク細菌への栄養の供給源となる．

　このように，ペリクルには歯面に保護的に働く面〔（1），（2）〕と，口腔細菌の付着誘導を

第1編　口腔保健・予防歯科学総論

促進する面〔(3)，(4)〕があり，齲蝕の発症に関して防御作用と有害作用の二面性をもつ．

2 口腔バイオフィルム

水環境では，細菌は浮遊細菌またはバイオフィルムとして存在する．浮遊細菌は固体表面（固相面）に付着し，菌体外多糖を産生し固相面上でバイオフィルムを形成する．歯科疾患と口腔バイオフィルムには密接な関係があり，歯科医療従事者は口腔バイオフィルムの形成機構やそれにより引き起こされる疾患およびその制御法を知る必要がある．

1）バイオフィルムの定義

バイオフィルムとは，細菌が産生し，菌体外に排出した多量の多糖基質（菌体外多糖 extracellular polysaccharides：EPS）に細菌自体も埋め込まれて，固体表面に付着し，不動化した固着性生物集団である．バイオフィルムが形成される条件は，①水，②固体（固相面），③細菌，の3つが存在することである．口腔内では，①唾液，②歯面と各種粘膜面，③口腔細菌，により口腔バイオフィルムが形成される．歯科疾患では特に歯面に形成される口腔バイオフィルム（プラーク）が重要となる．舌苔も口腔バイオフィルムの1つである．

2）口腔バイオフィルムと菌体外多糖

口腔バイオフィルムは，細菌とマトリックス（細菌間基質）である菌体外多糖から構成される．菌体外多糖は細菌の凝集や歯面への付着に重要な役割を果たす．菌体外多糖に囲まれた細菌は，抗原が隠されるため宿主免疫系に抵抗性を示す．菌体外多糖により消毒薬や抗菌薬が口腔バイオフィルム深部の細菌に到達できず，薬剤への抵抗性も示す（**表3-2**）．そのため，口腔バイオフィルムの病原性の制御は容易ではない．口腔バイオフィルムでは，細菌が産生した酸は菌体外多糖により高濃度で長時間維持され，歯面を脱灰する．このように菌体外多糖は口腔バイオフィルムの病原性に大きく影響する．口腔細菌の菌体外多糖には *Streptococcus mutans* が産生するグルカンなどがある．

3）歯面の口腔バイオフィルムの形成

（1）ペリクルの形成と細菌の歯面への初期付着

唾液中の浮遊細菌は，アドヘジンによりペリクルに覆われた歯面に付着する（初期付着）．このように最初に歯面に付着する細菌を早期定着細菌という（☞詳細は p.23 を参照）．

（2）マイクロコロニーの形成

ペリクルを介して歯面に初期付着した細菌は，分裂し増殖する．歯面に直接付着できない

表3-2　口腔バイオフィルムの菌体外多糖の役割

① 細菌の付着の強化
② 宿主免疫系に対する抵抗
③ 乾燥に対する抵抗（保湿）
④ 薬剤（抗菌薬・消毒薬）への抵抗

細菌も歯面に付着した細菌に付着することで，間接的に歯面に付着し（後期定着細菌），細菌同士が結合する．これを共凝集といい，バイオフィルムの形成に重要な過程である．

浮遊細菌がバイオフィルム細菌に移行する際は，細菌の表現型が変化し，線毛の発現や菌体外多糖の産生などが起こる．細菌が増殖することで菌体外多糖の産生も増大し，菌体外多糖は増殖した細菌を強力に歯面上に留める．このような菌体外多糖を介した細菌の歯面への強固な付着を固着といい，細菌のアドヘジンによる初期付着と区別する．このような機構で歯面上にマイクロコロニーが形成される．

（3）口腔バイオフィルムの形成と成熟

マイクロコロニー内では細菌の密度が高くなり，さらに多くの菌体外多糖が産生される．近接するマイクロコロニー同士は菌体外多糖により結合する．この結合が繰り返され，口腔バイオフィルムとなり，強固に歯面に付着する．口腔バイオフィルムの菌体外多糖は後期定着細菌も巻き込み，内部で共凝集および分裂・増殖を繰り返し，成熟バイオフィルムとなる．

（4）口腔バイオフィルムからの細菌の遊離

口腔バイオフィルムの成長は，内部の栄養の枯渇などにより停止する．菌体外多糖の産生が減少し，栄養が枯渇することにより，新たな栄養分を求めてバイオフィルムから細菌が遊離する．遊離した細菌は再び浮遊細菌となり，唾液中から再び（1）〜（3）のサイクルに入り，口腔バイオフィルム細菌となる．

4）口腔バイオフィルム感染症

前述のように口腔バイオフィルムであるプラーク内部の細菌には，消毒薬や抗菌薬の到達が困難である．内部細菌は静止状態にあり，代謝活性が低いため代謝を阻害する抗菌薬は奏効しない．歯周ポケット内のバイオフィルムでは内部の細菌は抗体や食細胞などの免疫機構から回避する（表3-2）．バイオフィルム内ではシグナル分子を用いた細菌間情報伝達が行われ，病原性因子の産生，抗菌薬への抵抗性，菌体外多糖の産生が誘導される．したがって，口腔バイオフィルム感染症としての齲蝕・歯周病は難治化して慢性的に進行する．口腔バイオフィルムに対する最も有効な予防・治療法はバイオフィルムの機械的除去である．具体的にはブラッシング，歯間部清掃，PMTC・PTCなどによるプラークコントロールである．歯磨剤・洗口液などの化学的除去は，機械的除去の補助的療法と考えるべきである．

5）マイクロバイオーム

マイクロバイオーム microbiome とは，生体など特定の環境中に存在する微生物集団の総体をいう．健常者や患者の皮膚，口腔，便などから，微生物のDNAを全体として分離し，塩基配列を決定，微生物群衆を同定し，微生物叢を構成する微生物情報が得られる．口腔内では多種多様な常在細菌種が相互に絡み合ってバイオフィルムが形成されており，実際の口腔バイオフィルムはマイクロバイオームとしてとらえる必要がある．

近年，マイクロバイオーム中の細菌種のバランスが宿主の健康や疾患と密接に関連するこ

第1編　口腔保健・予防歯科学総論

とが明らかにされており，腸内細菌叢の破綻は，肥満，糖尿病，炎症性腸疾患，関節リウマチなどの病態と関連することが報告されている．今後さらに口腔マイクロバイオームのバランスとさまざまな疾患の関連が明らかになっていくと思われる．

3 プラーク

　歯面に形成される口腔バイオフィルムをプラーク plaque（デンタルプラーク）という．プラークはペリクル上に形成される，細菌とプラークマトリックス（後述）からなる粘着性の構造物である．歯の小窩裂溝，隣接面の接触点下部，頬舌側平滑面の歯頸部，歯肉溝・歯周ポケット内部の歯根面など，解剖学的に自浄作用の及ばない不潔域に形成されやすい．プラークは形成部位により歯肉縁上プラークと歯肉縁下プラークに分けられる．

1）歯肉縁上プラーク

　遊離歯肉縁よりも切縁・咬合面側に付着しているプラークを歯肉縁上プラークという．歯肉縁上プラークの細菌の主な栄養源は，継続的に供給される唾液成分と断続的に供給される食事由来の栄養素，特に糖質である．そのため歯肉縁上プラークには糖を栄養源として利用する糖分解性細菌が多い．

（1）歯肉縁上プラークの組成

　歯肉縁上プラークは 70 ～ 80％が水分で，20 ～ 30％が固形成分である．固形成分ではタンパク質が最も多く，乾燥重量で 40 ～ 50％を占める．その他に炭水化物（13 ～ 17％），脂質（10 ～ 14％），無機質（10％程度）などからなる．

（2）歯肉縁上プラークの構成細菌（図 3-1）

　歯肉縁上プラークは湿重量 1 g あたり 1 ～ 2.5 × 10^{11}（1,000 億～ 2,500 億）の微生物を含んでおり，微生物のうち 70％は細菌であり，他に真菌や歯肉アメーバ，トリコモナスなど原生生物が確認される．歯肉縁上部は口腔内の空気と接するため，歯肉縁上プラーク表層は酸素が侵入しやすい好気的環境下にある．プラークが厚みを増すにつれ，プラーク内部には酸素が到達しにくくなり，嫌気的環境になる．このため歯肉縁上プラークには酸素の存在に関係なく生息できる通性菌（通性嫌気性菌）が多い．

　歯肉縁上プラークは主にグラム陽性通性菌である球菌と桿菌から構成される．プラークの成熟に伴い，好気性菌が酸素を消費してプラーク内部の酸素が枯渇し，グラム陰性嫌気性球菌・桿菌の割合が増加し，構成細菌叢が変化する．最終的にはプラーク細菌叢はきわめて多彩な菌種より構成される安定した群落となる（極相群落）．

　通性嫌気性菌である *Streptococcus* 属細菌は表層から深部まで全層にわたって分布している．表層では細菌は比較的分散しているが，深部では互いに密接して存在しており栄養分が枯渇している．深部にいる細菌ほど細胞分裂が不活発であり，生理活性は低下している．

（3）プラークマトリックス

　プラークの 30％を占めるプラークマトリックスは，唾液，細菌，飲食物由来の高分子，低分子からなり，タンパク質と炭水化物が主成分である．

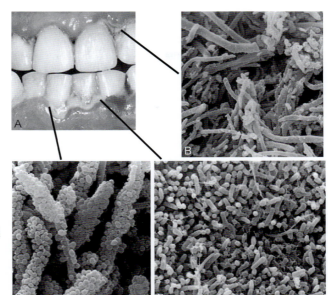

図3-1　歯肉縁上プラークの走査型電子顕微鏡像
A：口腔内のプラーク採取部位．部位によってプラーク細菌の組成は異なる．
B：糸状菌が観察される．
C：コーンコブの形成がみられる．
D：桿菌，糸状菌が観察される．
（野杁由一郎博士提供）

　タンパク質成分は基本的にペリクルにみられるものと同じであり，主に唾液由来である．その1つが細菌との結合能が高い糖タンパク質であり，プラークマトリックスとして沈着する．その他，死菌や細菌が分泌する酵素など微生物由来のもの，アミラーゼ，リゾチーム，抗体，ラクトフェリン，アルブミンなど歯肉溝滲出液成分もタンパク質成分となる．

　炭水化物成分の主なものはミュータンスレンサ球菌群などのプラーク細菌がスクロースを材料として産生する菌体外多糖である．菌体外多糖の中で重要なのがグルカンとフルクタンである（☞ p.26 参照）．

　タンパク質と炭水化物以外にも，微生物由来の脂質や核酸も含まれている．カルシウム，リン，フッ素などの無機イオンが存在し，エナメル質の脱灰と再石灰化に関与する．プラーク中のフッ化物濃度（14〜20 ppmF）は，唾液（0.01〜0.05 ppmF）や飲料水（0.8 ppmF以下）よりもはるかに高いが，含有量は飲料水や食品の影響を強く受ける．プラーク中のフッ素の大部分はカルシウムと結合している．この他に微量元素も存在し，無機イオンおよび微量元素はプラークの緩衝能に関与している．

（4）プラークの機能

a．pH

　プラーク細菌の多くは糖を発酵し，酸を産生する．産生された酸（主に乳酸）は菌体外多糖のバリア機構によりプラーク中に蓄積され，pHは低下する．プラークのバリア機構により唾液の希釈を受けにくく，酸がプラーク内部に長く停留し，酸性環境が長時間継続する．エナメル質は約pH 5.5以下から脱灰が始まり，このpHを臨界pHとよぶ（☞ p.37 **図4-1** 参照）．

b．酸素

　成熟したプラークは厚みを増すことで内部の酸素濃度が減少する．プラーク中の好気性菌

や通性嫌気性菌により酸素が消費される．スーパーオキシドジスムターゼ，カタラーゼ，ペルオキシダーゼなどの酸素代謝酵素により，プラーク内部の酸素は最終的に水に代謝される．その結果，プラーク深部の酸素濃度は非常に低くなる．プラーク深部は栄養素が枯渇しているため，細菌の代謝が低下し，産生する酸素化合物も減少する．このためプラークが成熟し厚みが増すと嫌気性菌が増殖しやすくなる．

c. 緩衝能

プラークは唾液由来の緩衝能をもつ．緩衝能を与える因子として，重炭酸（炭酸水素），カルシウム，リン酸，フッ素，マグネシウム，ナトリウム，二価金属などのイオンなどがあり，プラークの pH を調整している．緩衝能により，強酸下で生育不可能な細菌種を保護している．

d. 外来細菌の排除

常在細菌叢はニッチとよばれる定着部位を競合して奪い合うことにより，外来細菌の定着を防ぐ生物学的バリアとしての機能を有する．プラークは固有の細菌叢を形成しているため，外来細菌が新たにプラークに定着する障壁となる．

2）歯肉縁下プラーク

歯肉溝内や歯周ポケット内など，遊離歯肉縁より根尖側に付着しているプラークを歯肉縁下プラークという．歯肉縁下部は歯の表面（歯根面）と歯肉上皮の2面から構成され，生息する細菌はこの2面のいずれかに付着するか，間を浮遊している．歯肉縁下は口腔の自浄作用および食物，唾液の影響を受けにくく，血漿成分を由来とする歯肉溝滲出液が継続的に供給されているため，歯肉溝滲出液および歯肉剥離上皮が歯肉縁下プラーク細菌の主な栄養源となっている．歯肉溝滲出液は血液成分と類似しており pH はほぼ中性に保たれている．歯肉縁下はタンパク質やアミノ酸を栄養源とする細菌が多く生息し，糖非分解性の細菌種も多い．歯肉縁上部と比較して歯と歯肉に囲まれ，外界への開口部が小さいため，酸素の侵入が少なく酸化還元電位が低下し嫌気的環境となる．そのため歯肉縁下プラークには酸素の存在で生息できない嫌気性菌の割合が高い．

（1）歯肉縁下プラークの組成

歯肉溝滲出液や歯肉剥離上皮のタンパク質は，細菌のもつさまざまなプロテアーゼにより，ペプチドに分解される．ペプチドは細菌のペプチダーゼでジペプチドあるいはアミノ酸に分解される．歯肉縁下プラークの細菌はアミノ酸を栄養源として利用するため，歯肉縁下プラークにはアミノ酸の最終代謝産物である酢酸，プロピオン酸，酪酸，イソ酪酸などの短鎖脂肪酸が含まれる．これらの酸産生に伴いアンモニアも産生されるため，歯肉溝滲出液の pH は中性に保たれる．歯肉縁下プラークの細菌のタンパク質やアミノ酸の代謝は中性付近で活性が高いが，酸性条件では活性が低下するため増殖が抑制される．

（2）歯肉縁下プラークの構成細菌

歯肉縁下における細菌数は歯肉溝滲出液の比重を1とした場合1gあたり 10^{11} 程度といわれる．歯肉縁下プラークの細菌は，アミノ酸が豊富な栄養環境および中性環境に適した細菌種である．

歯肉縁下プラークは，歯根面あるいは歯肉内縁上皮に付着した付着プラークと付着していない遊離（非付着性）プラークに分けられる．付着プラークは歯周組織が以前結合していたセメント質表面に形成される歯根付着プラークと，歯肉上皮に付着した歯肉付着プラークに分けられる．歯根付着プラークの細菌構成は成熟した歯肉縁上プラークと大きな違いはない．歯肉縁下の歯根面には *Streptococcus* 属や *Actinomyces* 属細菌が定着し，その上に *Porphyromonas*, *Prevotella*, *Fusobacterium* 属細菌が共凝集していく．歯肉上皮表面に付着している歯肉付着プラークには明確なマトリックス成分はみられず，スピロヘータや鞭毛をもつ運動性桿菌が大部分を占め，グラム陰性の球菌や桿菌もみられる．プラークに接する歯肉組織表層には白血球の集積が認められる．歯肉付着プラークにはマトリックスがないため粘着性に乏しく，外側部分では遊離プラークとの区別は難しい．

遊離プラークは付着プラークに比べ強い細胞毒性があるとの報告がある．歯周病の進行に伴いグラム陰性偏性嫌気性の運動性桿菌やスピロヘータの割合が増加し，歯周ポケット内の細菌数と種類が増加する．運動性菌である *Campylobacter*, *Selenomonas*, *Treponema* 属細菌などが生息する．

3）プラークの形成機序

（1）歯肉縁上プラークの形成

前述のように歯に唾液が触れるとペリクルが形成され，ペリクルに唾液中の浮遊細菌が付着すると歯肉縁上プラークの形成が開始される．

唾液中の浮遊細菌はペリクルと細菌の分子間に発生するファンデルワールス力（引力あるいは反発力のバランス）により，徐々にペリクルへ近づいてくる．この力は弱く，長い時間続く可逆的な過程である（**図 3-2**）．

細菌とペリクル間の距離が近づくと水素結合による結合も加わる．電気陰性度の大きい原子に結合した水素と電気陰性度の大きい原子（フッ素，酸素，窒素）の間の結合である．電気陰性度の大きい原子に結合した水素には正電荷（$\delta+$）が生じ，電気陰性度の大きい原子には負電荷（$\delta-$）が生じる．これらの間の静電気的引力により細菌とペリクルが付着する．マイナスに荷電しているペリクル表面と細菌表面の唾液中のカルシウムイオン（Ca^{2+}）を介した架橋により，細菌は歯の表面に誘導される．これはイオン結合の一種である．これら分子間の結合は，イオン結合＞水素結合＞ファンデルワールス力の順で強い．

アドヘジンは細菌表層に存在するレクチン様の糖結合タンパク質であり，ペリクルに含まれる唾液成分をレセプターとして結合する（糖-レクチン結合）．この過程は，特異的かつ短時間の相互作用による非可逆的かつ強固な結合である．ペリクルの付着に関与するレセプターとしては唾液タンパク質である高プロリンタンパク質，高プロリン糖タンパク質 proline-rich glycoproteins（PRGP），スタセリン，アミラーゼなど非常に多様である．細菌もレセプターを特異的に認識するアドヘジンをもつ．特異的な結合以外に，菌体表層の疎水性が高い細菌とペリクルの非特異的な吸着がある．細菌，ペリクルの疎水基同士の結合であり，疎水基には疎水性タンパク質の疎水性アミノ酸残基や脂質中の脂肪酸残基などがある．

短時間で歯面に付着してプラークの初期形成に関与する早期定着細菌は，主にグラム陽性

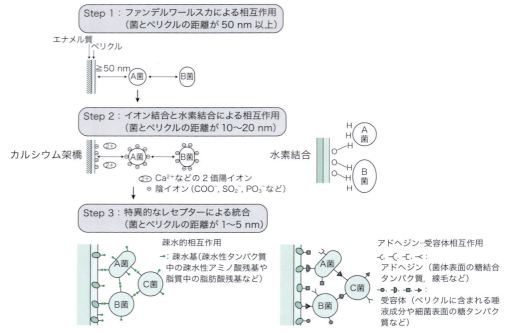

図 3-2　口腔細菌のペリクルへの定着機構
細菌とペリクルの距離が 50 nm 以上のときは，主にファンデルワールス力が働く（Step 1）．細菌とペリクルの距離が 10～20 nm のときは，静電気的相互作用（カルシウム架橋，水素結合など）およびファンデルワールス力が働く（Step 2）．細菌とペリクルの距離が 1～5 nm のときは，リガンド−レセプターによる結合（アドヘジン−受容体相互作用）や疎水的相互作用が起こる（Step 3）．

（天野，2000[19]を改変）

の通性菌で，*Streptococcus mitis*，*Streptococcus oralis*，*Streptococcus gordonii*，*S. sanguinis* などの口腔レンサ球菌や *Actinomyces viscosus*，*Actinomyces naeslundii* などの放線菌である（図 3-3）．

（2）歯肉縁上プラークの成熟

　早期定着細菌がさらに増殖すると，細菌同士が付着しながら重層して，プラークに厚みができる．後期定着細菌も出現し，構成する菌種も複雑になっていく．新しいプラーク構成細菌は，主に糖−レクチン反応で特定の早期定着細菌と付着することで，プラーク内に定着する．異菌種間の特異的な結合を共凝集とよび，さまざまな菌種間にみられる．共凝集の組み合わせはリガンドである細菌の共凝集素とレセプターによって規定されている．共凝集が繰り返され，プラークは厚みを増していく．唾液のカルシウムイオンには菌体を凝集させるカルシウム誘発性自家凝集作用がある．細菌間の凝集以外に，齲蝕原性細菌である *S. mutans* は，スクロースからグルコシルトランスフェラーゼ（GTF）により α-1,3 グリコシド結合を主体とした非水溶性グルカン（ムタン）を菌体外に産生し，粘着力により歯の平滑面にも強力に付着する．非水溶性グルカンは後期定着細菌を巻き込みながら成熟プラークとなっていく．

　厚みを増したプラークは，表層と深部では細菌の生育にかかわる環境が異なる（図 3-4）．深部では酸素が消費され嫌気的環境となり，唾液中の栄養物質や生存に必須の無機

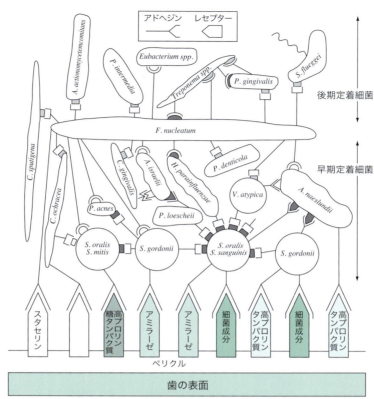

図 3-3　歯肉縁上プラーク細菌の共凝集　(Kolenbrander PE：1993[20])

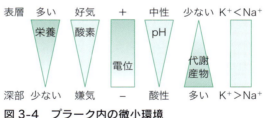

図 3-4　プラーク内の微小環境
(Marsh PD, Martin MV：2009[21])

物は深部まで浸透しなくなる．細菌の糖やアミノ酸の代謝産物は深部に蓄積する．唾液中の抗菌物質は深部に届かず，細菌の代謝産物が他の細菌の栄養源となり他の細菌を養う密接な相互関係が確立される．一方で細菌が産生する抗菌因子が他の細菌の生育を抑制する．

　このようなプラーク深部の環境および細菌間相互作用は，特定の細菌種の増殖を促すため，プラークは早期定着細菌から構成される細菌叢とは異なる細菌叢へ移行していく（自発遷移）．口腔の自浄作用や口腔清掃によるプラークの除去により，自発遷移が歯面で繰り返されるのが口腔バイオフィルムであるプラークの特徴である．

　形成初期のプラークでは *Neisseria* や *Nocardia* などの微好気性菌が占める割合が多いが，プラーク形成が進み，厚さが増すにつれて，グラム陽性桿菌である *Actinomyces* や *Coryne-*

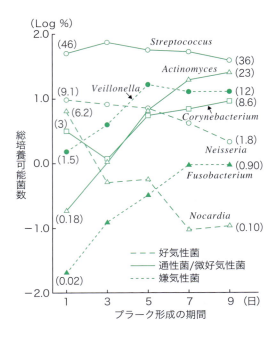

図 3-5 プラークの成熟過程における細菌叢の変動　　(Ritz HL：1967[24])
(　) 内の数字は 1 日目と 9 日目のプラーク内培養可能総菌数に対する割合

bacterium やグラム陰性偏性嫌気性球菌の *Veillonella* が増加する．プラーク形成から 1 週間ほど経過すると，*Fusobacterium* などグラム陰性偏性嫌気性桿菌が増加する．通性嫌気性菌の *Streptococcus* はプラークの成熟度に関係なく最も優勢である（図 3-5）．

4）プラークの病原性

歯科の二大疾患である齲蝕と歯周病の直接の病因は，細菌とマトリックスからなるプラークである．口腔バイオフィルムであるプラークによるこれらの疾患は口腔バイオフィルム感染症と考えられている．

(1) 齲蝕

a. 齲蝕とグルカン

ミュータンスレンサ球菌が病原性を発揮するには，歯面に付着し，プラークを形成することが必要である．プラークはミュータンスレンサ球菌によって産生された非水溶性グルカンを主としたプラークマトリックスと，その中に生息する口腔細菌からなるバイオフィルムである．非水溶性グルカンは歯面に付着する性質をもつ．このグルカンを合成する酵素がグルコシルトランスフェラーゼ（GTF）である（図 3-6）．

GTF はスクロースを基質として，グルコースのポリマー（グルカン）を合成する．スクロースはグルコースとフルクトースが $\alpha1 \to \beta2$ グリコシド結合した二糖類であり，GTF は，

$$n \cdot スクロース \to (グルコース)_n + n \cdot フルクトース$$

の反応式により，スクロースをグルコースとフルクトースに加水分解し，産生されたグルコース残基は結合しポリマーとなる．

GTF によって合成されるグルカンは $\alpha\text{-}1,3$ グリコシド結合（ムタン）と $\alpha\text{-}1,6$ グリコシド結合（デキストラン）をもつ．これらの割合によって，産生されたグルカンの水に対する

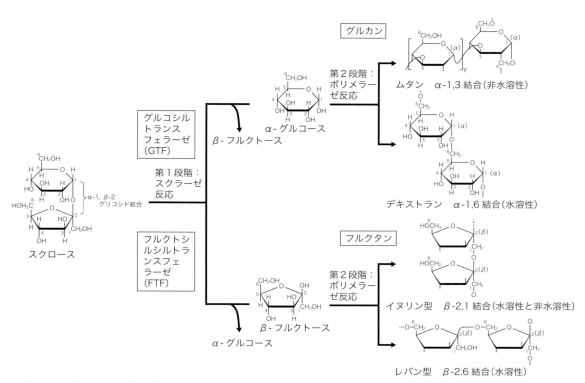

図 3-6 スクロースからのグルカン・フルクタンの合成

溶解度が変化し，α-1,3 結合の多いグルカンは非水溶性，α-1,6 結合の多いグルカンは水溶性になる．ミュータンスレンサ球菌の GTF により産生されるグルカンには α-1,3 グリコシド結合が多く，非水溶性である．歯面への付着を強化するとともに周囲の細菌を巻き込んでプラークを形成する（図 3-6）．

非水溶性グルカンを主としたマトリックスはゲル様であり，電解質様の性質を帯びているので，水，栄養素，荷電性・高分子物質のプラーク内への拡散は一般に穏やかであるが，低分子の非荷電性物質であるグルコース，スクロースの浸透・拡散速度は速い．ミュータンスレンサ球菌はこれら発酵性糖質の供給を受けると，これを代謝して乳酸を主とした有機酸を産生するため，プラーク局所の pH が急激に低下する．酸産生が継続的に起こり，プラーク内で貯留されると歯質の脱灰を引き起こす．

さらに，

n・スクロース → （フルクトース）$_n$ + n・グルコース

の反応を触媒するフルクトシルトランスフェラーゼ（FTF）により合成されるフルクタン，あるいは菌体内多糖（グリコーゲン様多糖），菌体外水溶性グルカンはエネルギーの貯蔵庫であり，食間など糖の供給がない飢餓時に分解利用されて持続的な酸産生を可能にしている．フルクタンには β-2,1 グリコシド結合のイヌリン型（水溶性と非水溶性）と β-2,6 グリコシド結合のレバン型（水溶性）があり（図 3-6），いずれも飢餓時の酸産生に利用される．

非水溶性グルカンをマトリックスとするプラークは，内部で産生された酸のプラーク外へ

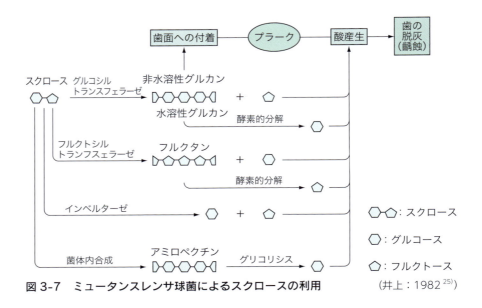

図 3-7　ミュータンスレンサ球菌によるスクロースの利用
（井上：1982[25]）

表 3-3　ミュータンスレンサ球菌と実験齲蝕誘発能

菌　種	酸産生能	グルカン合成能 非水溶性グルカン	グルカン合成能 水溶性グルカン	初期付着能	固着能	齲蝕誘発能 裂溝	齲蝕誘発能 平滑面
S. mutans	++	+++	+++	+++	+++	+++	+++
Streptococcus sobrinus	++	+++	+++	+++	+++	+++	+++
S. sanguinis	++	−	+++	+++	±	±	−
S. mitis	++	−	−	+++	±	±	−
S. salivarius	++	++	++	−	−	±	−
Lactobacillus casei	++	−	−	−	−	±	−
Candida	++	−	−	−	−	−	−

（浜田：1989[26]）

の拡散および酸を中和する唾液の侵入を防ぐバリアとして酸性環境を長時間保つ働きをもつ．スクロースから非水溶性グルカンを合成する酵素群は，ミュータンスレンサ球菌の産生する酸の蓄積あるいは酸の拡散障壁として働く重要な因子である（**図 3-7**）．

b．動物実験からみた齲蝕

　口腔内にはミュータンスレンサ球菌以外にも，糖質から酸を産生する細菌が存在する．酸産生だけでみると乳酸桿菌はより高濃度の酸を産生し耐酸性もある．しかし，乳酸桿菌だけでは実験動物に齲蝕を誘発することはできない．よって，酸産生能だけでは齲蝕原性を説明することができない．**表 3-3** に示すように，ミュータンスレンサ球菌は酸を産生することに加え，ペリクルと菌体の弱い付着による初期付着能をもつ．さらに，スクロースを基質として非水溶性グルカンを産生する．生成されたグルカンはきわめて強く歯面に付着する性質がある．ペリクルに弱く付着した後，非水溶性グルカンによって強固に付着し，プラーク内で酸を産生しその酸をプラーク内で蓄積することで齲蝕を誘発する．*S. sanguinis*，*S. mitis* は，酸産生能および初期付着能をもつが，非水溶性グルカン産生能がないため，歯の平滑面

に強固に付着することができず，齲蝕誘発能はない．*Streptococcus salivarius* は酸産生能および非水溶性グルカン産生能をもつが，初期付着能を欠くため，齲蝕誘発能はみられない．これらの結果は，齲蝕発症には酸の産生，初期付着，非水溶性グルカンによる強固な付着（固着）および酸の蓄積が必要であることを示している（**表3-3**）．

　乳酸桿菌など，酸産生細菌の齲蝕への役割は不明であるが，これらの酸産生菌単独で実験動物に齲蝕を誘発する能力は認められないが，多種の細菌が存在するヒト口腔内で非水溶性グルカンを産生する細菌を含むバイオフィルムに取り込まれ，他の細菌が産生した非水溶性グルカンを含むマトリックス内で酸を産生して，齲蝕の発症に関与していることが十分考えられる．

（2）歯周病

　グラム陰性偏性嫌気性菌である *Porphyromonas gingivalis* や *Tannerella forsythia*，口腔スピロヘータ *Treponema denticola* など歯肉縁下プラーク細菌の一部はプロテアーゼを産生し，タンパク質を分解しアミノ酸を栄養源として生存・増殖するため，直接的に歯周組織を傷害する．*P. gingivalis* や *T. denticola* は歯肉溝滲出液中の血漿成分である抗体および補体成分などの生体防御因子をプロテアーゼにより分解する．傷害を受けた細胞から放出される内因性ケミカルメディエーターは歯周組織の炎症を惹起する．侵襲性歯周炎の原因菌として注目されている *Aggregatibacter actinomycetemcomitans* はロイコトキシンという白血球毒素により免疫能を低下させる．歯肉縁下プラーク細菌はグラム陰性菌が多く，これらの細菌の外膜に含まれるリポ多糖 lipopolysaccharide（LPS）は歯周組織の起炎物質となり，歯槽骨吸収に関与する．これらの細菌の代謝産物のうち酪酸など短鎖脂肪酸やアンモニア，トリプトファンの分解産物であるインドール，硫化水素などの揮発性硫黄化合物は細胞毒性があり，歯周組織を傷害する．歯肉縁下プラークもバイオフィルムとして持続的にこれらの病原性因子を放出するリザーバーとして働くほか，細菌の抗菌薬および宿主免疫系からの回避機構となっている．

4　舌　苔

1）舌苔とは

　舌表面に苔状に形成された付着物であり，微生物，唾液タンパク質，食物残渣，口腔粘膜剥離上皮，白血球などヒト細胞などからなる口腔バイオフィルムである．舌表面は舌乳頭からなり，舌乳頭の存在により多くの溝が形成される．そのため，舌粘膜の剥離上皮や唾液成分，細菌などの沈着が認められ，食事由来成分も断続的に沈着する．歯面と接触する舌前方部や舌縁部と比較して，舌背部，特に後方部は自浄作用が働きにくいため剥離上皮成分や細菌の沈着が起こりやすい．舌苔に生息する細菌は多様であるが，レンサ球菌，特に *S. salivarius*，*Streptococcus parasanguinis* が多く，他にも *Actinomyces*，*Veillonella* 属細菌が占め，*Porphyromonas*，*Prevotella*，*Fusobacterium* 属細菌などグラム陰性偏性嫌気性菌やグラム陽性偏性嫌気性球菌である *Peptostreptococcus* も生息する．これは舌苔表面が好気的環境であるのに対し，深部は嫌気的環境であることが関係している．

第1編 口腔保健・予防歯科学総論

2）舌苔と口臭

　舌苔は付着面積が広いことから，口臭の原因となることが多い．舌苔の細菌が産生するアンモニアや揮発性硫黄化合物（硫化水素およびメチルメルカプタン，ジメチルサルファイド），アミン類，インドール，スカトールが口臭の主な原因物質である．*Porphyromonas, Prevotella, Fusobacterium, Veillonella, Treponema* などは揮発性硫黄化合物を生成する酵素をもつ．これらの細菌は歯周病と強く関連し，歯周病においても揮発性硫化物による口臭がみられる．

5 歯　石

1）歯肉縁上歯石と歯肉縁下歯石

　歯石はプラークが石灰化した，歯面の沈着物である．歯石は形成される部位により，歯肉縁上歯石と歯肉縁下歯石に分けられ，その由来および組成は異なる（**表3-4**）．

　歯肉縁上歯石は唾液由来であり，主にプラーク中の細菌やプラークマトリックスが石灰化したものである．唾液中には過飽和のリン酸とカルシウムが存在するが，これらの飽和状態が崩れたとき，死菌などを核としてリン酸カルシウムの沈着が起こり，歯石が形成される．歯肉縁上歯石は白〜黄白色で，歯肉縁下歯石と比較してもろく，歯面への付着度も低い．エナメル質に形成されることから除去も比較的容易である．唾液腺開口部では，カルシウムの溶解性が低下し，リン酸カルシウムが沈着しやすくなる．上顎大臼歯頰側面と下顎前歯舌側面はそれぞれ耳下腺と舌下腺および顎下腺開口部にあたり，唾液由来のカルシウムイオン，リン酸イオンが豊富に存在するため，歯肉縁上歯石が沈着しやすい．

　歯肉縁下歯石は歯肉溝滲出液（血漿成分）由来の歯石で，歯周病原細菌のアミノ酸代謝によるアンモニア産生の結果，アルカリ性の環境に傾き，アルカリホスファターゼの作用によ

表3-4　歯肉縁上歯石と歯肉縁下歯石

	歯肉縁上歯石	歯肉縁下歯石
成　分	主にプラーク由来の細菌体とマトリックスが石灰化したもの	アルカリホスファターゼにより歯肉溝滲出液成分が石灰化したもの
由　来	唾液	歯肉溝滲出液（血清成分）
沈着量	多い	少ない
構　造	層状	無構造
好沈着部位	大唾液腺開口部（上顎臼歯部頰側と下顎前歯部舌側）	歯周ポケット内の歯根面
色　調	白色または淡黄色（外因性色素により暗褐色に着色していることもある）	暗褐色または暗緑色
硬　度	比較的もろい	硬い
Knoop硬さ	77	90
Ca/P比	1.75	2.04
除　去	エナメル質に付着するため接着性が弱く，剝離が容易	セメント質に付着するため接着性が強く，剝離が困難

30

表3-5 歯石の無機成分

無機成分	化学式	Ca/P比(モル比)*	分布と存在量
ハイドロキシアパタイト	$Ca_{10}(PO_4)_6(OH)_2$	1.67	最も多い (55.3%)
第2リン酸カルシウム (ブルシャイト)	$CaHPO_4 \cdot 2H_2O$	1.00	新しい歯石に多い. 歯肉縁下歯石にはない(8.9%)
β-第3リン酸カルシウム (ウィットロカイト)	$\beta\text{-}Ca_3(PO_4)_2$	1.50	古い歯肉縁下歯石に多い (24.2%)
第8リン酸カルシウム (リン酸オクタカルシウム)	$Ca_8(HPO_4)_2(PO_4)_4 \cdot 5H_2O$	1.33	歯肉縁上歯石に多い (20.0%)
リン酸マグネシウム	$Mg_3(PO_4)_2$	−	歯肉縁下歯石に多い
炭酸カルシウム	$CaCO_3$	−	歯肉縁上歯石に多い

*分子内での理論的Ca/P比

り石灰化したものである. 歯肉縁上歯石と比較して石灰化度が高く (60%), 非常に硬い. 色調は暗褐色で, 血液成分由来であると考えられている. 形成速度も遅く, β-第3リン酸カルシウム (ウィットロカイト) を多く含み, 歯面への付着も強固である. 歯肉縁上歯石のような部位特異性はなく, 歯肉縁下にまんべんなく形成される.

2) 歯石の組成

歯石の組成は, 石灰化度およびプラークの構成成分により一定ではない. 成熟した歯石の平均的化学組成は, 無機成分80%, 有機成分12%, 水8%である.

(1) 無機成分

歯石内の無機成分の主体はリン酸カルシウムで, カルシウム35%, リン酸18%である. Ca/P比 (重量比) は1.8〜2.0である. ハイドロキシアパタイト結晶が最も多く, ほかにβ-第3リン酸カルシウム, 第8リン酸カルシウム (リン酸オクタカルシウム), 第2リン酸カルシウム (ブルシャイト) などが含まれる (**表3-5**). 成熟した歯石はCa/P比の高いハイドロキシアパタイト結晶が増加するため, Ca/P比が高くなる. 歯石中のフッ化物濃度は高く (200〜300 ppmF), プラーク (14〜20 ppmF) や唾液 (0.01〜0.05 ppmF) よりもはるかに高い. マグネシウムは約1%で, 特に歯肉縁下歯石のマグネシウム含量は高く, これは歯肉溝滲出液のマグネシウム濃度が高いことによる. その他の微量成分は, 炭素 (炭酸塩として存在), カリウム, ナトリウム, 亜鉛などである.

(2) 有機成分

タンパク質, 糖タンパク質, 脂質, 糖質などが存在する. これらはプラークとほぼ同様の成分である.

(3) 細菌

細菌の構成はプラークと類似している. 歯石内には死菌が多く, 死菌は生菌より石灰化されやすい. 無菌ラットでも歯石が形成されることから, 歯石の形成は化学反応であり, 細菌や菌体成分の関与はないとの考えがあるが, 無菌動物の歯石量は少なく, 通常の動物にみられる歯石と外観が異なることから, 細菌の関与は否定できない.

第1編　口腔保健・予防歯科学総論

3）歯石の形成機序

　プラークは唾液と比較してカルシウムとリン酸を高濃度に含んでいる．さらに，プラーク内での酸性ホスファターゼや，ピロホスファターゼ活性などの作用により，プラーク局所のカルシウムやリン酸濃度が高くなる．

　プラーク内の pH が上昇すると，リン酸カルシウムの溶解性が低下して析出することで歯石の形成を生じる．唾液やプラークの pH は含まれる重炭酸（炭酸水素）イオン（HCO_3^-）により決まり，その濃度が増すと pH も上昇する．

　CO_2 はリン酸カルシウムと複合体を形成して可溶化する性質がある．耳下腺開口部付近などで分泌唾液から CO_2 が失われると，プラークの pH が高まり，リン酸カルシウム化合物が沈殿しやすくなる．耳下腺唾液の開口部である上顎第一大臼歯頬側は歯肉縁上歯石が沈着しやすい部位である．

　プラーク中の唾液タンパク質である高プロリンタンパク質（PRP）やスタセリンは，カルシウム結合能が高く，リン酸カルシウムの析出を防ぐ作用があるが，細菌の産生するプロテアーゼにより変性・失活し，その析出阻害作用が失われると，リン酸カルシウムの析出・沈殿により歯石の形成が起こる．この機序は歯肉縁上歯石にみられる．

　細菌性石灰化も歯石形成性機構の 1 つと考えられている．*Corynebacterium matruchotii* は石灰化機構を有する口腔細菌として詳細に研究されており，本細菌のメソソームとベジクルがカルシウムとリン酸濃度の高まりとともに石灰化することが知られている．これら膜成分の 1 つである酸性リン脂質（ホスファチジルセリンなど）は高いカルシウム結合能を有することから，石灰化の核としてリン酸カルシウム化合物が沈殿する．

4）歯石の病原性

　歯石自体に歯肉炎を起こす作用はないが，歯石表面の粗糙な構造はプラーク形成の足場となりやすく，歯石を覆うプラークの病原性が維持され，歯周組織を傷害する．歯石が存在することで歯肉上皮の付着や歯肉溝滲出液の流出が阻害され，自浄作用と口腔清掃が制限され，口腔衛生状態が悪化する．

　唾液カルシウムイオンやリン酸イオンは，エナメル質表面の脱灰部位の再石灰化を促進する．唾液分泌量の多い人の唾液は HCO_3^- 濃度が高く，唾液緩衝能が高いためカリエスリスクが低い．一方で HCO_3^- 濃度の上昇は pH の上昇を引き起こし，歯石の沈着を促進し，歯周病のリスクを高める．

6 　その他の沈着物（歯の着色）

　歯の着色には外因性のものと内因性のものがある．外因性のものは歯の表面あるいはペリクルの内部に存在し，内因性のものは先天的・後天的理由により歯質内に存在する（**表3-6**）．

表 3-6 歯の外因性・内因性着色沈着物

種　類	特　徴
1．外因性着色	
1）非金属性着色	
飲食物	コーヒー，茶，カレーなど飲食物による着色．
喫　煙	タバコのタールによる黒～黒褐色の着色．舌側にみられる．
洗口液	クロルヘキシジンの長期間洗口による茶褐色の着色．
色素産生性細菌	口腔清掃が不良な小児にみられる緑，オレンジ色の着色． 口腔清掃が良好で齲蝕経験が少ない小児にみられる黒色～褐色の着色．
2）金属性着色	職業，薬品の使用による金属への曝露による． 銅，ニッケルで緑色，鉄，マンガンで黒色など，カドミウムで黄色環がみられる．
2．内因性着色	
代謝異常	チロシン，フェニルアラニンの代謝異常により永久歯が茶色に変色． ポルフィリンの代謝異常により，赤茶色に変色．
エナメル質形成不全	エナメル質の石灰化およびマトリックスの形成不全による． 「雪帽子」状のエナメル質など形成不全の種類によって症状は多彩．
象牙質形成不全	遺伝的，環境的要因による象牙質の形成不全．青～茶色に変色．
テトラサイクリン系抗菌薬	テトラサイクリン系抗菌薬の使用により，象牙質が黄色から茶褐色，紫色へと変色する．石灰化不全を伴う場合もある．
歯のフッ素症	フッ化物の過剰摂取によるエナメル質の形成不全による変色．灰白色から茶・黒色の着色．
歯髄壊死	歯髄壊死や出血による組織の分解産物が歯質に浸透することによる変色．淡黄色～黒色など．

(Addy M, Moran J：1995 [36]，Watts A, Addy M：2001 [37] をもとに作成)

1）外因性着色

　外因性着色（ステイン）は，一般にペリクルの厚い箇所と清掃不良箇所にみられる．着色様式は2つに分けられる．1つは，ペリクルに取り込まれ，本来の色調を呈する直接的着色であり，コーヒー，茶，タバコなどによるものがある．もう1つは歯面での化学反応により色調変化を呈する間接的着色であり，これには洗口液のクロルヘキシジンによるものがある．外因性着色は主に非金属性のものと金属性のものに分類される．外因性の着色はいずれもPMTCや超音波スケーラーで除去できる．

（1）非金属性着色

　飲食物，色素，タバコ，洗口液，医薬品などがペリクル，プラーク，歯石に吸着し着色する．タバコのタールにより，喫煙者は非喫煙者より高い頻度でステインの沈着を認める．クロルヘキシジンの長期使用による洗口は茶褐色の着色を呈する．これらの着色は歯面のみならず歯肉や舌にも生じる．口腔清掃が不良である小児に色素産生細菌による緑，オレンジ色の着色が報告されている．

（2）金属性着色

　職業あるいは薬品の使用により外因性着色をきたすことがある．銅およびニッケルを扱う職業従事者には緑色の着色が，鉄を扱う職業従事者や鉄を含むサプリメント剤の使用で黒色の着色が認められることがある．

（3）その他の外因性着色

　エナメル質や象牙質内部に外因性の色素が取り込まれる場合がある．先天的，後天的な歯

第1編 | 口腔保健・予防歯科学総論

の実質欠損に伴い，外因性の色素が沈着するものであり，外因性着色の1つである．歯の亀裂，トゥースウエア，齲蝕の実質欠損部への色素沈着，歯周炎による歯根面の露出に伴う色素沈着などがある．

2）内因性着色

ある種の代謝性疾患や全身的要因は，形成時期の歯に影響を及ぼし，構造を変化させることで光の透過性が変わり歯に内因性の着色を引き起こす．薬物の服用によっても歯質内部からエナメル質あるいは象牙質に着色が起こる．代表的なものにテトラサイクリン系抗菌薬によるものがある．歯髄の出血や壊死などによっても，赤血球に含まれる鉄など組織の分解産物が象牙細管から象牙質内に浸透し，歯が変色する．

内因性の着色は外因性のものと異なりPMTCや超音波スケーラーによる除去ができず，ウォーキングブリーチ法などによる内部からの漂白（ホワイトニング）や補綴的な処置が適応となる．

（吉田明弘）

第1編　口腔保健・予防歯科学総論

第4章　齲蝕

- 齲蝕とは明らかな齲窩（実質欠損）のことをいい，その前段階としての初期齲蝕は脱灰と再石灰化が可逆的に変化するプロセスである．
- 齲蝕の発生には口腔細菌叢，宿主，基質，時間の4つの要因の相互作用に加えて社会的決定要因の影響を考慮する必要がある．
- フッ化物の応用には，歯の形成期から行われる全身応用法と歯の萌出直後から行われる局所応用法がある．
- フッ化物はエナメル質に作用して，酸に対する抵抗性の高いエナメル質の形成やエナメル質の再石灰化の促進により齲蝕抵抗性を強化する．

Keywords　齲蝕の定義，脱灰と再石灰化，齲蝕の発生要因，フッ化物応用法，フッ化物による齲蝕予防機序，フッ化物の為害作用

1　齲蝕の概念

1）齲蝕の定義

　齲蝕とは歯面を覆うバイオフィルム（プラーク）内の代謝により歯面に局所的な化学的溶解を起こす病態である．これは，齲蝕原性細菌により食物の糖質を発酵して有機酸（乳酸，酢酸，ギ酸など）が産生されることに起因している．また，齲蝕による歯の破壊はエナメル質だけでなく，象牙質やセメント質にも生じる．
　WHOによると，齲蝕は歯冠齲蝕と根面齲蝕に分けられており，以下に定義を示す．

（1）歯冠齲蝕

　明らかな齲窩，脱灰・侵蝕されたエナメル質，軟化底，軟化壁が探知できる小窩裂溝や平滑面の病変を齲蝕とする．歯面の齲蝕を確認するためにはCPIプローブ（☞p.129 図10-15参照）を用いる．
　このように，明らかな齲窩や軟化歯質を認めた場合のみ齲蝕と定義している点に注意しなければならない．後述するように，初期齲蝕や脱灰していても再石灰する可能性があるような所見については齲蝕としてはならない．
　一方，脱灰と再石灰化の動的プロセスの評価に重点を置いたInternational Caries Detection and Assessment System（ICDAS）やAmerican Dental Association（ADA）Caries Classification System（CCS）などの定量的な評価法も注目されている（☞詳細は第2編第1章参照）．

（2）根面齲蝕

　病変部をCPIプローブで触れたとき，ソフト感あるいはザラついた感じがあれば齲蝕とする．一般に，小児や若年者では根面齲蝕は認められない．根面齲蝕は歯周病や不適切なブ

第1編　口腔保健・予防歯科学総論

ラッシング（過度なブラシ圧）などにより歯肉縁が退縮し，セメント - エナメル境が露出することにより発症することが多い.

　臨床所見としては，歯の表面が黄色ないし薄褐色に変色したり，褐色から黒色を呈する場合がある. 前者は齲蝕活動性が高く，後者は比較的活動性が低い状態とされ病態の進行は緩慢である.

　また，根面齲蝕はエナメル質齲蝕よりも発症しやすい. その理由としてはエナメル質の臨界 pH が約 5.5 であるのに対し，象牙質・セメント質はそれよりも高い pH6 以上（6.0 ～ 6.8）で脱灰されることがあげられる. つまり，生理的な唾液 pH（安静時で約 7.1）と近接しているためエナメル質に比べて脱灰のリスクが高くなる. したがって，唾液分泌低下を有する高齢者では根面齲蝕予防に留意すべきである.

（3）酸蝕との鑑別

　齲蝕と鑑別しなければならない病態に酸蝕がある. 歯質の表面が破壊されるという点では同じであるが，酸蝕の原因は口腔バイオフィルムではなく，細菌性産物以外の酸が原因で起こる. 酸蝕はエナメル質が一層ずつエッチングされて少しずつハイドロキシアパタイトが失われていくことで進行する. したがって，エナメル質内に表層下脱灰は認められず，再石灰化は難しいとされている（☞ p.75 参照）.

2）齲蝕の進行

　前述したように，齲蝕は明らかに認められる齲窩（実質欠損）のことを指すが，歯質からカルシウムとリン酸塩が失われるプロセスとみることができ，Scheinin（1996）は，脱灰，均衡，再石灰化相の間を揺れ動く流動的なプロセス，と述べている. すなわち，脱灰と再石灰化は 1 日に何度も繰り返し起こり，それらの動的均衡が崩れて脱灰が再石灰化を上回る方向に進んだとき，ハイドロキシアパタイトの溶解（結晶学的齲蝕），エナメル小柱の崩壊（組織学的齲蝕），エナメル質の表層下脱灰を経て，結果的に齲窩を生じる.

（1）表層下脱灰

　脱灰プロセスはエナメル質の場合，図 4-1 に示すように臨界 pH（5.5 以下）になると，唾液中に存在するカルシウム（Ca^{2+}）とリン酸塩（PO_4^{3-}）による過飽和状態が不飽和状態にシフトし，脱灰が再石灰化を上回るようになる. このプロセスが持続して起こると，表層下 50 ～ 100 μm あたりでカルシウムとリン酸塩の溶解が起こる（図 4-2）. このとき，表層には小柱間質に一致した領域に微小孔が認められるようなる（図 4-3）. この小孔を通じて，酸の移動およびカルシウムとリン酸塩の溶出が起こる. 視診では白斑やチョーク様の白色を呈するようになる. これらは初期齲蝕の所見を示している. 初期齲蝕とは，①表面は連続性で実質欠損がない，②表層下脱灰の状態にある，③唾液由来の過飽和のカルシウム・リン酸塩が長期間維持される環境にある，の 3 点が満たされた場合である.

（2）再石灰化プロセス

　再石灰化には唾液の働きの 1 つである唾液緩衝能が重要である. これは口腔内の酸性環境を中性化する働きのことであり，主として炭酸・重炭酸塩が関与している. 重炭酸塩は唾液分泌速度に比例することがわかっている. この唾液緩衝能によりカルシウム・リン酸塩の過

36

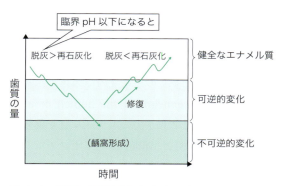

図 4-1　脱灰・再石灰化のイメージ
(浜田, 大嶋編：2006[4])を改変)

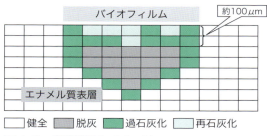

図 4-2　初期脱灰のイメージ
バイオフィルムの存在下ではエナメル質表層下に脱灰病変が出現する.
(Barbakow F et al.：1991[5])を改変)

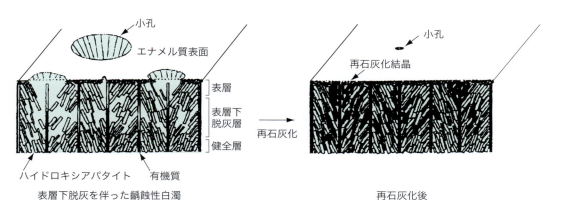

図 4-3　齲蝕性白濁 (white spot) の再石灰化
初期病変部では, 主に唾液から供給される Ca^{2+} と PO_4^{3-} の濃度の上昇や F^- の存在によって, 脱灰はそれ以上に進まず, この部分へのリン酸カルシウム塩の再沈着と結晶化が起こる (再石灰化).
(Arends J et al.：1992[6])を坂本, 小澤が改変：1996[16]))

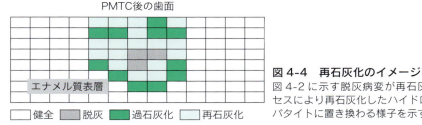

図 4-4　再石灰化のイメージ
図 4-2 に示す脱灰病変が再石灰化プロセスにより再石灰化したハイドロキシアパタイトに置き換わる様子を示す.

飽和状態が維持され, いったん溶出したイオンが歯面に戻ることで, 図 4-2 に示す初期脱灰ステージにおける表層下の脱灰病変が変化し, 再石灰化プロセスが進行する (図 4-4).

このように, 歯面と唾液の境界面ではイオンのやりとりが常に起こっており, 再石灰化の実現にはカルシウム・リン酸塩の過飽和が条件となる.

3) 齲蝕の病因論

「齲蝕はどうして起こるのか」を解明しようとする努力は古代からあり, アッシリアの伝

説にみられる「虫」説や古代ギリシャの「体液説」などが知られている．その後，18世紀，19世紀前半にかけていくつかの説があったが，転機となったのは，Miller（1853～1907）による化学細菌説 chemico-parasite theory である．時代背景としては，1882年に Koch（1843～1910）による結核菌の発見など，当時流行していた多くの感染症の原因菌を探索する機運になっていた．Miller は，1890年に『The Micro-organisms of the human mouth』を著し，酸産生能を有する口腔細菌が食物中の糖質を分解発酵し，歯のエナメル質や象牙質を破壊する不可逆的過程により齲蝕が発症するとした．しかし，Miller はバイオフィルムが病因として重要な役割を果たしていることに気づいておらず，酸を産生する細菌は主として唾液中に存在すると考えていた．

　その後，1940年後半に入り，抗菌薬を用いると齲蝕の発症が抑制されることが実験動物を用いた研究により明らかにされた．Orland ら（1955）は，無菌飼育ラットでは齲蝕がまったく生じないこと，また野生のラットの齲窩から分離した *Streptococcus faecalis* に類似した株を無菌ラットに接種し，砂糖を加えた飼料を与えると齲蝕が生じることを報告した．さらに，Fitzgerald と Keys（1960）により食餌性の発酵性の糖質が重要な役割を有することを示した．

　現在，最も齲蝕原性が強い口腔細菌として報告されているのは，ミュータンスレンサ球菌（mutans streptococci と一括される）のうち，特に *S. mutans* と *S. sobrinus* とされている．*S. sobrinus* は以前，*S. mutans* の血清型 d と g であり，*S. sobrinus* 菌株の中には *S. mutans* よりもスクロースからの酸産生能が高いものがあるという報告もある．

　しかし，ミュータンスレンサ球菌と齲蝕発症との関係は絶対的なものではないことにも留意する必要がある．ミュータンスレンサ球菌が明らかに存在しない状態でも齲蝕は発生するからである．ミュータンスレンサ球菌の増加が必ずしも齲蝕の脱灰プロセスを開始させるわけではなく，バイオフィルムの微生物的なバランスの乱れを反映しているという考え方もある．近年の研究により，ミュータンスレンサ球菌以外の *S. mitis*，*S. gordonii*，*S. oralis* などがミュータンスレンサ球菌と同程度の酸産生能および耐酸性を有することが報告されている．したがって，プラーク中の一部の菌種が齲蝕発症に関与しているとする特異的細菌説とプラーク細菌叢全体の総合的な活動の結果だとする非特異的細菌説のどちらの説をもってしても明確に説明できない面がある．

　そうした中，Marsh（2003）らは生態学的プラーク説を提唱した．これは特異的細菌説と非特異的細菌説を調和融合した考え方といえる．すなわち，齲蝕が発症するかどうかは，局所の環境条件の変化によって常在細菌叢のバランスがシフトする結果であって，たとえば，頻回な糖摂取や唾液分泌低下によりプラークの低 pH 化が繰り返し起こることによって酸産生菌および耐酸性菌が増殖しやすい環境になり，結果的に局所に齲蝕が発生するという考え方である．

　一方，最近，齲蝕を抑制する可能性がある口腔細菌の存在が明らかになってきた．抗齲蝕的に働く細菌の例として *Veillonella* 属が報告されている．*Veillonella* 属は *S. mutans* が産生する（強い酸である）乳酸を *Veillonella* 属が消費し，（弱い酸である）プロピオン酸や酢酸を産生することで，結果的に酸による歯への侵襲が弱くなることで齲蝕への抑制効果が期

| S. mutans | ➡ | 乳酸 | ➡ | Veillonella 属 | ➡ | プロピオン酸 酢酸 | ➡ | 脱灰の抑制 |

図4-5　Veillonella 属の齲蝕抑制効果　　　　　　(Marsh PD, Martin MV：2009[17])

待できるという理論である（**図4-5**）.

（安細敏弘）

2 齲蝕の発生要因

1）齲蝕の発生要因にかかわる変遷

　齲蝕は感染症であると同時に，生活習慣病でもあり，齲蝕の発症要因には個体要因，病原要因および環境要因がかかわっている．それを示すモデルとして，従来からKeyesの3つの輪や時間軸を加えたNewbrunの4つの輪が知られている（**図4-6**）．しかし，近年の研究により疾病の発症には社会の仕組みや経済的背景，個人が受けてきた教育環境や家庭生活環境などが深く関与していることが示唆されている．個々の歯面レベルと個人／集団レベルを入れた新しいモデルが提示されている．すなわち，行動様式，教育，知識，考え方および社会経済的要因などが関与している．さらに最近，地域のソーシャルキャピタル（社会関係資本）の関与も指摘されている．このように齲蝕の進行における決定因子は歯，個人，集団（社会）といった包括的な視点が必要である．

2）宿主と歯の要因（宿主要因）

（1）唾液の要因

　前述したように唾液中のカルシウム・リン酸塩の過飽和・不飽和という動的均衡の変化が齲蝕の発症・進行に深く関与している．したがって，全身的な疾患（Sjögren症候群など）や薬剤の副作用などが原因で唾液分泌が低下したり，口腔乾燥状態が続くと齲蝕が発症しやすくなる．唾液が少ないケースでは，唾液pHも低く，緩衝能が期待しにくいからである．

　唾液分泌速度とカルシウム・リン酸塩濃度との間に正の相関関係が認められることを考えると，咀嚼や舌運動などの口腔体操により唾液分泌を促進させることは齲蝕のリスクを下げることにつながることが理解できる．また，習慣性の口呼吸により，特に上顎前歯の齲蝕のリスクが上昇することが知られている．

（2）歯の要因

　歯や歯列・咬合の解剖学的・形態学的特性により齲蝕のリスクが異なる．

a. 歯種

　歯種によって齲蝕のリスクが異なることは以前から知られていた．上下顎とも大臼歯が高く，下顎の前歯や上下顎の犬歯では低い（☞ p.111 参照）．

b. 歯面

　図4-7 に示すように，齲蝕の好発部位として小窩裂溝，隣接面，歯頸部が知られている．これは，唾液による自浄作用が及びにくい部位であり，再石灰化や緩衝能といった唾液の効

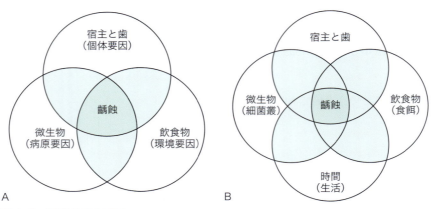

図 4-6　齲蝕の発生要因
A：個体・病原・環境の基本 3 要因（Keyes PH：1969[18]）
齲蝕は，宿主と歯（個体要因），微生物（病原要因），飲食物（環境要因）の 3 要因が作用し合う結果として発生する．
B：個体・病原・環境・時間の 4 要因（Newbrun E：1978[19]）
進行が比較的緩慢である齲蝕においては，これら 3 つの基本要因の相互作用は，時間あるいは生活の要因（環境的要因）の強い影響を受ける．

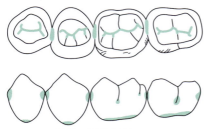

図 4-7　齲蝕の好発部位
臼歯咬合面の小窩裂溝部，隣接面の接触点下部，唇頬側の平滑面歯頸部などに発生する．いずれも歯および歯列がもつ狭窄した陥凹部にある歯面である．
（花田，井上：2010[20]）

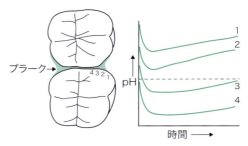

図 4-8　スクロール溶液でうがい後，4 部位の隣接面プラークの pH 変化
（Axelsson P：2009[21]）

果が見込みにくい部位ということになる．図 4-8 に示すように，隣接面の接触点に近い箇所ほど臨界 pH まで低下しやすいことがわかる．一方，歯の切端や咬頭，頬舌側平滑面の豊隆部は，自浄されやすく齲蝕に罹患することはほとんどないため，齲蝕の免疫域ともいわれる．

上顎犬歯の低位唇側転位，下顎側切歯の舌側転位などの歯の叢生部位や咬合線に達していない歯（特に萌出途上の第一大臼歯など）や対合歯のない歯の咬合面などは自浄作用が及びにくく，齲蝕のリスクが高い．

このようにリスクの高い部位は，ブラッシングのスキルが求められる部位でもあるため，患者のスキルアップはもちろんのこと，プロフェッショナルケアにより定期的なケアが求められる．

c．エナメル質の成熟度

萌出後におけるエナメル質の成熟の程度も齲蝕のリスクに影響する．通常，永久歯の萌出

表 4-1　齲蝕のある歯根面と健全な歯根面のバイオフィルム内の細菌の割合

細菌種	根面齲蝕		
	健全	初期	進行
Mutans streptococci	2	34	8
S. sanguinis	19	11	48
Actinomyces naeslundii	12	13	13
Lactobacillus	ND	1	1
Veillonella	ND	4	2

ND：検出されず，単位：%

(Ole Fejerskov ほか編：2013 [22])

後 2 ～ 4 年の間が最もリスクが高い．

3）微生物の要因（病原要因）

（1）齲蝕原性細菌

a．エナメル質齲蝕の原因菌

　前述したようにミュータンスレンサ球菌の存在は齲蝕発症の絶対条件ではないが，これまでの国内外での研究成果を総合するとミュータンスレンサ球菌と脱灰の発生の間には強い相関関係が認められると考えてよい．*S. mutans* は「齲蝕なし」および「齲蝕あり」の両方から分離（検出）された一方で，*S. sobrinus* はほぼ例外なく齲蝕ありの者から検出されている．ミュータンスレンサ球菌はショ糖（スクロース）から非水溶性グルカン（ムタンともよばれる）を産生し，生じた有機酸の唾液への拡散・消失を妨げる障壁となり，バイオフィルム中への蓄積を助長させる（☞第 1 編第 3 章-2 参照）．

b．根面齲蝕の原因菌

　以前は根面齲蝕の原因菌として *Actinomyces* 属の関与が示唆されていたが，現在ではそうした特異性は確認されていない．エナメル質齲蝕と同様，ミュータンスレンサ球菌や *Lactobacilli* が病変部位から検出されているが，絶対的な関連性を有するわけではなく，根面齲蝕の細菌叢は多様性に富むことが示唆されている．Bowden ら（1990）によると，初期の根面齲蝕，進行性の根面齲蝕ともに検出される細菌としては，ミュータンスレンサ球菌以外に，*S. sanguinis*，*A. naeslundii*，*Lactobacillus*，*Veillonella* がある（表 4-1）．

4）飲食物の要因（環境要因）

　われわれが日々口にする飲食物はその内容によって齲蝕を引き起こすことが知られている．通常，食事によって口腔内（プラーク）の pH は酸性に傾くが，唾液の緩衝作用，自浄作用などで時間の経過とともに正常な pH に戻る，ということを繰り返す．糖類を含む食品を摂取することで酸性環境が長時間継続し，齲蝕発症のリスクは高まる．糖類はプラーク細菌が産生する酸の原料（基質）となる．これまでに糖類は介入研究を含む多くの研究によって齲蝕との関連が強く示されている．Moynihan らは食品をエビデンスの強さとリスクの大きさによって分類した（表 4-2）．

表4-2 飲食物と齲蝕の関連についてのエビデンス

エビデンスレベル	齲蝕のリスクを上昇させる	齲蝕のリスクに影響を与えない	齲蝕のリスクを低下させる
十分な根拠がある	遊離糖類の摂取頻度 砂糖の摂取量	デンプンの摂取（米，いも，パンなどの調理されたあるいは生のデンプン．単糖類や二糖類を加えたケーキ，ビスケット，スナック菓子などは除く）	フッ化物
確からしい	―	生の果実類	ハードタイプのチーズ シュガーレスガム
可能性がある	低栄養	―	キシリトール 牛乳 食物繊維
根拠が不十分	ドライフルーツ	―	生の果実類

(Moynihan P, Petersen PE：2004 [23])

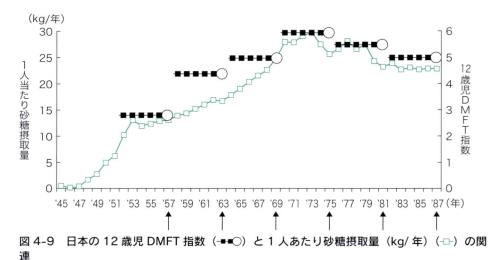

図4-9 日本の12歳児DMFT指数（━■━○）と1人あたり砂糖摂取量（kg/年）（━□━）の関連
↑は歯科疾患実態調査が行われた年を示す．DMFT指数に付属する帯（━■━）は永久歯が萌出する期間を示している．第2次世界大戦後の砂糖消費量の増加に伴い12歳児DMFT指数も増加している．
(Miyazaki H, Morimoto M：1996 [25])

（1）糖類と齲蝕のエビデンス

　これまでに行われてきた多くの臨床研究，疫学研究によって，砂糖（スクロース）が齲蝕発生の主たる要因であることが示されている．日本において，第二次世界大戦後，砂糖消費量の増加に伴って12歳児DMFT指数が有意に増加したことがMiyazakiらによって示された（図4-9）．また，47か国別の国民1人あたりの砂糖消費量と12歳時DMFT指数に有意な関連があることが1960～1970年代のデータを用いた研究によって報告された．その後，フッ化物の応用などによる効果的な齲蝕予防対策の結果，このような地域集団間における砂糖消費量と齲蝕の関連ははっきりしなくなっている．しかし，Bernabéらはフッ化物を日常的に使用している現在においても，砂糖の摂取量と齲蝕の間に用量反応関係が存在していることを示している（図4-10）．
　WHOが2015年に発表したガイドライン「成人および児童の糖類摂取量」では，齲蝕（お

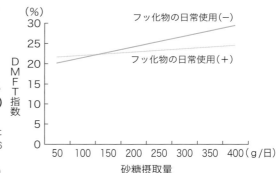

図4-10 成人（平均年齢：48歳）におけるDMFT指数と1人あたり砂糖摂取量（g/日）の関連
フッ化物の使用により，DMFT指数と1人あたり砂糖摂取量の関連は弱まるが，それでもなお有意な用量反応関係が存在する．
(Bernabé E et al.：2016[29])

よび肥満）のリスクを減らすために，成人および児童の1日あたりの遊離糖類*摂取量を，総エネルギー摂取量の10％未満に減らすよう強く推奨している．このガイドラインでは，果物や野菜，牛乳に含まれる糖分についてはエビデンスが不足しているため言及していない．しかし，今日摂取している糖分の多くは加工食品中に隠れて存在していることに警鐘を鳴らしている．たとえば，ケチャップ大さじ1杯中には約4g（小さじ1杯），砂糖入り炭酸飲料1缶には約40gの遊離糖類が含まれるとしている．

（2）糖類の種類

摂取する食品中に含まれる糖類はプラーク中の微生物のもつ酵素によって代謝される．産生される菌体外多糖や酸などは糖質の種類，細菌によって異なる．スクロースはミュータンスレンサ球菌によって代謝され，非水溶性グルカンを生成する．また，酸を産生し，プラーク中のpHが低下，停滞する環境によって齲蝕を発生させる原因となる（☞ p.25 参照）．

単糖類であるグルコースやフルクトースなども同様にプラーク中の微生物によって酸を産生する基質となるためプラークのpHは低下する．スクロースはこれら他の糖類より多くのプラークを形成することが知られている．

生のデンプンは高分子であるため代謝されにくいが，デンプンを生で摂取することはほとんどない．加工，調理されたデンプンは齲蝕原性細菌によって容易に分解され，歯面に停滞しやすい構造になっている（図4-11）．

齲蝕にならない糖として知られるキシリトールは，糖アルコールの一種である．ミュータンスレンサ球菌などの微生物によって代謝されないため，摂取しても，プラーク中のpHが臨界pHである5.5以下になることはない．

糖類の種類によって齲蝕発生に違いがあるかを調べた研究として，フィンランドのTurkuで行われた研究（Turku study）がある．この研究では，参加者125名をスクロース群，フルクトース群およびキシリトール群の3群に分け，それぞれの糖質のみを2年間摂取するように指示した．その結果，キシリトール群の齲蝕発生（歯面）が最も低いこと，また，フルクトースはスクロースより齲蝕原性が低いことも示された（図4-12）．

これまでの研究でキシリトール入りのガムを長期的に摂取するとプラーク量の減少が認め

---

* 遊離糖類：単糖類（グルコース，フルクトースなど）および二糖類（スクロース，マルトースなど）のことで，飲食物中に添加されている糖類のほか，蜂蜜や果汁など天然に存在するものを指す．

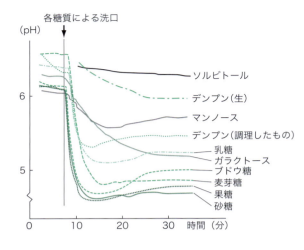

図 4-11 Stephan のプラーク pH 曲線
種々の糖質摂取によるプラーク中 pH の変化の違い．代用甘味料や生のデンプンなどはプラーク中の細菌によって代謝されにくく，単糖や少糖などの代謝の容易なもの（発酵性糖質）はプラークの pH を著しく低下させ，回復に時間を要する．

(Neff D：1967[31] を改変)

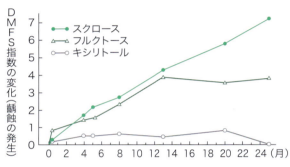

図 4-12 スクロース，フルクトース，キシリトールを甘味料として 2 年間生活した際の時間の経過に伴う DMFS 指数の変化
キシリトール摂取群の齲蝕発生が最も低い．

(Scheinin A et al.：1976[33])

られたとする報告もあり，キシリトールには抗プラーク効果があり，その粘着性が低下することが知られている．

（3）飲食物の物理的性状

食品の物理的性状（溶解性，粘着性など）も齲蝕の発生と関係している．食物が口腔内を移動し，口腔内からすみやかに除去されることをクリアランス性が高いと表現する．食物繊維に富む食品は歯面や舌背に付着した食物を取り除く力が高く，口腔微生物の基質になりにくい性質をもつ．また粘着性が低いため，歯面や口腔内に停滞しにくい（クリアランス性が高い）．これに対し，クリアランス性が低い食品は齲蝕の原因となりやすい．顆粒状のスクロースと粉末状のスクロースを比較した動物実験では，顆粒状のスクロースのほうが齲蝕誘発能は低いことが示された．これは同じ物質でも物理的形状によって齲蝕の発生が異なることを示している．

食品の潜在脱灰能は発酵性糖質の含有量と口腔内停滞量との積で表される．現代の多くの加工食品はクリアランス性が低く，口腔内に停滞しやすいことがわかる（図 4-13）．

（4）時間の要因（環境要因）

時間的な要因もまた齲蝕の発生，進行に影響を及ぼす．プラークが長時間歯面に停滞している環境ではプラーク中の pH が低く，歯面は酸にさらされ，さらにその環境に適した微生物が存在することになる．プラークをすみやかに除去することが齲蝕のリスクを下げることにつながる．

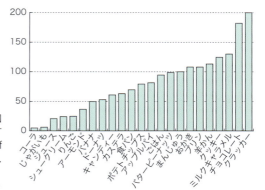

図 4-13　食品の潜在脱灰能
食品の潜在脱灰能の強弱は，発酵性糖質の含有量と口腔内停滞量との積として得られる値を指標として表すことができる．(Bibby BG et al. : Evaluation of caries-producing potentialities of various foodstuff. *J Amer Dent Assoc*, **42**：491, 1951)[36]

(小西：1983 [37])

時間的な要因として，糖類の摂取頻度もまた，齲蝕の発生，進行に影響を与える因子である．1946年から1951年にかけてスウェーデンのVipeholm精神病院で436人の成人の患者を対象にした介入研究が行われた（Vipeholm研究*）．糖類の摂取と齲蝕の発症リスクについて調べることが目的であり，介入群と対照群において1年あたりの新規齲蝕の発生を観察した．その結果，粘着性の歯に付着しやすい形（トフィー：キャラメルのような菓子）で，間食として糖類を摂取することが齲蝕発生リスクを劇的に上昇させることが明らかとなった．食事と同時に糖類を摂取しても齲蝕の発症には変化がないことも示された（**図 4-14**）．

間食と齲蝕の関連は，間食の頻度が増えると1人あたりdef歯数が増えることがWeissらによる研究によっても示された（**図 4-15**）．さらに，齲蝕経験のない子どもが増えた現代において行われた研究においても，1日あたりの間食の回数が3回以上の子どもは2回以下の子どもよりも齲蝕発生率が有意に高いということが報告されている．

また，成人を対象とした調査において，フッ化物配合歯磨剤使用の有無に関係なく，砂糖含有飲料の摂取頻度と4年間のDMFT指数の増加との間に有意な用量反応関係が認められた．

以上のように糖類（特にスクロース）への曝露の頻度や長い口腔内停滞時間が，結果として齲蝕の発生につながるということが明らかになっている．

5）生活環境の要因（環境要因）

多くの疾病と同様に齲蝕もまた，自然環境や生活・社会を取り巻く環境によって影響を受けると考えられる．

（1）自然環境

日本は周囲を海に囲まれている島国である．四季があり，比較的温暖で多湿な気候である．日常使用する飲料水や穀物，農作物を収穫する土壌の性質などが影響することが考えられる．特に飲料水は，歯の硬組織に影響を及ぼし，齲蝕の発生と関連する．飲料水中のフッ

---

* Vipeholm研究：古典的研究といわれているが，今日では倫理上の問題があり実施することは不可能である．①被験者本人にインフォームド・コンセントを与える能力がないこと，および被験者代理人からインフォームド・コンセントを取得していないこと，②糖質摂取と齲蝕発生との間の因果関係が立証されており，こうした介入研究は被験者の不利益となること，という研究倫理の観点で問題がある．

第1編　口腔保健・予防歯科学総論

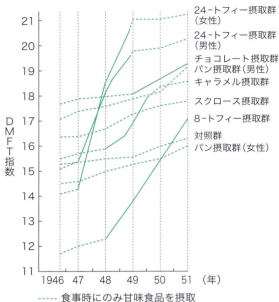

図 4-14　甘味食品の種類および摂取時期にみた DMFT 指数の変化
スクロースを歯に付着しやすい形で，間食として摂取することが最も齲蝕を増加させる．
(Gustafsson BE et al.：1954 [38])

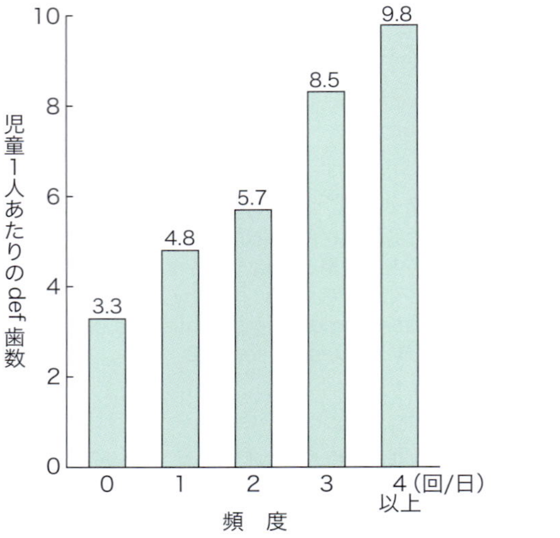

図 4-15　5～6 歳児の間食回数と齲蝕歯数（def）
(Weiss RL, Trithart AH：1960 [39])

化物濃度が高いと齲蝕の発生が抑制されることが報告されている．

(2) 社会環境

　齲蝕は日本を含め世界中でみられる疾患である．民族，習慣，その国の経済状況などに影響され，世代間や地域によっても違いが認められる．12 歳児の DMFT 指数について世界的にみると，減少傾向であるものの，依然として開発途上国では増加傾向にある（図 4-16）．
　前述の WHO のガイドラインでは，遊離糖類の摂取量は年齢，環境や国によって異なることが示されている．ハンガリー，ノルウェーなどでは成人の摂取量は総エネルギー摂取量の約 7～8％，スペインやイギリスでは 16～17％にもなる．南アフリカの農村部では 7.5％，都市部では 10.3％と国や環境による違いが明らかである．
　近年，齲蝕の発生には糖類の摂取だけでなく，人々の健康を規定する経済的社会的状況「健康の社会的決定要因 social determinants of health（SDH）」が深く関連していることが指摘されている．SDH は齲蝕を含めた歯科疾患の直接的な原因を左右する背景要因である（図 4-17）（☞ p.39 参照）．
　Schwendicke らはシステマティックレビューの中で 12 歳児の齲蝕経験が親の教育歴，所得などの経済社会的地位と関連すると結論づけている．日本においても，平均所得が高く公民館の数が多い地域ほど 3 歳児の齲蝕が少なく，人口あたりの飲食料小売店の数が多い地域ほど 3 歳児の齲蝕が多いことが報告されている．
　このような格差をなくすことが世界的な口腔保健における取り組みの 1 つであり，日本に

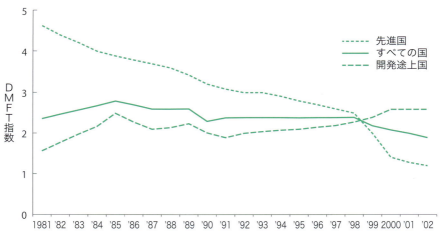

図4-16 12歳児における平均DMFT指数の傾向

(WHO：2010[43])

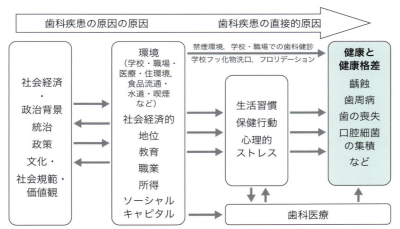

図4-17 歯科疾患や保健行動に影響する健康の社会的決定要因（SDH）
SDHは齲蝕を含めた歯科疾患の直接的な原因を左右する背景要因である．

(相田ほか：2015[44])

おいても歯科口腔保健の推進に関する法律（2011年）や健康日本21（第二次）（2013年〜）の中で「健康の保持・増進とともに健康格差の縮小」は重要な目標に掲げられている．

齲蝕予防へのアプローチとして，学校などでのフッ化物洗口は家庭の状況にかかわらず行うことのできる方策である．

以上のように，個人を取り巻く地域社会を含めた社会環境全体へアプローチし，口腔の健康を推進し，格差を縮小していくための環境の整備，施策が重要である．

（安細敏弘，角田聡子）

第1編　口腔保健・予防歯科学総論

3 フッ化物の応用

1）フッ化物とは

　フッ素は自然界に広く存在する天然元素である．地球では，フッ素単体ではなく，フッ化物（フッ化物イオンが含まれる化合物）の形態で地球上のあらゆる物に存在している（**表4-3**）．

　フッ化物は生体にとって欠かせない重要なミネラル成分である．フッ化物はヒトの体重1kgあたり1～100mg存在し，成人の体内には約2.5gのフッ化物を有している．また，フッ化物の体内分布は骨に約99%，歯のエナメル質に約0.1%存在している．

　なお，齲蝕予防に用いられるのは無機のフッ化物である．フライパンや自動車の表面処理などに用いられる有機のフッ素化合物とは異なる．

2）フッ化物の歴史

（1）フッ化物と歯のフッ素症（斑状歯）の調査

　フッ化物は，1900年初期に米国の開業医であるMcKayが診療していた地域（コロラド・スプリングス）の住民にみられる着色歯に注目したことで知られることになった．McKayは，コロラドにみられた着色歯をコロラド褐色斑，斑状歯と称した．また1909年に，Blackと共同でコロラドを調査し，①飲料水が影響していること，②斑状の歯をもつ人には齲蝕が少ないことを報告した．その後，1931年にChurchillが飲料水中に高濃度のフッ化物（13.7ppmF）が含まれていることを確認した．

（2）飲料水中フッ化物濃度と歯のフッ素症および齲蝕発生に関する疫学調査

　1933年，米国公衆衛生局のDeanらは，飲料水中フッ化物濃度と歯のフッ素症および永久歯の齲蝕経験指数（DMFT指数）との関係を調査した．その結果，飲料水中のフッ化物濃度と歯のフッ素症との間に正の相関があることや飲料水中のフッ化物濃度とDMFT指数との間に負の相関があることを明らかにした（**図4-18**）．

（3）齲蝕予防に用いるフッ化物応用法の研究

　1945年，ミシガン州グランド・ラピッズにおいて，世界で初めて上水道にフッ化物（フッ化物濃度1ppmF）を添加して齲蝕予防を行うフロリデーションが開始された．

　フッ化物歯面塗布法の研究は1942年からBibbyらにより始まり，1943年にKnutsonによって2%フッ化ナトリウム溶液によるフッ化物歯面塗布法が確立された．

　フッ化物配合歯磨剤は研磨剤の改良が行われ1955年頃より世界で用いられた．

　フッ化物洗口法の研究は1960年頃より報告され，1965年にTorelとEricssonがさまざまなフッ化物の局所応用の中でもフッ化物洗口の予防効果が高いことを報告した．

3）フッ化物応用法

　フッ化物による齲蝕予防法には，歯の形成期にフッ化物が作用して歯を強くし，歯の萌出後もエナメル質表層からフッ化物を作用させることができる全身応用法と，歯の萌出直後からエナメル質表層を通してフッ化物を取り込ませる局所応用法がある．

表4-3　いろいろなものに含まれるフッ化物の量

食品				地上		水	
エビ（全）	49 ppmF	ジャガイモ	0.8～2.8 ppmF	土（表層）	海水	1.3 ppmF	
エビ（身）	0.5 ppmF	にんじん	0.5 ppmF	280 ppmF	表層水	0.1 ppmF	
いわし	8～19.2 ppmF	りんご	0.2～0.8 ppmF		地下水	1 ppmF 未満～25 ppmF	
いわし（身）	0.2 ppmF	緑茶（滲出液）	0.1～0.7 ppmF				
海草	2.3～14.3 ppmF	紅茶（滲出液）	0.5～1.0 ppmF				
貝	1.5～1.7 ppmF	ビール	0.8 ppmF				
塩	25.9 ppmF	牛肉	2 ppmF				
だいこん	0.7～1.9 ppmF						

（磯﨑：2009[1])）

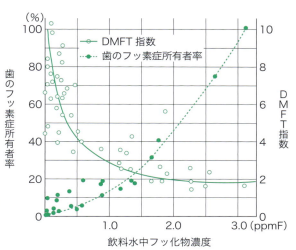

図4-18　飲料水中のフッ化物濃度と歯のフッ素症発生と齲蝕罹患状況
Deanが米国21都市の調査結果を作図したもの．この結果から，審美的に問題となる歯のフッ素症がみられない範囲で齲蝕を抑制する飲料水中フッ化物濃度を1 ppmFと示唆した．
（Dean HT et al.：1941，1942[2]）

（1）フッ化物全身応用法

a．フロリデーション（水道水フッ化物濃度調整）

　フッ化物が天然に含まれ，フッ化物濃度が高い地域では，適正濃度になるまで濃度を低下させ，低濃度の地域では，適正濃度になるまでフッ化物を添加してそれぞれ調整する．

　水道水に添加するフッ化物には，ケイフッ化ナトリウム（Na_2SiF_6），ケイフッ化水素（H_2SiF_6），フッ化ナトリウム（NaF）が用いられる．

（ⅰ）至適フッ化物濃度

　2015年に米国公衆衛生機関は，0.7 ppmFで齲蝕予防の効果が十分にみられること，気温と水の摂取量に明らかな関連がないことより，飲料水中の至適フッ化物濃度を0.7 ppmFとした．

（ⅱ）フロリデーションによる齲蝕予防効果

　フロリデーションによる齲蝕予防効果の報告をレビューしたのが図4-19である．永久歯は乳歯と比較して予防効果が高い傾向がある．

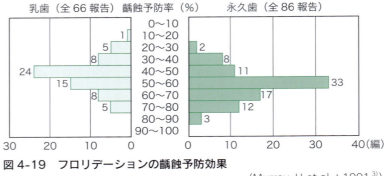

図 4-19　フロリデーションの齲蝕予防効果

(Murray JJ et al.：1991[3])

(ⅲ) フロリデーションの普及状況
①日本の状況
　日本では，過去に京都の山科地区，三重の朝日町，米軍管理下の沖縄において実施されていた．しかし，現在ではフロリデーションは行われていない．
②外国の状況
　英国水道水フロリデーション協会の報告（2012年）によれば，調整によるフロリデーションが実施されている国は27か国，普及人口は3億8,000万人であった．また，天然による方法を実施している国は41か国，約6,000万人で，いずれかの方法で実施している国は54か国，約4億4,000万人になる．
　フロリデーションの普及率が高い国はシンガポール（100％），香港（100％），ブルネイ（95％），オーストラリア（90％）であり，ガボン，マレーシア，アイルランド，チリ，イスラエル，米国の順に続く．

b. フッ化物錠剤および液剤
　1日投与量が飲料水中のフッ化物濃度0.3 ppmF以下では，年齢別に6か月〜3歳は0.25 mg，3〜6歳は0.15 mg，6〜16歳は1.00 mgとそれぞれ定められている．

c. 食塩へのフッ化物添加
　水道水フロリデーションが技術的に困難である地域，あるいは水道施設そのものがない国において，フッ化物添加食塩は有用である．フッ化物の添加量は250 ppmFが適当とされている．

d. ミルクへの添加
　添加されるフッ化物としては，フッ化ナトリウムが広く用いられている．フッ化物の添加量は，児童の年齢，地域の水道水中フッ化物イオン濃度，水道水以外からのフッ化物量，および児童が飲用する1日のミルク量などを考慮して決められる．

(2) フッ化物局所応用法

a. 歯面に対するフッ化物局所応用

(ⅰ) フッ化物配合歯磨剤
　フッ化物配合歯磨剤は，家庭や職場でのセルフケアによる齲蝕予防手段である．日本では，メーカーが積極的にフッ化物配合歯磨剤を市販していることから，その市場占有率は

2010 年以降 90％以上（2015 年以降 91％以上）を保っている．フッ化物配合歯磨剤は，ライフステージによってフッ化物の使用量や注意事項が異なる．フッ化物配合歯磨剤は，モノフルオロリン酸ナトリウム（Na_2PO_3F，MFP），フッ化ナトリウム（NaF），フッ化第一スズ（SnF_2）が配合されており，医薬部外品に分類される．以前は，配合されるフッ化物イオン濃度は，医薬品，医療機器等の品質，有効性及び安全性の確保等に関する法律（薬機法）上，1,000 ppmF 以下に定められていた．しかし，厚生労働省は，2017 年 3 月に 1,500 ppmF を上限とするフッ化物配合歯磨剤を医薬部外品として承認した．また，現在のわが国で推奨されるフッ化物配合歯磨剤の利用方法が日本口腔衛生学会，日本小児歯科学会，日本歯科保存学会，日本老年歯科医学会の 4 学会合同で取りまとめられている（**表 4-4**）．

　過去のデータによると齲蝕予防効果は，25 ～ 40％程度である．また，フッ化物配合歯磨剤の齲蝕予防効果はフッ化物イオン濃度に依存しており，1,000 ppmF 以上の濃度では，500 ppmF 高くなるごとに 6％の齲蝕予防効果の増加が認められる．一方，500 ppmF 未満の濃度の齲蝕予防の有効性は不明である．

（ⅱ）フッ化物洗口

　フッ化物洗口は，家庭で個人的に行うことができ，また，学校などの施設単位で集団的に実施することもできる齲蝕予防手段である．4 歳から成人，高齢者まで広く適用される．特に，4 歳から開始し，14 歳までの期間に実施することが齲蝕予防対策として最も効果が高いと報告されている．日本におけるフッ化物洗口の全国調査結果の集団応用人数は，2018 年で約 157 万人である．

　集団応用の場合の薬剤の管理は，歯科医師の指導のもと，歯科医師あるいは薬剤師が薬剤の処方，調剤，計量を行い，施設において厳重に管理する．家庭で実施する場合は，歯科医師指導のもと，保護者が薬剤を管理する．なお，薬機法上，薬剤は劇薬扱いであるが，用法どおりに溶解してフッ化物イオンとして 1％（10,000 ppmF）以下になったものは，普通薬として取り扱われる．また，フッ化物洗口液を溶解，保存しておく容器には，プラスチックの容器を使用する．

　この方法の特徴としては，①方法が簡便で歯科医療従事者のかかわる部分が非常に小さいこと，②安価で確かな齲蝕予防効果が得られること，③局所応用の中では費用対効果に最も優れていることなどがあげられる．

　フッ化物洗口には，毎日法と週 1 回法がある．毎日法は学校などの施設で行うときは 1 週間のうち 5 日間が実施日になるので，週 5 日法または週 5 回法とよぶこともある．毎日法では 0.05％，0.055％，および 0.1％フッ化ナトリウム溶液（225 ppmF，250 ppmF，および 450 ppmF）を，週 1 回法では 0.2％のフッ化ナトリウム溶液（900 ppmF）を用いる．洗口は，5 ～ 10 mL を口腔に含み，ブクブクうがいを 30 ～ 60 秒，うつむき加減で行う．洗口後，洗口液を吐き出す．洗口後 30 分間は，うがいや飲食を禁止する．齲蝕予防効果について，諸外国では 20 ～ 50％と報告されている．また日本では 29 ～ 79％の齲蝕予防効果が示されている．なお，フッ化物洗口は，他のフッ化物局所応用法と組み合わせて実施しても，安全上の問題はない．

第 1 編 | 口腔保健・予防歯科学総論

表 4-4　齲蝕予防のためのフッ化物配合歯磨剤の推奨される利用方法（2023 年版）

年齢	使用量[*1]	フッ化物濃度[*2]	使用方法
歯が生えてから 2 歳	米粒程度（1 〜 2 mm 程度）	900 〜 1,000 ppmF	・フッ化物配合歯磨剤を利用した歯みがきを，就寝前を含め 1 日 2 回行う. ・900 〜 1,000 ppmF の歯磨剤をごく少量使用する. 歯みがきの後にティッシュなどで歯磨剤を軽く拭き取ってもよい. ・歯磨剤は子どもの手が届かない所に保管する. ・歯みがきについて歯科医師などの指導を受ける.
3 〜 5 歳	グリーンピース程度（5 mm 程度）	900 〜 1,000 ppmF	・フッ化物配合歯磨剤を利用した歯みがきを，就寝前を含め 1 日 2 回行う. ・歯みがきの後は，歯磨剤を軽くはき出す. うがいをする場合は少量の水で 1 回のみとする. ・子どもが歯ブラシに適切な量の歯磨剤をつけられない場合は，保護者が歯磨剤をつける.
6 歳〜成人（高齢者を含む）	歯ブラシ全体（1.5 〜 2 cm 程度）	1,400 〜 1,500 ppmF	・フッ化物配合歯磨剤を利用した歯みがきを，就寝前を含め 1 日 2 回行う. ・歯みがきの後は，歯磨剤を軽くはき出す. うがいをする場合は少量の水で 1 回のみとする. ・チタン製歯科材料（インプラントなど）が使用されていても，自分の歯がある場合はフッ化物配合歯磨剤を使用する.

・乳歯が生え始めたら，ガーゼやコットンを使ってお口のケアの練習を始める. 歯ブラシに慣れてきたら，歯ブラシを用いた保護者による歯みがきを開始する.
・子どもが誤って歯磨剤のチューブごと食べるなど大量に飲み込まないように注意する.
・要介護者で嚥下障害を認める場合，ブラッシング時に唾液や歯磨剤を誤嚥する可能性もあるので，ガーゼなどによる吸水や吸引器を併用するのもよい. また，歯磨剤のために食渣などの視認性が低下するような場合は，除去してからブラッシングを行う. またブラッシングの回数も状況に応じて考慮する.
・水道水フロリデーションなどのフッ化物全身応用が利用できない日本では，歯磨剤に加えフッ化物洗口やフッ化物歯面塗布の組み合わせも重要である.
・どの年齢でも，歯みがきについて歯科医師などの指導を受けるのが望ましい.
[*1]：イラストの歯ブラシの植毛部の長さは約 2 cm である.
[*2]：歯科医師の指示により齲蝕のリスクが高い子どもに対して，1,000 ppmF を超える高濃度のフッ化物配合歯磨剤を使用することもある.
（日本口腔衛生学会・日本小児歯科学会・日本歯科保存学会・日本老年歯科医学会：2023）

（ⅲ）フッ化物歯面塗布

　フッ化物歯面塗布は，歯科医師や歯科衛生士のような専門職が行う齲蝕予防手段として位置づけられ，歯科医院，保健所，および市町村保健センターを中心として，個人的に応用されている. 日本のフッ化物歯面塗布経験者の割合は，2016 年の歯科疾患実態調査において，62.5％である. フッ化物歯面塗布の方法には，綿球や綿棒を用いる一般法，トレーを用いて行うトレー法，およびトレーと電極を用いたイオン導入法がある. また，日本では，塗布製剤の添付文書にはないが，歯ブラシを用いて APF ゲルを塗布する歯ブラシ塗布法も実施されている.

　基本的な術式は，①歯面清掃，②簡易防湿，③歯面乾燥，④製剤塗布，⑤防湿の除去（ゲル法の場合，余分なゲルの除去），⑥塗布後の注意という順序で進める. 塗布後の注意として，30 分間はうがいや飲食を禁止し，出てくる唾液を吐かせる程度にとどめる.

　萌出後の歯のエナメル質表面に高濃度のフッ化物を作用させることによって，齲蝕抵抗性を与える方法である. 年数回の実施で齲蝕予防効果があることから，負担の軽いフッ化物応

用法であるともいえる．公衆衛生的手段としては，多くの費用や人手を必要とし，実施対象が制限されるという欠点がある．一方で，安全管理しやすい，乳幼児に適応が可能であるという洗口法に比べた優位性もある．

フッ化物歯面塗布製剤の種類には，2％フッ化ナトリウム溶液（NaF 溶液），リン酸酸性フッ化ナトリウム溶液（APF 溶液），リン酸酸性フッ化ナトリウムゲル（APF ゲル），および 4％，8％フッ化第一スズ溶液（SnF_2 溶液）がある．日本では，1 歳 6 か月児〜3 歳までを対象にした調査において，30 〜 70％の高い乳歯の齲蝕予防効果が報告されている．

b．歯根面に対するフッ化物局所応用法

口腔衛生管理が不十分な成人，高齢者に対して，歯頸部や露出歯根面にフッ化物を応用することは根面齲蝕の予防に効果的である．日本では，初期の根面齲蝕に罹患している在宅等療養患者へのフッ化物の塗布が保険診療で認められている．

（ⅰ）フッ化物配合歯磨剤

国外の健常ボランティアを対象にした 1 年間の介入研究では，1,100 ppmF のフッ化ナトリウム配合歯磨剤で 67％の齲蝕抑制率が示されている．また日本でも，歯周病メインテナンス患者を対象にした調査において，根面齲蝕の発症を抑制（抑制率 62％）した報告がある．

（ⅱ）フッ化物洗口

フッ化物洗口液と APF 溶液の応用を検討した研究では，フッ化物洗口液で 73％の齲蝕抑制率があったことが認められている．

（ⅲ）フッ化物歯面塗布

APF の塗布で 74％の齲蝕抑制率があったとの報告がある．

c．その他のフッ化物局所応用法

（ⅰ）フッ化物バーニッシュ

フッ化物バーニッシュ（22,600 ppmF）は，高濃度のフッ化物を歯面に長期間停滞させることによって，齲蝕予防をはかることを目的にヨーロッパで開発された．日本ではこの製剤は，象牙質知覚過敏症の治療薬として販売されている．歯科医師の裁量のもとに，齲蝕予防や抑制にも利用できる．ただし，全顎的な塗布でなく，初期齲蝕部や歯根面露出部に限定した応用が望ましい．

（ⅱ）フッ化物徐放性歯科材料

フッ化物の長期間の徐放を目的として，歯科用セメント，コンポジットレジン，および小窩裂溝填塞材のような歯科材料の中にフッ化物を含有したものである．

（ⅲ）フッ化物添加デンタルフロスとトゥースピック

近年，日本でもデンタルフロスとトゥースピックにフッ化物を添加したものが市販されている．

4）フッ化物による齲蝕予防機序

フッ化物の歯面に対する齲蝕予防機序を図 4-20 に示す．フッ化物は，歯のエナメル質に作用し，フルオロアパタイトの生成，結晶性の向上，再石灰化の促進を促す．また，フッ化物には細菌の酵素活性を抑えて酸産生を抑制する効果もある．

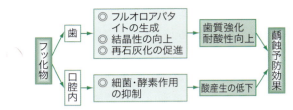

図 4-20　フッ化物による齲蝕予防機序
(可児ほか：1991[4])

（1）全身応用による齲蝕予防機序
歯の形成期からフッ化物がエナメル質の石灰化に関与する．

（2）局所応用による齲蝕予防機序
フッ化物のエナメル質に対する齲蝕予防機序について，これまでは高濃度・低濃度いずれの濃度にかかわらず，歯の主成分であるハイドロキシアパタイト［$Ca_{10}(PO_4)_6(OH)_2$］の一部がフルオロアパタイト［$Ca_{10}(PO_4)_6F_2$］に置換され，歯質の耐酸性が向上することにあるとされてきた．これに加え，近年は低濃度のフッ化物がイオンとして歯質に直接作用することなどがあげられている．また，フッ化物濃度の高低で機序が異なる．

a. 低濃度フッ化物局所応用の影響
（ⅰ）フルオロアパタイトの生成
　低濃度フッ化物が萌出直後のエナメル質表層から頻回に作用することによりエナメル質に取り込まれ，フルオロアパタイトが形成される．
（ⅱ）結晶性の向上
　萌出直後のエナメル質は未成熟で結晶構造の欠陥（不正格子）を認めるが，フッ化物が表層から作用することで不正格子が修復される．
（ⅲ）再石灰化の促進
　初期齲蝕は，エナメル質の表層下脱灰から始まる．フッ化物は，表層下脱灰している箇所の再石灰化を促進させ，その結果として初期齲蝕を治癒させることがある．
（ⅳ）細菌の代謝阻害
　唾液中のフッ化物濃度が 5〜10 ppm で，エラノーゼなどの解糖系の酵素活性が阻害される．

b. 高濃度フッ化物局所応用の影響
　臨床応用される高濃度フッ化物製剤の場合，反応生成物として主にフッ化カルシウムが生成される．ただし，フッ化カルシウムは最終的反応生成物ではない．口腔内環境ではリン酸塩や唾液タンパク質の影響を受けて純粋なフッ化カルシウムではなく，フッ化カルシウム様物質として存在している．フッ化カルシウム様物質はエナメル質表面が pH5 以下に低下すると溶解し，低濃度ながらカルシウムイオンやフッ化物イオンの供給源となる．すなわち，中間反応生成物としてフッ化カルシウムを生成するような高濃度フッ化物でも，最終的には低濃度フッ化物イオンを供給している．

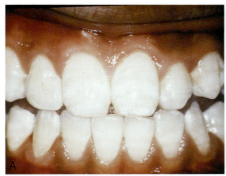 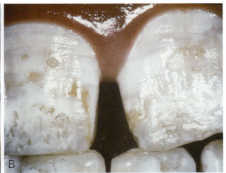

図4-21　歯のフッ素症　　　　　　　　　　　（磯﨑篤則先生のご厚意による．磯崎：2009[1]）
A：軽度．B：中等度．

5）フッ化物の代謝

（1）経口摂取されたフッ化物

フッ化物は，国によって摂取量に差があるものの，食事から摂取される量はおおむね0.70〜1.03 mgである．ただし，フロリデーションが実施されている地域では，1日のフッ化物摂取量は増加する．

日本における1日のフッ化物摂取量の近年の報告は，成人で0.90〜1.28 mg，幼児で0.23〜0.37 mg，乳児で0.09〜0.27 mgである．

（2）フッ化物の吸収

経口摂取されたフッ化物は，胃ですみやかに吸収される．フッ化物錠剤を経口摂取した場合，摂取量に関係なく摂取した約10分後に血中濃度が急上昇し，30分後に最大となり，11〜15時間後には元に戻る．

胃での吸収率は，胃の状態（空腹，満腹），摂取時の形状（液状，ゲル，固形），構成成分（カルシウム，アルミニウムなど）により異なる．ミルクやカルシウム豊富な飲食物を摂取した場合，フッ化物の吸収率は60〜70％に減少する．

（3）胃で吸収されたフッ化物の分布

血中のフッ化物は，硬組織（骨や歯）に移行して蓄積される．フッ化物の蓄積率は，小児では高く80％以上，成人では約50％という報告がある．すなわち，成長期ほど蓄積率は高い．また，フッ化物が軟組織に蓄積することはない．

（4）摂取されたフッ化物の排泄

フッ化物を濾過して排泄する臓器は腎臓で，尿中に排泄される．

6）過量フッ化物の為害作用

（1）慢性中毒

フッ化物による慢性中毒は，歯のフッ素症と骨のフッ素症が報告されている．

a．歯のフッ素症（図4-21）

エナメル質の石灰化期に，過量のフッ化物を含有した飲料水を長期間摂取した場合に生じるエナメル質の石灰化不全である．永久歯に，歯のフッ素症が生じるような地域でも，乳歯

のフッ素症はみられない．これは胎盤がフッ化物を通過しにくくしているためである．

　歯のフッ素症は，Deanの分類（☞ p.134 **表10-23** 参照）や厚生労働省の分類で診断される．一般に軽度の歯のフッ素症は，審美的な問題は小さく，齲蝕抵抗性が高い．中等度以上になると審美的な問題があり，実質欠損を伴うものや着色があるものの，齲蝕抵抗性は高い．

　なお，永久歯が萌出してから実施するフッ化物の局所応用法では，歯のフッ素症は起こらない．

b．骨のフッ素症

　飲料水中のフッ化物濃度が8 ppmF 以上含まれている地域で生活している成人の約10％に骨が硬化したエックス線像を認めた報告がある．さらに高いフッ化物濃度では，靱帯や腱が石灰化し，運動傷害を生じることがある．

（2）急性中毒

a．症状

　フッ化物を誤って一度に多量経口摂取した場合に生じるもので，症状としては吐気，嘔吐の発症率が最も多く，次いで腹痛，下痢などの胃腸症状が多い．また，循環器障害，神経障害を併発することもある．Baldwin の報告によると，250 mg のフッ化ナトリウムの服用2分後に悪心，20分で症状が最も大きくなったとされる．このことから，フッ化物の急性症状は2 mg/kg 以上で発生すると考えられる．また，Whitford は過去の事故例から5 mg/kg以上を胃洗浄などの医学的処置を必要とする中毒量とした．さらに，Lidbeck らは，誤って約5〜10 g のフッ化ナトリウムを飲んだ163例中47人が死亡したことを報告した．すなわち，約45 mg/kg 以上が致死量となる．

b．発症機序

　Eichler はフッ化物の急性中毒の発症機序について以下のように報告している．胃腸障害は，過量のフッ化物の経口摂取により，胃酸とフッ化物が反応してフッ化水素を形成することにより発現する．また，循環器障害は，過量摂取されたフッ化物が血中でカルシウムと反応し，フッ化カルシウムを形成することで低カルシウム血症となることが原因となる．さらに，高濃度のフッ化物が細胞内に取り込まれると細胞内代謝障害を起こし，心臓，腎臓，および中枢神経に中毒作用を及ぼす．

c．急性中毒発現時の救急処置

　服用した量によって対処法は異なる．5 mg/kg 以下の場合は，医学的処置は不要で，経口的に牛乳やカルシウム剤を与え，数時間観察する．5 mg/kg 以上では，胃内容物の吐出や胃洗浄，牛乳，5％グルコン酸カルシウム液，5％乳酸カルシウム液を経口的に与え，入院させて経過を観察する．特に15 mg/kg 以上の場合には，ただちに入院して，救急処置を行う必要がある．

（友藤孝明，東　哲司）

第1編　口腔保健・予防歯科学総論

第5章　歯周病

本章の要点

- 歯周病は，人類史上最も有病者率が高い慢性炎症性疾患である．
- 歯周病はプラークを原因とすることが最も多く，歯肉炎と歯周炎に大別される．
- 遺伝性疾患である全身疾患には歯周炎を併発するものがある．
- 歯周病は，プラーク細菌叢の乱れ（dysbiosis）によるプラークの高病原化により，歯周組織の抵抗力とプラークの病原性との均衡が崩壊することにより発症する．
- *Porphyromonas gingivalis*, *Tannerella forsythia*, *Treponema denticola* が最も病原性の高い歯周病原細菌である．
- 歯周病の病態と進行は，宿主要因（免疫能，咬合性外傷，歯と歯肉の形態など）と，環境要因（セルフケア，喫煙，ストレス）の影響を受ける．
- 歯周病により歯周組織で産生される炎症性サイトカインと，歯周病原細菌による菌血症が，全身疾患の発症・増悪に関与している．

Keywords 歯周病，歯肉炎，歯周炎，プラーク（バイオフィルム），慢性歯周炎，感染症，歯周病原細菌，レッドコンプレックス，*P. gingivalis*，咬合性外傷，dysbiosis

1　歯周病の定義と分類

1）歯周病の定義

歯周病（歯周疾患）とは，歯周組織に発症する炎症性疾患を包括した言葉であり，歯肉炎と歯周炎を含む．健康な歯周組織には深さ3mm以下の歯肉溝が存在する（図5-1）．歯肉炎は歯肉に限局した炎症であり，歯と歯肉の付着（上皮付着）の破壊や歯槽骨吸収などの組織破壊は起こさない．一方，歯周炎では，歯周組織に蓄積したプラーク（口腔バイオフィル

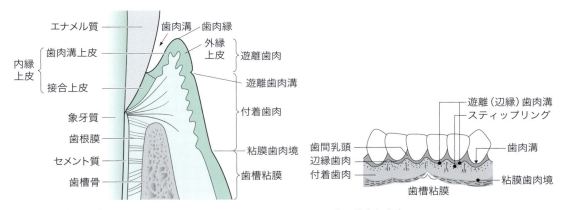

A　健康な歯周組織　　　　　　　　　　　　　　　　B　健康な歯肉

図5-1　健康な歯周組織の構造

（小関，雫石：2010[1]改変）

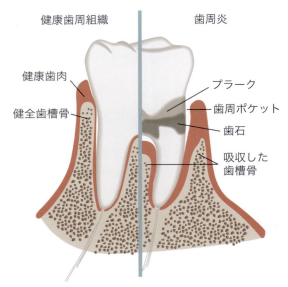

図 5-2 歯周炎による歯周組織の変化
蓄積したプラークと歯石による刺激で，炎症は歯肉から歯根膜，歯槽骨へと波及し，上皮付着の喪失による歯周ポケットの形成と歯槽骨吸収が起こる．

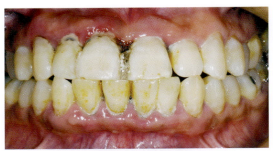

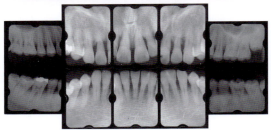

図 5-3 歯周炎の臨床像
46歳男性．初診時の口腔内写真とエックス線画像．上顎前歯部に顕著な歯石沈着と歯肉炎症，歯槽骨吸収が認められる．

ム）と歯石による刺激で，炎症が歯肉から歯根膜，歯槽骨へと波及し，歯肉溝の深さは3mmを越え，上皮付着の喪失と歯槽骨吸収が認められる（図5-2, 3）．歯肉炎はていねいな口腔清掃によりプラークを除去すれば改善するが，歯周炎では自然治癒やブラッシングによる治癒は期待できず，歯科医師あるいは歯科衛生士によりプラークと歯石が適切に除去されない限り，歯周組織破壊は進行し，やがては歯の脱落へと至る．

2）歯周病の特徴

2001年，ギネスブックに「全世界で最も蔓延している病気は歯周病である．地球上を見渡してもこの病気に冒されていない人間は数えるほどしかいない」と記載された．2016年の歯科疾患実態調査によると，50歳以上の日本人では50%以上の人が歯周炎，10%以上の人が重度歯周炎の有病者であった．これほど有病者率が高い慢性疾患は他にはない．

（1）歯肉炎の特徴

①歯肉の発赤と腫脹，②スティップリングの消失，③プロービング時の出血 bleeding on probing（BOP），④歯肉の腫脹による仮性ポケットの形成

歯肉炎は歯肉に限局した炎症であり，上皮付着の破壊はみられない．

（2）歯周炎の特徴

①歯肉の発赤と腫脹，②スティップリングの消失，③プロービング時の出血，④歯周ポケット（真性ポケット）の形成，⑤上皮付着の喪失（アタッチメントロス）と歯槽骨吸収，⑥歯の動揺，⑦排膿，⑧歯肉退縮（歯根露出）

歯周炎では，歯肉の炎症が深部組織に波及し，歯肉溝は3mmを越えて深くなり，歯周ポケットが発生する．さらに炎症が進行すると，歯槽骨が吸収し，歯の動揺，病的な移動が起

健康	歯周炎(軽度)	歯周炎(中程度)	歯周炎(重度)
歯肉溝 3 mm 以下	歯周ポケット 4 mm	歯周ポケット 5〜6 mm	歯周ポケット 7 mm 以上

図5-4 歯周病の進行
※プローブの目盛がミリ単位なので歯周ポケット深さは四捨五入してミリで表される.

こる（図5-4）.

3）歯周病の分類

歯周病の分類は1928年の病理学者Gottliebによる分類から始まり，歯周病学の進展に伴い大きく変化してきた．現在，日本では，米国歯周病学会の歯周疾患の分類（1999年）に基づいた歯周病分類システム（日本歯周病学会2006年）が用いられている（表5-1）．一方，2018年に米国歯周病学会とヨーロッパ歯周病連盟より新国際分類が公表された．現在，日本歯周病学会では同学会の分類システムとこの新分類を併記して用いている．

（1）日本の分類（日本歯周病学会の分類システム）

a. 歯肉病変

歯肉病変は歯肉炎と歯肉増殖を包括したものであり，3つに分類される．

（ⅰ）プラーク性歯肉炎

口腔清掃不良による歯肉溝へのプラークの蓄積が原因である．歯肉に限局した炎症のため，適切な口腔清掃により治癒する．全身因子関連歯肉炎は，思春期の性ホルモン分泌の上昇や（思春期性歯肉炎），妊娠に伴う女性ホルモンの変化（妊娠性歯肉炎），閉経後の女性ホルモンの減少（更年期性歯肉炎または慢性剥離性歯肉炎）が原因である．糖尿病関連歯肉炎，白血病関連歯肉炎も存在する．栄養障害に起因するものは，ビタミンC欠乏による歯肉炎などである．

（ⅱ）非プラーク性歯肉炎

非プラーク性歯肉炎には，プラーク細菌以外の微生物（ウイルス，真菌などを含む）による感染，口腔扁平苔癬などの粘膜皮膚疾患，アレルギー，外傷を原因とする病変が包含される．

（ⅲ）歯肉増殖

歯肉増殖は，"細胞数の増加を伴う結合組織の増大と集積による歯肉の肥大"と定義され，主に歯肉組織のコラーゲン線維が過剰に蓄積することにより発症する．薬物性歯肉増殖症は抗てんかん剤（フェニトイン），降圧剤（ニフェジピン），免疫抑制剤（シクロスポリン）などの服用により発症する．

b. 歯周炎

歯周炎は3つに分類されており，慢性歯周炎が歯周炎の大部分を占める．限局型（病変歯数が全歯数の30％未満）と広汎型（病変歯数が全歯数の30％以上）に分別される．

第 1 編　口腔保健・予防歯科学総論

表 5-1　日本歯周病学会による歯周病分類システム（2006）

病態による分類	病原因子（リスクファクター）による分類
Ⅰ．歯肉病変 Gingival lesions † 　1．プラーク性歯肉炎 　　Plaque-induced gingivitis ‡	1）プラーク単独性歯肉炎 　　Gingivitis induced by dental plaque only † 2）全身因子関連歯肉炎 　　Gingivitis modified by systemic conditions ‡ 3）栄養障害関連歯肉炎 　　Gingivitis modified by malnutrition ‡
2．非プラーク性歯肉病変 　　Non plaque-induced gingival lesions	1）プラーク細菌以外の感染による歯肉病変 　　Gingival lesions induced by other infections 2）粘膜皮膚病変 　　Mucocutaneous disorders ‡ 3）アレルギー性歯肉病変 　　Allergic reactions ‡ 4）外傷性歯肉病変 　　Traumatic lesions of gingiva ‡
3．歯肉増殖 　　Gingival overgrowth	1）薬物性歯肉増殖症 　　Drug-induced gingival overgrowth 2）遺伝性歯肉線維腫症 　　Hereditary gingival fibromatosis
Ⅱ．歯周炎 Periodontitis † 　1．慢性歯周炎 　　Chronic periodontitis ‡ 　2．侵襲性歯周炎 　　Aggressive periodontitis ‡	1）全身疾患関連歯周炎 　　Periodontitis associated with systemic diseases 2）喫煙関連歯周炎 　　Periodontitis associated with smoking 3）その他のリスクファクターが関連する歯周炎 　　Periodontitis associated with other risk factors
3．遺伝疾患に伴う歯周炎 　　Peridontitis associated with genetic disorders ‡ Ⅲ．壊死性歯周疾患 Necrotizing periodontal diseases †，‡ 　1．壊死性潰瘍性歯肉炎 　　Necrotizing ulcerative gingivitis ‡ 　2．壊死性潰瘍性歯周炎 　　Necrotizing ulcerative periodontitis ‡ Ⅳ．歯周組織の膿瘍 Abscesses of periodontium ‡ 　1．歯肉膿瘍 　　Gingival abscess ‡ 　2．歯周膿瘍 　　Periodontal abscess ‡ Ⅴ．歯周 - 歯内病変 Combined periodontic-endodontic lesions ‡ Ⅵ．歯肉退縮 Gingival recession Ⅶ．咬合性外傷 Occlusal trauma ‡ 　1．一次性咬合性外傷 　　Primary occlusal trauma ‡ 　2．二次性咬合性外傷 　　Secondary occlusal trauma ‡	

†は，いずれも限局型 localized，広汎型 generalized に分けられる．
‡は米国歯周病学会の分類（1999）とまったく同一の疾患名を示す．これ以外については日本歯周病学会で定義したものである．

（日本歯周病学会編：2022 [2]）

60

表 5-2　新国際分類の概要

健全な歯周組織，歯肉疾患／状態	健全歯周組織・健全歯肉
	プラーク性歯肉炎
	非プラーク性歯肉疾患
歯周炎の形態	壊死性歯周疾患
	歯周炎
	全身性疾患の一症状としての歯周炎
全身性疾患および先天的あるいは後天的な疾患・状態による歯周組織の徴候	歯周支持組織に影響を及ぼす全身性疾患または状態
	その他の歯周状態
	歯肉顎堤粘膜異常と歯の周辺部の状態
	外傷性咬合力
	プラーク性歯肉疾患／歯周炎を修飾する，またはそれらの素因となる歯科補綴装置と歯に関連する要因

（日本歯周病学会編：2022[2]）

（ⅰ）慢性歯周炎

おおむね 35 歳以降に発症する．歯槽骨吸収は緩慢で，主として水平性の骨吸収であり，歯周ポケット底は骨縁上（骨縁上ポケット）であることが多いが，垂直性骨欠損部位では骨縁下ポケットを呈することがある．プラーク，歯石などの局所因子が主な原因である．

（ⅱ）侵襲性歯周炎

急速な歯周組織の破壊（アタッチメントロス，歯槽骨吸収）が起こる．歯周炎に伴う全身疾患は認められない．歯周組織の炎症は乏しく，家族内集積性（特定の家族内または家系内に高頻度で認められ遺伝性が疑われる）を特徴とする．慢性歯周炎と異なり，一般的にプラーク蓄積量は少なく，患者は 10 歳代〜 35 歳が多い．

（ⅲ）遺伝疾患を伴う歯周炎

Down 症候群，低ホスファターゼ症，1 型糖尿病，遺伝的影響による 2 型糖尿病，Papillon-Lefèvre 症候群などの全身疾患は，歯周炎を併発する．

c. 壊死性歯周疾患

壊死性潰瘍性歯肉炎は，歯間部歯肉や歯頸部歯肉の壊死と潰瘍形成を特徴とし，重篤な疼痛を伴う．壊死部には偽膜・出血が認められ，発熱，倦怠感などの全身症状を伴うことがある．歯槽骨吸収を伴うものを壊死性潰瘍性歯周炎とよぶ．

（2）新国際分類

a. 歯周病分類

歯周病は，①健全な歯周組織と歯肉疾患，②歯周炎，③その他の病態に分類される（**表5-2**）．日本の分類と大きく異なる点は，侵襲性歯周炎が歯周炎に包括されていることである．その理由は，侵襲性歯周炎を慢性歯周炎と異なった疾患とするエビデンスが十分ではないことなどである．

b. ステージとグレードの分類

新国際分類は，歯周炎のステージ（重症度）（**表 5-3**）とグレード（進行速度）（**表 5-4**）を評価する特徴をもつ．ステージは進行度と治療の複雑さに基づき，Ⅰ〜Ⅳの 4 段階に分類

第 1 編　口腔保健・予防歯科学総論

表 5-3　歯周炎のステージ分類

歯周炎のステージ		ステージ I	ステージ II	ステージ III	ステージ IV
重症度	歯間部の最も大きな CAL	1 〜 2 mm	3 〜 4 mm	≧ 5 mm	≧ 5 mm
	エックス線画像上の骨吸収	歯根長 1/3 未満（< 15%）	歯根長 1/3 未満（15 〜 33%）	歯根長 1/3 以上	歯根長 1/3 以上
	歯の喪失	歯周炎による喪失なし		歯周炎により4 本以内の喪失	歯周炎により5 本以上の喪失
複雑度	局所	最大 PD 4 mm 以内主に水平性骨吸収	最大 PD 5 mm 以内主に水平性骨吸収	ステージ II に加えて：PD 6 mm 以上3 mm 以上の垂直性骨吸収根分岐部病変 2 〜 3 度中等度の歯槽堤の欠損	ステージ III に加えて：複雑な口腔機能回復治療を要する以下の状態咀嚼機能障害，二次性咬合性外傷（歯の動揺度 2 度以上），重度の歯槽堤欠損，咬合崩壊，歯の移動，フレアアウト，20 本未満の歯（10 対合歯）の残存
範囲と分布	ステージに記述を加える	それぞれのステージにおいて拡がりを，限局型（罹患歯が 30%未満），広汎型（同 30%以上），または大臼歯 / 切歯パターンかを記載する			

PD：プロービングデプス，CAL：クリニカルアタッチメントロス

（日本歯周病学会編：2022[2]）

表 5-4　歯周炎のグレード分類

歯周炎のグレード			グレード A 遅い進行	グレード B 中等度の進行	グレード C 急速な進行
主な基準	進行の直接証拠	骨吸収もしくは CAL の経年変化	5 年以上なし	5 年で 2 mm 未満	5 年で 2 mm 以上
	進行の間接証拠	骨吸収 % / 年齢	< 0.25	0.25 〜 1.0	> 1.0
		症例の表現型	バイオフィルムの蓄積は多いものの，組織破壊は少ない	バイオフィルムの蓄積に見合った組織破壊	バイオフィルムの蓄積程度以上に組織破壊；急速な進行 and/or 早期発症を示唆する臨床徴候（例：大臼歯 / 切歯パターン，標準的な原因除去療法に反応しない）
グレードの修飾因子	リスクファクター	喫煙	非喫煙者	喫煙者　1 日 10 本未満	喫煙者　1 日 10 本以上
		糖尿病	血糖値正常糖尿病の診断なし	HbA1c 7.0%未満の糖尿病患者	HbA1c 7.0%以上の糖尿病患者

CAL：クリニカルアタッチメントロス
他項目として今後の研究成果によりグレード決定に用いられる可能性のある項目として，歯周炎が全身に影響を与えるリスク項目（CRP など）や，唾液・歯肉溝滲出液・血清などを用いたバイオマーカーも追加される可能性がある.

（日本歯周病学会編：2022[2]）

される．ステージ I は初期歯周炎，ステージ II は中等度歯周炎，ステージ III は重度歯周炎（さらなる歯の喪失の可能性あり），ステージ IV は高度進行歯周炎（歯列の喪失の可能性あり）である．

　グレード分類では疾患の進行速度に応じて 3 段階に区別されている．進行に関与するリス

62

クファクターとして喫煙と糖尿病があげられている．

現在，日本歯周病学会では，日本の歯周病分類と新国際分類の併記を暫定的に行っている．たとえば「広汎型　慢性歯周炎　ステージⅢグレードB」，「限局型　侵襲性歯周炎　ステージⅣグレードC」といった表記となる．

2 歯周病の発症要因

1）歯周病発症に関与するプラーク細菌

（1）歯周病原細菌（歯周病菌）

口腔には700種以上の細菌種が生息し，その9割以上は嫌気性細菌であると考えられている．これら細菌種より構成されるプラークは，歯周組織，舌，頰粘膜や，義歯表面，歯科用インプラント，根管充塡用ガッタパーチャといった歯科材料・生体医療材料の表面に形成され，口腔バイオフィルムともよばれる．

歯肉縁下プラークは，多数の細菌種からなる共生集団により形成されている．2002年にSocranskyらは，共生集団を形成する菌種を6集団に色分けし，これら細菌集団の臨床的な歯周病原性に基づいて歯肉縁下プラークの構成モデルを考案した（図5-5 A）．最も歯周病原性が高いと考えられている *Porphyromonas gingivalis*，*Tannerella forsythia*，*Treponema denticola* の3菌種が歯周病原細菌とされ，レッドコンプレックス（赤い複合体）と名づけられた（赤＝危険の意）．これらの菌種は，歯周ポケットが深くなることにより，ポケット内の酸素濃度が減少して低～無酸素となった状態を好む．レッドコンプレックス以外の歯周病原性をもつ菌種は，現在では歯周病関連菌とよばれる傾向にある．

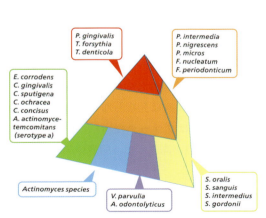

A：歯肉縁下細菌叢ピラミッド
3階層に区分される6つのプラーク細菌共生集団．最下層：常在菌と弱毒菌．中層：低病原性細菌．最上層：レッドコンプレックスと称される高病原性歯周病原細菌．

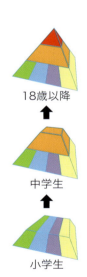

B：ピラミッドの完成時期
年齢とともにピラミッドの階層が増え，18歳以降に *P. gingivalis* が感染し，最上層が構築されピラミッドは完成する．

図5-5　歯肉縁下プラークの構成モデル

(Socransky SS, Haffajee AD：2002[4] を改変)

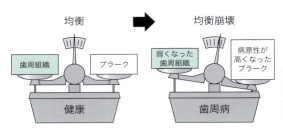

図 5-6 歯周病の発症原因
「プラーク VS 歯周組織」の均衡崩壊によって歯周病が発症．均衡崩壊は，微小環境の変化によるプラークの高病原化が大きな原因である．

　レッドコンプレックス3菌種は，互いが産生する代謝産物が他の細菌種の病原遺伝子の発現を促進するため，3菌種が存在するプラークの歯周病原性は大きく高まる．
　年齢とともに細菌ピラミッドの階層が増え，18歳以降に P. gingivalis が口腔内に定着し，歯肉縁下細菌叢が完成する（図5-5 B）．なぜ P. gingivalis が18歳以降にしか口腔内に定着できないのかは，いまだ不明である．
　歯周病原細菌の感染経路は，米国ではパートナー間の唾液感染と考えられている．一方，日本を含むアジアでは，飲食物に付着した唾液による感染も関与している可能性が高い．

（2）P. gingivalis の特徴
　P. gingivalis は最も歯周病原性が高く，プラークの高病原化に大きく関与しているため keystone pathogen（要となる病原菌）とよばれている．P. gingivalis には異なる遺伝子型をもつものが存在し，遺伝子型によって病原性が異なる．P. gingivalis の菌体表層に認められる多数の長線毛 fimbriae は，本菌の口腔内への定着と宿主細胞への侵入に重要な役割を果たしている．長線毛は6つの型の長線毛遺伝子（fimA 型）に分類されている（Ⅰ～ⅤおよびⅠbの fimA 型）．P. gingivalis の歯周病原性は長線毛遺伝子型により異なり，Ⅱ型 fimA 型の P. gingivalis は最も歯周病原性が高い．
　線毛遺伝子型にかかわらず，P. gingivalis はジンジパインとよばれるタンパク分解酵素を産生する．ジンジパインは免疫物質や歯周組織などの多種多様な宿主タンパク質を分解し，本菌の歯周組織破壊を促進している．

2）歯周組織とプラークの均衡崩壊
　歯周病の発症原因は，歯周組織の抵抗力とプラークの病原性との間の均衡崩壊である（図5-6）．歯周組織とプラークが均衡している状態では歯周病は発症しない．これは歯周組織の抵抗力が保たれていることにもよるが，大きな理由はプラークの病原性が低いことである．プラークの周囲環境の変化によりプラークの病原性が高まると，両者の均衡が崩壊し歯周病が発症する．

（1）安定状態のプラーク細菌叢
　歯肉溝に蓄積したプラークは経時的に高密度となり，細菌-細菌間にさまざまな相互作用が生じる．プラーク細菌叢の調和は細菌間の共生と拮抗のバランスにより保たれている．この安定状態を symbiosis とよぶ．細菌間の共生は細菌の代謝物質（栄養）とクオラムセンシング（コミュニケーション）により制御されている．プラーク細菌は，他菌種の産生する代謝産物を栄養素として利用している．クオラムセンシングとは，周囲の細菌の生息密度を感

知して，それに応じてお互いの物質の産生や増殖をコントロールする交信機構のことである．一方，細菌間の拮抗は，他の細菌に対して産生されるバクテリオシン（細菌類が産生する抗菌活性をもったタンパク質やペプチド）や過酸化水素によって制御されている．symbiosis のプラークは歯周組織と良好な均衡がとれているため，歯周病を発症させない．

（2）プラーク細菌叢の乱れ

symbiosis のプラーク細菌叢はグラム陽性菌など歯周病原性に乏しい球菌や短桿菌が主体である．しかし，口腔清掃の不良や歯周組織の免疫能低下などにより歯周組織に軽微な炎症が起こると，炎症組織からの血液性滲出物が歯肉溝に漏出し，プラークを取り巻く栄養環境が変化する．細菌間の共生と拮抗のバランスが乱れ，歯周病原性をもつ運動性桿菌とスピロヘータが増加し，プラークの歯周病原性が高まる．このようにプラーク細菌叢が乱れた状態を dysbiosis とよぶ．dysbiosis によりプラークが高病原化し，歯周組織とプラークとの均衡が崩壊して歯周病が発症する（図 5-6）．

（3）上皮バリアの崩壊による dysbiosis の亢進

歯肉や口腔粘膜を覆う上皮細胞は，歯周組織を感染から守る障壁（上皮バリア）である．上皮バリアはプラーク細菌から歯周組織を守る物理的障壁であるとともに，歯周組織からの細菌の栄養素の滲出を防ぎ，歯周組織とプラークとの均衡状態を維持している．

keystone pathogen である *P. gingivalis* など，歯周病原性が高い細菌種は栄養素として鉄分とタンパク質を必要とする．血液は血漿タンパク質と赤血球ヘモグロビンの鉄分を含んでいるため，歯周病原細菌の格好の栄養源となる．歯肉に炎症が起こると，炎症組織からの血液性滲出物が歯肉溝に漏出し，歯周病原細菌の生育を助ける．keystone pathogen の増加によりプラークの dysbiosis がさらに進むと，歯肉溝は歯周ポケットへと悪化する．歯周ポケットの内面では，歯肉内縁上皮の脱落により上皮バリアが崩壊し，潰瘍が形成される．潰瘍面からの出血により，歯周病原細菌が増殖し，プラークの dysbiosis が亢進する．さらに，歯周ポケットが深くなるにつれ酸素濃度が低下し，嫌気性歯周病原細菌の生育が促進される．こうして，歯周組織とプラークとの均衡が大きく崩壊し，歯周病が本格的に進行する（図 5-7）．「歯を磨くと血が出た」は歯周病発症の重要なサインである．

3）歯周組織における免疫応答と炎症反応

（1）歯周病における免疫応答の特殊性

一般的な感染症は，病原微生物が生体内に定着し増殖することによって発症する．生体は局所的・全身的な炎症反応と自然免疫・獲得免疫の活性化によって対抗し，やがて微生物を排除する．炎症により破壊された組織は修復されることが多い．

一方，歯周病における免疫応答は，一般の感染症とは異なる．プラークは生体組織の外に開放された歯根表面の凝集菌塊である．生体外の異物に対して，免疫系の排除機構は十分には機能しない．プラークは好中球やマクロファージに比べ格段に大きいため，貪食細胞は捕食できない．さらに，菌体外多糖類などのマトリックスに覆われたプラークの中に，免疫抗体，抗菌薬，抗生物質などの抗菌成分は容易には侵入できない．機械的にプラークが取り除かれない限り，歯周組織では免疫応答が継続し，やがて過剰な炎症反応により歯周組織が破

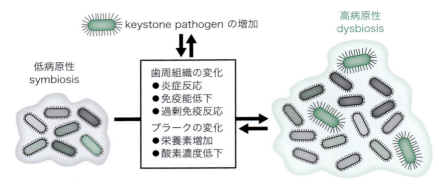

図 5-7 プラークの高病原化
周囲環境の変化により，プラークは低病原性の安定状態 symbiosis から高病原性の乱れた状態 dysbiosis へと変化を始める．歯周組織とプラークの間の均衡が崩れることにより，歯周組織とプラークの性状は変化する．この変化によりプラークの dysbiosis が促進され，高病原化したプラークは歯周病を進行させる．

壊される．

（2）歯周組織破壊への免疫反応と炎症反応

a．歯周組織へのリンパ球の集積

歯肉の炎症により産生された tumor necrosis factor（TNF）-α，interleukin（IL）-1，IL-8 などの炎症性サイトカインの刺激を受けて，局所の毛細血管中の白血球（好中球・好酸球・好塩基球・リンパ球・単球）は血管内皮細胞間を通過し，血管外に遊出する．

b．結合組織の破壊

歯周組織に免疫応答に伴う炎症反応が惹起される．歯肉線維芽細胞や上皮細胞などが産生した宿主由来の生理活性物質は，歯周病原細菌由来の酵素などよりも強く炎症反応を惹起し，歯周組織破壊を促進する．

宿主細胞が産生するマトリックスメタロプロテアーゼ（MMPs）も，歯周組織破壊に深く関与している（図 5-8）．TNF-α や IL-1，IL-6 などが MMPs の産生を増強するとともに，炎症組織中のプラスミンや生体あるいは細菌由来のセリンプロテアーゼ，活性酸素などが産生された MMPs を活性化する．

c．歯槽骨の破壊

骨は生きた組織であり，生理的な状態では破骨細胞と骨芽細胞による骨の吸収と添加がバランスよく行われ，常に一定の骨量・形態が保たれている．免疫担当細胞や歯周組織構成細胞が産生する炎症性メディエーターやサイトカインが過剰に放出されると，破骨細胞のみが活性化されて骨の吸収・添加のバランスが崩れ，骨の吸収が進み歯槽骨が破壊される（図 5-8）．また，炎症組織では，強い骨吸収作用をもつ PGE_2 の産生が亢進され，歯槽骨破壊が進行する．

d．歯周組織破壊の進行速度

歯周組織破壊は常に一定の速度で進行するわけではなく，組織破壊が急速に進行する活動期と，破壊がほとんど生じない静止期を繰り返しながら進行する．さらに各歯・各歯面によって進行速度はさまざまである．

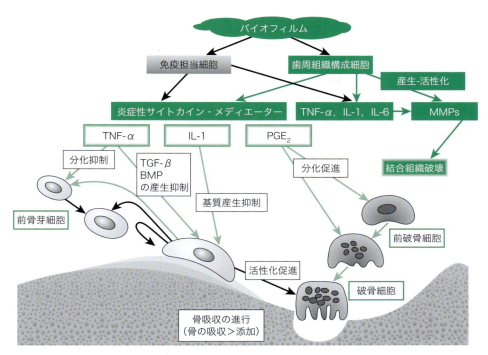

図 5-8　歯周病の進行メカニズム
TGF-β：transforming growth factor beta（破骨細胞を抑制）
BMP：bone morphogenetic protein（骨形成因子）

4）歯周病の病態を修飾する因子

（1）宿主要因

a．宿主感受性

　宿主感受性（病気のなりやすさ）は遺伝的要因の影響を受ける．生活習慣は免疫力や歯周組織の抵抗力に影響を与える．ストレスや不健康な生活は免疫力や抵抗力を弱め，歯周病への宿主感受性を高める．

b．咬合性外傷

　咬合性外傷は，不調和な咬合による歯周組織の外傷性変化であり，歯根膜腔の拡大と歯槽骨の吸収を主症状とし，歯周炎を進行させる．中等度から重度の歯周炎においては，歯の移動や挺出により咬合に乱れが生じるため，咬合性外傷を伴う頻度が高い．

c．口腔の解剖学形態

　口腔内の歯や粘膜の解剖学形態も宿主感受性に影響を与える．プラークが蓄積しやすい歯や粘膜の形態，わずかなポケット形成でも根分岐部が露出する歯根形態，付着歯肉が乏しく歯周ポケットをつくりやすい粘膜形態などが含まれる．

（2）環境要因

　毎日の生活環境は遺伝的要因を上回る歯周病のリスクファクターであり，宿主感受性に大きな影響を与える．不適切な歯磨き習慣に加え，喫煙，過剰な飲酒などの不健康な生活習慣，日常のストレスなどが宿主感受性を高める．歯周病予防の望ましい健康習慣は，歯肉

縁・歯間部の清掃と定期的な歯科受診である．一方，よく噛むこと，硬いものを食べること，カルシウム摂取も歯周病予防になるといわれているが，科学的根拠は十分ではない．

a. 喫煙

喫煙は歯周病に対して最も危険な環境因子である．明らかな歯肉の炎症をみせないままに，タバコ有害成分が歯周組織を激しく破壊し，歯周炎は静かに急速に進む．喫煙関連歯周炎の治癒には禁煙が「必須」である．

b. 生活習慣病

「内臓脂肪蓄積→メタボリックシンドローム→糖尿病」の流れは生活習慣病のドミノ倒しとして知られている．Body Mass Index（BMI）は国際的な体格指数であり，BMI が 18.5 以上 25 未満で標準体重，25 以上は肥満を意味する．BMI が 25 以上の人の歯周病発症リスクはオッズ比 3.02，30 以上ではオッズ比は 8.6 と跳ね上がる．

糖尿病の発症により，免疫能や組織修復能力が低下するため，歯周炎の発症と進行が促される．このため，歯周炎は第 6 の糖尿病合併症とされている．歯周病と糖尿病は互いに悪影響を及ぼし合っていることから，「糖尿病診療ガイドライン 2019」（日本糖尿病学会）では 2 型糖尿病患者への歯周治療を推奨している（推奨グレード A）．

c. ストレス

ストレスは免疫系に強い影響を与える．歯周病とストレスとの関連が調査された結果，経済的ストレスと精神的なストレスが歯周病に関係していることが示された．

5）全身の健康への影響

1980 年代より米国で開始された広汎な疫学研究により，心・血管疾患，糖尿病，早産・低体重児出産などの全身疾患と歯周病との関連が指摘された．さらにその後，肥満，メタボリックシンドローム，誤嚥性肺炎，骨粗鬆症，関節リウマチ，認知症など，さまざまな疾患と歯周病の関連が次々に指摘されている．

a. 歯周組織の慢性炎症の影響

歯周組織で慢性的に産生される炎症性サイトカインは，血流により歯周組織から全身に移行し，臓器，血管，筋肉などの局所の炎症を増悪させている．

b. 菌血症の影響

歯周ポケットの潰瘍面にはプラークがたえず接触しているため，多くの歯周病原細菌は潰瘍面に露出した毛細血管に容易に侵入する．血流により，歯周病原細菌は体内のさまざまな組織や臓器に感染することになる．この菌血症（細菌が血液中に存在する状態）は，歯科治療（抜歯，スケーリングなどの歯周処置）のみならず，歯磨きなどの物理的刺激でも引き起こされ，重度の歯周病患者では咀嚼のたびに菌血症が起こっているとされている．

c. 腸内細菌叢の dysbiosis

唾液や食物と一緒に嚥下された口腔内細菌は大腸まで到達することが報告されている．そのため，歯周病原細菌が腸内細菌叢の dysbiosis を引き起こし，全身に悪影響を与えている可能性が考えられる．

（天野敦雄）

第1編　口腔保健・予防歯科学総論

第6章　口　臭

- 口臭症には真性口臭症，仮性口臭症，口臭恐怖症があり，悪臭の有無にかかわらず「口臭を訴えるもの」すべてを扱う．
- 口腔由来の口臭の主要な原因物質は，揮発性硫黄化合物（硫化水素，メチルメルカプタン，ジメチルサルファイド）であり，舌苔から最も多く産生される．
- 生理的口臭では硫化水素が優位に検出されるが，歯周病患者ではメチルメルカプタンが優位に検出されることが多い．
- 全身由来の口臭は原疾患のほかの症状に先行して認められる可能性は少ないが，口腔局所の治療を要することが多い．
- 口臭に対する軽度の心配は口腔衛生意識を高める効果があるが，過度の心配は社会活動に悪影響を及ぼす．
- 揮発性硫黄化合物は毒物であり，歯周病を進行させる．

Keywords　生理的口臭，口腔由来の真性口臭症，全身由来の真性口臭症，仮性口臭症，口臭恐怖症，揮発性硫黄化合物，硫化水素，メチルメルカプタン，ジメチルサルファイド

1　口臭の定義と分類

1）口臭の定義

　口臭は一般的には「口腔を通して発せられる社会許容限度を超えた不快なにおい（悪臭）」と定義される．悪臭の発生源は口腔局所に限らず，口腔と交通する鼻咽腔，消化管あるいは呼吸器がなりうる．口臭は英語の"bad breath"あるいは"halitosis"に相当し，国際疾病分類第11版（ICD-11）において，"halitosis"として正式に登録されている．

2）口臭の分類

　口臭症の分類を表6-1に示す．これは「どこに分類されるとどういう治療が必要か」ということを体系化したものである．対応する治療必要性 treatment needs（TN）についても表6-1に併記する．口臭を訴える患者主訴の背景は，口腔内の病的要因，全身の病的要因あるいは心身医学的な要因と多岐にわたる．したがって，口臭を訴え受診するものの，他覚的に悪臭を認めない患者も存在する．かつては，このような患者は歯科医療の範疇を超えた心身医学的な要因によるものとしてひとくくりにされてきたが，一般臨床歯科医師でも容易に実行できる説明やカウンセリングで主訴が改善できるものが少なくないということがわかってきた．そこで，口臭患者を他覚的な悪臭の有無にかかわらず，「口臭を訴えるもの」として基本的にすべてを扱うことが本分類の根底にある考え方である．

第1編 | 口腔保健・予防歯科学総論

表6-1 口臭症の分類および治療必要性（TN）

Ⅰ. 真性口臭症
　　社会的許容限度を超える明らかな口臭が認められるもの
　　a. 生理的口臭 …………………………………………TN1
　　　　器質的変化，原因疾患がないもの（ニンニク摂取など一過性のものは除く）
　　b. 口腔由来の病的口臭 ………………………………TN2
　　　　口腔内の原疾患，器質的変化，機能低下などによる口臭（舌苔，プラークなどを含む）
　　c. 全身由来の病的口臭 ………………………………TN3
　　　　耳鼻咽喉・呼吸器系疾患など
Ⅱ. 仮性口臭症 ……………………………………………TN4
　　患者は口臭を訴えるが，社会的容認限度を超える口臭は認められず，検査結果などの説明
　　（カウンセリング）により訴えの改善が期待できるもの
Ⅲ. 口臭恐怖症 ……………………………………………TN5
　　真性口臭症，仮性口臭症に対する治療では訴えの改善が期待できないもの

TN1：説明および口腔清掃指導（セルフケア支援）
　　　（以下のTN2～5にはいずれもTN1が含まれる）
TN2：専門的清掃（PMTC），疾患治療（歯周治療など）
TN3：医科への紹介
TN4：カウンセリング（結果の提示と説明），（専門的）指導・教育
TN5：精神科，心療内科などへの紹介

(宮﨑ほか：1999[1])

（1）真性口臭症

　明らかに社会的許容限度以上の口臭を認めるものは真性口臭症に分類される．このうち治療すべき原疾患の有無で生理的口臭と病的口臭に，病的口臭はさらに発生あるいは原因部位別に口腔由来と全身由来の病的口臭に分けられる．

a. 生理的口臭

　口臭の原因となるような治療すべき疾患がなく，説明や舌清掃を中心とした口腔清掃指導（TN1）により改善がみられるものが生理的口臭に分類される．多量にニンニクを食べた後や喫煙後のような一過性のものは含まれない．

b. 口腔由来の病的口臭

　歯周病，唾液分泌能の低下，厚みをもった舌苔の付着など，口腔局所の疾患や機能低下あるいは器質的変化が原因と考えられるものが該当する．TN1に加えて，歯周治療のような歯科的専門治療（TN2）により改善が見込まれるものが多い．

c. 全身由来の病的口臭

　口臭の発生原因が口腔外にあることが濃厚であり，問診および服用薬の状況をあわせて総合的に判断して分類され，必要に応じて医科へ紹介（TN3）あるいは対診を依頼する．

（2）仮性口臭症

　患者は口臭を訴えるが，社会的許容限度以上の口臭を認めないもので，検査結果の提示やカウンセリング，口臭に特化した指導・教育（TN4）によって訴えの改善がみられるものが分類される．

（3）口臭恐怖症

　真性口臭症，仮性口臭症に対する治療では訴えの改善が期待できないものが分類される．精神科，心療内科など医科への紹介（TN5）の対象となるが，対応に納得できないと同じ主訴で複数の医療機関を受診する傾向（ドクターショッピング）があるため，そこまでに至ら

ずに患者が来院しなくなることも多い．

2 真性口臭症の原因

1）口腔由来の病的口臭

　口腔由来の病的口臭の主要な原因物質は，揮発性硫黄化合物 volatile sulfur compounds（VSC）であることがわかっており，口腔内からは硫化水素（H_2S），メチルメルカプタン（CH_3SH），ジメチルサルファイド（$(CH_3)_2S$）の3種類が単独，あるいは混合で検出される．硫化水素は「卵が腐ったようなにおい」，メチルメルカプタンは「ドブのようなにおい」，ジメチルサルファイドは「魚が腐ったようなにおい」などと形容される．図6-1にガスクロマトグラフィによって測定した呼気中揮発性硫黄化合物のピークを示す．図に示すように，生理的口臭では硫化水素が優位に検出されるが，歯周病患者ではメチルメルカプタンが優位に検出されることが多い．メチルメルカプタンは硫化水素の1/3程度の嗅覚閾値であるといわれており，歯周病患者の口臭に特有の不快臭はこのためである．揮発性硫黄化合物は，いずれも歯周病原細菌としてよく知られたグラム陰性菌の代謝産物であり，脱落上皮細胞，血液，食物残渣などのタンパク質由来のメチオニンやシステインといった含硫アミノ酸を基質として産生される．産生される部位は舌背後方部に堆積した舌苔（図6-2），深い歯周ポケット内，壊死性軟組織などであるが，舌苔が最も多く60％以上を占めるといわれている．
　口腔細菌の代謝産物としてその他にインドール，フェノール，低級脂肪酸などのアミン類やアンモニアなどが検出されるが，これらはいずれも高度に濃縮された口腔内気体から検出されたもので口臭原因の主体ではなく，あくまでにおいの質を変化させるだけの修飾物質と考えられている．

2）全身由来の病的口臭

　消化管および呼吸器は口腔を経て外界と直接交通しているため，これらの器官に悪臭を発する原因が存在すれば口臭となる．ただし，多くの場合はあくまでも原疾患がある程度進行

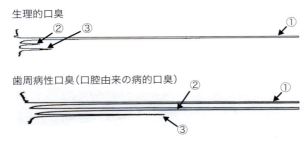

図6-1　ガスクロマトグラフィによって測定した口臭患者の揮発性硫黄化合物
①は硫化水素，②はメチルメルカプタン，③はジメチルサルファイドのピークであり，その面積がそれぞれの濃度を表す．歯周病性口臭は生理的口臭と比較して相対的にメチルメルカプタンのピークが大きい．

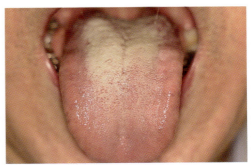

図6-2　健常者の多量に付着した舌苔
舌背前方・側縁部の付着は少なく，後方・中央部に多量に付着する．

した状態での臨床症状の1つとして現れるもので，口臭がその原疾患の他の症状に先行して認められる可能性はきわめて少ない．また，全身疾患に罹患している患者の多くは，口腔局所にも口臭の原因となりえる疾患や器質的変化を伴っている場合があり，それらは歯科治療を要するためTN1に加えてTN2が必要となることが少なくない．

（1）消化器疾患

「胃が悪いと口臭が出る」とよくいわれるが，食道と胃の境界である噴門部は括約筋により閉鎖されているため，食物が通過するとき，あるいは嘔吐や曖気（あいき，いわゆる「げっぷ」）時以外は胃や十二指腸などの下位消化管からにおいが揮発してくることはない．したがって，消化管が原因となりえるのは噴門部より上位でのがん，狭窄，憩室などに由来する食物腐敗や組織破壊に起因するにおいである．

（2）呼吸器・鼻咽腔疾患

喉頭がん，副鼻腔炎，化膿性気管支炎，結核性空洞の二次感染，肺がんなどがあげられる．この中では副鼻腔炎に起因する口臭が比較的よくみられ，患部が直接においの原因となるだけでなく，舌背後方部や咽頭部に流れてきた膿汁や鼻汁は後鼻漏とよばれ，厚い舌苔形成の基質供給源となる．また扁桃の表面に無数にある腺窩に生じる膿栓は剥離上皮や細菌の残骸でできた塊で，咳などと同時に口腔内に脱落し，つぶすと非常に強い悪臭を生じる．

（3）代謝性口臭の原因疾患

代謝性口臭は血中の原因となる成分が肺胞から呼気を介して排出され，認知されるにおいである．呼気だけではなく皮膚の発汗を通して全身から生じる体臭として感じられることも多く，腐敗に伴うにおいではないため，揮発性硫黄化合物主体の口臭とは明らかに異なるにおいが認められる．よく知られている疾患として，糖尿病，肝疾患，腎疾患や常染色体劣性遺伝疾患であるトリメチルアミン尿症などがある．このうち，糖尿病の病態が悪化し，脂肪酸代謝が亢進するとケトン体が過剰に提供され，糖尿病性ケトアシドーシスとよばれる代謝性アシドーシス（血液が酸性に傾く状態）となる．ケトン体から大量に生成されたアセトンにより呼気が「柿の腐ったようなあまいにおい」と形容される独特のにおい（アセトン臭）を呈する．また，腎不全により人工透析を受けている患者は，透析を受ける直前には口腔だけでなく全身からアンモニア臭を呈することがあるが，透析直後にはにおいは消失する．

（4）その他

Sjögren症候群は全身の外分泌腺に慢性的に炎症が起こる自己免疫疾患であり，唾液腺の破壊によって生じる重度の口腔乾燥（ドライマウス）が口臭の原因となることがある．また，なんらかの疾患に罹患している者は，さまざまな薬剤を服用していることが多いが，副作用として口腔乾燥を伴う薬剤は少なくなく，利尿剤，抗コリン剤，抗ヒスタミン剤，抗パーキンソン剤，向精神薬など多岐にわたる．

また，まれに揮発性硫黄化合物の中でジメチルサルファイドが硫化水素やメチルメルカプタンよりも優位に検出されることがあり，アレルギー性疾患治療剤を服用していた患者でみられたという症例報告やなんらかの全身疾患が背景にある可能性が示唆されているが，原因はよくわかっていない．

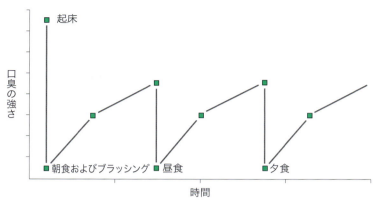

図 6-3　口臭強度の日内変動　　　　（Tonzetich J：1978[2]）を改変）

3　口臭強度の日内変動

　口臭強度は図 6-3 のように 1 日のうちで変動し（日内変動），起床直後が最も強く，食事やブラッシングなどの口腔衛生活動によって減弱する．食事による減弱効果のほうがより大きいため，患者に対して規則正しい食生活を指導することは重要である．また，舌苔量も起床時が最も多くなると考えられるため，舌の清掃は起床後のブラッシング前に実施するのが効果的である．

4　口臭による障害

1）対人関係，社会性の障害

　口臭の自己判断はできない．口腔は鼻腔と交通しているため，仮に周囲が不快に感じるほど強度の口臭があったとしても，本人は揮発性硫黄化合物の連続曝露による嗅覚器の疲労により，悪臭と認知できずまったく無自覚であることがある．家族のような近しい関係者からの指摘は口臭治療を受けるよいきっかけになることもあるが，心無い発言が本人の人格をおとしめることもある．

　一方，周囲がまったく認知していないにもかかわらず，自身に口臭があると思い込んでいる場合もある．対人エチケットの範囲内で軽度に心配する程度であれば，むしろ口腔衛生意識を高めてよい効果をもたらす．しかし，過度の心配はそれが対人関係の障害となって学校生活や就業などの社会活動に悪影響を及ぼし，登校拒否あるいは離職から引きこもり，ときには自殺につながることもある．

2）歯周組織の障害

　揮発性硫黄化合物はそれ自体が不快臭をもつだけでなく，非常に強い毒性をもつ有毒ガスである．硫化水素を含む火山性ガスによる死亡事故も起きている．メチルメルカプタンは日本では毒物および劇物取締法により毒物指定されている．

　揮発性硫黄化合物は実験下で，粘膜の透過性亢進，線維芽細胞の DNA 合成，タンパク合

成，コラーゲン合成阻害，プロスタグランジン産生促進など生体組織に対する毒性を示すことが明らかにされている．強度の口臭をもつ患者の口腔内は，高濃度の揮発性硫黄化合物に常に曝露されている．さらに，それらを産生する菌とその基質となる含硫アミノ酸を含む血液や滲出液由来がともに豊富に存在し，セルフケアや自浄作用が行き届かない閉鎖環境である歯周ポケット周囲の組織は，口腔内で最も深刻な障害を受けていることが容易に想像できる．疫学的にも高濃度の揮発性硫黄化合物が測定された者はそうでない者と比較して歯周病が進行したとの報告があり，口臭が歯周組織に対する為害性をもつことは間違いない．

（山賀孝之）

第1編　口腔保健・予防歯科学総論

第7章 その他の口腔疾患と予防

本章の要点
- Tooth wear は，日常的に起こりうる歯の疾患で，咬耗症，摩耗症，歯の酸蝕症がある．
- スポーツによる口腔外傷は，口腔機能の喪失や審美的な問題を引き起こす．マウスガードによる予防が可能である．
- 口腔粘膜疾患や口腔がんの予防には，口腔清掃，禁煙などの規則正しい生活習慣の確立が重要である．
- 不正咬合の予防には，後天的・環境要因に起因するものが対象となる．
- 顎関節症の予防法としては，悪習癖の改善，咬合調整，精神的ストレスの解消などがある．

Keywords　Tooth wear，外傷，口腔粘膜疾患，口腔がん，不正咬合，顎関節症

1 Tooth wear（トゥースウェア）

　Tooth wear は，齲蝕原因菌によらない歯質表層の損耗で，咬耗症，摩耗症，歯の酸蝕症がある．

1）咬耗症
　咬耗は歯と歯の接触により歯がすり減ることである．

2）摩耗症
　摩耗は歯以外の物との接触により歯がすり減ることである．

3）歯の酸蝕症
　歯の酸蝕症は，職業性因子が原因としてみられてきたが，労働環境の改善などで少なくなってきている．一方，非職業性因子としての，胃液の影響，酸性飲食物や薬物・薬剤の摂取などが問題となってきている．かつては職業性という特殊な歯の疾患と考えられていた歯の酸蝕症が，日常的に起こりうる歯の疾患（トゥースウエア Tooth wear）へと変わってきている．酸蝕症の病因は，内因性と外因性に分類される．

（1）内因性の歯の酸蝕症
　内因性の歯の酸蝕症は，pH が約 2.0 の強酸である胃液が口腔内に逆流することが原因で発症する．胃液の逆流の関連疾患としては，胃食道逆流症，摂食障害（過食症，拒食嘔吐），アルコール依存症などがあげられる．激しい嘔吐を伴う場合には，嘔吐物が上顎前部唇面に

75

第1編 | 口腔保健・予防歯科学総論

まで及び，脱灰を生じる．このような症例において嘔吐は，患者が問診に回答しづらい症状であり，注意深く問診を進める必要がある．また，歯科でその疑いを認識しても関連疾患に対する治療は行えないので，医学・歯学共通の疾患としてとらえる必要がある．

（2）外因性の歯の酸蝕症

外因性の歯の酸蝕症の病因として，職業性因子および非職業性因子に由来する酸があげられる．

a．職業性の歯の酸蝕症

工場などの製造行程において，取り扱う酸が直接歯の表面に作用することにより脱灰を引き起こし，歯に白濁や欠損を生じる．メッキ工場，ガラス細工工場，蓄電池工場，肥料工場，顔料・染料工場，火薬製造工場などの酸を取り扱う事業所などにおいて発症する．前歯部に好発し特に下顎前歯部においての欠損が著しい．

労働安全衛生法第六十六条には，「事業者は，有害な業務で，政令で定めるものに従事する労働者に対し，厚生労働省令で定めるところにより，歯科医師による健康診断を行わなければならない」と定められており，労働安全衛生法施行令第二十二条において「塩酸，硝酸，硫酸，亜硫酸，弗化水素（フッ化水素），黄りんその他歯又はその支持組織に有害な物のガス，蒸気又は粉じんを発散する場所における業務」と定められている．

b．食事性の歯の酸蝕症

歯の酸蝕症は，清涼飲料水，スポーツドリンク，ワイン，果汁，酢などの酸性食品を習慣的に頻回に摂取した場合にも発生する．前歯部の白濁や欠損の他，臼歯部での白濁や咬耗などが認められる．特に清涼飲料水，スポーツドリンクなどは pH が 2〜4 である場合が多く，市販飲料の 73％がエナメル質臨界 pH 値（pH 5.5）を下回る値を示し，身近に存在する多くの食品も同様に酸性であったとの報告もある．

予防には，酸性食品の摂取を減らすのが効果的であり，どの食品が歯の酸蝕症を引き起こす可能性があるのかを知るなどの食生活指導も重要となってくる．

2 外 傷

1）口腔外傷の原因

口腔領域における外傷は，転倒，転落，交通事故，打撲，スポーツなどが原因で発生する．特に，10歳未満および50歳以上の受傷原因において転倒の占める割合が高くなっている．

学校管理下における歯の負傷の発生状況においても，小学校では，休憩時間中での発生が半数以上を占め，廊下や階段での転倒や衝突などが主たる原因であろうと推察される．一方，中学校から高等学校へと進むに従い，休憩時間中での歯の負傷の発生は減少し，代わって体育や課外指導（クラブ活動）での発生が増加し，高等学校では80％近くを占め，スポーツ活動に伴う外傷が主たる原因であることが推察できる．また，どの学校種別においても通学中の歯の負傷がみられることから，通学路の整備など，自治体レベルでの配慮も重要となってくる（図7-1）．

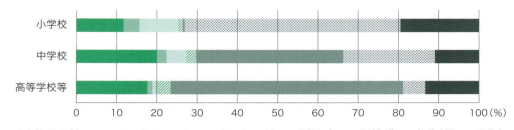

図 7-1　学校管理下における歯の負傷
小学校では，休憩時間中での発生が多く，廊下や階段での転倒や衝突などが原因であると推察され，高等学校では，体育やクラブ活動での発生が増加し，スポーツ活動に伴う外傷が原因であることが推察できる．
(日本スポーツ振興センター：2021[2] より作成)

表 7-1　マウスガードの着用が義務づけられているスポーツ

義務化状況	競技名
完全義務	アメリカンフットボール ボクシング キックボクシング 総合格闘技 ラクロス
一部義務	空手 ラグビーフットボール アイスホッケー インラインホッケー フィールドホッケー

マウスガードの着用が義務づける競技は，増加してきている．

表 7-2　マウスガード使用の効果

・スポーツ外傷の軽減・予防
・強い噛みしめによる咬耗の予防
・相手選手に対する傷害の防止
・衝撃吸収と分散
・顎関節の保護
・顎位の安定
・脳震盪の予防・軽減
・心理的効果
・経済的効果

マウスガード装着による効果は口腔外傷予防のほか，顎位の安定や脳震盪の予防・軽減なども期待できる．

　受傷の内容については軟組織の損傷が最も多く，次いで脱臼や破折などの歯の外傷，骨折となっており，歯の外傷の受傷部位は，そのほとんどが上顎前歯部となっている．
　若年者における口腔外傷による歯の喪失は，口腔機能の喪失や審美的な問題などによりQOLの低下を引き起こし，生涯にわたる健康の保持増進に影響を与える．特に，学齢期の口腔外傷は，長期間にわたり問題となることもあるので十分な予防が必要である．

2) 口腔外傷の予防とマウスガード

　コンタクトスポーツや球技においてマウスガードの使用が推奨される．アメリカンフットボールやボクシング，ラクロスなどその装着が義務づけられている競技もある（**表 7-1**）．マウスガードは，「スポーツによって生じる歯やその周囲の組織の外傷を予防したり，ダメージを軽くしたりする目的で，主に上顎の歯に装着する軟性樹脂でできた弾力性のある安全具」と定義され，装着による効果は口腔外傷予防のほか，顎位の安定や脳震盪の予防・軽減なども期待できる（**表 7-2**）．

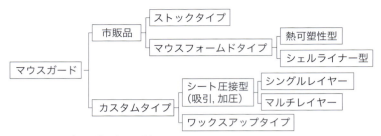

図7-2 マウスガードの種類
マウスフォームドタイプとカスタムタイプのシート圧接型が普及しており，シート圧接型は，使用する競技や口腔内の状態によりシングルレイヤーかマルチレイヤーに使い分けられる．

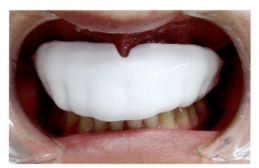

図7-3 マウスガード（カスタムタイプ）
カスタムタイプのマウスガードは，印象模型から製作されるために適合がよく，口腔外傷予防効果にも優れている．

（1）マウスガードの種類

マウスガードは，スポーツ用品店などで販売されている市販品と，歯科医院で製作するカスタムタイプがあり，市販品には，ストックタイプとマウスフォームドタイプ，カスタムタイプには，シート圧接型とワックスアップタイプがある（図7-2）．この中で，日本で普及しているのは，マウスフォームドタイプとシート圧接型である．

a. マウスフォームドタイプ

マウスフォームドタイプには2種類あり，熱可塑性型は，熱湯に浸して軟化した後に，冷水で手早く表面を冷やしそのまま口腔内で直接歯に圧接して製作するタイプである．シェルライナー型は，一度外側のシェルを口腔内に合わせた後，そのシェルの中に軟性樹脂を流し込み，再度口腔内で圧接し適合させるタイプである．

b. カスタムタイプ・シート圧接型

歯科医師が印象して製作した石膏模型を使用し，その模型に加熱したマウスガードシートを吸引圧接あるいは加圧圧接するもので，単一シートで製作するシングルレイヤーと複数のシートを重ねて製作するマルチレイヤーがある．いずれも，適合がよく違和感が少ない（図7-3）．

（2）マウスガード装着のための教育指導

マウスガードは口腔内に装着する装置であるので，違和感を完全に取り去ることが難し

い，マウスガードを装着するには，事前の安全教育と保健指導がきわめて重要である．

a．装着にあたっての安全教育および保健指導

装着する前に，次のようなポイントを押さえて指導する必要がある．

① スポーツにより歯や口腔に外傷を受ける機会があり，場合によっては歯の喪失や顎骨の骨折あるいは軟組織の障害をもたらす可能性が常に存在すること．

② マウスガードを装着することで，その危険性を低下させることができること．

③ マウスガードの装着により，嘔吐感，発音障害の発生することがあること．

④ 発音障害は，サ行，タ行，ラ行などで発生するが，ある程度は調整できること．

⑤ これらの違和感は，使用する中で徐々に改善されること．

⑥ 齲蝕や歯周病は装着前に治療を完了しておくこと．

⑦ 定期的（1年に2回程度）にチェックを受けること．

⑧ 再製作の必要性については，使用頻度，発育途上にある年齢かどうかなどの要因で異なること．

b．取り扱いについて

マウスガードは熱によって変形するので，高熱環境は避けるように指導する．

使用後は，冷水にて清掃して乾燥状態でケースに保存する．汚れが強い場合には，洗浄剤などを使用するとよい．

c．調整について

マウスガードは運動時に発生する違和感に対しての調整が必要となる．そのため，数週間使用してもらった後に調整を行い，その後6か月に1回程度，定期的に変形や破損のチェックおよび調整を行う必要がある．混合歯列期には，歯の交換や歯列の成長によりマウスガードの適合性が低下しやすいことから，頻繁に調整を行う必要がある．

3 ─ 口腔粘膜疾患・口腔がん

1）口腔粘膜疾患

口腔粘膜疾患にはさまざまな原因があるが，その症状は水泡，紅斑・びらん，潰瘍，白斑，色素沈着など比較的単純であり，形態や色調といった症状によって分類，診断されることがほとんどである．しかし，予防や治療を考えていくうえで，その原因を知ることが重要となってくる（表7-3）．口腔粘膜疾患の予防法としては，局所的な要因に対しては，口腔清掃，禁煙，機械的な慢性刺激の除去などが考えられ，全身疾患に伴うものに対しては，全身疾患の治療および口腔症状に対する対症療法が中心となる．

2）口腔がん

口腔がんは，顎口腔領域に発生する悪性腫瘍の総称であり，国連対がん連合（UICC）やWHOは，頬粘膜，歯肉，硬口蓋，舌，口腔底などに発生したがんを口腔がんと定義している．口腔は扁平上皮からなる粘膜で構成されているため，口腔がんのほとんどは扁平上皮がんであり，その他は腺系がん，肉腫，悪性リンパ腫，転移性がんなどである．日本では，こ

第 1 編　口腔保健・予防歯科学総論

表 7-3　口腔粘膜疾患の原因による分類

原因	分類
先天異常あるいは発育異常による疾患	先天性表皮水疱症，Fordyce 斑，Peutz-Jeghers 症候群
物理・化学的原因による疾患	熱傷，薬疹，薬物性口内炎，放射線性口内炎，Bednar アフタ，Riga-Fede 病，褥瘡性潰瘍（外傷性潰瘍），ニコチン性口内炎，外因性色素沈着
細菌感染による疾患	口角炎，壊死性潰瘍性歯肉炎，壊疽性口内炎，結核，梅毒
真菌感染による疾患	口腔カンジダ症，正中菱形舌炎，口角炎
ウイルス感染による疾患	ヘルペス性口内炎，口唇ヘルペス，水痘，帯状疱疹，手足口病，ヘルパンギーナ，麻疹，伝染性単核症
アレルギー性疾患	薬物性口内炎，Quincke 浮腫
自己免疫疾患	天疱瘡，類天疱瘡，全身性エリテマトーデス，円板状エリテマトーデス
前がん病変あるいは腫瘍性疾患	紅板症，白板症，口腔扁平苔癬
原因不明あるいは複合的な原因	地図状舌，アフタ性潰瘍，再発性アフタ，Behçet 病，口腔扁平苔癬，Addison 病，黒毛舌，歯肉増殖症，慢性剥離性歯肉炎，肉芽腫性口唇炎

予防や治療を考えていくには，その原因を知ることが重要となってくる

(中村：2017[3])

表 7-4　日本人のためのがん予防

喫　煙	たばこは吸わない 他人のたばこの煙を避ける
飲　酒	飲むなら，節度のある飲酒をする（飲む場合はアルコール換算で 1 日あたり約 23 g 程度まで）
食　事	偏らずバランスよくとる ＊塩蔵食品，食塩の摂取は最小限にする ＊野菜や果物不足にならない ＊飲食物を熱い状態でとらない
身体活動	日常生活を活動的に（歩行またはそれと同等以上の身体活動を 1 日 60 分程度，息がはずみ汗をかく程度の運動は 1 週間に 60 分程度）
体　形	適正な範囲内に（中高年期男性の適正な BMI 値は 21 ～ 27，中高年期女性では 21 ～ 25）
感　染	肝炎ウイルス感染の有無を知り，感染している場合は治療を受ける ピロリ菌感染の有無を知り，感染している場合は除菌を検討する 該当する年齢の人は，子宮頸がんワクチンの定期接種を受ける

口腔がんにおいても一般的ながん予防が基本となる

(国立がん研究センターがん対策研究所[5]を改変)

のうち舌や歯肉での発生頻度が高い．

　口腔および咽頭の悪性腫瘍の年齢調整罹患率（人口 10 万対，2015 年）に関しては，男性で 11.5，女性で 3.6 であり，男女とも 2010 年以降ほぼ横ばいとなっている．全悪性腫瘍に対する罹患数の割合（人口 10 万対，2018 年）は，男性で 2.5％，女性で 1.4％となっている．年齢別では，男性で 70 歳代に最も多く，女性では年齢とともに増加していく．

　口腔がんの発生においては，環境要因の比重が高く，喫煙や飲酒，食事などによる化学的刺激，齲蝕や歯石，不良修復物などによる機械的刺激，炎症による口腔粘膜の障害，ウイルス感染（ヒトパピローマウイルス）などがあげられる．また，白板症や紅板症は 10％程度のがん化率を有しているとされ，潜在的悪性腫瘍として慎重な経過観察が推奨されている．

　口腔がんの原因の約 3/4 は喫煙と飲酒であり，これらをコントロールし，さらに，慢性の機械的刺激を防ぎ，口腔粘膜の異常を早期に発見するために定期的な歯科検診が必要となっ

てくる．口腔がんの予防には，栄養バランスに気をつけた食生活や口腔清掃の励行を含めた規則正しい生活習慣の確立と禁煙に努めることが重要である（**表7-4**）．

（松本　勝）

4 不正咬合

1）不正咬合の種類

歯，歯列，顎顔面などの発育，形態，機能に異常をきたし，咬頭嵌合位における上下顎の歯の解剖学的咬合状態が正常でなくなった状態を不正咬合という．遺伝的要因と環境的要因に起因するものからなり，前者はさらに先天的要因と後天的要因に分けられる．

不正咬合は，具体的にどのような不正であるのか客観的に表現するために以下のように分類される．

① 個々の歯の位置異常：転位，傾斜，移転，捻転，低位，高位

② 数歯にわたる位置異常：正中離開，対称捻転，叢生

③ 歯列弓形態の不正：狭窄歯列弓，V字型歯列弓，鞍状歯列弓，空隙歯列弓

④ 上下顎歯列弓関係の不正：上顎前突，下顎前突，過蓋咬合，切端咬合，開咬，交叉咬合

2）不正咬合の評価法

これまでは，Angle の分類，American Board of Orthodontics による objective grading system および discrepancy index などを用いての形態的な評価法が主体であった．これらに加えて近年，以下のような顎口腔機能ならびに心身機能の評価も含めることが重要とされている．

① 顎口腔機能の評価：顎運動と咀嚼筋活動，下顎位・顆頭位，咬合力，舌の大きさ・位置・運動

② 心身機能の評価：全身の筋力，睡眠，心理・社会的特性

3）不正咬合の予防

不正咬合は咀嚼，発音，顎運動の機能障害などの生理的障害および心理的障害をもたらす．不正咬合の予防は，後天的・環境的要因に起因するものが対象となる．

（1）乳歯列期の予防

乳歯は後継永久歯のための保隙装置でもあり，齲蝕の予防に努めることは不正咬合の第一の予防法である．齲蝕を生じた場合は，隣在歯との接触関係や対合歯との咬合関係に留意して早期治療を行う．また口腔習癖（指しゃぶり，口呼吸，弄唇癖，弄舌癖）によって口腔周囲軟組織からの異常な力が歯列に加わると，切歯や臼歯の被蓋に関連した開咬や交叉咬合を引き起こす可能性がある．頑固で長期間持続する口腔習癖は排除する必要がある．

（2）混合歯列期の予防

不正咬合の要因に対する処置に加えて，歯の交換を円滑に進めることが重要である．埋伏過剰歯の存在により，局所の歯の排列に影響を与える場合は，その摘出を行う．歯の大きさ

第1編 | 口腔保健・予防歯科学総論

の異常は，歯と歯槽弓の大きさとの不調和を引き起こす可能性があるので，将来の永久歯列咬合を予測しながら抜歯などの対応をする．乳歯の早期喪失は可及的に予防しなければならないが，すでに喪失，または治療上抜歯を余儀なくされる場合は，保隙装置を用いた空隙管理を行う必要がある．上唇小帯や頬小帯が異常に発達している場合は，乳歯の歯間離開を生じることがあるが，後継永久歯の萌出を待って処置方針を決定する．

（3）永久歯列期の予防

永久歯列完成後にも歯列は常に変化し，口腔周囲軟組織の力，咬合力，歯周組織，未萌出歯の萌出力などさまざまな要因のバランスのもとに歯列咬合が維持されている．したがって，このバランスが崩壊すると不正咬合を生じる．齲蝕による歯冠崩壊や歯の喪失は，隣在歯の近心傾斜や対合歯の挺出を招く．また歯周病が進行すると，歯は病的な移動を始め，空隙歯列，咬合高径の減少，歯の挺出などを引き起こす．このため，永久歯列においても齲蝕と歯周病の予防は，不正咬合の予防に重要である．

（於保孝彦）

5 顎関節症

顎関節症は顎関節とその周囲の筋に異常をきたす疾患であり，関節痛，関節雑音，異常顎運動を主徴とする症例を臨床的に一括して顎関節症という．日本顎関節学会では「顎関節や咀嚼筋の疼痛，顎関節（雑）音，開口障害ないし顎運動異常を主要症候とする障害の包括的診断名である．その病態は咀嚼筋痛障害，顎関節痛障害，顎関節円板障害および変形性顎関節症である」と定義している（**表7-5**）．

顎関節症は多因子性の疾患であるという考え方が一般的であり，顎関節症の発症機序は不明なことが多い．日常生活を含めた環境因子・行動因子・宿主因子・時間的因子などの多くが積み重なり，ある一定の閾値を超えた場合に発症するとされている（**表7-6**）．

顎関節症の予防法としては，悪習癖の改善，咬合調整，精神的ストレスの解消などがあり，大きく局所因子と精神的・社会的因子に分けられる．

1）局所因子

顎関節には，咀嚼や咬合による力が作用し，不正咬合などによる咬合接触の不均衡や，咬頭干渉によって下顎の運動制限がある場合，顎関節部に過度な外力や不適切な方向の外力が作用すると顎関節部が損傷する．過度な外力としては，硬固物を急激に噛み砕くなどの一時的な力だけでなく，ブラキシズムなどの持続的な力がある．また，持続的な力，あるいは咬合異常などがあると顎骨周囲の筋に過剰な負担が加わり，咀嚼筋痛を生じる．

その他に，打撲や転倒，交通事故などの外傷要因，歯列接触癖，頬杖，爪かみ，ブラキシズムなど顎関節や咀嚼筋に負担をかける日常的な習癖などが，顎関節症引き起こす要因となる．これらの咀嚼機構に負荷をかける咬合状態や悪習癖を除去していくことが重要となる．

表 7-5　顎関節症の病態分類（2013）

咀嚼筋痛障害（Ⅰ型） 顎関節痛障害（Ⅱ型） 顎関節円板障害（Ⅲ型） 　a：復位性 　b：非復位性 変形性顎関節症（Ⅳ型）	註1　重複診断を承認する. 註2　顎関節円板障害の大部分は，関節円板の前方転位，前内方 　　　転位あるいは前外方転位であるが，内方転位，外方転位， 　　　後方転位，開口時の関節円板後方転位などを含む. 註3　間欠ロックは，復位性顎関節円板障害に含める.

（日本顎関節学会：2014[6]）

表 7-6　顎関節症の発症，維持・永続化に関与するリスクファクターの種類

1. 解剖要因	顎関節や顎筋の構造的脆弱性
2. 咬合要因	不良な咬合関係
3. 外傷要因	かみちがい，打撲，転倒，交通外傷
4. 精神的要因	精神的緊張，不安，抑うつ
5. 行動要因	1）日常的な習癖：上下歯列接触癖，頬杖，受話器の肩ばさみ，携帯電話の操作，下顎突出癖，爪かみ，筆記具かみ，うつぶせ読書 2）食事：硬固物咀嚼，ガムかみ，片咀嚼 3）就寝時：ブラキシズム（クレンチング，グラインディング），睡眠不足，高い枕や硬い枕の使用，就寝時の姿勢，手枕や腕枕 4）スポーツ：コンタクトスポーツ，球技スポーツ，ウインタースポーツ，スキューバダイビング 5）音楽：楽器演奏，歌唱（カラオケ），発声練習 6）社会活動：緊張する仕事，PC作業，精密作業，重量物運搬

顎関節症は，日常生活を含めた環境因子・行動因子・宿主因子・時間的因子などの多くが積み重なり，ある一定の閾値を超えた場合に発症するとされている.

（日本顎関節学会：2018[7]）

2）精神的・社会的因子

　精神的緊張は，ブラキシズムや悪習癖を引き起こす大きな要因の1つとなる.緊張する仕事，PC作業，精密作業，重量物運搬などの社会活動は，精神的緊張を引き起こしたり，顎関節部に対して過度な外力を与える要因となる.顎関節症の一部は精神的因子と生活習慣との関連が考えられるため，自らの日常生活を振り返ることによる予防対策が重要である.

（松本　勝）

第1編　口腔保健・予防歯科学総論

第8章　口腔と全身の健康

- 食生活は口腔保健に直接的に関与する．
- 喫煙は歯周病の重要なリスクファクターである．
- 多量の飲酒は生活習慣の乱れやさまざまな疾患のリスクを上昇させる．
- ストレスは免疫機能を抑制し，歯周病のリスクを上昇させる．
- 口腔の健康状態はさまざまな全身疾患と密接な関連がある．
- 健康な口腔の維持は全身の健康にとって欠かせない．
- 口腔の状態を改善するための歯科治療は全身の健康維持に有効である．

Keywords　食生活，肥満，喫煙，飲酒，ストレス，糖尿病，循環器疾患，メタボリックシンドローム，誤嚥性肺炎，早産・低体重児出産

ライフスタイルと口腔保健

1）食生活

（1）食事と食育

　食事は生命の源であり，口腔は食物の入口であることを考えると，食生活への歯科分野からのアプローチは大変重要である．WHO は不健康な食事として，砂糖を含めた炭水化物の摂り過ぎに注意し，これをコントロールするようよびかけている．ほとんどの食物や飲料は生体にとって安全な栄養源となるが，食物や飲料の一部は歯の周囲に残り，その性状によっては口腔に滞留し，口腔内常在菌の栄養となる．また，酸性飲料には条件によっては歯の脱灰を引き起こすものもある．歯や歯槽骨の形成・成長には，タンパク質，カルシウム，ビタミン A・D などが重要であり，特に妊婦や乳幼児ではこれらの栄養素を含む食品をバランスよく摂取する必要がある．成人では平均的な食事によって，カルシウムと女性の鉄以外の栄養素は十分摂取されているが，全エネルギーに対する脂肪エネルギーの割合が増加しており，肥満やメタボリックシンドロームの増加が問題となっている（図 8-1）．

　食育とは，さまざまな経験を通じて食に関する知識と食を選択する力を習得し，健全な食生活を実践することができる人を育てる総合的な教育のことである．2005 年に成立した食育基本法は，生きるための基本的な知識の教育によって国民が生涯にわたって健全な心身を培い，豊かな人間性を育むことを目的としている．

（2）食生活と肥満

　食事と運動のバランスが悪いと肥満ややせの原因となり，いずれも健康上問題がある．やせは高齢者のフレイル（虚弱）につながり，栄養不良から死亡リスクを上昇させ，特に閉経後の女性では骨粗鬆症につながりやすい．

　一方，肥満は世界中で増加傾向にあるが，特に近年では途上国の肥満者の増加が問題と

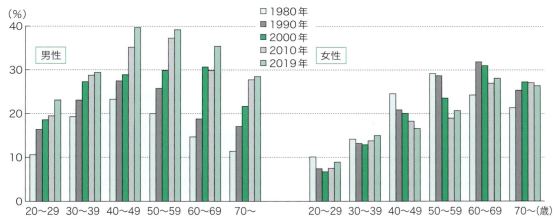

図 8-1　日本における 20 歳以上の肥満者（BMI ≧ 25 kg/m^2）の割合（2019 年度国民健康・栄養調査）
1980 年以降，男性ではすべての年齢層で肥満が増加している．女性では多くの年齢層で肥満は減少傾向でやせが増加していたが，この 10 年間では有意な増減はみられない．女性のやせは骨粗鬆症につながるため問題である．
BMI（body mass index）：体重（kg）÷身長（m）^{2}

なっている．脂肪細胞からはさまざまなホルモン様の生理活性物質が分泌されており，アディポカインと総称されている．これらのいくつかが糖尿病や動脈硬化などのリスクを上昇させることが明らかになり，肥満は喫煙に次ぐ重大な健康障害である．肥満やメタボリックシンドロームと歯周病の関連を示す報告が増えている．

（3）間食の摂り方

　戦後，砂糖消費量と並行して齲蝕は増加したが，1970 年代以降，砂糖消費量はほぼ横ばいで，齲蝕は減少へと転じている．齲蝕の減少はフッ化物をはじめさまざまな要因が考えられているが，戦後の急激な増加に関しては砂糖消費量と関連していたと考えられている．1980 年代以降，カリオロジーの概念とともに，脱灰と再石灰化の理論が確立し，間食の指導に広く使われるようになった．つまり，砂糖の摂取量よりもその頻度，すなわち間食の摂り方が重要であることがわかってきた．頻繁に摂取することで，脱灰が再石灰化を上回ったときに齲蝕が発生し，進行する．齲蝕にならないように砂糖や炭水化物を摂取するには，摂取回数を制限するか，口腔バイオフィルムをコントロールすることが効果的である．バランスのとれた食生活を行うことによって，口腔清掃状態にかかわらず齲蝕はコントロールできる．プラークコントロールと食事のバランスが重要であり，指導はそういう観点から行われている．つまり，プラークが付着していなければ，いくら間食しても齲蝕にはならない．単純に間食を制限するのではなく，甘味嗜好の強い場合はその抑制を勧めるより，ブラッシングの徹底やフッ化物の利用を勧めるほうが効果的な場合もある．

第 1 編 　口腔保健・予防歯科学総論

2）喫煙

（1）喫煙が引き起こす健康障害

　喫煙はがん，循環器疾患，糖尿病，妊娠・出産や胎児への悪影響など，非常に広範囲な健康障害を引き起こす．口腔では煙の直接作用が口腔がんと歯周病の強いリスクファクターであることがわかっている．

　2019年の国民健康・栄養調査では，習慣的に喫煙している者の割合は16.7％であり，男性27.1％，女性7.6％である．この10年間でみると，いずれも有意に減少している．年齢階級別にみると，30 〜 60歳代男性ではその割合が高く，3割を超えている．

（2）喫煙と歯周病

　喫煙と歯周病との関連を示す報告は，古くは1940年代の急性壊死性潰瘍性歯肉炎（ANUG）との関連に始まり，1990年代以降，慢性歯周炎との関連を示す報告が世界中で数多く報告されている．日本歯周病学会は喫煙と糖尿病を歯周病の明らかなリスクファクターとしている．米国の大規模な健康栄養調査（NHANES Ⅲ）結果の分析から，喫煙による歯周病のリスクは4倍，少量の喫煙でも安全域はないと2004年に報告されている．タバコ煙中には4,000以上の化学物質が含まれており，そのうち200種類が有害物質とされている．中でもタール，一酸化炭素，ニコチンが三大有害物質である．タールはベンゾピレン，ニトロサミン類などの発がん物質を含み，一酸化炭素はヘモグロビンに対して酸素の約250倍の結合力をもつため，酸素供給を阻害する．ニコチンは猛毒で有害作用は広範囲に及び，さらに依存性がある．生活習慣の中で喫煙はがん，動脈硬化，糖尿病など広範囲の健康障害を引き起こす最大の要因であることがさまざまな疫学調査から明らかにされている．歯周病の場合，喫煙は歯周病原細菌にも影響するが，宿主の反応性に及ぼす影響が主とされている．喫煙は微小循環系に影響し，歯肉血流量の低下，低酸素状態を引き起こすため，歯槽骨や付着歯肉の破壊が進行しているにもかかわらず，歯肉出血などの炎症症状は抑制され，自覚症状に乏しく気がつきにくい．また，好中球やマクロファージなど免疫系細胞の機能低下，線維芽細胞や骨芽細胞の機能抑制などが歯周組織の破壊につながっていると考えられている（図8-2）．

　非喫煙者が喫煙による煙を間接的に吸わされることを受動喫煙という．2003年に施行された健康増進法で飲食店などが，また労働安全衛生法では職場での受動喫煙の防止が義務づけられた．受動喫煙においても歯周病のリスクが上昇すること，子どもの歯肉へのメラニン色素の沈着や乳歯齲蝕の増加などが報告されている（表8-1）．

（3）喫煙と歯科治療

　喫煙者では歯周治療やインプラント治療の効果が低く，特に外科処置が必要な場合は禁煙が強く勧められている．喫煙の悪影響は禁煙後，少なくとも数年は続くことがわかっているが，禁煙年数が長くなればリスクは確実に低下し，11年で非喫煙者とほぼ同等になると報告されている．

　歯周病やインプラント，抜歯などの外科処置に限らず，喫煙者の一般的な歯科治療時に，歯や歯肉の着色をきっかけに禁煙を勧める動きが広まっている．禁煙が歯科治療の効果をあ

【歯周病原細菌の増加】
　浅いポケットでの増加
　Tannerella forsythia や *Treponema denticola* などの増加

【免疫系の異常】
　IgG，唾液 IgA の低下
　マクロファージ，好中球の機能低下
　PGE$_2$ やサイトカインへの影響

【線維芽細胞の機能低下】
　増殖，付着，コラーゲン産生の低下

【血流の低下】
　血管収縮，血流量と酸素飽和度の低下

【臨床症状】
歯周ポケットの形成，アタッチメントロス，歯槽骨吸収の増大
歯肉出血，発赤，歯肉溝浸出液の減少
歯肉退縮，硬い歯石，メラニン色素沈着

図 8-2　喫煙が歯周病に及ぼす 4 つの影響と臨床症状

表 8-1　喫煙と関連する口腔疾患や症状

能動喫煙	歯周病，急性壊死性潰瘍性歯肉炎，歯の喪失，口腔がん，白板症，カタル性口内炎，角化症，口唇炎，慢性肥厚性カンジダ症，正中菱形舌炎，黒毛舌，メラニン色素沈着，タール色素沈着，口臭
受動喫煙	歯周病，乳歯齲蝕，メラニン色素沈着

げ，審美的にも改善することを患者自身の目で確認できることから，指導のきっかけになりやすい．さらに全身の生活習慣病の予防にもつながるという二重の効果が期待できることから，日本口腔衛生学会をはじめ現在では多くの学会が禁煙指導を推奨している．歯科における禁煙支援・指導は効果的であり，禁煙成功率が 2 〜 3 倍上昇するとの報告もある．

3）飲酒

（1）飲酒が引き起こす健康障害（表 8-2）

　飲酒習慣が長引いた場合，アルコールを分解する肝臓が疲弊し，アルコール性脂肪肝，線維化を経て肝硬変，肝臓がんへとつながる．また，日本酒換算で 1 日 2 合程度の比較的少ない飲酒量でも，高血圧を経て脳卒中を起こすリスクがある．脳卒中の中でも比較的若年者に多く，発症頻度の少ない脳出血やクモ膜下出血との関連が強い．

　同じ循環器疾患でも虚血性心疾患の場合，飲酒によってリスクが下がるとの報告もあるが，飲酒習慣が善玉の HDL コレステロールを高めることによるとされている．

　アルコールが消化器系へ及ぼす影響としては膵炎があり，糖尿病につながる．また，高濃度のアルコールでは直接接触する部位に発症する食道がん，口腔咽頭がんのリスクが高くなる．さらに，女性ホルモンへの影響で乳がんのリスクが高まるとの報告もある．

　アルコールの健康への影響は喫煙ほど強くないが，過度の飲酒はアルコール依存症を引き起こし，周囲に多大な悪影響を及ぼし，家庭崩壊を招いたり，飲酒運転による事故など社会経済的な問題を引き起こす．その意味でも飲酒に依存したライフスタイルは注意すべきである．

（2）少量飲酒の影響

　喫煙の場合，喫煙量と健康障害の関係は直線的で安全域はないとされているが，飲酒については少量であれば心疾患などのリスク軽減効果があるとされており，飲酒量と疾患との関

連性はいわゆる J カーブを示すことが多い．これは少量飲酒がストレスの軽減につながることと関連しているかもしれない．また，赤ワインに含まれるポリフェノールは抗酸化作用があり，動脈硬化を抑制するといわれている．歯周病についても多量飲酒ではリスクが上昇するとの報告もあるが，数は少ない．

表 8-2　飲酒が引き起こす健康障害

肝機能障害（アルコール性脂肪肝，肝硬変），肝臓がん
高血圧
脂質異常症
膵炎
脳卒中（脳出血，クモ膜下出血）
食道がん，口腔咽頭がん，乳がん
うつ病
妊娠障害，発育遅延
急性アルコール中毒

（3）アルコール代謝の個人差

　血中のアルコールはアルコール脱水素酵素によって分解され，アセトアルデヒドとなり，アセトアルデヒド脱水素酵素（ALDH）によって分解され酢酸になり，最終的には炭酸ガスと水に分解される．アセトアルデヒドはアルコールの数倍強い有害物質で，悪心，嘔吐，呼吸促進，心悸亢進を引き起こす．そのため ALDH の効果が低いと気分の悪い状態が続き，二日酔いにもなりやすい．アセトアルデヒドの分解能は人種差や個人差が非常に大きく，これは低濃度のアセトアルデヒドに働く $ALDH_2$ の活性の強さに依存している．$ALDH_2$ は 2 つの遺伝子の型があり，$ALDH_2$*1/*1 遺伝子をもつ者は酒に強く，$ALDH_2$*2/*2 では ALDH 活性がないため，アセトアルデヒドが高濃度になる．日本人の場合，これらの遺伝子を 1 つずつもついわゆるヘテロ（$ALDH_2$*1/*2）が多いが，$ALDH_2$*1/*1 に比べて $ALDH_2$ 活性は 1/16 と非常に低く，アセトアルデヒドが残りやすい．$ALDH_2$*1/*1 型では飲酒と歯周病には関連がなく，日本人に多い $ALDH_2$*1/*2 型でのみ多量飲酒と歯周病とが関連していたという報告がある．

4）ストレス

（1）ストレスの定義

　物理的，化学的，生物学的，社会・心理的なあらゆる刺激，いわゆるストレッサーによって歪んだ状態を元に戻そうとする反応をストレス反応という．生体のストレス反応は，中枢神経系および末梢器官におけるストレスシステムによって調節されている．ストレス刺激に関する情報は，まず大脳辺縁系で処理され視床下部へと伝えられるが，自律神経系，内分泌系，免疫系の代表的な 3 つの経路が複雑に絡み合い，生体防御機構としてホメオスタシス（恒常性）を維持している（**図 8-3**）．ストレスシステムの中心的な調節物質は，①視床下部からの副腎皮質刺激ホルモン放出ホルモン（CRH）と，②副腎髄質カテコールアミンであるノルアドレナリンとアドレナリンである．CRH は，副腎皮質刺激ホルモン（ACTH）の合成と分泌を刺激し，視床下部－下垂体－副腎（HPA）系を亢進させる．この状態が慢性的に持続すると生体防御機構に破綻をきたし，さまざまな疾患を生じることになる．

　その他にストレス刺激で神経シナプスからサブスタンス P などのさまざまな③神経ペプチドが放出され，免疫系にも影響する．サブスタンス P は歯周組織や歯肉溝滲出液にも確認され，歯周病との関連が多数報告されており，骨代謝にも影響することが報告されている．

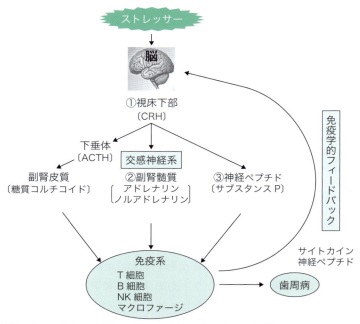

図 8-3　ストレスが免疫系に及ぼす影響の 3 つの経路
CRH：副腎皮質刺激ホルモン放出ホルモン，ACTH：副腎皮質刺激ホルモン

（2）ストレスと歯周病

　ストレスと歯周病については，急性壊死性潰瘍性歯肉炎（ANUG）との関連が古くから指摘されているが，近年，慢性歯周炎や侵襲性歯周炎（急速進行性歯周炎，若年性歯周炎）とストレスとの関連を示す報告が増えている．

　出兵，配偶者との死別，経済的あるいは仕事に対する強いストレスの影響に関する多くの横断研究の報告や，日常生活の緊張度，経済的ストレスが歯周病に影響するという縦断研究がいくつか報告されている．動物実験では，ラットに拘束ストレスを与えることで根分岐部病変が急速に進行したとの報告や，HPA 系に反応性の高いラットで著明な歯周病の進行を示し，さらに糖質コルチコイドの拮抗薬でそれが抑制されたとの報告などがある．

　ストレスによる交感神経系の過剰な興奮は，免疫系を賦活し，リンパ球やマクロファージなどの細胞から炎症性サイトカインであるインターロイキン -1（IL-1）やインターロイキン -6（IL-6）の分泌を促進する．血中に増加した IL-1 や IL-6 は，プロスタグランジン E2 などを介して視床下部室傍核に作用し，HPA 系を賦活させる．HPA 系が賦活されると，血中の糖質コルチコイドが増加し，局所のリンパ球を含む炎症細胞の働きを抑制し，交感神経系を介して末梢の過剰な免疫反応を抑制し，ホメオスタシスを保つ方向に働く．このバランスの不均衡や破綻がストレス関連疾患を引き起こすものと考えられる．最近の研究では，うつ病で IL-6 が高値を示すことや，HPA 系の機能障害による高コルチゾール血症が高率で存在し，海馬神経を傷害する可能性が報告され，うつ病の神経細胞傷害仮説が提唱されている．

　ストレスは多くの疾患に影響していると考えられる．ストレスによるライフスタイルの変

第 1 編 | 口腔保健・予防歯科学総論

化は，食事や間食，プラークコントロールなどの生活習慣に影響することは容易に想像できる.

　自律神経系の不調による唾液分泌の減少は，齲蝕の増加につながるし，ストレスによるブラキシズムが咬合性外傷となることも指摘されている．今後は口腔保健の視点からもストレスへの対応が重要となるだろう.

（齋藤俊行）

2 ── 全身の疾患・異常と口腔保健

1）糖尿病・腎疾患

（1）糖尿病

　糖尿病は糖代謝異常により高血糖状態となる代謝疾患であり，血糖値（空腹時 ≧ 126 mg/dL，随時 ≧ 200 mg/dL，OGTT 2 時間 ≧ 200 mg/dL のいずれか）や HbA1c（≧ 6.5%）の値を用いて糖尿病の判定を行う．2020 年の患者調査による糖尿病の患者数は 579 万 1 千人（2020 年患者調査からは総患者数の算出方法が見直されたため増加している）であった．2022 年の国民健康・栄養調査において，20 歳以上で「糖尿病が強く疑われる人」の割合は男性 18.1%，女性 9.1% と高く，糖尿病は NCDs の中でも最も重要な疾患の 1 つである.

　糖尿病の主な合併症には，糖尿病性網膜症，糖尿病性腎症，糖尿病性神経障害などがあるが，糖尿病による免疫機能の低下から易感染性となり歯周組織に炎症が生じて歯周病を悪化させるため，歯周病は糖尿病の合併症として認識されるようになった．遺伝的に 2 型糖尿病の者が多いピマインディアンの中で，2 型糖尿病患者と糖尿病でない者の歯周状態を比較した研究では，糖尿病患者の歯周状態は有意に悪く，他の多くの疫学調査も糖尿病患者の歯周病が進行していることを示している.

　一方，歯周病を有している糖尿病患者に歯周治療を行うことで，糖尿病患者の血糖コントロールの指標となる HbA1c に改善がみられることから，歯周病と糖尿病との間には双方向の関連があるといわれている．日本歯周病学会による「糖尿病患者に対する歯周治療ガイドライン」は，糖尿病患者に対する歯周治療を推奨しており，日本糖尿病学会が発行した「糖尿病診察ガイドライン 2019」でも，2 型糖尿病患者に対する歯周治療により血糖が改善する可能性があることから，糖尿病患者への歯周治療を推奨している．また，日本老年医学会の「高齢者糖尿病診療ガイドライン 2023」では，高齢者の歯周病はフレイル・サルコペニアとの関連が示唆されていることから，高齢糖尿病患者に対して歯周病重症化予防介入を考慮することが示されている．そのため，糖尿病と歯周病の治療をするうえで内科医と歯科医の相互の連携が重要であり，日本糖尿病協会が発行している「糖尿病連携手帳」には糖尿病の合併症として歯科に関する記載欄が設けられている（**図 8-4**）．また，地域の医師会と歯科医師会との間でも糖尿病と歯周病との関連をきっかけに，さまざまな連携が行われている.

（2）腎疾患

　腎臓は体内の老廃物を排出し，身体に必要なものを再吸収する役割を果たしている．低下した腎臓の機能は元に戻らないことから，腎臓の機能低下を防ぐことは重要である．慢性腎

歯科		
施設		
歯科医師		
検査日	/	/
歯周病	なし・軽・中・重	
口腔清掃	良・普通・不十分	
出血	なし・時々・あり	
口腔乾燥	なし ・ あり	
咀嚼力	問題なし ・ 問題有り	
現在歯	（　　　）歯	
インプラント	なし ・ あり	
義歯・ブリッジ	なし ・ あり	
症状	改善・変化なし・悪化	
次回受診	ヶ月後	
備考		

図 8-4　糖尿病連携手帳の歯科の検査結果記入欄

（日本糖尿病協会：2020[7]）

臓病（CKD）は，20 歳以上の成人の 8 人に 1 人にみられるといわれている．腎臓の機能を表す指標には糸球体濾過量（eGFR）が用いられ，60 mL/ 分 /1.73 m^2 未満の状態が持続すれば CKD と診断される．CKD 患者は歯周病の有病率や重症度が高く，一方，歯周病の患者は CKD の発症リスクが高いことが示されている．また，CKD 患者に対する介入研究では，歯周治療により eGFR に改善がみられている．

腎臓の機能低下が進み腎不全になると，透析や移植が必要となる．日本の透析患者は年々増加し，2020 年には約 34.8 万人となった．原因疾患では糖尿病性腎症が最も多い．透析患者は，易感染性や骨への影響により歯周病のリスクが高まる．一方，透析患者へ歯周治療を行うことで全身の炎症マーカーが改善し，感染性疾患による入院や感染性心内膜炎，肺炎リスクが減少している．

CKD 患者や透析患者で歯周病がある者では，死亡率が高まることが報告されており，腎疾患患者に対する口腔管理は重要である．しかし，日本における透析実施施設で歯科を併設している施設は限られており，歯科のない施設においても外部の歯科診療所との連携は十分ではないことから，今後さらに連携が深まることが望まれる．

2）循環器疾患・心疾患

日本の人口動態統計による死因別死亡率のうち，心疾患は第 2 位，脳血管疾患は第 4 位〔令和 5（2023）年人口動態調査（確定数）〕であり，動脈硬化はそれらの疾患の原因となる．動脈硬化は，動脈の内側にコレステロールなどの脂肪からなるアテロームが生じることで動脈の内腔が狭まり，血管内皮細胞の機能が低下することで血管が弾力性や柔軟性を失い，血液の流れが悪くなる状態である．動脈硬化の病変部位からは *Porphyromonas gingivalis* などの歯周病原細菌が検出されていることから，歯周病原細菌が歯周ポケット内の毛細血管から血管内に入り，血管内壁のアテローム性プラーク形成に関与していると考えられる．

心疾患と口腔保健との関連については，脳卒中や心筋梗塞などの循環器疾患と歯周病をはじめとする口腔保健との関連が数多く報告されている．近年，慢性的な炎症や微少な炎症をとらえるマーカーである高感度 CRP 値の測定により，慢性炎症が心疾患のリスクファクターであることがわかっているが，歯周炎の者では CRP や IL-6 などの血清中炎症マーカー値が高く，それらの値は歯周治療により低下する．重度歯周炎患者に歯周治療を実施したランダム化比較試験は，歯周治療が血管内皮細胞の機能改善に効果があることを示しており，進行した歯周炎患者が適切な歯周治療を受けることは，動脈硬化から生じる循環器疾患の予防に貢献できると考えられる．

米国心臓協会（AHA）は，2012 年に歯周病とアテローム性血管疾患との間に認められている関連について，因果関係が明確ではないことや歯周病の治療がアテローム性血管疾患を予防できることを示す根拠がないという声明を出している．しかし，この声明により歯周病

第1編　口腔保健・予防歯科学総論

を含む口腔保健と循環器疾患との関連が否定されるものではなく，両者の関連を明らかにするためにはさらに科学的証拠を蓄積する必要がある．

3）メタボリックシンドローム（内臓脂肪症候群）

　成人における生活習慣病の増加は重大な健康問題であり，メタボリックシンドロームは糖尿病や動脈硬化性疾患などの生活習慣病リスクを高める．メタボリックシンドロームの構成要素である肥満，高血糖，高血圧，脂質異常は，それぞれ単独でも脳卒中や心筋梗塞などの動脈硬化性疾患のリスクを高めるが，それらの要素をあわせもつことでそのリスクはさらに増加する．特定健康診査（特定健診）では，肥満に加えて血糖，脂質，血圧のいずれかが該当すると，積極的支援または動機づけ支援の対象となり特定保健指導が行われる．

　肥満はメタボリックシンドロームにおいて中心的な役割を果たしており，1998年に肥満者の歯周病リスクが高いことが示されてから肥満と歯周病の関連が相次いで報告され，中でも内臓脂肪型肥満が歯周病と強くかかわっていることが示されている．肥満を含めたメタボリックシンドロームの構成要素の陽性項目を多くもつほど歯周病の者が多く，また，コホート研究によりメタボリックシンドロームの者は歯周病の悪化や歯の喪失のリスクが高いことが示されている．脂肪組織から分泌されるヒト腫瘍壊死因子-α（TNF-α）やアディポネクチンなどの生理活性物質はインスリン抵抗性に影響を及ぼしているが，歯周病との関連も示されていることから，それらの生理活性物質が肥満やメタボリックシンドロームと歯周病との関連の仲介役として働いていることが考えられる．一方，歯周病があることでメタボリックシンドロームの陽性項目が増えるという報告もみられる．

　メタボリックシンドロームを減らすために2008年から始まった特定健診の項目には，歯科の健診項目は含まれていない．一方，咀嚼機能や口腔機能が低下すると生活習慣病のリスクが高まることから，2018年からの第3期特定健診には，標準的な質問票に「咀嚼」に関する質問が加えられた．口腔の健康はメタボリックシンドロームをはじめとした全身の健康と密接にかかわっているため，特定健診により特定保健指導の対象となる者や咀嚼の状態に問題がある者に対して，口腔保健への関心が高まるような啓発や歯科医療機関への受診を勧奨することが重要である．

4）呼吸器疾患

（1）COPD

　健康日本21（第二次）において，がん，循環器疾患，糖尿病に並ぶNCDsとしてCOPD（慢性閉塞性肺疾患）が取り上げられている．COPDは他のNCDsとは異なり，生活習慣のうち特に喫煙の影響を強く受ける．喫煙は歯周病の重要なリスクファクターであるが，いくつかの観察研究により，歯周病とCOPDが関連していることが示されている．また，歯周病のあるCOPD患者に対して歯周治療を行うことでCOPDの悪化の抑制や肺機能の改善が認められたことから，歯周状態はCOPDに対して何らかの影響を及ぼす因子であると考えられる．

（2）肺炎

　呼吸器疾患である肺炎は，日本における 2023 年の死因の第 5 位（2011 ～ 2016 年は第 3 位）であり，特に高齢者において不顕性の誤嚥によって起こる誤嚥性肺炎（嚥下性肺炎）は死因の第 6 位となっている．高齢者施設入所者に対して行われた介入研究により，頻回の口腔健康管理を受けた者は受けなかった者に比べて肺炎発症や肺炎による死亡が有意に少なく，高齢者に対する口腔健康管理が肺炎予防に効果的であることが示されている．また，デイケアサービスを利用する高齢者に対して歯科衛生士が定期的な口腔健康管理を実施することにより，インフルエンザの発症が著しく抑えられた報告もみられる．今後，高齢化がさらに進むことで要介護高齢者の増加が見込まれており，高齢者を取り巻く医療，介護の現場において施設や在宅の要介護高齢者に対する口腔健康管理のニーズはさらに高まることから，地域包括ケアシステムの中で効果的な口腔健康管理を提供できるような体制づくりが必要である．

5）骨粗鬆症

　骨粗鬆症は，骨の形成と吸収のバランスが崩れることで骨密度が減り，骨折を生じやすくなる疾患である．原発性骨粗鬆症の診断基準では，低骨量をきたす骨粗鬆症以外の疾患や続発性骨粗鬆症はないが脆弱性骨折がある場合，または脆弱性骨折がなくても骨密度が若年成人平均値の 70% 以下または標準偏差が－2.5 SD 以下であれば原発性骨粗鬆症と診断する．日本には約 1,300 万人の骨粗鬆症患者がいると推定されており，その多くは女性である．閉経後に女性ホルモンのエストロゲンの分泌が低下すると破骨細胞の活性が強まり，骨密度が減少することで骨粗鬆症が発症しやすくなる．全身的な骨密度の低下は，顎骨の骨密度にも影響すると考えられる．実際に，閉経後の女性を対象としたパノラマエックス線画像の所見から，下顎骨の皮質骨の厚みや形態を観察することで骨粗鬆症のスクリーニングが可能であることが示されている．

　歯は歯槽骨に支えられており，歯周病によって歯槽骨の吸収が進行すると歯の喪失が起こる．骨粗鬆症と口腔保健の関連についての報告はほとんどが閉経後の女性に関するものであり，骨粗鬆症の患者は顎骨の密度が低く残存歯数が少ないことが示されている．骨粗鬆症と歯周状態との関連については，必ずしも一致した結果は得られていない．一方，歯を喪失すると，食物の消化吸収機能の低下が起こり，カルシウムやビタミン D が不足するため，歯の喪失は骨粗鬆症のリスクにもなり得る．

　骨粗鬆症患者に対する歯科治療時の注意点として，ビスホスホネート系製剤（BP 製剤）を投与されている骨粗鬆症患者では，抜歯などの外科的処置により薬剤関連顎骨壊死（MRONJ）のリスクが高まることが懸念されている．一方，BP 製剤を投与されている患者でも，診療ガイドラインに従って口腔衛生状態の改善をはかり，感染対策を徹底したうえで抜歯を行うことで顎骨壊死の発生を抑えられていることから，BP 製剤を処方する医師と緊密な連携をとり，患者に対して十分な説明を行ったうえで歯科治療に臨む必要がある．

　骨粗鬆症検診と歯周病検診は，ともに健康増進法に基づく健康増進事業として各自治体により実施されている．市町村の実施率は骨粗鬆症検診が約 6 割，歯周病検診が約 8 割である

第1編　口腔保健・予防歯科学総論

が，受診率はどちらもきわめて低いため，受診率を高めるための対策が必要である．

6）がん

　1981年以降，日本の死因割合の第1位は悪性新生物（がん）であり，その割合は年々増加傾向にある．口腔の状態とがんとの関連については，歯の喪失が頭頸部がん，食道がん，胃がんや肺がんと有意に関連していることが示されている．関連の因果関係は明らかではないが，歯の喪失が食物の選択や栄養摂取に影響を及ぼすことが一因であると考えられる．また，歯周病は口腔・消化器がん，肺がんや膵臓がんと関連しており，特に歯周病原細菌である *P. gingivalis* や *Aggregatibacter actinomycetemcomitans* の血清抗体価が高いと口腔・消化器がんや膵臓がんのリスクを高める可能性が示唆されている．がんの発症には炎症がかかわっているといわれており，歯周病によって生じる慢性的な炎症ががんの発症に影響を及ぼしていることが考えられる．そのため，歯周病の管理や歯の喪失の予防は，がんのリスク減少にも貢献できる可能性がある．

　がん患者の手術後に肺炎や感染症が起こると治療入院期間が延長する．一方，術前の口腔健康管理や歯科治療を実施することで，術後肺炎の発症頻度が減少し入院日数が短縮することから，2012年の診療報酬改定で，がんなどの手術・治療を行う患者に対して口腔健康管理に加えて必要な歯科治療を行う「周術期における口腔機能の管理」に関する項目が新設され，実施医療機関は年々増加している．また，がん治療で行われる化学療法や放射線治療は，副作用として口内炎などの口腔粘膜炎を起こしやすく，また唾液腺への障害により口腔乾燥や唾液分泌減少が起こるため齲蝕のリスクが高まる．そのため，がん患者の治療では，歯科医，口腔外科医，腫瘍内科医や放射線腫瘍医が相互に連携を取り合い，専門的な口腔清掃や歯科治療，口腔乾燥に対する処置などを行うことで術後の合併症をできるだけ減らすことが重要である．

7）早産・低体重児出産

　出産時期が妊娠22〜37週未満である早産の出生数全体に占める割合は約6%であり，生まれたときの体重が2,500g未満である低出生体重児は約1割程度にみられる．低出生体重児の多くは早産で生まれることが多く，早産は死産のリスクだけではなくさまざまな疾病や障害のリスクが高まることから，早産にならないための妊娠中の定期的な健診や予防が重要である．早産の原因としては，妊娠高血圧症候群などの疾病や感染症によるもの，喫煙，ストレス，また高齢出産も関連しているといわれる．

　歯周病のある妊婦は早産や低体重児出産のリスクが高い．また，歯周病のある妊婦を対象に歯周治療を行った介入研究では，早産や低体重児出産のリスクが減少することが示されており，その効果は特に早産の発生率が高い集団において顕著である．

　母子健康手帳には，2012年の改訂より「むし歯や歯周病などの病気は妊娠中に悪くなりやすいものです．歯周病は早産などの原因となることがあるので，歯科医師に相談しましょう」という説明が記載されるようになった．また，任意実施ではあるが，全国の自治体で妊産婦を対象に歯科健診が実施されている．

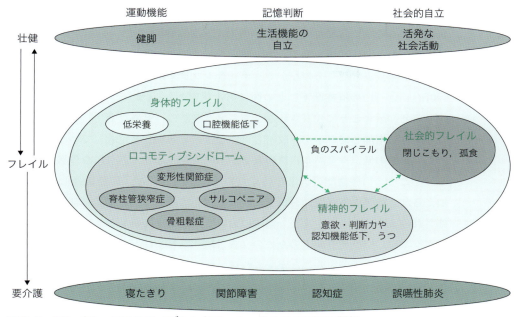

図 8-5　フレイル，ロコモティブシンドローム，サルコペニアの関係

(原田：2016[29] を改変)

妊婦の歯周状態を評価し，歯周病のある妊婦に対して歯周治療を受けるように促すことは，妊婦自身の口腔保健状態を改善するだけでなく，早産や低体重児出産のリスクを減らすうえでも重要である．

8）フレイル，ロコモティブシンドローム

高齢者では，臓器機能の低下から生理的予備能が衰えることで外的なストレスに対する脆弱性が高まり，生活機能障害，要介護状態，死亡などの転機に陥りやすくなる．健康な高齢者が要介護状態になる過程には，身体的，精神心理的，社会的な要因により健康障害を起こしやすくなる脆弱な状態を経ると考えられており，日本老年医学会は，健康と要介護の中間的な段階である frailty の日本語訳を「虚弱」から国民にわかりやすく受け入れやすいように「フレイル」とすることを提唱した．ロコモティブシンドローム（運動器症候群）は，骨や関節，筋肉の衰えからくる運動器の障害によって移動機能の低下をきたした状態であり，身体的フレイルに含まれる．ロコモティブシンドロームが進行すると要介護になるリスクが高くなる．サルコペニアは加齢や不活動，疾病，低栄養などにより筋肉量が減少することで，筋力，身体機能が低下した現象であり，ロコモティブシンドロームにおける筋肉の衰えに該当し，転倒・骨折のリスクを高める．図 8-5 にフレイル，ロコモティブシンドロームおよびサルコペニアの関係を示す．

要介護になる前のフレイルの段階であれば，適切な介入を行うことで要介護状態に陥るのを防ぐことが期待できる．ロコモティブシンドロームやサルコペニアにおける筋力や身体機能の低下には低栄養が深くかかわっているが，歯の喪失や義歯の未使用，咀嚼・嚥下障害に

よって起こる口腔機能の低下は低栄養の原因となるため，口腔機能の維持は高齢者が要介護状態にならないようにするためにも重要である．2024年に，日本老年医学会，日本老年歯科医学会および日本サルコペニア・フレイル学会は，オーラルフレイルに関する合同ステートメントを公表した．そのなかで，オーラルフレイルを，口の機能の健常な状態（いわゆる『健口』）と『口の機能低下』との間にある状態とし，「オーラルフレイルは，歯の喪失や食べること，話すことに代表されるさまざまな機能の『軽微な衰え』が重複し，口の機能低下の危険性が増加しているが，改善も可能な状態である」と定義している．口腔機能が低下すると，食欲の低下や食品多様性の低下から低栄養となり，さらに身体機能の低下へとつながる．そこで，口腔機能の低下を防ぐために，2018年には「口腔機能低下症」が保険病名に加えられ，歯科医療機関において口腔機能検査に基づく口腔機能の管理が保険診療により実施されるようになった．また，地域において，地域支援事業として行われる口腔機能向上プログラムや，口腔機能向上のための介護予防サービスなどを有効に活用することにより，口腔機能の低下を予防することができれば，活力のある高齢者の増加につながる．

（嶋﨑義浩）

第1編　口腔保健・予防歯科学総論

第9章　行動科学と健康教育

- 齲蝕や歯周病は生活習慣に関連する疾患であり，患者の保健行動を変容することは予防や治療において重要である．
- 健康の維持・回復のために不適切な行動を望ましいものに改善することを行動変容という．
- 保健行動とは，健康のあらゆる段階にみられる，健康保持，回復，増進を目的として，人々が行うあらゆる行動である．
- 健康に関する行動変容の理論であり，人が健康によい行動を行う可能性を高める要因として，どのようなものがあるかを示す考え方に健康行動理論（学習理論）がある．
- 健康教育とは，個人，家族，集団または地域が直面している健康問題を解決するにあたって，自ら必要な知識を獲得して，必要な意思決定ができるように，そして直面している問題に自ら積極的に取り組む実行力を身につけることができるように援助することである．
- 健康教育は，専門家が指導し，対象者が教えられるという一方向的な指導型健康教育から，主役はあくまでも対象者であり，対象者自身の能力を引き出し，自分でできるという気持ちをもち，問題解決のための自己決定をする能力を引き出す支援をする学習援助型健康教育の時代へと転換している．

Keywords　行動科学，行動変容，保健行動，健康行動理論，健康教育，ストレス，ヘルスリテラシー，エンパワーメント

1　行動科学

1）行動科学の成立

（1）なぜ医療に行動科学が必要か

いかに有効な予防法や治療法があっても，人々がそれに対応する適切な行動をとらないかぎり，医学的な効果は低いか無に等しい．たとえば，医師の処方した薬を指示どおりに服薬しない患者に対しては，この行動の背景を理解したうえで，医療を行う必要がある．どうしたら患者が自らの健康にとって必要な行動をとることができるかを理解するために行動科学が必要となってくる．特に感染症を中心とした急性疾患から生活習慣病などの慢性疾患や精神疾患（メンタルヘルス）が疾病の主流となった先進国においては，その重要性が認識されるようになった．齲蝕や歯周病などは生活習慣に関連する疾患であり，歯科医療においても患者の保健行動を変容することが重要である．

（2）行動科学の定義

諏訪（1999）は「人間の行動を包括的にとらえようとする学際的な研究，もしくはその成

第1編　口腔保健・予防歯科学総論

果を行動科学とする」と定義した．つまり，人間の行動を総合的に解明し，予測・統制（コントロール）しようとする実証的経験科学である．行動科学という言葉を最初に用いたのは心理学者の Miller を中心とするシカゴ大学の研究者グループであり，学習理論，ゲーム理論，情報理論，サイバネティックス，システム論などの影響を受けながら，20 世紀半ばより急速に発展した学問である．

（3）行動変容

　健康維持・回復のために不適切な行動を望ましいものに改善することを行動変容という．人間の行動の多くは学習によって獲得されるものであり，学習理論を予防や治療に応用することも行動変容という．

　行動変容の具体例としては，①いままで経験したことのない行動を新たに始める，②かつて経験したことのある行動を再開し継続する，③好ましくない行動をやめる，④行動を修正する，⑤これら4つを継続する，である．

2）口腔保健における行動科学（歯科保健行動）

　高江洲（1999）は，保健行動の領域で，歯・口腔および顎機能についての病気と障害（異常）にかかわる心理，行動を包括して歯科保健行動（口腔保健行動）とした．また，歯科行動科学の分野は，患者の歯科受療行動および個人の行動特性，歯科医師の治療内容にかかわる人間工学あるいは歯科衛生士を含む歯科医療従事者の行動分析，さらにはコミュニティにおける歯科保健プログラムの推進に関する研究分野であり，心理学，教育学，社会科学およびコミュニケーション技法にかかわる保健情報学などについての研究開発とその応用を包括した領域であるとしている．

　さらに，歯科保健行動として，①口腔清掃行動，②摂食行動（食行動），③受診，受療行動，の3つに分類した．

3）保健行動の定義と分類

　宗像（1996）は，保健行動を「健康のあらゆる段階にみられる，健康保持，回復，増進を目的として，人々が行うあらゆる行動である」としている．

　健康段階別の分類は，①症状のない状態における病気予防を目的とする保健行動である予防的保健行動（疾病の予防と発見），②症状を経験した後の保健行動である病気対処行動（病識と受診），③回復を目指して行われる保健行動である病者役割行動（治療と受療）とした．

　目的別の分類は，①セルフケア行動，②コンプライアンス行動，③ウェルネス行動がある．
① セルフケア行動：Levin（1976）は「一般の人々が自らのために自らの健康予防，増進や病気発見や治療を，保健医療システムの中におけるプライマリヘルス資源のレベルにおいて行う過程」と定義している．
② コンプライアンス行動：医療従事者が患者の健康のために必要であると考え，勧めた指示に患者が応じそれを遵守 compliance しようとすることである．遵守しない場合はノンコンプライアンスという．

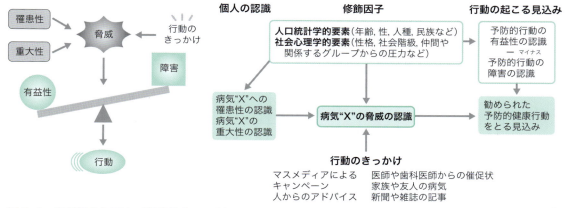

図 9-1　保健信念モデル（健康信念モデル） (松本：2002 [5])

③ ウェルネス行動：いかなる健康段階にあっても人間の可能性の個性的実現を目的とする行動である．つまり，たとえ病気や障害があっても，それを 1 つの個性ととらえ，与えられた環境の中で，運動や栄養摂取，呼吸や排泄，感情活動，コミュニケーション，仕事，余暇，生きる意味の追求などさまざまな活動を通して，自己の可能性を個性的に実現しようとするものであるとしている．

4）健康行動理論

健康行動理論とは，人が健康によい行動を行う可能性を高める要因として，どのようなものがあるかを示す考え方をいう．代表的な理論やモデルを以下に示す．

（1）KAP（KAB）モデル

知識 Knowledge の普及が，人びとの態度 Attitudes の変容をもたらし，結果として習慣 Practices や行動 Behavior が変わる一連の過程をいう．しかし，知識，態度，行動の関係については単純なものではなく，次第に知識伝達を主眼とした健康教育の限界が明らかになってきた．

（2）保健信念モデル（健康信念モデル）

Becker（1974）や Rosenstock（1996）によって考案され発展した．行動（特に予防的保健行動）に影響するのは，客観的な病気の脅威や，客観的な対処行動の有益性ではなく，対象者自らが感じる主観的な病気の脅威や，対処行動の有益性であることが明らかにされた（図 9-1）．医学知識をわかりやすく伝えるだけでは，健康教育の目的である行動変容は，必ずしも達成できないことを示している．

（3）保健行動のシーソーモデル

宗像（1996）は，人の保健行動が，行動への動機（左）と行動の実行を妨げる負担（右）とのバランスによって決まることを示した（図 9-2）．したがって，負担を軽減し，動機を強化すれば，行動が実行される．さらに，このモデルの特徴は保健行動をシーソーになぞらえ，その動機と負担のバランスを，支点を動かすことによって変えられると考えるところである．具体的には人は自分のまわりのさまざまな支援を活用しながら，自己決定能力によっ

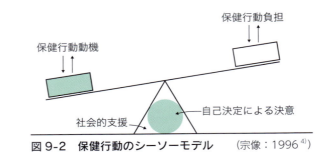

図 9-2　保健行動のシーソーモデル　　（宗像：1996[4]）

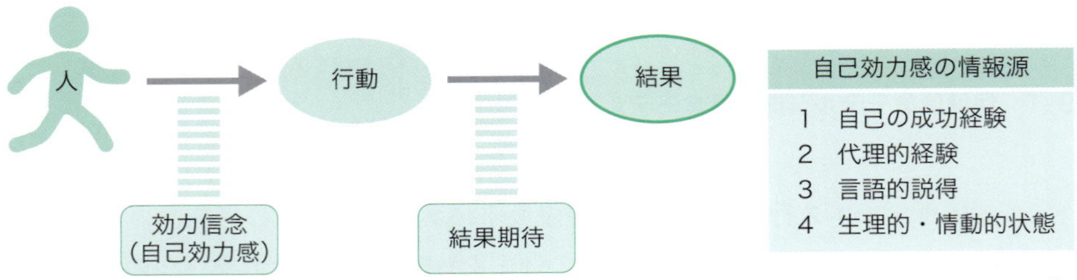

図 9-3　自己効力感とその情報源　　　　　　　（松本：2002[5]）

て自らが支点を右に移動して動機を強化し，負担を軽減することで，保健行動が実行できるということである．

(4) ヘルス・ローカス・オブ・コントロール

Rotter (1966) は，行動と強化の随伴性をどのように認知しているかに関する人格変数 locus of control (LOC) を提唱した．LOC の概念では，自分のとる行動によって結果を統制できるととらえる内的統制 (internal LOC) 傾向と，結果は自分の行動とは無関係に環境や他者によって生じるととらえる外的統制 (external LOC) 傾向に二分される．内的統制傾向の者は外的統制傾向の者に比較して，目標達成に向けてより積極的な行動をとることが期待される．その後，この LOC の概念を用いて，渡辺 (1989) は医療や健康に関する状況における行動の変数として，健康は自己の努力によって得られるという内的統制傾向と，健康は運や医療従事者など他者によって得られるとする外的統制傾向に分かれるヘルス・ローカス・オブ・コントロールの尺度を開発した．

(5) 自己効力感（セルフ・エフィカシー）

Bandura (1977) によって考えられた社会的学習理論であり，この理論では，人はある行動が望ましい結果をもたらすと思いその行動をうまくやることができるという自信があるときに，その行動をとる可能性が高くなると考える．自己効力理論の2つの要素として，ある行動がどのような結果を生み出すかという本人の判断を「結果期待」，その行動をうまく行うための自分の能力に対する信念を「自己効力感」という（図 9-3）．簡単にいうと，「自分はその行動をうまくやることができる」という自信（確信度）のことである．また，その自信が生まれるためには，①自己の成功体験（過去に同じか，または似たような行動をうまくやることができた経験があること），②代理的経験（たとえ自分はその行動をやった経験はなくとも，人がうまくやるのを見て自分でもやれそうだと思うこと），③言語的説得（自

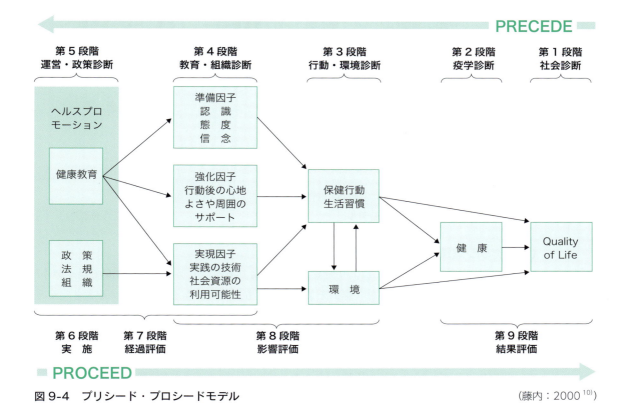

図9-4 プリシード・プロシードモデル （藤内：2000[10]）

分はその行動をうまくやる自信はそれほどなくても，人から，「あなたならできる」と言われること），④生理的・情動的状態（その行動をすることで生理的状態や感情面で変化が起きること）の4つの情報源がある．

（6）プリシード・プロシードモデル（PRECEDE-PROCEED model）

健康教育を働きかけの技術とみなし，働きかけの方法について，改めて体系的に論及したのが，Greenら（1980）のPRECEDE frameworkであり，さらに1991年にプリシード・プロシードモデルへと改訂された（図9-4）．このモデルの特徴は，健康教育の目的をQOLと考えた点であり，行動変容に影響を及ぼす要因を，準備，強化，実現の各因子群に分けて論じた点である．さらに，健康に影響を及ぼす因子として行動のほかに環境をとり上げ，健康上の問題を解決するためには環境へも働きかける必要があることを明記した点，そして政策・法規・組織因子が新たにとり上げられ，健康教育と政策・法規・組織の両者がかみ合うことで，ヘルスプロモーションが実現されるという立場を明確にした点である．

（7）変化のステージモデル

ProchaskaとDiClemente（1983）による，人の行動が変わり，それが維持されるには5つのステージを通る，と考えたモデルである（図9-5）．ただし，この過程はいつも順調に一方的に進むとは限らずに，場合によっては元のステージに戻ってしまうこともある．対象者のステージが少しでも維持期の方向に向うためにどのように働きかけたらよいかを図中に示している．

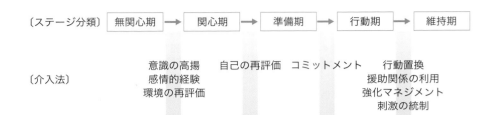

図9-5　変化のステージモデル　　　　　　　　　　　　　　　　（松本：2002[5]）を改変）

（8）ナッジ理論の医療への応用

　ThalerとSunstein（2008）により発表された理論である．ナッジとは"ヒジで軽く突く"という意味で，彼らはナッジを「選択を禁じることも，経済的なインセンティブを大きく変えることもなく，人々の行動を予測可能な形で変える選択アーキテクチャーのあらゆる要素」であると定義した．

　佐々木（2020）は医療現場で活用されているナッジは，①デフォルト（初期設定）の変更，②損失の強調，③他人との比較，④コミットメントの4つに分類されると述べ，以下の例をあげている．

① デフォルトの変更とは，初期設定の違いが効果に影響を与えることである．たとえばインフルエンザワクチン接種率がより高いのは，複数の日程を知らせて自主的な予約をよびかける従来の方法よりも，日時をあらかじめ仮決めして，指定したその日時での接種をよびかける方法である．初期設定の違いが接種率に影響することを示している．

② 損失の強調は，メッセージを利得の形式でなく損失の形式で伝えるほうが効果的であることを意味する．たとえば，検診の受診率は「今年度大腸がん検診を受診された方には，来年度大腸がん検査キットをご自宅にお送りします」という利得の形式でハガキを送付するよりも，「今年度大腸がん検診を受診されないと，来年度ご自宅へ大腸がん検査キットをお送りすることができません」という損失の形式でハガキを送付するほうが向上する．

③ 他人との比較は，自分以外の人々の考えや行動を紹介するという情報提供の工夫である．歩数を増やす取り組みとして，自分だけの歩数を知らされるグループよりも自分と他人の歩数が比較できるグループのほうが歩数はより増加する．

④ コミットメントは，一度決意した理想的な選択をあとで変更できないように固定する仕組みである．病院の無断キャンセルを減らすためには，受付スタッフが次回の予約日時をカードに記入するのではなく，患者自身に記入させることが有効であるという結果がある．つまり，患者自身がスタッフの目の前で記入するという状況は，次回の約束を守ると宣言している状況となる．

2 健康教育

1）健康教育の定義

　健康教育とは，保健行政分野，労働衛生分野，学校教育分野などでのさまざまな教育活動を指す．従来は「保健医学的知識」などの情報提供を集団的に行う学習機会と考えられてきたが，単なる情報共有だけでなく，学習理論，意識変容・行動変容などのさまざまなモデルを基礎にした行動科学をもとに，ライフスキルの開発を行い，生活習慣の改善に至るプロセスと理解されており，**表9-1**に示すように多様な定義がある．最も受け入れられている定義としては，宮坂（2006）の「健康教育とは，個人，家族，集団または地域が直面している健康問題を解決するにあたって，自ら必要な知識を獲得して，必要な意志決定ができるように，そして直面している問題に自ら積極的に取り組む実行力を身につけることができるように援助することである」がある．

　また吉田（1994）は英語で health education と表現される概念は，日本語としては健康教育，保健指導，健康相談だけでなく，一般大衆教育，専門家教育などはるかに幅広い意味をもっており，教育や指導を区別せずに扱うほうが日本ではより生産的でないかと述べている．

2）健康教育の目的

　健康教育の目的は，①対象者が正しい知識や理解をもつこと（知識の習得，理解），②健康行動を起こそうという気持ちになること，起こすこと（態度の変容），③日常生活での健康生活の実践と習慣化（行動変容とその維持）があげられるが，最終的な目標は，自分の体の状態がわかり，健康の保持・増進のために何をすればよいかがわかるセルフケア，セルフコントロールできる状態を目指すことである．

　図9-6は健康教育の歴史的な発展過程を示したものである．第一が知識普及を中心にし

表9-1　健康教育の定義

Green LW ら（1991）	人々が健康につながる行動を自主的にとることができるように，種々の学習の機会を組み合わせて，意図的な計画の下で支援すること．
WHO（1998）	個人や地域の健康を促進する知識の向上や生活技術の発展を含むヘルスリテラシーの向上を意識的に取り入れた学びの機会であり，何らかのコミュニケーションを含むものである．また，健康を増進するために行動する動機づけや自信，自己効力感を育てることも含まれる．
吉田（1994）	健康に関する知識・技術・経験の交流を通じ，参加者の健康自己管理能力の向上を援助するものであり，ひいては，参加者の行動やライフスタイルの改善，健康な社会環境の醸成をめざすものである．
宮坂（2006）	個人，家庭，家族，集団または地域が直面している健康問題を解決するにあたって，自ら必要な知識を獲得して，必要な意思決定ができるように，そして直面している問題に自ら積極的に取り組む実行力を身につけるように援助することである．
日本健康教育学会	健康教育とは，一人ひとりの人間が，自分自身や周りの人々の健康を管理し向上していけるように，その知識や価値観，スキルなどの資質や能力に対して，計画的に影響を及ぼす営みであり，学校，地域，産業などのさまざまな場面で，また，教諭，養護教諭，栄養教諭，医師，歯科医師，薬剤師，保健師，助産師，看護師，管理栄養士，栄養士，歯科衛生士などのさまざまな職種の人がかかわり，食事，運動，喫煙，ストレス，病気やけがなどのさまざまなテーマに関して行われる．

第9章

行動科学と健康教育

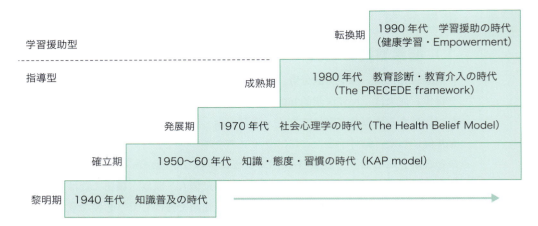

図 9-6　健康教育の歴史的な発展過程　　　　　　　　　　　　　　　　　　　　　　（吉田：1994[14]）

た黎明期，第二が保健行動に焦点が絞られてきた確立期，第三が社会心理学を中心に科学が導入された発展期，第四が介入としての意義が明確になってきた成熟期，第五が健康教育の見直しがはじまった転換期である．健康教育の目的の変遷を図9-6の下部に示している．健康教育の目的も時代とともに大きく変化してきたことが示されている．

　健康教育は，健康の保持・増進を目的とする働きかけとして行われる．しかし，健康の保持・増進はきわめて広義である．これには，健康問題が起こらないようにする（予防），起きてもすぐ対処できるようにする（早期発見・早期治療），健康問題を解決する（治療），完全に解決して社会復帰する（リハビリテーション），よいほうに向かわせるという意味合いが含まれる．個人が健康的な生活習慣を確立できるよう社会環境の整備とともに教育面から支援を行い，行動変容への動機づけや行動変容に必要な知識・技術の習得を促すことが必要となる．

3）健康教育の要素
（1）ストレスとコーピング
　生理学や医学の領域で初めてストレスstressという用語を用いたのはSelye（1935）であり，「外界からのあらゆる欲求に対する生体の非特異的反応である」と定義したが，その後心理学領域からLazarusら（1978）が「反応でも，それを引き起こす刺激でもなく，生体と環境との間の相互作用的な交渉の中で，ストレスフルなものと認知（評価）された関係性と，それに対抗しようとする一連の意識的な努力（ストレスコーピング）の過程である」と説明した．

　コーピングcopingとは，心理的ストレス反応を低減させ，少なくとも今以上増幅させないことを目的になされる行為や考えをいう．

（2）ヘルスリテラシー
　ヘルスリテラシー研究の権威であるNutbeam（1998）はWHOのヘルスプロモーション用語集で，ヘルスリテラシーは"The ability to access, understand, and use information

表 9-2 指導型と学習援助型教育の違い

	指導型健康教育	学習援助型健康教育
対象者との接し方	診断的理解による	共感的理解による
コミュニケーションの主体	専門家	対象者（患者）
専門家の教育技術	話すこと，説明すること	聞くこと
対象者相互の関係	あまり考慮されない	積極的に活用される

(吉田：1994[15])

for health"（健康情報にアクセスし，理解し，使える能力）と定義した．本来，リテラシーの意味は識字能力のことであり，ヘルスリテラシーを単に健康分野の識字能力としてとらえる立場から，集団レベルのエンパワーメントを含めた健康管理能力全般（ヘルスリテラシーの統合モデル）とする，より広い解釈もある．Nutbeam は，ヘルスリテラシーには，①機能的ヘルスリテラシー（健康情報の受け手として日常生活で役立つ読み書きの基本的能力），②相互作用的ヘルスリテラシー（コミュニケーションにより意味を引き出したり，人に伝えられたり，得られたアドバイスをもとに行動する能力），③批判的ヘルスリテラシー（情報を批判的に分析し，健康情報を生かし組織や社会を変えていける高度な能力）の 3 つのレベルがあるとしている．

（3）指導型健康教育と学習援助型健康教育

　健康教育の手法はその特徴から指導型と学習援助型の 2 つに分けられる（**表 9-2**）．指導型は，教える側の専門家がコミュニケーションの主体となり，聞き手としての対象者を診断的に理解したうえで必要な教材を使ってわかりやすく説明し，対象者の行動変容を期待する．教える側に必要なのは，対象者の持つ問題を的確に診断し，情報を教えるために「話し上手」であることである．一方，学習援助型の主体は，話し上手としての対象者であり，内容やテーマも対象者の興味や必要性に応じて選択される．専門家は傾聴し学習を診断するという立場で，伝える情報量は指導型に比べて少なくなるが対象者が自分の力で考える能力を獲得し，自分の力で行動を変容するのを見守る．双方向で議論を深めるため対象者の満足度が高く，また行動変容も起きやすい．

（4）エンパワーメント

　エンパワーメント empowerment とは，「力（権限）を与える」という意味である．社会的に差別や搾取を受けたり，自らコントロールしていく力を奪われた人々が，そのコントロールを取り戻すプロセスと定義される（久木田，1998）．また，公衆衛生分野では，「コミュニティやより広い社会において，自分たちの生活をコントロールしていくことへの，人々や組織やコミュニティの参加を促進していくソーシャル・アクションのプロセス」とされている．また，オタワ憲章では「人々が統制感を増大し，健康を改善する過程」と定義している．

　エンパワーメントの進め方としては，「傾聴–対話–行動アプローチ」がある．

(杉原直樹)

第1編　口腔保健・予防歯科学総論

第10章　口腔保健と疫学

本章の要点

- 疫学の目的は，特定の集団に発生する健康問題とその原因やリスク要因の関連性を統計学的に解析して，その結果を健康問題のコントロールに応用することである．
- 疫学研究には観察研究と介入研究があり，前者には記述疫学と分析疫学（横断研究，コホート研究，症例対照研究，生態学的研究）がある．
- 疫学研究の実施にあたっては倫理指針に沿って，各所属機関の倫理審査委員会の承認を受ける必要がある．
- 集団診査には調査と健康管理を目的とするものがあり，それぞれで特性が異なる．
- 疫学を用いた臨床研究のエビデンスの質は，研究デザインの分類によって段階的に評価される．
- 齲蝕，歯周病，口腔清掃の程度，歯のフッ素症，不正咬合などの口腔保健状態を定量的にとらえるためのさまざまな指標が提唱され，口腔保健の疫学に用いられている．

Keywords　疫学，指標の尺度，横断研究，コホート研究，症例対照研究，観察研究，介入研究，倫理指針，集団診査，スクリーニング，EBM，齲蝕の指標，歯周病の指標，口腔清掃状態の指標，歯のフッ素症の指標，不正咬合の指標，WHOにおける自己評価の指標

1　口腔疫学

1）疫学の定義と目的

　疫学すなわち epidemiology は，ギリシャ語の「epi 上に」，「demos 人々」，「logos 学」を組み合わせた言葉で，人々の間で起こっている現象を観察・分析する学問と解釈できる．疫学は，1850年代のロンドンのコレラ流行を機に，感染症の原因の解明を目的としてさまざまな要因と感染症発症との関連性について集団を対象に調査・分析する学問として位置づけられてきた．しかし，時代とともに人類を脅かす健康問題は感染症だけに限らず，公害，事故，生活習慣病などに多様化しており，現代では幅広く「集団内における健康に関連する事象の頻度と分布およびそれらに影響を与える要因を明らかにして，健康関連の諸問題に対する有効な対策の樹立に役立てるための科学」と定義されている．すなわち，実社会に発生する健康問題について調査・集計して，疾病や健康の状況や疾病の自然経過と予後を把握することが疫学の第一歩である．さらに，得られたデータ間の関連性を統計学の手法を用いて解析し，要因と健康問題との因果関係を定量的に示すことで，健康問題の原因やリスク要因の解明あるいは予防対策や治療法などの有効性の評価につなげて，その結果を健康問題のコントロールに応用することが疫学の究極の目的である．

2）疫学研究方法

　疫学研究で健康問題と関連性のある要因を探し，その要因を改善するための予防対策や治

表 10-1　疫学研究の方法

1. 観察研究　observational study
    1) 記述疫学　descriptive epidemiology
    2) 分析疫学　analytic epidemiology
        (1) 横断研究　cross-sectional study
        (2) コホート研究　cohort study
        (3) 症例対照研究　case-control study
        (4) 生態学的研究 ecological study
2. 介入研究　intervention study

療法を検討するためには，それぞれの目的に応じた適切な研究デザイン（方法）が必要となる．

（1）疫学研究方法の種類

疫学研究は観察研究と介入研究に大別できる（**表 10-1**）．観察研究は，現象を自然の状態で観察するものであり，人為的に現象を変化させること（介入）はない．観察研究はさらに記述疫学および分析疫学に分類される．一方，介入研究は，研究者が調査対象者に人為的に要因を与えて，その介入の効果を評価する研究である．

疫学研究は，①記述疫学で疾病の分布や特徴を把握する，②分析疫学で疾病とその発生要因の関連性を検討する，③記述疫学や分析疫学の研究で知見が積み上げられた後に，介入研究で因果関係を明らかにする，という流れで進む．

a. 記述疫学

記述疫学は，人間集団の疾病や健康問題の頻度ならびに分布を，人，場所，時間の側面から正確に表すことで，疾病や健康問題の疫学特性を解明し，その発生要因の仮説を設定する．人についての要因は性，年齢，人種，遺伝，家族歴など，場所についての要因は問題発生の場所による差，すなわち，地域差，国際比較など，時間についての要因は年次変化，周期変動，季節変動などがある．記述疫学を行うことで設定した仮説は，さらに分析疫学や介入研究によって検証される．

b. 分析疫学

（i）横断研究

横断研究は，ある集団の，ある一時点での疾病（健康問題）の有無と要因曝露の状態を同時に調査し，その関連を調べる研究方法である．横断研究は，研究期間が短く，実施が比較的容易で経済的であるという利点があるが，疾病と要因の時間的な前後関係が不明なため，因果関係の推測が困難であるという欠点がある．横断研究から，状況把握として集団の有病率を求めることが可能である．

●有病率 $= \dfrac{\text{集団のある 1 時点に疾病を有する者の数}}{\text{調査対象の集団全員の数}}$

（ii）コホート研究

コホート研究は，研究対象者を一定期間にわたって追跡観察し，疾病の発生状況やその要因との関連を分析する研究である．コホート研究には，調査対象集団を設定する時期によっ

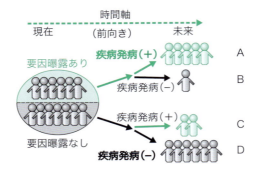

図 10-1 コホート研究

て，前向きと後ろ向きに分けられる．
① 前向きコホート研究：調査開始時点に対象とする疾病（健康問題）をもたない集団において，要因曝露のある集団（曝露群）と要因曝露のない集団（非曝露群）を将来にわたって追跡する研究である．
② 後ろ向きコホート研究：研究開始時点にすでに要因曝露が起こっていた集団（曝露群）の曝露状況を事後的に調べ，現在の疾病の発生状況を非曝露群と比較する方法である．過去に遡って調べる点では後ろ向き研究であるが，因果推論の方向は「原因→結果」であり，前向き研究の特徴も備えている．

　コホート研究では，罹患率（発生率）や死亡率が計算でき，リスクの評価としては相対危険度や寄与危険度が用いられる（**図 10-1**）．相対危険度は曝露群と非曝露群の罹患率の比で示され，曝露と疾病との関連の強さを表す．寄与危険度は曝露群と非曝露群の罹患率の差で示され，絶対的な曝露の影響を表す．

● 罹患率（発生率）＝ $\dfrac{\text{一定の観察期間内に新たに発生した者の数}}{\text{調査開始時点の集団全員の数（疾病にかかっている者は含まない）}}$

(ⅲ) 症例対照研究

　症例対照研究は，疾病の要因を過去に遡って探求する研究である．目的とする疾病（健康問題）をもつ者（症例 case）の集団ともたない者（対照 control）の集団を選び出し，それぞれの群における過去の要因曝露の割合を比較することで疾病と要因の関連を分析する研究方法である．一般に患者群を先に選定するが，それに呼応した対照群を選び出す際には，マッチングにより年齢，性などの想定される交絡要因が患者群と同じになるようにする．症例対照研究では，リスクの評価としてオッズ比が用いられる（**図 10-2**）．オッズとは「見込み，確率」のことで，オッズ比は患者群の曝露オッズと対照群の曝露オッズの比である．症例対照研究はすでに疾病に罹患している患者を対象にするため，発生頻度の低い疾患の分析に有利な方法である．一方で，対照群の選択の過程で偏ったサンプリングをしてしまうと

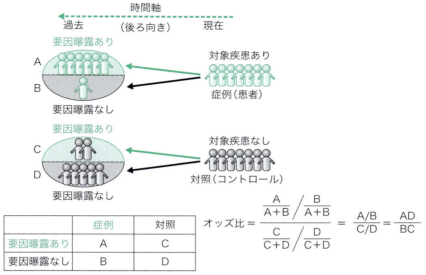

図10-2　症例対照研究

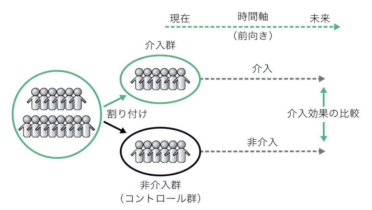

図10-3　介入研究

いうバイアスが起こりやすいことに加えて，相対危険度や寄与危険度が算出できないなどの問題がある．

(iv) 生態学的研究

　生態学的研究は，他の分析疫学研究と異なり，個人単位ではなく，地域または集団単位の既存の調査データを用いて，異なる地域や国の間で要因と疾病の関連を検討する方法である．生態学的研究で観察された関連は，必ずしも個人に当てはまるとは限らない．

c. 介入研究

　介入研究は，研究対象集団を介入群（研究群）と非介入群（対照群）に分け，治療・予防方法やその他の健康に影響を与えると考えられる要因に変化を与える操作による介入を行い，群間で結果を比較する研究方法である（図10-3）．ある集団を介入群と非介入群に無作為に割り付け，両群のその後の転帰を比較検討するランダム化比較試験は，臨床における薬剤や治療法など医学的処置の効果を判定するうえで最も根拠の質が高い疫学手法と考えら

れている．研究対象者と観察者が，ともに割り付けに関する情報を知らされない方法を二重盲検法という．

　介入研究では2群以上のグループに分類して，それぞれに異なる介入を行うことで介入の内容の違いが疾病（健康問題）に与える影響の違いを比較することも可能である．各グループの割り付けは無作為に行うことが望ましいが，現実的にはさまざまな制約によって無作為の割り付けが難しいことが多い．介入研究のうち，患者を対象とするものを臨床試験，健康人を対象とするものを野外試験，地域に対して介入を行うものを地域介入試験という．

（2）口腔疾患と疫学研究方法の選択

a．記述疫学

　齲蝕や歯周病などの口腔疾患は初期の段階では疼痛などの自覚症状が少なく，未治療のまま長期間放置されることが多い．このような口腔疾患の臨床的特性から，1回の断面調査でも，特定の集団に発生する口腔疾患の疾病量を把握できる．そのため歯科疾患実態調査や学校保健統計調査などの断面調査であっても，それらの結果は歯科保健行政などにおける保健施策の決定に重要な情報となる．

b．分析疫学

（ⅰ）横断研究

　研究の特性上，因果関係は推定できないが，口腔疾患に関連する要因を調べることは可能である．齲蝕では抜歯や充填・補綴などの治療の痕跡も含めて齲蝕経験として診査することから，過去に遡った齲蝕疾病量を把握できる利点がある．歯周病については，歯周プローブを用いて測定した歯周ポケット深さや臨床的アタッチメントレベルに基づいて歯周炎を判定することが多い．歯周ポケット深さは現状の歯周炎の重篤度を，臨床的アタッチメントレベルは過去に遡った歯周炎の進行程度を表す．齲蝕と同様に横断研究であっても歯周炎に関連する要因について貴重な情報が得られることが多い．

（ⅱ）コホート研究

　近年，口腔保健と全身の健康の関係が注目されているが，横断研究では相互の関連性があることを示すことができても，相互の影響の方向性については明らかにできない．たとえば，糖尿病と歯周病の関係において，コホート研究では，歯周病が糖尿病に影響を与えるか，また，糖尿病が歯周病に影響するか，その関連の方向性を検討できる．

　コホート研究の一般的な問題は，疾病の発症数が十分得られるまでに長期間を要することにあるが，齲蝕や歯周病の発症までの期間は比較的短く，また発症率は高いため，口腔疾患の場合にはこの点は通常大きな問題とならない．

（ⅲ）症例対照研究

　齲蝕や歯周病の場合には発生頻度がそれほど低くないため，症例対照研究は一般的には選択されないが，口腔疾患の中でも侵襲性歯周炎や口腔がんなどのまれな疾患を対象とする研究には有用である．

（ⅳ）生態学的研究

　生態学的研究として，たとえば，国の統計調査データから，都道府県別の齲蝕有病状況と所得のデータを用い，所得の多い都道府県では齲蝕有病率が低いかどうかを検討することが

表 10-2　齲蝕と歯周病に共通する疫学的特徴

・有病率が高い.
・慢性疾患である.
・自然治癒の可能性は低い.
・初期の自覚症状が少ない（歯周病の場合，全般的に自覚症状が少ない）.
・死亡につながる重篤な症状はほとんど起こさない.
・口腔細菌が関連するが伝染性疾患としては定義されていない.
・年齢による発病の感受性の差が大きい.
・歯種，歯面による発病の感受性の差が大きい.
・日常の生活習慣の影響を強く受ける.

可能である.　生態学的研究で得られた結果は，その後，個人データを用いた研究によって，同様の関連があるかを検討することは必要である.

c. 介入研究

　齲蝕や歯周病の新たな予防方法の効果を検討したい場合は介入研究を試みる.　たとえば，ある薬剤が含有された洗口液が歯周病の予防に効果があるかを調べることを目的とした介入研究は，個人を対象としているため，対象者を無作為に介入群と対照群に割り付けることができる.　一方，学校におけるフッ化物洗口の齲蝕予防効果を調べる介入研究では，学校単位で割り付けるため，対象者を無作為に分けることは不可能となる.　また，介入研究では健康に良好な要因を曝露させることはできても，疾病のリスク要因（たとえば歯周病に対する喫煙など）を曝露させる研究は倫理上行うことは難しく，研究計画が制限される.

（3）口腔疾患の疫学的特徴

　口腔の二大疾患である齲蝕と歯周病に共通する疫学的特徴を**表 10-2** にまとめる.

a. 齲蝕の疫学的特徴

（ⅰ）有病状況

　学校保健統計調査（2021 年度）では，齲蝕が減少傾向にある現在でも，幼稚園・小学校では齲蝕の被患率が最も高く，中学校，高等学校では近視に次いで齲蝕の被患率が高い結果となっている.　2022 年の歯科疾患実態調査結果では，齲蝕は日本の成人の大部分が罹患している.

（ⅱ）慢性疾患・自然治癒

　齲蝕は疾病の進行が緩慢である.　初期のエナメル質表層下脱灰病変は再石灰化による自然治癒が期待できるが，実質欠損を生じると自然治癒が困難になる.

（ⅲ）感染性

　齲蝕はミュータンスレンサ球菌群がその過程で重要な働きをする.　特に乳児期における齲蝕の発症では，ミュータンスレンサ球菌群が関連することが多くの疫学研究で示されている.　しかし，成人ではミュータンスレンサ球菌群の齲蝕原性を疫学的に説明することは難しく，乳酸菌や *Actinomyces* などの細菌との関連性や複雑な細菌叢の構成とのかかわりも含めて考慮する必要がある.

（ⅳ）年齢・歯種・性別による感受性

　齲蝕は治療後も充塡や補綴〔filled；F（永久歯），f（乳歯）〕，抜歯〔missing；M（永久歯），m（乳歯）〕を行った痕跡が残ることから，現存の未処置歯齲蝕〔decayed；D（永久

表 10-3　歯種と歯面の齲蝕感受性の違い

歯種	大臼歯				小臼歯				前歯			
歯面	頬側面	舌側面	隣接面	咬合面	頬側面	舌側面	隣接面	咬合面	頬側面	舌側面	隣接面	切縁部
齲蝕感受性	1	1	4	5	1	1	3	4	1	1	2	0

0＝感受性なし，1＝最も低い感受性，5＝最も高い感受性

(Loesche WJ：1986[1])を改変)

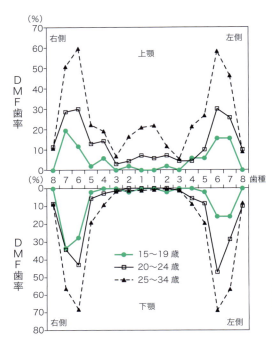

図 10-4　年齢階級・歯種別 DMF 歯率
DMF はそれぞれ，未治療の齲蝕（D），喪失（M），治療済みの齲蝕（F）を示す．

(厚生労働省：2016[2])

歯），d（乳歯）〕だけでなく，治療した齲蝕も含めた齲蝕経験〔DMF（永久歯），dmf（乳歯）〕として表す．そのため，年齢が進むごとに齲蝕経験数は上昇する．歯の交換で乳歯が自然脱落する5歳以上ではdmfの解釈は難しいため，その使用には注意を要する．

　齲蝕は平滑面よりも咬合面の裂溝に多発することから（**表 10-3**），前歯に比べて臼歯のほうが齲蝕感受性が高く，また，臼歯の中でも萌出時期の早い第一大臼歯が最も罹患しやすく，前歯部では下顎よりも上顎のほうが有病率は高い傾向にある（**図 10-4**）．性差については，学校保健統計調査で女子のほうが男子に比べて12歳児の DMFT 指数が高いことや，歯科疾患実態調査で12歳以降の年齢で女性のほうが総じて DMFT 指数が高いことが報告されているが，その原因については明らかではない．

（v）生活習慣・環境

　齲蝕の発症はスクロースの摂取量ときわめて強い関係があり，フッ化物の適量の摂取で齲蝕が抑制されることも明らかとなっている．その他，職業，学歴，医療体制，社会保障制度，保健行動や日常の生活習慣などの社会・経済・文化にかかわるさまざまな因子が影響すると報告されており，齲蝕予防対策を効果的に進めるには個人の生活習慣や社会基盤を含めた生活環境について考慮する必要がある．また，齲蝕罹患状況には地域差が認められる（**図 10-5**）．

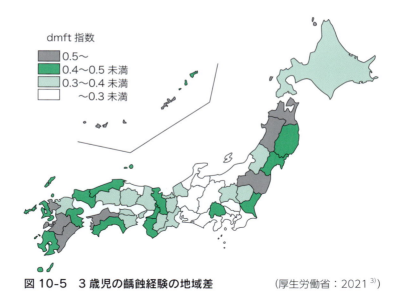

図 10-5　3 歳児の齲蝕経験の地域差　　　　（厚生労働省：2021 [3]）

b．歯周病の疫学的特徴

（i）有病率

　2022 年の歯科疾患実態調査では，4 mm 以上の歯周ポケットを有する者の割合が 25～29 歳は 32％で，年齢の増加とともにその割合は高くなり，55～59 歳は 50％となり半数の者が歯周炎を有している．70 歳を超えると，歯周炎がある者の割合は加齢によって必ずしも増加しないが，診査の対象歯を失う多くの原因が歯周炎である（**図 10-6**）ことを考えると，35 歳以降は歯周炎が増加の一途をたどっていると考えられる．

（ii）慢性疾患・自然治癒

　歯周病の大部分は慢性に進行する．ほとんどの場合，強い痛みを伴うことが少なく，大半の疾病が見過ごされやすい．このため定期健康診断が歯周病の進行予防に有効である．歯周炎の前段階である歯肉炎は適切な口腔清掃により健康を取り戻すことができるため，歯肉炎の段階での対応が重要となる．

（iii）感染性

　歯肉炎は非特異的な口腔細菌の蓄積，特にプラークの付着量と強い関連があり，プラークを機械的に除去すれば歯肉炎の症状は早期に消退する（**図 10-7**）．また，歯肉炎のすべてが歯周炎に進行するのではなく，さまざまな要因が歯周病の進行にかかわっていると考えられている（☞第 1 編第 5 章参照）．

（iv）年齢・歯種・性別による感受性

　歯周病は加齢とともに進行する．近年の歯科疾患実態調査結果をみると，歯肉炎は比較的若年期にも多く認められるが，歯周炎が増加するのは 25 歳以後であり，35 歳をすぎると歯周炎の重症化が顕著となる．70 歳をすぎると歯周病の割合の増加は止まり，逆にその割合は減少しているようにみえるが，これは診査対象歯を失う者が増加することに起因している．近年では高齢者の現在歯数が増加傾向にあることから，高齢者の歯周病の割合は将来増加すると予測される．歯種別では，大臼歯＞上顎前歯＞小臼歯＞下顎前歯の順で歯周ポケッ

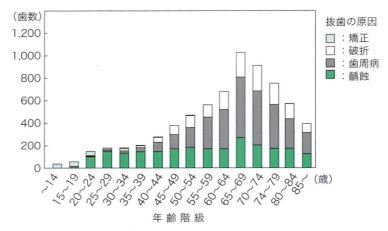

図 10-6　原因別の抜歯数
歯科医師会の会員から抽出された対象者について質問紙調査を行い，2018 年 6 月 4～10 日の 1 週間に，それぞれの歯科診療所で抜歯された 8,003 本の原因を調べた結果である．全体としてみた原因別の抜歯の割合は，歯周病 37.1％，齲蝕 29.2％，破折 17.8％，矯正 1.9％，その他 14.0％ であった．

(8020 推進財団：2018 [4])

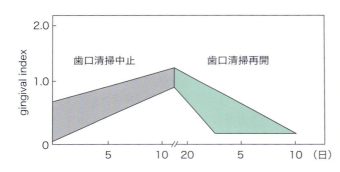

図 10-7　実験的歯肉炎の経時変化
Löe らは，学生ボランティアに歯口清掃を停止させて実験的に歯肉炎を発症させた後，歯口清掃を再開させることで歯肉炎が消退することを証明し，歯肉炎がプラークを原因とする可逆的な疾患であることを明らかにした．

(Löe H et al.：1965 [5] を改変)

トの発現率が高いという報告がある．

（v）生活習慣・環境

　歯周病は教育や経済などの社会経済的水準が低い集団において有病率が高い．口腔清掃状態の低下や喫煙は歯周病のリスクファクターであり，いくつかの研究報告ではアルコール摂取も歯周病の増加に関連するとされている．歯周病が糖尿病や心疾患などの全身疾患と関連することは古くから指摘されており，肥満あるいはメタボリックシンドロームの者ほど歯周病である割合が有意に増加するという報告もみられる．栄養素ではビタミン A，B，C，D の欠乏，特にビタミン C の欠乏が歯周病を悪化させるといわれており，ヨーグルトなどの乳酸菌食品の摂取者には歯周病が少ないという報告もある．

（4）疫学の倫理

a. 倫理指針

　疫学研究では試料採取や介入研究における介入操作によって被験者に侵襲を与える可能性があり，仮に被験者に侵襲を与える可能性がない場合でも診療や疫学調査で得られた個人情報を含む資料が分析対象となる．したがって，研究計画の立案にあたっては，ヘルシンキ宣

表10-4　疫学研究において研究者が遵守すべき倫理の基本原則

1. 疫学研究の科学的合理性および倫理的妥当性の確保
2. 個人情報の保護
3. インフォームド・コンセントの受領
4. 研究成果の公表
5. 指導者の責務

言および日本の個人情報の保護や倫理に関する法律や指針などに従わなければならない．日本の疫学研究に関した倫理指針は，改訂や統合が適宜行われており，最近では「人を対象とする生命科学・医学系研究に関する倫理指針」（2021年制定）が該当する．「生命科学・医学系研究」には，ヒトゲノム・遺伝子の情報を用いた研究や，医科学，歯学，薬学，栄養分野，環境衛生分野など個人の健康に関する情報を用いた疫学研究が含まれる．疫学研究における研究者が遵守すべき倫理の基本原則を**表10-4**に示す．動物実験などの人を対象としない研究や遺伝子治療に関しての臨床研究は，それぞれに該当した倫理指針が存在する．また，医薬品の承認申請に関わる研究では，「医薬品の臨床試験の実施の基準に関する省令Good Clinical Practice（GCP）」や「医薬品，医療機器等の品質，有効性及び安全性の確保等に関する法律（薬機法）」を遵守する必要がある．

「人を対象とする生命科学・医学系研究に関する倫理指針」の主な目的は，研究対象者の人権の保護，安全の保持および福祉の向上をはかりつつ，人を対象とする生命科学・医学系研究の科学的な質および結果の信頼性ならびに倫理的妥当性を確保することである．この指針では，研究者の責務，研究の適正な実施，インフォームド・コンセント，研究により得られた結果などの取り扱い，研究の信頼性確保，重篤な有害事象への対応，倫理審査委員会，個人情報等および匿名加工情報に関して，遵守事項が定められている．また，この指針において，疫学研究を複数の研究機関で実施する場合を多機関共同研究とし，研究で得られた試料・情報の提供のみを行う機関を研究協力機関（たとえば，血液検体やアンケート情報のみを提供する）と定義している．多機関共同研究では，1つの倫理審査委員会で一括の審査を行うよう規定されている．

b. 倫理審査委員会

研究機関の長は，倫理審査委員会を設置して研究計画が上記のさまざまな倫理指針に適合しているか否かを審査し，研究計画の許可または不許可を決定することが求められている．倫理審査委員会は，医学・医療の専門家，倫理学・法律学の専門家，一般の立場から意見を述べることのできる者で構成され，外部委員を含む必要がある．学校保健安全法の「保健調査」や地方公共団体が地域において行う保健事業（歯周病検診など）の実施は，「研究」に該当しないため審査の対象外となる．ただし，保健事業で得られた情報を用いて，疾患の病態の理解や予防方法の有効性の検証をする場合は「研究」に該当し，審査の対象となる．「研究」に該当するか否か判断が困難な場合には倫理審査委員会の意見を聴くことが推奨される．

第 1 編 ┃ 口腔保健・予防歯科学総論

表 10-5 データの種類と分類

質的データ	名義尺度	分類のみを表現し，カテゴリーに順序性がない	例：性別（男／女），血液型（A/B/O/AB）
	順序尺度	カテゴリーに順序性がある	例：病状（軽症／中度症／重症），好み（好き／普通／嫌い），歯石の程度（少ない／中程度／多い）
量的データ	間隔尺度	数値間の距離には意味があるが，絶対零点をもたない	例：摂氏温度（℃），西暦年
	比例尺度	数値間の距離に意味があり，絶対零点をもつ	例：身長（m），体重（kg），喫煙本数

3）データの種類と分類

　疫学研究に用いるデータには，質的（定性的）データと量的（定量的）データの 2 種類がある．表 10-5 のように，質的データは名義尺度と順序尺度で，量的データは間隔尺度と比例尺度で表すことができる．量的データには齲歯の数のように整数で数える離散変数と，身長・体重のように連続した値のような連続変数がある．

（1）口腔保健の指標の尺度

a．齲蝕の指標の尺度

（ⅰ）比例尺度としての取り扱い

　齲蝕を評価する指標には一般に DMF（あるいは dmf）の歯数あるいは歯面数の和が用いられる．DMF は 0 を原点として単位量が 1 本あるいは 1 歯面として定義できるので，比例尺度として取り扱うことが可能である．

（ⅱ）順序尺度としての取り扱い

　最近では若年者の齲蝕が減少しており，齲蝕がまったくない者に分布が集中して偏ることが多く，このような場合には中心傾向の尺度として算術平均を用いるべきでない．また，歯数は最大値が乳歯の場合で 20，永久歯で 32 と比較的小さく，離散変数であることから，階級数が多い順序尺度とみなすこともできる．また，各歯種や歯面によってそれぞれ齲蝕感受性が異なるため，異なる感受性の歯種や歯面の齲蝕の単位量を等しく 1 本あるいは 1 歯面とすることにも問題があり，解析の目的によっては順序尺度として取り扱うほうが適当な場合もある．

b．歯周病の指標の尺度

（ⅰ）比例尺度としての取り扱い

　歯周炎を評価する比例尺度には，歯周ポケット深さの合計を測定部位数で除した平均歯周ポケット深さがあり，比例尺度とすることで統計処理の応用範囲が広がる．しかし，3 mm 以下の歯周ポケットの測定のばらつきが平均歯周ポケット深さに強く影響するのに対し，このような浅い歯周ポケットの深さのばらつきに臨床的な意味づけができない．したがって，比例尺度として取り扱う平均歯周ポケット深さは必ずしも歯周炎の最善の臨床指標とはならない．

（ⅱ）順序尺度としての取り扱い

　歯周病を評価する指標はさまざまなものがあるが，多くは歯肉の腫脹・発赤，プロービング時の出血の有無，歯石の沈着の有無，歯周ポケット深さ，臨床的アタッチメントレベルな

表 10-6　集団口腔診査と根拠法

目　的	種　類	根拠法令	実施主体およびその責任主体
調　査	歯科疾患実態調査	統計法	厚生労働省
健康管理	1歳6か月児健診，3歳児健診	母子保健法	市町村
	就学時健診 児童・生徒・学生の歯科健診*	学校保健安全法	市町村の教育委員会 学校
	有害業務に対する特殊健診	労働安全衛生法	事業者
	歯周病（疾患）検診	健康増進法	市町村 （一部の市町村で集団口腔診査を実施）

*一部の学校の歯科健診結果は，学校保健統計調査（根拠法：統計法，実施主体：文部科学省）に用いられる．この調査によって児童・生徒の齲蝕状況を把握することができる．

どの臨床所見を総合的に考慮した順序尺度を採用している．しかし，それぞれ内容の異なる各要素を総合的に評価する場合には，各階級の序列づけに客観性が乏しく，順序尺度として用いることが難しい．特に，歯肉炎については臨床所見の客観的な評価法が現在でも確立されておらず，歯肉炎を定量的に評価することは難しい．

　歯周炎の評価としては歯周ポケット深さや臨床的アタッチメントレベルから判定した階級値の最高値を各個人の値とする指標が広く採用されている．各階級値は整数値でコード化されることが一般的であるが，各階級のコード値には数値の大小にのみ意味があり，算術的な加減乗除はできない．

c. その他の口腔疾患の尺度

　口腔疾患の測定には間隔尺度や比例尺度を用いた客観的数値として測定できるものがほとんどないため，多くの場合，順序尺度あるいは名義尺度による指標が用いられる．このため，$t-$検定などのパラメトリック検定を用いることが不適切なことが多いので注意を要する．

4）調査と健康管理のための集団口腔診査

　集団を対象とした口腔診査は，その対象集団における口腔の健康上の情報を集め，口腔の健康の程度や問題点を把握するために行われる．集団口腔診査の目的は調査研究と健康管理の2つに大別される．調査研究のための集団口腔診査は，口腔疾患の発生要因や関連要因を明らかにすることを目的としている．一方で，健康管理のための集団口腔診査は，口腔疾患の早期発見・早期治療，または口腔疾患の予防や口腔の健康の保持・増進を目的として行われる．

　表10-6に日本で実施されている集団口腔診査の種類とその根拠法，実施主体をあげる．調査のための集団口腔診査として，歯科疾患実態調査が行われており，健康管理のための集団口腔診査には，母子保健法による1歳6か月児健診と3歳児健診，学校保健法による就学時健診，児童・生徒・学生の歯科健診，労働安全衛生法による有害業務に対する特殊健診，健康増進法による歯周病（疾患）検診がある．

（1）調査研究を目的とする集団口腔診査

　調査研究の実施にあたり，研究課題を設定する．研究課題とは，対象者に対する測定（診

第10章

口腔保健と疫学

117

断，検査，質問など）を行うことで解決を試みようとする問題のことである．次に研究課題に即した研究計画を作成する．研究計画では，調査対象集団や集団に対して何をどのように測定するのか決定する．

a. 対象者の選定

研究対象者の選定では，時間や経費がかかりすぎず，研究結果が一般化できるような代表性がある対象であることに加え，十分な数の研究対象者を確保できるように注意を払う．研究対象とする集団を決定する際には，研究課題に基づいて，標的とする母集団を想定し，その集団の中から観察対象集団（実際に調査を行う集団）を検討する．標的母集団と観察対象集団が等しい場合を全数調査（悉皆調査）という．標的母集団の一部に対して調査を行う場合は，標本調査となる．

日本の口腔保健状況を把握する目的で行われる歯科疾患実態調査では，標的母集団が日本人全体であるが，日本人全員の口腔診査には莫大な時間と費用がかかる．そのため，調査対象を標的母集団から無作為抽出した集団を調べる標本調査を行っている．

b. 測定方法の選定

測定とは，ある現象を質的データあるいは量的データとして尺度に変換して統計的に処理可能にする過程のことをいう．研究結果から導かれる結論の合理性やその結論の一般化可能性を得るためには，測定誤差を最小限に留めなければならない．測定誤差を極力減らすためには，測定が偶然に左右されず安定した（再現性が高い）測定方法や，測定値が真の状態を表す（正確性が高い）測定方法を選択する必要がある．

歯周病を評価する場合には，診査対象歯として全歯あるいは一部の歯を選択することになる．歯科疾患実態調査では，一部の歯の歯周組織状態を測定している．一部の歯を診査することは，疾患を見逃す可能性があるが，調査研究を目的とする場合には，多くの対象者から効率よく測定誤差の少ない情報を収集することが優先されることもある．

（2）健康管理を目的とする集団口腔診査

集団の健康を管理する方法として，集団を対象に健康診断（診査）が行われる．健康診断には健診と検診がある．健診は全体的な健康度を評価するものである．検診では特定の疾病の発見を目指し，疾病が疑われる者がふるい分けされる（スクリーニング）．スクリーニングの結果に基づき，精密検査，再検査，保健指導といった事後指導が行われる．

a. スクリーニング

スクリーニングの目的は，疾病の確定診断ではなく，疾病の疑いのある者をふるい分けすることである．スクリーニングでは集団を対象に，侵襲性が低く，迅速かつ簡便な検査によって，疾病をもつ可能性があるか否かをふるい分け，罹患の自覚のない疾病を早期に発見する．スクリーニング検査で陽性となった場合は，さらに精密検査を実施し，確定診断を行う．

スクリーニングを行うためには，①対象疾病には医療上重要な意義がある，②対象疾病の治療法が存在する，③確定診断のための検査診断法が存在する，といった条件が必要である．

日本で実施されている口腔のスクリーニング検査として，齲蝕では母子保健法による1歳

		疾病の有無		合計
		あり	なし	
検査結果	陽性（＋）	真陽性 (a)	偽陽性 (b)	a+b
	陰性（－）	偽陰性 (c)	真陰性 (d)	c+d
合計		a+c	b+d	

敏感度 $= \dfrac{a}{a+c}$　　偽陽性率 $= \dfrac{b}{b+d} = 1-$ 特異度

特異度 $= \dfrac{d}{b+d}$　　偽陰性率 $= \dfrac{c}{a+c} = 1-$ 敏感度

図 10-8　スクリーニング検査の有効性の指標

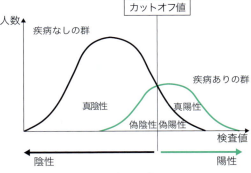

図 10-9　カットオフ値の設定

6か月児健診と3歳児健診，学校保健安全法による学校歯科健診，健康増進法に基づく歯周病検診がある．

(i) 敏感度（感度）・特異度

スクリーニング検査の有効性は，敏感度と特異度により検討される（図 10-8）．敏感度は「疾病あり」の者を正しく陽性と判定する割合，特異度は「疾病なし」の者を正しく陰性と判定する割合である．敏感度の高い検査は偽陰性率が低いため，疾病でないことを示す診断（除外診断）に有効であり，特異度の高い検査は偽陽性率が低いため，疾病であることを示す診断に有効である．

(ii) カットオフ値

検査結果が連続した値をとる場合，疾病の有無を判定するための境となる基準値（カットオフ値）を設定する必要がある（図 10-9）．カットオフ値は，検査の目的に応じて設定される．がん検診のように生死にかかわる重篤な疾病では偽陰性をできるだけ少なくするようにカットオフ値を設定し，「疾病あり」の者の見逃しを少なくする．その一方で，有病率の高い疾病で偽陰性を少なくするようにカットオフ値を設定すると偽陽性が多くなり，スクリーニングの効率が著しく低下するので注意が必要である．

b. 事後指導

事後指導は，診査の判定結果に基づいて行われる．内容として，精密検査，再検査，保健指導があげられる．

① 精密検査：疾病の存在が疑わしく，診断を確定するために行われる検査である．（例：エックス線撮影，1歯6点法の歯周組織検査，レーザーによる光学式齲蝕検出装置など）
② 再検査：疾病の存在が疑わしく，病態の進行を把握するために，一定期間後健診時と同じ項目の検査を行う．
③ 保健指導：病態が進行しないように行う予防対策である．（例：口腔清掃指導，禁煙指導，食事・栄養指導）

5）口腔診査法

（1）診査者のキャリブレーション

複数の診査者が口腔診査を実施する際には，各診査者の臨床的判断を一致させる（キャリ

ブレーション）必要がある．また，キャリブレーション後には各診査者内での同一診査部位の診査結果の一致度（診査者内再現性）とともに診査者間の誤差（診査者間再現性）も査定して，キャリブレーションの効果を担保する必要がある．

（2）診査器具および備品

口腔診査に用いる器具および備品として，歯鏡，歯周プローブ，齲蝕探針，ピンセット，消毒液を入れた容器（使用済み診査器具を入れる），グローブなどがある．診査器具が不足して診査が中断しないように，診査器具は十分に準備しておく．

（3）診査環境

歯科診療台がある場合は通常の歯科診療と同様の姿勢で口腔診査が行えるが，診療台がない場合はいすや簡易ベッドを利用して診査する必要がある．学校保健安全法による学校歯科健康診断では，明るい部屋を用意し，被験者をいすに座らせ，診査者がいすの前に座り診査するという対面式の診査法が行われている．簡易ベッドを利用する場合は，被験者をベッドに寝かせ，診査者が被験者の頭の後ろに座って診査する方法がある．

（4）診査項目

a．口腔診査

口腔診査では，歯の萌出状態，齲蝕の状態，歯周組織の状態（歯周ポケット深さ，臨床的アタッチメントレベル），補綴状況，口腔粘膜の状態などを評価する．

b．リスク診査

齲蝕や歯周病は，細菌感染の他に，保健行動や生活習慣，経済状況といった個人がもつ要因や，医療体制，社会保障制度などの社会的要因が影響することがわかっており，さまざまなリスクファクターが関与する多因子疾患である．口腔の健康状態だけでなく，リスクファクターを評価することは，口腔疾患の予防対策や口腔の健康増進のプログラムを立案する際に有用な情報となる．特に，改善可能なリスクファクターを評価することは重要である．改善可能なリスクファクターとして，歯磨きの頻度，歯間部清掃道具の使用，フッ化物配合歯磨剤の使用，歯科受診状況，砂糖入りの飲食物の摂取，喫煙状況などがあげられる．これらのリスクファクターは面接調査あるいは質問紙調査にて評価できる．

（5）診査記録

記録票の様式や記号が明瞭簡潔であれば，記録者と診査者間の伝達が正確になり，記録を円滑に行うことができる．記録方法については，事前に記録者と診査者の間で調整しておく必要がある．歯種の表記法には Palmer の4分画歯種表記法（**図 10-10 A**），FDI（Federation Dentaire Internationale）の2数字並記法（**図 10-10 B**）の2種類がよく用いられており，診査部位の順序を統一すると記録のミスを低減できる．

6）EBM（evidence based medicine）

EBM とは，既存の医療情報や研究成果，医療者の技能や経験，患者の価値観を統合して医療を行う考え方である．臨床上の問題に対して，関連文献などを検索して必要な情報を収集し，信頼できる有用な情報かを吟味したうえで，実際の患者に適応可能かを検討し，患者自身の価値観や意向などを踏まえて医療を実践する（**図 10-11**）．文献情報を収集する際に

	永久歯列			永久歯列	
上顎右		上顎左	上顎右		上顎左
8 7 6 5 4 3 2 1	|	1 2 3 4 5 6 7 8	18 17 16 15 14 13 12 11	|	21 22 23 24 25 26 27 28
8 7 6 5 4 3 2 1	|	1 2 3 4 5 6 7 8	48 47 46 45 44 43 42 41	|	31 32 33 34 35 36 37 38
下顎右		下顎左	下顎右		下顎左

	乳歯列			乳歯列	
上顎右		上顎左	上顎右		上顎左
E D C B A	|	A B C D E	55 54 53 52 51	|	61 62 63 64 65
E D C B A	|	A B C D E	85 84 83 82 81	|	71 72 73 74 75
下顎右		下顎左	下顎右		下顎左

A：4分画歯種表記法（Palmer C：1981）　　　　B：2数字並記法（FDI：1971）

図10-10　歯種表記法

ステップ1　患者の問題の定式化
・課題を具体的に明確化する．課題はPECO（PICO）を意識して抽出する．
　Patient（どのような患者で）
　Exposure/Intervention（どのような介入をしたら）
　Comparison（しないのと比べて）
　Outcome（どのような結果になるか）

ステップ2　文献情報の収集
・PECOをキーワードとして，情報を検索する．
・検索ツールには，医学文献のデータベース（PubMed，MEDLINE，医中誌など）がある．

ステップ3　文献の批判的吟味
・収集した情報に対して，情報の信頼性・妥当性，結果の解釈，実際の適用性などについて批判的吟味を重ねる．

ステップ4　患者への適用
・吟味した情報をもとに，課題に対してどのように対処するかを判断する．

ステップ5　事後評価
・一連の流れを振り返り，判断が妥当であったかどうかを評価する．

図10-11　EBMの5つのステップ

は，研究結果が臨床を実践するうえで科学的根拠（エビデンス）として十分なものであるかどうかを判断する必要がある．

（1）エビデンスの質

　エビデンスの質は研究デザインの分類により何段階かのレベルに分けられる（図10-12）．前項では一部の研究デザインを示したが，本項ではシステマティック・レビューとメタアナリシスについて説明する．

a．システマティック・レビュー

　システマティック・レビューは，ある研究テーマに関して，一定の基準を満たした研究論

図 10-12　エビデンスの質

文を網羅的に収集し，まとめる手法である．個々のエビデンスごとに，その研究の信頼性・妥当性・適用性を検証し統合することで，より信頼性の高い結果を導くことができる．

b．メタアナリシス

メタアナリシスは，複数の研究から得られた結果の数値を統計学的手法によって統合する方法である．対象者数の少ない研究結果を統合することで，個々の研究結果では有意な結論が出なくとも，全体として明確な結論を導くことができる．

（2）GRADE（grading of recommendations assessment, development and evaluation）システム

エビデンスに基づき患者の治療を最適化することを目的として診療ガイドラインが作成され，その際に GRADE システムが用いられる．GRADE システムの特徴として患者にとって重要なアウトカム（結果）を検討することがあげられる．アウトカムは9段階の点数で相対的に評価し，7〜9点が重大，4〜6点が重要，1〜3点が重要でないアウトカムとなる．たとえば，小児の齲蝕予防・治療におけるアウトカムの重要性では，重大なアウトカムを永久歯の齲蝕罹患，永久歯の喪失として，重要なアウトカムを乳歯の齲蝕罹患，重要でないアウトカムを唾液中のミュータンス菌とする．

GRADE システムではエビデンスの確実性（質）と推奨の強さを評価する．エビデンスの確実性は，「高」，「中」，「低」，「非常に低い」の4段階（グレード）に判定し，推奨の強さは「強い」，「弱い」の2段階である．エビデンスの確実性は研究デザインの評価から行い，ランダム化比較試験は「高」，観察研究は「低」とする．その後，バイアスのリスクなどがある場合はグレードを下げ，効果の程度が大きい（関連性が強い）場合などはグレードを上げ，エビデンスの確実性を決定する（図 10-13）．

① 研究デザインに基づいた 確実性	② 確実性を下げる，または上げる要因の検討	③ 最終決定

研究 デザイン	確実性
ランダム化 比較試験	高
観察研究	低

確実性を 下げる要因	確実性を 上げる要因
・研究のバイアスの リスク ・結果の非一貫性 ・エビデンスの非直 接性 ・データの不精確さ ・出版バイアス	・効果の程度が大 きい ・交絡因子[*1] のた めに効果が過少 評価されている ・用量反応勾配[*2] が存在する

エビデンスの確実性
高　⊕ ⊕ ⊕ ⊕ 中　⊕ ⊕ ⊕ ○ 低　⊕ ⊕ ○ ○ 非常に低い　⊕ ○ ○ ○

図 10-13　GRADE システムにおけるエビデンスの確実性の決定

[*1] 交絡因子：原因と結果の関係に影響を与える因子．
[*2] 用量反応勾配：原因となる因子のレベルが高くなるほど，疾患（結果）のリスクが高くなる関係性．

（山下喜久，古田美智子）

2 口腔保健の指標

1) 齲蝕の指標

齲蝕は実質欠損を伴い蓄積していく疾患であり，断面調査において過去の罹患経験を把握できることから，齲蝕経験のある歯の合計が罹患状態の評価に用いられる．

(1) DMF

永久歯の齲蝕経験は D，M，F を用いて示される．

D（decayed teeth）：未処置の齲蝕歯

M（missing teeth）：齲蝕を原因とする喪失歯

F（filled teeth）：処置済みの齲蝕歯

M は問診において喪失理由を聞く必要があり，外傷や矯正治療による喪失は含まない．また，処置済みの齲蝕歯でも二次齲蝕が認められた場合は D に含める．M は一般に 30 歳まで適用される．

上記の基準に基づいた DMF に関連する指標を**表 10-7** に示す．

(2) dmf・def・df

乳歯の齲蝕経験は d，m，f，e を用いて示される．

d：未処置の齲蝕乳歯（乳歯における D）

m：齲蝕を原因とする喪失乳歯（乳歯における M）

f：処置済みの齲蝕乳歯（乳歯における F）

e：抜去を必要とする齲蝕乳歯

5 歳未満の乳歯列では永久歯同様 dmf を用いて齲蝕経験を評価する．一方，乳歯は 5 歳以降に自然脱落していくため，その乳歯の喪失原因が齲蝕であったか（m に相当するか）否かを判断することが難しい．それゆえ 5 歳以上の小児においては m を用いない df，もしくは m の代わりに抜去が必要と判断される齲蝕乳歯をカウントする def が用いられる．

dmf（def）の指数計算の方法は**表 10-8** に示す通り DMF に準じたものである．

123

第1編　口腔保健・予防歯科学総論

表 10-7　DMF に関連する指標

DMF 者率	$\dfrac{\text{DMF のいずれか 1 歯でももつ者の数}}{\text{被験者数}} \times 100 \ (\%)$
DMF 歯率	$\dfrac{\text{DMF 歯の合計}}{\text{被験歯数（M 歯数を含む）}} \times 100 \ (\%)$
D（M・F）歯率	$\dfrac{\text{D（M・F）歯の合計}}{\text{被験歯数}} \times 100 \ (\%)$
DMF 歯面率	$\dfrac{\text{DMF 歯面の合計}}{\text{被験歯面数（M 歯面数を含む）}} \times 100 \ (\%)$
DMFT 指数	$\dfrac{\text{被験者の DMF 歯の合計}}{\text{被験者数}}$
DMFS 指数	$\dfrac{\text{被験者の DMF 歯面の合計}}{\text{被験者数}}$

表 10-8　dmf（def）に関連する指標

def 歯率	$\dfrac{\text{def 歯の合計}}{\text{被験歯数（喪失乳歯を含まない）}} \times 100 \ (\%)$
dft 指数	$\dfrac{\text{被験者の df 歯の合計}}{\text{被験者数}}$
df 者率	$\dfrac{\text{df のいずれか 1 歯でももつ者の数}}{\text{被験者数}} \times 100 \ (\%)$

表 10-9　RID 指数の算出に用いる 2 時点（a, b）での齲蝕の状況

		b 時点での状態			
		健 全	齲 蝕	充 填	存在せず
a 時点での状態	健 全	$N_{1\text{-}1}$	$N_{1\text{-}2}$	$N_{1\text{-}3}$	$N_{1\text{-}4}$
	齲 蝕	$N_{2\text{-}1}$	$N_{2\text{-}2}$	$N_{2\text{-}3}$	$N_{2\text{-}4}$
	充 填	$N_{3\text{-}1}$	$N_{3\text{-}2}$	$N_{3\text{-}3}$	$N_{3\text{-}4}$
	存在せず	$N_{4\text{-}1}$	$N_{4\text{-}2}$	$N_{4\text{-}3}$	$N_{4\text{-}4}$

両時点において歯面を健全（N_1），齲蝕（N_2），充填（N_3），存在せず（N_4）で評価し，RID 指数の計算式における各項目に該当する歯面数を算出する．

（3）RID（relative increment of decay）指数

Porter と Dudman によって考案された一定期間における齲蝕増加量を評価するものである．歯面単位での 2 時点の評価に基づいて（**表 10-9**），以下の計算式により算出される．

● RID 指数 $= \dfrac{N_{1\text{-}2} + N_{4\text{-}2} + 0.8\,N_{1\text{-}3} + N_{4\text{-}3}}{N_{1\text{-}1} + N_{1\text{-}2} + N_{1\text{-}3} + (N_{4\text{-}1} + N_{4\text{-}2} + N_{4\text{-}3})/2} \times 100 \ (\%)$

（4）ICDAS 基準 （☞ p.151 参照）

コード 0（健全歯面）からコード 6（齲窩が歯冠の半分に達する進行した象牙質齲蝕）の 7 段階で齲蝕の重症度を評価する診断基準である．診査の前に歯面清掃を行い，診査の際にエアによる乾燥が必要となる．

（5）root caries index（RCI）（Katz et al., 1980）

根面齲蝕の状況の評価に用いられる．歯肉退縮のみられる歯面数（セメント–エナメル境がみられるか否かで判断）を分母とした以下の計算式により算出される．

- $\mathrm{RCI} = \dfrac{\text{未処置根面齲蝕のみられる歯面数} + \text{歯根面に充塡のみられる歯面数}}{\text{歯肉退縮のみられる歯面数}} \times 100$

2）歯周病の指標

歯周病の指標には，主に歯肉炎を診査するもの，主に歯周炎を診査するもの，さらに両者を同時に診査するものがある．

（1）PMA index（Schour & Massler, 1948）

歯肉での炎症の広がりの程度を評価する指標である．

a. 診査部位と基準

上下顎前歯部 $\left(\dfrac{3\,|\,3}{3\,|\,3}\right)$ の唇側歯肉を対象とする場合と，上下顎全歯 $\left(\dfrac{7\,|\,7}{7\,|\,7}\right)$ の唇・頰側歯肉を対象とする場合があるが，前歯部のみで行うのが一般的である．

図10-14に示す通り，該当部位の歯肉を歯間乳頭部（P：papillary），辺縁歯肉部（M：marginal），付着歯肉部（A：attached）に分割し，該当する部位に炎症が存在する場合，1点を与える．

b. 指数計算

- 個人 PMA Index ＝ 対象歯の P，M，A 部位に与えられた点数の合計
- 集団 PMA Index ＝ $\dfrac{\text{個人 PMA Index の合計}}{\text{被験者数}}$

個人 PMA Index の最高値は以下の通りである．
前歯部診査：P（10）＋ M（12）＋ A（12）＝ 34
全歯診査：P（26）＋ M（28）＋ A（28）＝ 82

c. 特徴

基準や診査方法が簡易であり，若年者層（特に小児）の歯肉炎および軽度の歯周炎の疫学調査に適している．一方，歯周ポケット形成や歯槽骨吸収の破壊程度については評価でき

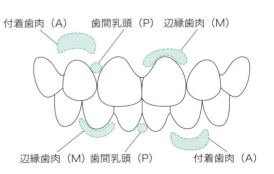

図10-14　PMA indexの診査部位
対象部位の歯肉を歯間乳頭部（P: papillary），辺縁歯肉部（M: marginal），付着歯肉部（A: attached）に分割し，各部位で炎症が認められた場合には1点を与える．

（山下，嶋﨑：2009[9]）

第 1 編 │ 口腔保健・予防歯科学総論

表 10-10　GI の診査基準

点数	診査基準
0	健康な歯肉
1	軽度の炎症
2	中等度の炎症（表面に光沢あり，圧迫により出血する）
3	高度の炎症（自然出血の傾向，潰瘍を形成）

ず，成人や高齢者の調査には不向きである．

（2）gingival index：GI（Löe & Silness，1963）

歯肉での炎症の広がりの程度と強さを評価する指標である．

a. 診査部位と基準

$$\frac{6 \quad 2}{4} \bigg| \frac{4}{2 \quad 6}$$ の 6 歯を対象とする．

各歯の歯肉を 4 部位（近心部，遠心部，頰側部，舌側部）に分け，各部位について**表10-10** に示す基準で診査する．

b. 指数計算

●各歯の GI $= \dfrac{4 \text{歯面の点数の合計}}{4}$

●個人の GI $= \dfrac{\text{各歯の GI の合計}}{\text{被験歯数}}$　　●集団の GI $= \dfrac{\text{個人の GI の合計}}{\text{被験者数}}$

いずれも最高値は 3 となる．

c. 特徴

炎症の広がりに加え，強さを連続値で評価でき，簡易であることから，疫学調査などでしばしば用いられる．

（3）periodontal index：PI（Russell，1956）

歯肉炎から重度の歯周炎を評価し，特に歯周組織の破壊程度に重点をおいた指標である．

a. 診査部位と基準

原則として現在歯すべてを対象歯とするが，第三大臼歯を除外する場合もある．各歯に**表10-11** に示す診査基準に基づいて点数が与えられる．エックス線検査が可能なときには**表10-12** に示す評価基準もあわせて診査される場合がある．

b. 指数計算

●個人の PI $= \dfrac{\text{各歯の PI の合計}}{\text{被験歯数}}$　　●集団の PI $= \dfrac{\text{個人の PI の合計}}{\text{被験者数}}$

c. 特徴

歯肉炎に加え歯周組織の破壊も評価できる．全年齢，特に成人および高年齢層の調査に適しており，広く普及している．通常の調査ではエックス線検査を併用しない．

（4）periodontal disease index：PDI（Ramfjörd，1959）

歯周ポケット深さを測定する．歯肉炎および歯周炎の評価に用いられる歯周ポケットの形成の程度に特に重点をおいた指標である．

126

表 10-11　通常の調査で用いられる PI の診査基準

点数	診査基準
0	炎症も支持組織の破壊もなし
1	軽度の炎症はあるが，対象歯の全周を取り囲むものではない
2	対象歯の全周に歯肉炎はあるが，上皮付着の明らかな破壊はない
4	フィールド調査では使用しない（エックス線検査を併用する時のみ用いる）
6	上皮付着が破壊され歯周ポケットの形成が認められる ただし歯の病的動揺はなく咀嚼機能は正常である
8	歯の動揺が著明で咀嚼機能の障害が認められる

表 10-12　エックス線検査を行うことができる場合の PI の追加診査基準

点数	診査基準
0, 1, 2	エックス線所見は正常
4	歯槽骨頂に吸収像を認める
6	歯槽骨の水平的喪失を認める ただし歯根長の1/2にまで達するものではない
8	歯根長の1/2以上の骨喪失を認める 歯根膜腔が拡大し骨縁下ポケットが存在する

表 10-11 の診査基準と合わせて評価する.

表 10-13　PDI の診査基準

点数	診査基準
0	歯肉に炎症を認めない
1	歯の全周に及ばない軽度の歯肉炎
2	歯の全周に及ぶ軽度から中等度の歯肉炎
3	著明な発赤，出血傾向，潰瘍形成を伴う重度歯肉炎
4	近遠心，頰舌側 4 面のいずれかの歯肉溝底部がセメント質上にあり，セメント-エナメル境までの距離が 3 mm 以下である
5	歯肉溝底部からセメント-エナメル境までの距離が 3 mm を超え 6 mm 以下である
6	歯肉溝底部からセメント-エナメル境までの距離が 6 mm を超える

0 ～ 3 は，歯肉溝底部がエナメル質上にある場合に適用される.

a. 診査部位と基準

$$\frac{6}{4\ 1} \bigg| \frac{1\ 4}{6}$$ の 6 歯を診査対象歯とする.

　各対象歯には**表 10-13** に示す診査基準に基づき点数が与えられる．セメント－エナメル境よりもポケット底が歯根側にある場合，スコアは 4 以上となる.

b. 指数計算

●個人の PDI $=$ $\dfrac{各歯の\ PDI\ の合計}{被験歯数}$

最高点は 6 点となる.

c. 特徴

　歯周ポケットの程度を詳細に診査し評価を行う．歯周ポケットの計測に熟練を要するため，規模の大きな調査には適さない．特定の 6 歯で全口腔を代表させる部分診査法を採用しており，これ以降に提案された部分診査法の基礎となった診査法である.

（5）gingival bone count：GB count（Dunning and Leach，1960）

　歯肉炎と歯槽骨の吸収を合算して評価する指標である.

第 1 編　口腔保健・予防歯科学総論

表 10-14　GS の評価基準

点数	診査基準
0	歯肉に炎症を認めない
1	遊離歯肉に軽い炎症がある
2	付着歯肉に及ぶ中等度の炎症がある
3	腫脹を伴い容易に出血する炎症がある

表 10-15　BS の評価基準

点数	診査基準
0	骨喪失を認めない
1	歯槽骨頂に骨吸収の初期像を認める
2	歯根長の約1/4の骨吸収，または歯根長の1/2以下のポケット形成
3	歯根長の約1/2の骨吸収，または歯根長の3/4以下のポケット形成
4	歯根長の約3/4の骨吸収，または根尖に達するポケット形成　中程度の歯の動揺を認める
5	根尖までの骨吸収および著明な歯の動揺が認められる

a. 診査部位と基準

　現在歯すべてを対象とする．それぞれの歯の歯肉を表 10-14 に示す基準に基づき gingival score（GS）で評価する．歯槽骨の状態はプロービングとエックス線検査を行い，表 10-15 に示す基準に基づき bone score（BS）で評価する．全歯の合計を被験歯数で割ったものがそれぞれ個人の gingival score，bone score となり，両者の和を GB count とする．

b. 指数計算

- ●個人の GB count ＝ 個人の gingival score ＋ 個人の bone score

- ●集団の GB count ＝ $\dfrac{個人の\ GB\ count\ の合計}{被験者数}$

最高点は 8 点となる．

c. 特徴

　歯肉炎の程度についてのシンプルな主観的評価とプロービングとエックス線検査に基づく歯槽骨吸収の評価を組み合わせた指標であり，疫学調査に適している．

（6）community periodontal index：CPI（WHO，1997，2013）

　専用のプローブを用いて歯肉出血と歯周ポケットの状態により歯周病を評価する指標である．主に地域の歯周病の有病状況の比較に用いられる．地域歯周疾患指数ともいう．

a. 診査方法と基準

　本診査用に設計された軽い金属製の CPI プローブを用いる（図 10-15）．このプローブの先端は直径 0.5 mm の小球状になっており，先端から 3.5 mm と 5.5 mm の間が黒いバンドになっている．さらに先端から 8.5 mm と 11.5 mm 部位に刻みが入っている．プローブは歯根面の解剖学的形態に沿って先端の小球を滑らせるように歯肉溝内に挿入する．このとき，プロービング圧は 20 g を超えないようにする．2013 年の改訂で診査基準が大きく変更されたため，本項では 2013 年の改定以前・以後の両方の診査基準を記載する．

a）2013 年の改定以前の診査基準

　上下顎を 6 つのブロックに分け，各ブロックの代表歯について CPI プローブを用いて歯肉出血，歯石沈着，歯周ポケット深さの診査を行い，表 10-16 に従いコードを決定する．臼歯部はどちらか高いほうをブロックの代表値とする．

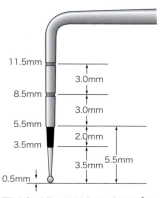

図 10-15 WHO の CPI プローブ

表 10-16 CPI の評価基準（2013 年の改定以前）

スコア	診査基準
0	所見なし
1	プロービングによる歯肉出血あり
2	歯肉縁上または縁下に歯石を検出する
3	4〜5 mm の歯周ポケットを有する
4	6 mm 以上の歯周ポケットを有する

対象歯がない場合は X，除外歯に該当する場合は 9 を記入する．

表 10-17 CPI の歯肉出血スコアの評価基準（2013 年の改定以後）

スコア	診査基準
0	プロービングによる歯肉出血なし
1	プロービングによる歯肉出血あり

対象歯がない場合は X，除外歯に該当する場合は 9 を記入する．

表 10-18 CPI の歯周ポケットスコアの評価基準（2013 年の改定以後）

スコア	診査基準
0	歯周ポケットなし（深さ 3 mm 以下）
1	4〜5 mm の歯周ポケットを有する
2	6 mm 以上の歯周ポケットを有する

対象歯がない場合は X，除外歯に該当する場合は 9 を記入する．

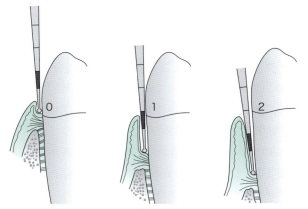

図 10-16 CPI プローブと歯周ポケットスコアの位置関係（2013 年の改定以後） （小川監訳：2016[6]）を改変）

各ブロックの代表歯： 7 6 ｜ 1 ｜ 6 7 / 7 6 ｜ 1 ｜ 6 7

b) 2013 年の改定以後の診査基準

　現在歯すべてをプロービングし，それぞれの歯について歯肉出血スコアと歯周ポケットスコアを決定する．評価基準はそれぞれ表 10-17，18 および図 10-16 に示す．

b．特徴

　専用のプローブを用いて歯肉出血と歯周ポケットの深さの 2 点を評価する方法であり，15 歳以上の全年齢層に適用可能である．処置の必要な者のスクリーニングや集団保健指導において有用であり，特に疫学調査では頻用される指標である．

表 10-19　アタッチメントロスの診査基準

コード	診査基準
0	アタッチメントロスが 0～3 mm（セメント-エナメル境がみえない場合も含む） ただし，CPI スコアが 4 の場合はセメント-エナメル境がみえない場合でも下記の基準となる．
1	アタッチメントロスが 4～5 mm
2	アタッチメントロスが 6～8 mm
3	アタッチメントロスが 9～11 mm
4	アタッチメントロスが 12 mm 以上

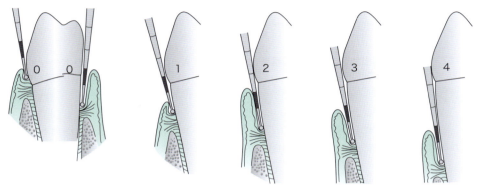

図 10-17　CPI プローブとアタッチメントロスコードの位置関係（1997～）

(小川監訳：2016[6]）

（7）WHO のアタッチメントロスコード（WHO, 1997）

　歯周ポケット深さは歯周治療によって減少するが，一度，歯周上皮付着の破壊が生じると再生治療などの特別な治療を行わない限り，その進行は生涯にわたって蓄積する．この歯周上皮付着の破壊を評価するのがアタッチメントロスコードであり，その診査基準を表 10-19 に示す．CPI プローブの先端から 8.5 mm と 11.5 mm 部位に入れられた刻みはこの評価に用いる（図 10-15, 17）．診査部位は CPI に準拠し，2013 年の CPI の診査基準の改定でも，アタッチメントロスの診査基準に変更はない．

3）口腔清掃状態の指標

（1）oral hygiene index：OHI（Greene & Vermillion, 1960）

　プラーク debris と歯石 calculus の付着状態を数量化し，口腔清掃状態の判定に用いる指標である．

a. 診査部位と基準

　すべての歯を対象とし，頰（唇）舌面それぞれについてプラークの付着状態を示す debris index（DI）と歯石の付着状態を示す calculus index（CI）を評価する（表 10-20, 21）．上下顎を 6 つのブロックに分け，各ブロックにおける DI および CI の最高点をそのブロックの点数として採用し，診査表（図 10-18）に記載する．

表 10-20　DI の評価基準	
点数	**診査基準**
0	プラークおよび外因性付着物を認めない
1	歯面の 1/3 以内のプラーク付着，または外因性付着物あり
2	歯面の 1/3 ～ 2/3 のプラーク付着
3	歯面の 2/3 以上のプラーク付着

表 10-21　CI の評価基準	
点数	**診査基準**
0	歯石の付着を認めない
1	歯面の 1/3 以内の歯肉縁上歯石付着
2	歯面の 1/3 ～ 2/3 の歯肉縁上歯石付着，または歯肉縁下歯石の点状付着
3	歯面の 2/3 以上の歯肉縁上歯石付着，または歯肉縁下歯石の帯状付着

	プラーク				歯石			
	右側	中央	左側	合計	右側	中央	左側	合計
上顎	頬側／舌側							
下顎								
合計				A／B				C／D

図 10-18　OHI の診査用紙

$$\text{OHI における 6 ブロック：}\quad \frac{7\text{–}4 \mid 3\text{–}3 \mid 4\text{–}7}{7\text{–}4 \mid 3\text{–}3 \mid 4\text{–}7}$$

b. 指数計算

● 個人の DI $= \dfrac{\text{プラーク点数の合計（A＋B）}}{\text{被験ブロック数（通常 6）}}$

最大は頬側が 3 点，舌側が 3 点のときで合わせて 6 点となる．

● 個人の CI $= \dfrac{\text{歯石点数の合計（C＋D）}}{\text{被験ブロック数（通常 6）}}$

最大は頬側が 3 点，舌側が 3 点のときで合わせて 6 点となる．

● 個人の OHI ＝ DI ＋ CI

最大は DI が 6 点，CI が 6 点のときで合わせて 12 点となる．

● 集団の OHI $= \dfrac{\text{個人の OHI の合計}}{\text{被験者数}}$

c. 特徴

プラークと歯石の付着状態を個別あるいは同時に評価できる指標であり，世界的に用いられている．

（2）oral hygiene index-simplified：OHI-S（Greene & Vermillion，1964）

OHI を簡略化し，診査部位を特定の 6 歯に限定した部分診査法によって得られる指標である．

a. 診査部位と基準

$\dfrac{6 \mid 1 \mid 6}{6 \mid 1 \mid 6}$ の 6 歯を診査対象歯とする．

下顎の両第一大臼歯は舌側面を，それ以外は唇（頬）側面を診査する．中切歯喪失時は反

第 1 編 | 口腔保健・予防歯科学総論

表 10-22 PlI の評価基準

点数	診査基準
0	プラークの付着を認めない
1	歯肉縁に探針で確認できる程度のプラークの付着を認める
2	歯肉縁に肉眼で確認できる程度のプラークの付着を認める
3	歯肉縁に多量（厚さ 1 ～ 2 mm 程度）のプラークの付着を認める

対側中切歯を，第一大臼歯喪失時は第二大臼歯を診査する．診査基準は OHI と同じものを用いる．

b. 指数計算

●個人の DI-S $= \dfrac{プラーク点数の合計}{被験ブロック数（通常 6）}$

最大は 3 点となる．

●個人の CI-S $= \dfrac{歯石点数の合計}{被験ブロック数（通常 6）}$

最大は 3 点となる．

●個人の OHI-S $=$ DI-S＋CI-S

最大は DI-S が 3 点，CI-S が 3 点のときで合わせて 6 点となる．

●集団の OHI-S $= \dfrac{個人の OHI-S の合計}{被験者数}$

c. 特徴

プラークと歯石の付着状態を個別あるいは同時に評価できる指標であり，OHI に比べて簡易であり，広く用いられている．

（3）plaque index：PlI（Silness & Löe，1964）

歯肉縁に蓄積したプラークの評価に重点をおいた口腔清掃状態の評価指標である．

a. 診査部位と基準

$\dfrac{6 \quad 2 \ \vert \ 4}{4 \ \vert \ 2 \quad 6}$ の 6 歯を対象とする．

各歯の近遠心，頰（唇）面の 4 歯面を評価し，**表 10-22** に示す診査基準に基づき評価する．

b. 指数計算

●歯の PlI $= \dfrac{4 歯面の点数の合計}{4}$

●個人の PlI $= \dfrac{歯の PlI の点数の合計}{被験歯数}$

●集団の PlI $= \dfrac{個人の PlI の点数の合計}{被験者数}$

c. 特徴

gingival index（GI）と診査部位が共通しており，歯肉炎の局所因子としてのプラークの評価に用いられる．

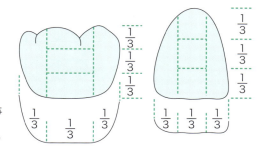

図 10-19　PHP の診査における歯面の区分
プラークの染め出しを行い，染まった部位に1点を与える．最大5点が与えられる．
(山下，嶋崎：2009[9])

（4）patient hygiene performance：PHP（Podshadley & Haley，1968）

ブラッシングの清掃効果を評価するため，プラークの付着部位をより詳細に診査する指標である．通常，プラーク染色剤を用いて行う．

a. 診査部位と基準

$\frac{6\ 1\ |\ 6}{6\ \ |\ 1\ 6}$ の6歯を診査対象歯とする．

下顎の両第一大臼歯は舌側面を，それ以外は唇（頰）側面を診査する．中切歯喪失時は反対側中切歯を，第一大臼歯喪失時は第二大臼歯を診査する．

各歯の歯面を近遠心に3区分した後，中央部を歯頸部，中央部，咬頭部に3区分し，1歯あたり5区分についてプラークの付着を評価する（**図 10-19**）．付着が確認された区分ごとに1点が与えられる．

b. 指数計算

● PHP ＝ $\dfrac{各歯の点数の合計}{被検歯面数（通常6）}$

最大は5点となる．

c. 特徴

個人の口腔清掃の効果を評価し，口腔衛生指導に活用できる．部分診査法であり，診査部位は OHI-S と共通である．

（5）plaque control record：PCR（O'Leary，1972）

すべての歯の歯頸部のプラークを歯面別に評価する指標である．臨床の場で口腔清掃の指導にしばしば用いられる．

a. 診査部位と基準

すべての現在歯を対象とし，プラーク染色剤でプラークを染め出して評価する．対象歯を近心面，遠心面，唇（頰）面，舌面の4歯面に分け，探針を用いて各歯面の歯頸部へのプラークの付着の有無を診査する．付着があればプラークチャートに記入する（**図 10-20**）．

b. 指数計算

● 個人の PCR ＝ $\dfrac{プラークの検出された歯面数}{被験歯面数}$ × 100（％）

最大は 100％となる

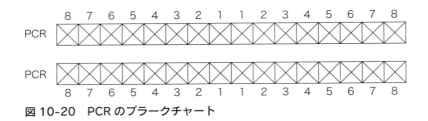

図 10-20　PCR のプラークチャート

表 10-23　CFI の診査基準（Dean の分類）

点数	分類	診査基準
0	normal	正常の形態，透明度
0.5	questionable	点在する小白斑
1	very mild	白濁部が歯面の 1/4 以下
2	mild	白濁部が歯面の 1/2 以下
3	moderate	全歯面の白濁および小窩，着色を認める
4	severe	形成不全を伴う，着色も著明

表 10-24　DAI における診査項目

- 切歯，犬歯，小臼歯の欠損歯数
- 切歯部の叢生
- 切歯部の空隙
- 上顎前歯部の最大偏位
- 下顎前歯部の最大偏位
- 上顎前歯部のオーバージェット
- 下顎前歯部のオーバージェット
- 前歯部の開咬
- 臼歯の近遠心関係

c．特徴

プラーク染色剤でプラークを染め出す必要があるため，主に臨床の場で用いられる．口腔清掃の状況を数値化することができ，口腔衛生指導での有用性が高い．

4）歯のフッ素症の指標

（1）community fluorosis index：CFI（Dean，1942）

地域における歯のフッ素症の発生程度を評価する指標である．

a．診査方法

まず個人の程度を評価する．現在歯すべてを診査し，Dean の分類（**表 10-23**）に基づいて最も症状の強い 2 歯で判定する．もし，その 2 歯の症状が一致していなければ，症状の軽い方の点数を用いる．個人の点数の和を被験者数で割り，CFI を算出する．

b．指数計算

$$\bullet\ \text{CFI} = \frac{\text{個人の点数の合計}}{\text{被験者数}}$$

判定は以下の通りである．
0.4 以下：公衆衛生上問題なし
0.4〜0.6：境界域
0.6 以上：流行地（飲料水中のフッ化物量を減らす必要性あり）

5）不正咬合の指標

（1）dental aesthetic index：DAI（Cons，1986）

WHO が口腔診査における咬合異常の診査基準として採用した指標である．CPI プローブを用いて**表 10-24** に示す内容を診査する．

表 10-25　WHO の質問表（成人を対象としたもの）

1.　識別番号，性別，場所	9.　歯磨剤の使用
2.　年　齢	10.　最後の歯科受診からの経過日数
3.　自己申告による現在歯数	11.　歯科受診の理由
4.　歯と口の痛みや不快感の経験	12.　口腔の問題による生活の質の低下の経験
5.　義歯の使用	13.　砂糖の入った飲食物の摂取頻度
6.　歯と歯ぐきの状態の自己評価	14.　タバコの種類と使用頻度
7.　歯磨きの頻度	15.　飲　酒
8.　口腔清掃補助具の使用	16.　教育歴

（2）peer assessment rating index : PAR（Richmond, 1992）

　前歯部歯列の状態，臼歯部の咬合状態，オーバーバイト，オーバージェット，正中偏位などに基づき不正咬合の重症度を数値化する指標である．治療による改善度の評価にも用いられる．

6）WHO における自己評価の指標

　口腔疾患予防や口腔の健康増進のプログラムを立案するうえで，被験者の自己健康観の把握と口腔保健のリスクファクターに関する情報の収集が重要である．WHO ではこれらの情報の系統的な収集のために，質問紙調査の実施を推奨している．WHO が公開している質問表（成人を対象としたもの）には**表 10-25** の内容が含まれる．

（竹下　徹）

第1編 口腔保健・予防歯科学総論

国民の口腔保健の状況

本章の要点
- 日本の保健統計調査は，統計法によって基幹統計，一般統計および届出統計が行われている．
- 国民の歯科口腔保健は，主に歯科疾患実態調査，学校保健統計調査，患者調査，国民生活基礎調査，国民健康・栄養調査から得られた統計結果をもとに現状把握がされる．

Keywords 統計法，基幹統計調査，一般統計調査，歯科疾患実態調査，学校保健統計調査，患者調査，国民生活基礎調査，国民健康・栄養調査，口腔保健状況の年次推移

 口腔保健の統計調査

歯科保健医療に関係する主な調査や統計を表11-1に示す．

表11-1 歯科保健医療に関係する主な調査・統計

統計名	基幹・一般	主な法令	調査間隔	調査対象	主な調査内容
歯科疾患実態調査	一般統計	統計法	5年	標本	齲蝕，歯周病，フッ化物塗布や歯ブラシの使用状況
学校保健統計調査	基幹統計	統計法	毎年	標本	身長，体重，視力，齲歯や歯肉の状態
患者調査	基幹統計	統計法	3年	標本	推計患者数，受療率，主傷病・副傷病
国民生活基礎調査	基幹統計	統計法	3年ごとの大規模調査とその間の各年の簡易調査	標本（世帯を抽出）	世帯数と世帯人員，世帯所得，健康や介護の状況
国民健康・栄養調査	一般統計	健康増進法	毎年（4年ごとに大規模調査）	標本	食事，健康状態，生活習慣，運動習慣
国勢調査	基幹統計	統計法	5年（西暦の末尾が0の年は「大規模調査」，5の年は「簡易調査」）	全数調査	人口，世帯数，配偶関係，就業者数，就業者の産業・職業，最終卒業学校
人口動態調査	基幹統計	統計法	毎年	届け出られた出生，死亡，婚姻，離婚及び死産の全数	出生，死亡，婚姻，離婚，死産，死因
医療施設調査	基幹統計	統計法	3年ごとの静態調査（10月1日），都度の動態調査	全医療施設	施設数，病床数，従事者数，患者数
医師・歯科医師・薬剤師統計	（行政記録情報を利用して作成する公的統計）		2年	届け出た医師・歯科医師・薬剤師全数	歯科医師数，施設・業務の種別の医師数や平均年齢，標榜
感染症発生動向調査		感染症の予防及び感染症の患者に対する医療に関する法律	随時	全数把握，定点把握	インフルエンザなどの発生状況

136

1）歯科疾患実態調査

（1）調査の概要

　厚生労働省が国民の歯科保健状況を把握し，歯科保健政策の評価や目標値の設定など，歯科保健医療対策の推進のための基礎資料を得ることを目的に，一般統計調査として1957年から6年ごとに実施されてきた．2011年調査の次は2016年で5年間隔に変更された．新型コロナウイルス感染症の流行のため2021年の調査は実施されていない（この章で紹介する他の調査も同様に中止されたものがある）．しかし，2022年に実施された令和4年歯科疾患実態調査の結果が公表されたので概要を示す．

（2）調査対象

　国民生活基礎調査の単位区から無作為に抽出した300単位区の満1歳以上の世帯員を対象とした．調査に参加した人数は口腔内診査および質問紙回答のみの者をあわせて2,709人（男1,239人，女1,470人）とこれまでと比べると感染症の流行の影響が少なく，結果に一部変動が大きい．

（3）診査基準

a. 現在歯

　歯の全部または一部が口腔に現れている歯で，健全歯，未処置歯，処置歯に分類した．

（i）健全歯

　健全歯は，齲蝕あるいは歯科的処置の認められないものであり，咬耗，摩耗，外傷，酸蝕症，発育不全，形態異常，エナメル質形成不全などがあっても，それに齲蝕のないものは健全歯とした．

（ii）未処置歯

　未処置歯は乳歯または永久歯に齲蝕のある歯で，歯冠部に明らかな齲窩がある軽度齲蝕（Ci）と，歯髄まで病変が達するかそれ以上に進行している重度齲蝕（Ch）に分類した．治療が完了していない歯，二次齲蝕や，他の歯面で未処置齲蝕が認められた歯も未処置歯とした．

（iii）処置歯

　処置歯は歯の一部または全部に充填，クラウン，根面板などを施している歯とした．ただし歯周炎の固定装置，矯正装置，矯正後の保定装置，保隙装置および骨折治療に用いる整復固定装置などがある歯は処置歯に含めない．

b. 喪失歯

　喪失歯は抜去または脱落により喪失した永久歯で，インプラントも喪失歯とする．ただし智歯や，乳歯の脱落は喪失歯に含めない．

c. 補綴の状況

　永久歯の欠損部の補綴物装着の有無を診査する．補綴物は，架工義歯（ブリッジ），部分床義歯，全部床義歯に分類した．部分床義歯および全部床義歯は，診査時に装着していなくても日常使用していれば補綴完了とするが，一部破損している，あるいは欠損部の状況と一致していないものは装着していないものと判定した．

図 11-1　df 者率（乳歯齲蝕有病者率）（％）の年次推移

（厚生労働省：2023[1]）

d. 歯肉，歯周組織の状況

WHO の CPI に基づき CPI プローブを用いて代表歯を診査，歯肉出血と歯周ポケットを記録した．

e. 歯列・咬合の異常

12〜20歳の者を対象として，前歯部の叢生および空隙，オーバージェット，オーバーバイト，正中のずれの4項目を診査した．

f. その他

対象者へのアンケートで歯や口の状態，清掃状態が把握された．またフッ化物応用の経験や顎関節の異常が対象者の年齢により問診で把握された．

（4）結果の概要

a. 齲蝕

（ⅰ）乳歯

乳歯に齲蝕経験を有する者の割合である df 者率（乳歯齲蝕有病者）は，経年的に減少傾向にある（図 11-1）．dft 指数（1人平均乳歯齲蝕経験歯数）では，3歳児の dft 指数は1993年には3.2本であったが，2016年には1.0本となっている（2022年は3歳児の参加者がいなかった）．しかし近年でも，乳歯が生え替わる頃までは，年齢が上がるにつれて乳歯齲蝕は増加し，6歳では30％を超える者が乳歯の齲蝕経験を有した（図 11-1）．

（ⅱ）永久歯

永久歯の齲蝕有病者率である DMF 者率（永久歯齲蝕有病者）は5〜9歳未満では10％を下回るが，年齢とともに高くなり25歳以上では80％を超え，35〜79歳では90％を超えた（図 11-2）．高齢者では無歯顎者の増加に伴いこの割合はやや低下している．DMFT 指数（1人平均齲蝕経験歯数）も年齢とともに高くなり，12歳では0.3本だが75歳以上では22.1本となっている（DMFT 指数は喪失歯も含めた指標なので高齢者でも高くなる）．

歯科医療ニーズを直接的に表す未処置齲蝕に関しては，5歳から19歳まで増加していき，20歳以上の者ではおよそ3人に1人が未処置齲蝕を有していた（図 11-2）．

DMF 者率の経年的な推移をみると，齲蝕に罹患する子どもの割合は減少傾向にあったが，歯を有する高齢者が近年増加しているため，齲蝕経験を有する高齢者は経年的に増加してい

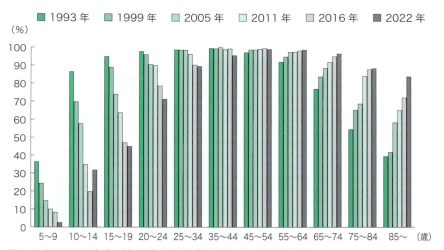

図 11-2　DMF 者率（永久歯齲蝕有病者）（%）の年次推移
注：1993 年以前，1999 年以降では，それぞれ未処置歯の診断基準が異なる．
（厚生労働省：2023[1)]）

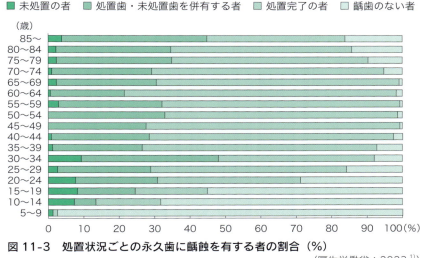

図 11-3　処置状況ごとの永久歯に齲蝕を有する者の割合（%）
（厚生労働省：2023[1)]）

た（図 11-3）．

b．歯の喪失

　歯の喪失は年齢が高くなるほど多くなり，75 歳以上の高齢者では 90% 以上の者が歯を喪失した経験を有する．経年的に歯の喪失は減少傾向にあるが，1 人平均喪失歯数は 2022 年でも 85 歳以上では 14.1 本に達する（図 11-4）．

　20 本以上の現在歯を有する者の割合は，経年的に増加している（図 11-5）．この割合も年齢が高くなるほど減少するが，1993 年には 75 〜 79 歳で 10.0% であったのが，2022 年には 55.8% と大きく改善している．8020 達成者の割合（80 歳で 20 本以上の歯を有する者の割合）は，75 歳以上 85 歳未満の 20 歯以上有する者の割合から，51.6% と推計されている．8020 達成者の割合の改善の一方で，人口の高齢化で 19 歯以下の高齢者も人数としては多い

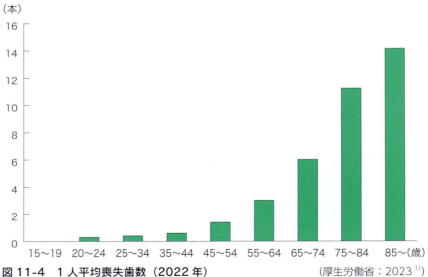

図 11-4　1人平均喪失歯数（2022年）　　　　　　　　　（厚生労働省：2023[1]）

図 11-5　20本以上の歯を有する者の割合の年次推移　　　（厚生労働省：2023[1]）

現状がある．

c．歯周疾患

　歯肉出血を有する者の割合は約40％となり，高齢者では診査対象歯のない無歯顎者が増えるためやや減少している年齢もある（**図 11-6**）．4 mm以上の歯周ポケットを有する者の割合は，35〜74歳では2016年調査より減少している（**図 11-7**）．2016年の増加は記録方法の変化による増加だと考えられている．また75歳以上の高齢者で歯周ポケットを有する者の増加が明確であるが，これは近年，歯の喪失が減り，歯を有する者が増えていることが理由と考えられる．

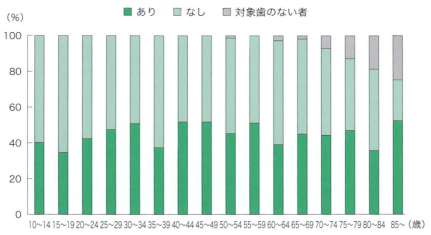

図 11-6　年齢階級別の歯肉出血を有する者の割合（%）　　（厚生労働省：2023[1])）

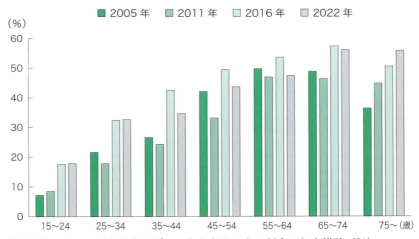

図 11-7　4 mm 以上の歯周ポケットを有する者の割合の年次推移（%）
注）被調査者のうち対象歯をもたない者も含めた割合を算出した．

（厚生労働省：2023[1])）

d．補綴の状況

補綴物を利用する者は年齢が上がるほど多くなった（図 11-8）．ブリッジが最も多く，部分床義歯，全部床義歯，インプラントが続く．インプラントは 70〜74 歳で 5.9% だった．全部床義歯は年齢が高いほど多かった．

e．歯や口の状態

歯や口の状態について，気になるところがないと回答したものは 58.9% 存在した．この割合は年齢が上がるほど減少した．気になることとして，噛めないものがあるなどの口の機能の問題は高齢者ほど多い傾向にあり，歯や歯ぐきの症状は中年層で多い傾向にあった．

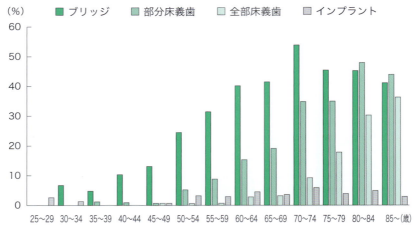

図11-8　補綴物の装着の有無と各補綴物の装着者の割合（%）

（厚生労働省：2023[1)]）

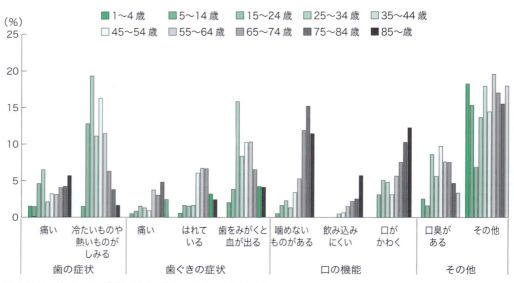

図11-9　歯や口の状態の年齢階級別回答割合（%）

（厚生労働省：2023[1)]）

f．歯科保健行動

フッ化物応用の経験がある者の割合（全年齢）は，フッ化物塗布が13.1%，フッ化物洗口が3.2%，フッ化物配合歯磨剤が52.4%であった．歯磨きについては，1歳以上の者では，毎日歯を磨く者の割合は97.4%であった．デンタルフロスや歯間ブラシを用いた歯間部清掃を行っている者は50.9%，舌清掃を行っている者は21.1%であった．

2）学校保健統計調査

（1）調査の概要

学校における幼児，児童および生徒の発育および健康の状態を明らかにすることを目的と

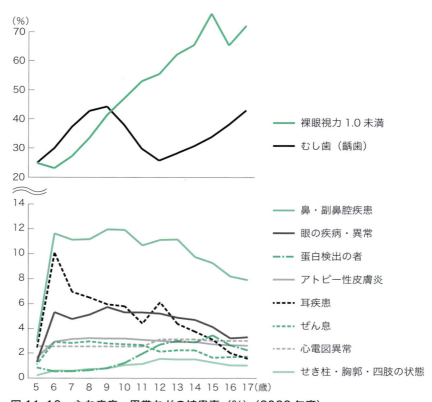

図 11-10　主な疾病・異常などの被患率（％）（2022 年度）
※ 9 歳から 12 歳において齲歯の割合が減少するのは，乳歯が生え替わることが影響していると考えられる．
（文部科学省：2024[2)]）

した統計法に基づく基幹統計調査である．毎年実施され，文部科学大臣が指定（抽出）した幼稚園，小学校，中学校，義務教育学校，高等学校，中等教育学校および幼保連携型認定こども園に在籍する幼児，児童および生徒が対象者となる．学校保健安全法による健康診断の身長や体重，健康状態の結果に基づく．

（2）結果の概要

　2022 年度調査では，発育状態は 695,600 人（抽出率 5.4％），健康状態は 3,220,411 人（抽出率 4.8％）のデータが集められた．健康状態の一部の結果を図 11-10 に示す．裸眼視力 1.0 未満と齲蝕が他の疾病や異常よりも多い．裸眼視力 1.0 未満の者の割合は年齢とともに増加傾向にある．乳歯または永久歯に齲蝕経験を有する者の割合は年齢とともに増加し，永久歯への生え変わり時期に減少するが，その後再び増加に転じる（☞第 3 編第 3 章参照）．

　経年的には齲蝕経験を有する者の割合は減少をしている．小学生の齲蝕経験を有する者の割合は 1986 年度には 91.2％であったが，2022 年度には 37.0％に減少，12 歳児の永久歯 1 人平均齲蝕経験歯数（DMFT 指数）は 4.58 本から 0.56 本へと減少している．一方で裸眼視力 1.0 未満の者の割合は 1986 年度には小学生で 19.1％であったが 2021 年度には 37.9％と経年的に増加傾向にある．都道府県ごとの 12 歳児 DMFT 指数は新潟県が 20 年以上にわたり最も少なく，新潟県における集団フッ化物洗口の実施率の高さが齲蝕の都道府県格差の縮小の一因だと考えられている．

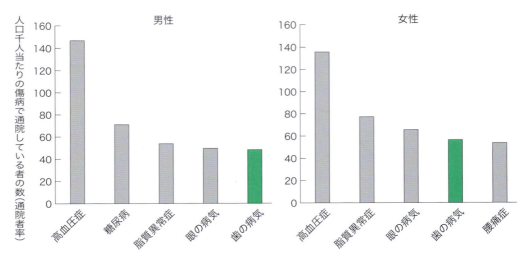

図11-11　性別にみた通院者率上位5傷病（複数回答）（2022年）

（厚生労働省：2023[3]）

3）患者調査

（1）調査の概要

　全国の医療施設（病院，一般診療所，歯科診療所）を利用する患者の傷病などの状況を把握するため，厚生労働省が3年ごとに実施している統計法に基づく基幹統計調査である．病院の入院は二次医療圏別，病院の外来と診療所は都道府県別に層化無作為抽出した医療施設を利用した全患者を調査対象としている（500床以上の病院については，悉皆調査となる）．調査日は10月中旬の1日，退院患者については9月の1か月間である．

（2）結果の概要

　2020年10月の調査日に，全国の歯科診療所を受療した推計患者数は133.2万人（男性55.2万人，女性78.0万人）ですべて外来患者である．外来での受療率（人口10万人に対する推計患者数）の傷病分類では，「消化器系の疾患」が最も多く，この中では「歯肉炎及び歯周疾患」と「齲蝕」が多い．傷病分類では次いで「健康状態に影響を及ぼす要因及び保健サービスの利用」，「筋骨格系及び結合組織の疾患」が多い．

4）国民生活基礎調査

（1）調査の概要

　国民生活の基礎的な事項である保健，医療，福祉，年金，所得などの事項について世帯面から総合的に把握し，施策の企画や運営に必要な資料を得ることなどを目的とした厚生労働省が実施する基幹統計調査である．3年ごとの大規模調査と，中間の各年に簡易調査を実施している．健康については大規模調査で把握されており，自覚症状や通院状況，日常生活の影響などを質問している．

（2）結果の概要

　2022年は大規模調査であり，健康や介護に関する調査も行われた．人口1,000人あたりの傷病で通院している者の人数（通院者率）は417.3で男性401.9，女性で431.6であった．

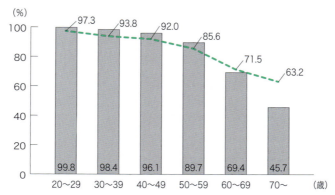

図11-12 歯が20本以上ある者の割合と，なんでもかんで食べることができる者の割合（%）（2019年）

（厚生労働省：2020[4]）

図11-11に性別にみた通院者率上位5傷病（複数回答）を示す．歯の病気は男性で5位，女性で4位と高かった．これは歯科疾患が他の疾患よりも有病率が高いことを反映していると考えられる．

5) 国民健康・栄養調査

(1) 調査の概要

国民の身体状況，栄養素などの摂取量や生活習慣などを明らかにして国民の健康を増進する施策などの基礎資料とすることを目的として，厚生労働省が健康増進法に基づいて2003年から毎年実施している一般統計調査である．

(2) 結果の概要

2019年の調査では抽出された4,465世帯のうち2,836世帯から回答が得られた．歯が20本以上ある者の割合と，なんでもかんで食べることができる者の割合は，年齢が上がるほど低下していき，高齢者で特に少なかった（図11-12）．

6) その他の調査など

その他の国民の口腔保健の状況を把握するデータとしては次のようなものがある．母子保健法に基づく1歳6か月児と3歳児に対する乳幼児健康診査の歯科健診の結果や，市町村の実施した歯周病検診の結果は厚生労働省の地域保健・健康増進事業報告から報告されている．歯科レセプトの情報や特定健診・特定保健指導の結果は厚生労働省のNDBオープンデータにより公開されている．

（相田　潤）

第2編

予防歯科臨床

第2編　予防歯科臨床

第1章　齲蝕予防

本章の要点

- 齲蝕のリスクは，齲蝕の3要因（宿主・飲食物・微生物）や齲蝕経験，社会的・経済的要因から総合的に判断する必要がある．
- 齲蝕活動性試験には，唾液，プラーク，歯質を検体として微生物要因や宿主要因を調べるものがある．
- エナメル質初期齲蝕の早期発見にはICDASが有効である．
- 齲蝕の予防・管理は，リスクの早期発見後と疾病の早期発見後の各段階で，セルフケア，プロフェッショナルケア，コミュニティケアを組み合わせて行う．
- フッ化物の役割を理解し，低濃度フッ化物（イオン）を口腔内で維持させることが，脱灰の抑制，再石灰化の促進につながる．
- フッ化物は歯の萌出直後から高齢期まで応用する．
- 小窩・裂溝の齲蝕予防にはシーラント（特にフッ化物徐放性）が有効である．

Keywords　齲蝕の3要因，齲蝕のリスク，エナメル質初期齲蝕，ICDAS

1　検査・診断

1）リスクの早期発見のための検査・診断

（1）宿主と歯の要因に関するリスク診断項目

a．唾液

唾液の作用（☞第1編第2章-2参照）には，細菌が産生する酸を中和する緩衝作用，酸や糖を洗い流す作用，微生物に対する作用など，齲蝕の発生に抑制的に働くものがある．また，エナメル質の脱灰が再石灰化に転じるうえで，カルシウムとリン酸を過飽和に含む唾液の存在は欠かせない．

唾液の分泌量はこれら唾液が有する作用を，総合的に反映するととらえることができる．なお，緩衝能については，pH指示薬や酸を用いた齲蝕活動性試験（表1-1, 2）で評価することができる．また，唾液分泌を抑制する薬剤服用の有無も齲蝕のリスクを判断する重要な情報となる．

b．歯

（i）形態

小窩裂溝部など唾液の作用やプラークコントロールの効果が及びにくい解剖形態，歯肉退縮で露出した歯根面，および歯列不正部位では，齲蝕のリスクが高いと判断される（☞第1編第4章-2参照）．口腔内診査でこれらの要因を慎重に検討する．

（ii）歯質

歯面が唾液にさらされることで生じる萌出後のエナメル質の成熟には，数年から数十年を

表 1-1 日本で市販されている齲蝕活動性試験

細菌要因の評価

検体	商品名	評価項目	試験法の概要
唾液 または プラーク	Dentcult®SM	ミュータンスレンサ球菌	唾液またはプラークを塗抹したストリップ*を選択培地に浸漬，37℃で48時間培養 ストリップ上のコロニー数で評価
唾液	Dentcult®LB	乳酸桿菌	唾液を選択培地（寒天）に馴染ませ，37℃で96時間培養 培地上のコロニー数で評価
	RD®テスト	口腔細菌	唾液を滴下した試験用ディスクを皮膚に貼り付け，15分加温（37℃，還元反応） レサズリンの色調変化で評価
プラーク	CAT®21テスト	細菌の酸産生能	プラークが付着した綿棒をスクロースとpH指示薬を含む培地に浸漬，37℃で48時間培養 pH指示薬の色変化で評価

*唾液とプラークではストリップの種類が異なる

宿主要因の評価

検体	商品名	評価項目	試験法の概要
唾液	CRT® 21 buf	緩衝能	唾液を試薬入りテストチューブに入れ，室温で反応 1時間以内にpH指示薬の色変化を評価
	Dentobuff®Strip	緩衝能	酸とpH指示薬を含むテストパッドに唾液を滴下，室温で反応 5分後のpH指示薬の変化で評価

表 1-2 細菌要因と宿主要因を評価する試験法

細菌要因の評価

検体	試験名	評価項目	試験法の概要
唾液	Snyder test	細菌の酸産生能	唾液をグルコースとpH指示薬を含む培地と混合，37℃で培養 24，48，72時間後のpH指示薬の色調変化で評価
	Wach test	細菌の酸産生能	唾液をグルコース溶液と混合，37℃で4時間培養 培養後のpHと水酸化ナトリウムの滴定量で評価
	Rickles test	細菌の酸産生能	唾液をスクロース溶液と混合，37℃で4時間培養 pH指示薬の色変化で評価
	Fosdick test	エナメル質脱灰能	唾液にグルコースとエナメル質粉末を加えて37℃で4時間培養 溶出したカルシウム量で評価（同様の培養でpHを測定する方法もあり）
	Hardley test	乳酸桿菌	唾液を寒天培地上に接種，37℃で3日間培養 培地上のコロニー数で評価
プラーク	Swab test	酸産生能	プラークを検体とするほかは，Snyder testと同様

宿主要因の評価

検体	試験名	評価項目	試験法の概要
唾液	唾液流出量試験	唾液流出量・速度	一定時間内の安静時唾液や刺激唾液の流出量で評価
	Dreizen test	緩衝能	唾液に乳酸を滴下，pH低下（7.0から6.0）に要する乳酸量で評価
	グルコースクリアランステスト	グルコースクリアランス（口腔内の自浄性）	グルコース溶液で洗口後，唾液中のグルコースを試験紙で測定 グルコース消失に要した時間で評価
エナメル質	エナメルバイオプシー（エナメル生検法）	エナメル質の耐酸性	酸液を歯面に接触させ，溶出したエナメル質成分（カルシウムやリン）で評価

要する（☞第1編第4章-2参照）．成熟するまでの間，特に萌出直後の歯は齲蝕のリスクが高い．

c. フッ化物

フッ化物で再石灰化の促進と歯質の耐酸性の向上が得られることから，フッ化物の応用状況（種類や頻度）を問診などで確認する．

（2）飲食物の要因に関するリスク診断項目

a. 炭水化物の摂取

炭水化物のうち，プラーク中の細菌の糖代謝により有機酸を生じやすい糖類（単糖類，二糖類）を含む食品を中心に，摂取頻度や食品の性状（口腔内での停滞性に影響）を問診などで確認する．砂糖は細菌の菌体外多糖の合成酵素の基質（☞第1編第3章-3参照）でもあり，最も齲蝕誘発性が高い．菓子類にはこの砂糖を多量に含み口腔内の停滞性も高いものが多い（☞ p.45 図 4-13 参照）ので，間食時に好んで食べるものを確認することは重要である．ジュースなどの飲料は糖類を含むが口腔内の停滞性は低い．しかし頻回に飲んだり停滞性の高い食品と一緒に摂取したりすると，齲蝕のリスクを高めると考えられる．

b. 抗齲蝕性食品

チーズや牛乳に含まれるカルシウム，リン酸，カゼインは，再石灰化に関与する．また，咀嚼で唾液の分泌が促される食品の摂取は，齲蝕のリスクを下げると考えられ，砂糖を含まないチューインガム，硬いチーズ，食物繊維などはエビデンスが示されている（☞ p.42 表 4-2 参照）．

（3）微生物の要因に関するリスク診断の項目

a. プラークの付着

疫学研究では，プラークの付着量と齲蝕の発生との間に，明らかな相関関係が見出されていない．これは，付着量だけでなく成熟の程度や齲蝕原因菌が占める割合，糖類の摂取頻度などがプラークの齲蝕病原性に影響するためと考えられる．しかし，プラークの付着は，食事習慣や歯口清掃習慣を含む全般的な歯科保健行動を反映しており，初期齲蝕の予後を判断するうえでも重要な情報である．後述する ICDAS（☞ p.151 参照）による診査でも齲蝕の活動性の判断のためにプラークの付着が記録される．

b. 菌数・酸の産性能

ミュータンスレンサ球菌はエナメル質齲蝕の主要な原因菌である．（☞第1編第4章参照）．選択培地での培養で観察されるコロニーの密度から，齲蝕のリスクを評価する検査キットがある．有機酸の産生能が高い乳酸桿菌についても，同様の原理の検査キットがある．また，プラーク内の細菌の酸産生能を評価項目とする検査もある（表 1-1，2）．

（4）その他の要因に関するリスク診断の項目

a. 過去の齲蝕経験

過去に齲蝕を多く経験した者は齲蝕の発生要因がそろいやすい口腔環境であり，齲蝕経験の少ない者よりも将来において齲蝕を発症する可能性が高い．そのため，DMF や df を用いた指標は，それ単独で精度の高い齲蝕発生の予知指標である．もちろん，生活習慣の変化によって齲蝕のリスクは変動するので，これのみに依存することはできないが，1つの所見

として留意する必要がある.

特に，歯の交換期では乳歯の齲蝕経験が永久歯の齲蝕の発生に強く影響する．たとえば第二乳臼歯に未処置の齲蝕がある場合，その齲蝕病巣から齲蝕細菌が唾液を介して第一大臼歯に定着すると，齲蝕のリスクが高くなる．第二大臼歯の萌出においても同様である.

b. 社会的・経済的要因

社会的・経済的状況と齲蝕のリスクとの関連が指摘されている．学歴や収入，生活環境の困難さなどは，健康全般に対する知識や関心，生活習慣に結びついているので，齲蝕のリスクと予防管理に影響する．地域における歯科保健活動（コミュニティケア）を計画する際に，社会的・経済的要因を考慮することは重要である.

（5）齲蝕活動性試験

個々のリスクファクターを分析する検査方法を齲蝕活動性試験という．唾液，プラーク，歯質を検体として，細菌要因と宿主要因を評価する方法が複数考案されている（**表1-2**）．歯科診療所などで検体の採取から結果の判定までチェアサイドで実施できる検査キット（**表1-1**）には，これらの試験法の考えを応用したものがある．また，採取した検体を外部の検査業者に送付して，唾液の緩衝能や唾液中の齲蝕原因菌数の検査を委託する方式の齲蝕活動性試験もある．齲蝕活動性試験の実施にあたっては，各検査方法の特徴と検査の対象（個々の患者か集団か），目的（将来の齲蝕発生リスクや予防・治療計画の立案の資料，リスク低減の介入の評価，ハイリスク者のスクリーニング），環境（検体を採取する場所，所用時間，培養器の準備）などを考慮する.

齲蝕はいくつもの要因が絡み合って発症に至ることから，複数の齲蝕活動性試験，齲蝕経験歯数，1日の間食回数などの検査項目を組み合わせることで，予知精度を改善しようとする試みが行われている．検査対象者（患者）への説明や指導などでは，これらの評価を視覚化したレーダーチャートなどが活用される.

2）疾病の早期発見のための検査・診断

a. ICDAS（視診による検査）

白斑などとして観察される実質欠損を伴わないエナメル質初期齲蝕は，フッ化物による再石灰化の促進やリスクの改善によって治癒や進行抑制が可能である．ICDAS（international caries detection and assessment system）は，齲蝕の予防・管理を体系的に進めていくために，修復処置を必要としないエナメル質初期齲蝕を含む齲蝕の検出と齲蝕の活動性の評価のシステムである.

ICDAS では，診査単位（歯，歯面，小窩裂溝ごと，など）をあらかじめ決めておく．プラークの付着部位を記録した後，歯面清掃を行う．湿潤状態で観察後，さらに5秒間エアシリンジで歯面を乾燥して観察し，所見を2桁の数値で表す（**表1-3**）．すなわち，修復，シーラントのコードを10の桁に，齲蝕のコードを1の桁に示す.

齲蝕の活動性については，歯面の色調，表面の滑沢やざらつき，触知による齲窩の軟化感，プラークの付着状態から，歯冠部齲蝕は「齲蝕活動性の高い病変部」「齲蝕活動性の低い病変部」，根面齲蝕は「停止」「高い」などと評価する.

第2編 | 予防歯科臨床

表 1-3　ICDAS のコード

修復，シーラントのコード

0	修復なし
1	シーラント（裂溝の一部分）
2	シーラント（裂溝の全部）
3	修復（歯冠色）
4	アマルガム修復
5	ステンレス冠
6	ポーセレン・金冠・メタル冠（全部/部分），ベニア
7	修復物の破損，脱離
8	暫間修復

2 桁のコードの例
・修復物なし，エア乾燥後にエナメル質に視覚的変化を確認 =01
・裂溝の一部にシーラントあり，象牙質への陰影を確認 =14

齲蝕のコード

0	齲蝕を裏付けるエビデンスなし（5 秒間のエア乾燥後に，エナメル質の透過性の変化なし / 疑わしい）
1	エナメル質に視覚で確認できる初期変化 5 秒間のエア乾燥後に観察，または，小窩，裂溝に限局して観察
2	エナメル質の著明な変化
3	限局性のエナメル質の崩壊 象牙質への進行を示す臨床的な兆候なし
4	象牙質への陰影
5	明確な齲窩で象牙質が目視できる
6	拡大した著明な齲窩で象牙質が目視できる

喪失のコード

96	エナメル質表層の欠損
97	齲蝕による喪失
98	その他の理由による喪失
99	未萌出歯

b. 機器を用いた検査診断

　レーザー光，近赤外線光，青色 LED を歯面に当て，健全歯面と齲蝕病変部の違いを検出する検査機器がある．

2 予防・管理

1）リスクの早期発見後の予防・管理

　日常生活で繰り返される歯口清掃と食事に関係するリスクは，すべての齲蝕予防処置の成否に影響する．その改善は行動変容によってなされるため，指導や支援には行動科学と健康教育（☞第 1 編第 9 章参照）の知識や視点が必要である．

　セルフケアで用いる歯磨剤や洗口液にはフッ化物や殺菌剤が配合されているものがあり（☞ p.183 表 4-3 参照），習慣的に用いることで歯質に関する要因と微生物要因のリスクが改善される（☞ p.53 図 4-20 参照）．

　齲蝕のリスクは，有機酸や菌体外多糖（☞第 1 編第 3 章-3 参照）の産生の材料とならない甘味料の使用でも改善される．これらの性質をもつ甘味料には原材料や甘味度が異なるものが数種類あり，飲料やガムなどに添加されている．キシロースに水素を添加した糖アルコールであるキシリトールは甘味度が砂糖に近く，これを含むガムを習慣的に噛むことで，ミュータンスレンサ球菌の活動性が低下し菌数も減少することが知られている．すなわち飲食物のリスクを管理することで，微生物要因のリスクも低下することになる．加えてガム咀嚼による唾液の分泌促進効果も得られる．

　齲蝕予防を目的としたプロフェッショナルケアには，フッ化物歯面塗布（☞第 2 編第 1 章

-3 参照）と予防填塞（☞第 2 編第 1 章-4 参照）がある．PMTC（☞第 2 編第 4 章参照）は，プラークの再付着を遅らせる効果がある．また，微生物要因のリスクを低下させるものとして，殺菌薬や抗菌薬とトレーを用いた 3 DS（dental drug delivery system）がある．

2）疾病の早期発見後の予防・管理

疾病の早期発見後は，継続的な管理を含むプロフェッショナルケアの重要性が増す．フッ化物歯面塗布は，エナメル質の初期齲蝕に対して有効である．初期齲蝕が進行して齲窩の形成に至った場合でも，継続的な管理下であれば早期の修復治療によって歯質や歯髄への侵襲を最小に留めることができ，予後も良好となる．

齲窩の存在で口腔内の齲蝕原因菌の菌数レベルが高まることから，齲蝕の治療は新たな齲蝕の発生予防にも寄与する．

コミュニティケアとして母子保健や学校保健で行われる歯科検診では，無自覚の齲蝕の早期発見と，プラークの付着をはじめとする齲蝕のリスクの早期発見がなされる．受診勧告，保健指導，予防処置などの検診後の事後措置により，セルフケアとプロフェッショナルケアの有効性を高めることができる．

（川戸貴行）

3）CAMBRA™

カリフォルニア歯科医師会とカリフォルニア大学サンフランシスコ校で共同開発された Caries Management By Risk Assessment（CAMBRA™；リスク評価に基づく齲蝕管理方法）は，カリエスリスク評価フォーム（**図 1-1**）をもとに，対象者をリスク別に 4 つに分類し，そのクラスに応じた予防方法を，提案・提供するプログラムである．

このカリエスリスク評価フォームは，齲蝕のリスクを，**図 1-1** の①疾病指標，②リスク因子ならびに③防御因子で評価する．たとえば，①の疾病指標で，齲歯があれば，□に「✓」を入れる．最終的に，「✓」の数を，**図 1-1** ④に記入し，レーダーチャートを使用せず，カリエスバランスモデルで検討する．このカリエスバランスモデルは，シーソーの原理で考える．たとえば，疾病指標＋リスク因子より防御因子が多ければ齲蝕の抑制・予防ができることを示す（**図 1-1** ④）．

また，簡易チャートを用いて，4 つのリスクに分類（**図 1-1** ⑤）するため，患者（対象者）も，総合的な齲蝕のリスクを理解しやすい．さらに，そのリスク別に，ブラッシングだけでなく，種々のフッ化物応用方法，クロルヘキシジンやキシリトールなどの活用を提案している．また，高リスク者のリコール期間の短縮化も奨励している．

また，CAMBRA™ で用いられるカリスクリーン® は，生物発光の原理を応用した機器で，迅速な細菌数の計測ができる（**図 1-1** ⑥）．

（竹下 玲）

第2編 予防歯科臨床

カリエスリスク評価フォーム　6歳以上〜

日付：

患者氏名：　　　　　　　　　　カルテ番号：

初診／再診

1つ以上当てはまる場合は、ハイリスク。唾液検査を行う。※1

疾患指標	視診あるいはX線で確認可能なう蝕（象牙質侵食）	☑		
	X線上で確認できる隣接面う蝕（エナメル質）	☐		
	歯面上のホワイトスポット（1歯以上）	☐		
	3年以内の保存修復治療（CAMBRA推奨処置実施下での保存修復の場合は1年以内）	☐		

①疾病指標

リスク因子	カリスクリーン1500以上または多数のミュータンス菌とラクトバチルス菌（培養検査）		☐	
	視診可能な多量のプラーク ※2		☑	
	日に3回以上の間食		☑	
	深い小窩裂溝（1歯以上）		☐	
	唾液分泌量が少ない（0.5 mL/分以下）		☐	
	唾液分泌を減少させるような要因（放射線治療・服薬・全身疾患など）		☐	
	根面露出（1歯以上）		☐	
	矯正器具の装着		☐	

②リスク因子

防御因子	日に1回以上のフッ化物配合歯磨き粉使用			☑
	日に2回以上のフッ化物配合歯磨き粉使用			☑
	0.05%以上のフッ化物配合マウスウォッシュ使用			☐
	歯科医院における過去6ヶ月以内のフッ化物歯面塗布			☑
	医師によるクロルヘキシジンの処方と過去6ヶ月以上の使用 ※3			☐
	キシリトールガム（シュガーフリー）の使用　4タブレット/1日×6ヶ月			☐
	過去6ヶ月以上のカルシウムおよびリン酸配合歯磨剤使用			☐
	唾液分泌が多い（1 mL/分以上）			☑

③防御因子

※1　カリスクリーン検査結果（0-9999）

唾液検査：培養結果　　MS　　　　LB

唾液検査結果：分泌量　　　　mL/分　　⑥試験結果

※2　目安としてPCR50%程度

※3　0.12%または0.2%のグルコン酸クロルヘキシジンは、現在日本の法律下では使用できない。アメリカで行われている1日に1回のクロルヘキシジン（0.12%）での洗口の代わりに、日本で使用可能なクロルヘキシジンを用法に応じた使用方法で1日に2回洗口を薦める。但し現状、濃度0.05%での臨床的効果は証明されていない。

①　②　③
1　2　4

④カリエスバランスモデル

リスクレベル　　　ロー ・ ミドル ・ ハイ ・ エクストリーム

担当医：　　　　　　　日付：

米国と日本では使用可能な製品および治療方法が異なるため、日本向けCRTフォームは米国のオリジナルフォームと異なる。

⑤カリエスリスクレベルの決定（カリエスリスクのクラス分け）

リスクレベル　　　ロー・ミドル・ハイ・エクストリーム

図1-1　カリエスリスク評価フォームの構成要素

カリエスリスク評価フォームがCAMBRA™のフレームワークの基本となり，このフォームでリスク評価に関する患者の情報を収集する．

④カリエスバランスモデルに示した数値（1，2，4）は，①疾病指標，②リスク因子，③防御因子の☑の数を，例として記入したもの．

3 ─ フッ化物の局所応用

1）フッ化物の齲蝕予防機序

　フッ化物の局所応用には，フッ化物配合歯磨剤，フッ化物洗口，フッ化物歯面塗布などがある．局所応用では，歯の萌出後にフッ化物を歯質の表面に直接作用させることで齲蝕予防効果が得られる．

　局所応用における齲蝕予防機序は，脱灰抑制と再石灰化促進で説明することができる．脱灰と再石灰化の関係を次式で示す．

$$Ca_{10}(PO_4)_6(OH)_2 + 8\,H^+ \;\rightleftarrows\; 10\,Ca^{2+} + 6\,HPO_4^{2-} + 2\,H_2O$$

　脱灰とは，健全な歯質の主な無機質であるハイドロキシアパタイト $Ca_{10}(PO_4)_6(OH)_2$ がプラーク由来の有機酸によって溶解し，カルシウムやリン（ミネラル）がイオンとして溶出した状態である（上記矢印右方向の反応）．初期の脱灰病変は，表層よりも内層の無機質が選択的に溶出し，表層下脱灰病変が形成される．再石灰化とは，脱灰で溶出したミネラルが再び歯質に吸着されハイドロキシアパタイトやその他の結晶が形成される現象である（上記矢印左方向の反応）．唾液中の Ca^{2+}，HPO_4^{2-} の濃度は脱灰病変に対して過飽和（溶けたエナメル質ともよばれる）の状態であり再石灰化が促進される（**図 1-2**）．脱灰と再石灰化により，ミネラルの喪失と回復が繰り返されると，結晶のサイズも変化する．脱灰によるミネラル（Ca，P，Mg^{2+}，CO_3^{2-}）の溶出により結晶サイズは小さくなり多孔質となる（実質欠損の状態ではない）．この脱灰結晶の周囲にある唾液由来や歯質由来の各種イオン，特に F^-（フッ化物）イオン濃度が高まると再石灰化が進む．形成された再石灰化の結晶は，F^- の吸着，OH^- との置換により元のハイドロキシアパタイトより結晶サイズが大きくなるため，酸との接触面積が小さくなり脱灰抑制に作用する．再石灰化は，フッ化物を介しない場合でも起こるが，フッ化物の存在により，再石灰化反応の促進と再石灰化ミネラルの耐酸性は増す．フッ化物の存在下で，再石灰化が進んだエナメル白斑では健全エナメル質の約 2 倍耐酸性が付与されている．

　一般的に，フッ化物配合歯磨剤やフッ化物洗口で用いられている低濃度で応用された F^-，歯質表面に常在する唾液やプラーク中の F^-，また，結晶周囲に吸着している F^- は，歯質あるいは結晶周囲を全面的にコーティングしている状態になる．そのため，H^+ が歯の表面や結晶内部へ侵襲することを防御している．

　一方，フッ化物歯面塗布などで用いられる高濃度の F^- は，歯面には，反応生成物として，フッ化カルシウム CaF_2（純粋な CaF_2 ではなく，フッ化カルシウム様物質である）を形成する．CaF_2 は，エナメル質表面が pH5 以下に低下すると，Ca^{2+} や F^- に溶解し，上記の低濃度の作用機序と同様に F^- として作用している．また，高濃度のフッ化物は，細菌が糖類を資化して有機酸の産生する解糖系の酵素エノラーゼや ATP アーゼを活性阻害し，細菌のエネルギー産生と酸産生を低下させる作用も報告されている．

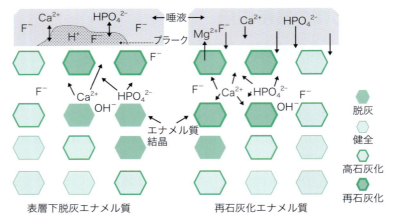

図 1-2　エナメル質における脱灰（表層下脱灰）と再石灰化
表層下脱灰エナメル質：脱灰中の表層周辺では，条件により再石灰化が発現する．表層は再石灰化されるが内層では齲蝕病変が形成される．これが表層下脱灰である．齲窩は形成されないが，脆弱な構造である．
再石灰化エナメル質：唾液由来の Ca^{2+}，F^-イオンのエナメル質内への浸潤・拡散が起こる．Mg^+，CO_3^- が少なく，Ca^{2+}，HPO_4^{2-}，F^-や歯由来の F^-，フッ化物応用による F^- が多い状態である[1]．

2）フッ化物の局所応用法

（1）フッ化物配合歯磨剤

　フッ化物配合歯磨剤は，一般的に入手が容易であり，乳幼児から高齢者まで，生涯を通して利用できる．日本の市場占有率は，1988年以降から急速に伸びてきており，近年，90％を超えている（2021年，93.3％）．齲蝕予防効果は25〜40％程度である．

a. 用いられるフッ化物・濃度

　フッ化ナトリウム（NaF），モノフルオロリン酸ナトリウム（Na_2PO_3F；MFP），フッ化第一スズ（SnF_2）が用いられている．医薬部外品に分類され市販されている．フッ化物濃度は，100〜1,000 ppmF の範囲（医薬品，医療機器等の品質，有効性及び安全性の確保等に関する法律）であり，500 ppmF，950 ppmF前後で配合されているものが多い．近年は，厚生労働大臣による認可（2017年3月以降）でフッ化物濃度 1,000〜1,500 ppmF のものが，市販され，特に成人〜高齢期の根面齲蝕予防の対策などに用いられている．

b. フッ化物配合歯磨剤の使用方法

　フッ化物を効果的に口腔内にいきわたらせる歯磨剤の使用について，北欧のイエテボリ地域で研究が進められ，イエテボリテクニック（イエテボリ法）として，日本でも広く普及してきている．その方法は，フッ化物配合歯磨剤を歯ブラシに適量付着させ，最初に，歯面全体にいきわたるように塗布した後，歯磨きを開始する．歯磨き中の口腔外への吐き出しはなるべく避け，終了後は，一口（10〜15 mL）程度の水で約1分間洗口し，吐き出す．その後，洗口は行わず，2時間飲食しない，というものである．フッ化物を口腔内に停留させ，長期維持させることが望ましい．また，1日に2〜3回の頻度が勧められる．

c. 使用量

年齢に応じた使用量が勧められており，歯が萌出して2歳ぐらいまでは，500 ppmF（または泡状であれば 1,000 ppmF）の歯磨剤を歯ブラシの植毛部2 mm程度，3～5歳では，5 mm程度用いる．6～14歳では，1,000 ppmFを1 cm程度，15歳以上では 1,000～1,500 ppmFを2 cm程度が推奨される．

（2）フッ化物洗口

フッ化物洗口は，方法の簡便性，安価，費用対効果などから公衆衛生的に優れた方法である．国内の園・学校でのフッ化物洗口普及調査では，14,000を超える施設で 157万人以上が実施している（2018年）．地域における健康格差の縮小に寄与しているとの報告もあることから，多くの自治体で導入されている．齲蝕予防効果は，日本では 29～79%，海外では 20～50%と報告されている．この効果の違いは，日本では洗口実施時期が比較的早いこと，実施期間が長いこと，集団で実施されることが多く，安全な管理の下，確実な継続実施が行われていることなどがあげられる．

a. 用いられるフッ化物・濃度

フッ化ナトリウム（NaF）が用いられており，フッ化物製剤（粉末），フッ化物洗口液が薬局（第3類医薬品），歯科医院で入手できる．フッ化物製剤は，水道水で希釈され，250，450，900 ppmFの濃度で用いられている．一方，販売されるフッ化物洗口液は，225，450 ppmFである．

フッ化物洗口の頻度は，毎日法（集団の場合週5回法）と週1回法がある．毎日法では，225，250，450 ppmF，週1回法では，900 ppmF（一部，450 ppmF）である．

b. フッ化物洗口の実施方法

フッ化物洗口液5～10 mLを口に含み，口唇を閉じて，ややうつむき加減で溶液を口腔全体にいきわたるように，ぶくぶくうがいをする．洗口の時間は，標準的に 60秒を目標とし，30秒以上行う．洗口後，溶液を吐き出し，30分間は飲食を避ける．洗口の適正年齢は，4歳から中学卒業までである．また，根面齲蝕予防のために，成人から高齢期でも行うのが望ましい．特に，日本では，フッ化物の全身応用が実施されておらず，永久歯が萌出する就学前からのフッ化物洗口の実施が必要であり，洗口液の吐き出しの確認を行い実施することを推奨している．

（3）フッ化物歯面塗布

フッ化物歯面塗布は，医療器材などが完備された歯科診療所や保健所などで，歯科医師や歯科衛生士が実施している．2016年の歯科疾患実態調査によると，国内の1～14歳の62.3%がフッ化物塗布経験者であると報告されている．齲蝕予防効果は，乳歯では，20～22%，永久歯では 34～55%である．

a. 用いられるフッ化物・濃度・使用量

2%フッ化ナトリウム（NaF；中性，9,000 ppmF）の溶液とフォーム，リン酸酸性フッ化ナトリウム（APF；pH3.4～3.6，9,000 ppmF）の溶液，ゲルの医療用医薬品が用いられる．過去には8%フッ化スズも用いられていたが現在は用いない．使用量は，1人1回2 mL以下である．乳児の乳歯列未完成時期では，1 mL（歯ブラシ・ゲル法）以下となっている．

第2編 予防歯科臨床

b. フッ化物歯面塗布の術式

　術式としては，綿球法，トレー法，歯ブラシ・ゲル法，イオン導入法がある．基本的には，①歯面清掃（必須ではない），②簡易防湿，③歯面乾燥，④薬剤塗布（ゲルの場合，拭き取る），⑤防湿除去，⑥塗布後の注意（口腔内に溜まった唾液は吐かせ，最低30分間飲食を避ける），保健指導，となる．塗布時間は4分間（15〜30秒でも効果あり）である．

c. 実施頻度

　齲蝕のリスクが低いか中等度であれば，1年に2単位（6か月ごと），齲蝕のリスクが高ければ1年に3〜4単位（3〜4か月ごと）で塗布する．1単位は，中性NaFの場合，2週間のうちに4回塗布，APFの場合，1回の塗布で1単位となる．

4 予防填塞（シーラント）

　齲蝕の好発部位である咬合面の小窩裂溝の齲蝕予防法として有効なのが，予防填塞である．解剖学的形態の改善（裂溝の封鎖）に加えて，フッ化物徐放性による齲蝕予防効果も期待されている．レジン系の齲蝕予防効果は，2年間の追跡で11〜51％と報告されている．

1）材料と術式

　材料によりレジン系とグラスアイオノマー系に分けられ，重合により化学的重合と光重合に分けられる．

　レジン系填塞材は，エナメルエッチングにより，強い歯質接着性を有する．そのため，術式において，填塞前にエナメル質表面とフッ化物の反応生成物の形成を避ける必要があり，歯面研磨にはフッ化物無配合の研磨剤を用いる．酸処理からシーラント重合まではラバーダムを装着し，完全な防湿下で行う．歯の萌出直後の最も齲蝕感受性が高い時期には，ラバーダムが装着できず，適応が困難となる．

　グラスアイオノマー系填塞材は，物理的強度面で，レジン系に劣るが，高いフッ化物徐放性をもっている．歯質の接着性を高めるために，填塞前に小窩裂溝部の付着物を可能な限り除去（超音波洗浄器による清掃）する．簡易防湿下でも実施できるのでラバーダム装着が必須ではなく，萌出直後の歯に対しても適応となる．

　いずれの方法とも，填塞材の重合後は，厚み（なるべく薄め），溝の末端部の厚み，はみ出し，咬合の問題をチェックする．填塞後はフッ化物歯面塗布を行うことが望ましく，特に，フッ化物徐放性填塞材の場合は，填塞材にフッ化物イオンが取り込まれ（リチャージ），フッ化物イオンが徐々に放出され有効である．近年，フッ化物徐放性機能は，レジン系，グラスアイオノマー系のどちらにもある．

2）適応

　臼歯咬合面や口蓋側の深い小窩裂溝，癒合歯の裂溝など清掃不良になりやすい部位が適応となる．また，エナメル質に齲窩がなく，スティッキー（粘り様）感，初期脱灰が認められた場合も適応となる．加えて，初期齲蝕における処置においても，填塞材下で細菌がほとん

ど死滅していることが確認されており適応対象となる．しかし，適応歯については，フッ化物利用状況を前提としたリスク診断により，リスクの高い歯に限定し，選択的に行うことが勧められる（費用対効果も高まる）．

（有川量崇）

第2編 予防歯科臨床

第2章 歯周病予防

本章の要点

- 歯周病の検査は，組織の状態，病原因子（歯周病原細菌），リスクファクターの3種を対象に行う．
- 検査手段は問診，視診，触診（プロービングなど），エックス線検査が主なものであるが，血液，唾液，歯肉溝滲出液などの検体検査の開発が進んでいる．
- 2017年に歯周病の新国際分類が発表され，歯周組織の健康と疾患が初めて定義された．
- 歯周病の予防は，リスクファクターの検査とリスク診断に基づく，リスクの軽減・排除によって行われる．

Keywords 仮性ポケット，真性ポケット，歯周ポケット，CAL，PPD，BOP，PISA，咬合性外傷，歯周病原細菌，リスク診断，喫煙，ストレス，セルフケア，プロフェッショナルケア，コミュニティケア

1 歯周病の検査・診断

歯周病予防のための検査は，①歯周組織の状態に関する検査，②病原因子（細菌・プラーク／バイオフィルム）に関する検査，③リスクファクター・増悪因子の検査，の3種に分類できる．これらを基本的な検査と先進的な検査に分けて説明する．

1）基本的な検査

（1）歯周組織の状態に関する検査

a．健康な歯肉の特徴

健康な歯肉は薄いピンク色を呈し，辺縁はスキャロップ状（ホタテ貝の殻様）の外形を示す．歯冠乳頭部は鋭く尖り，ナイフエッジ状である．歯肉縁の遊離歯肉と付着歯肉の境界には遊離歯肉溝がみられる．健康な付着歯肉の表面には，スティップリングとよばれるミカンの皮の表面のような多数の小さなくぼみがみられる．付着歯肉は根尖側で歯槽粘膜に移行し，その境界には両者の色調の違いから歯肉歯槽粘膜境とよばれる境界線がみられる（図2-1）．

b．炎症状態の検査

歯肉に炎症が生じると，発赤と腫脹が発現する．徴候は歯間乳頭部か辺縁遊離歯肉から始まる．スティップリングは消失する（図2-1）．これらを視診により注意深く判定する．

歯周プローブを用いた触診時の出血により，歯肉の炎症を評価する（bleeding on probing：BOP）．検査部位を0.2～0.25 N（約20～25 g）の力で圧迫し，15～30秒後までの出血の有無を記録する．辺縁歯肉のBOPを測定する方法と，歯周ポケット底部のBOPを測

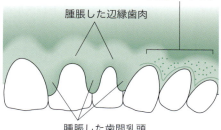

図 2-1 炎症歯肉の特徴

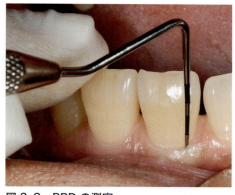

図 2-2 PPD の測定
プローブ先端を歯軸に沿って 20〜25 g の力で挿入し，抵抗を感じたところで止め，目盛りを 1 mm 単位で読み取る．

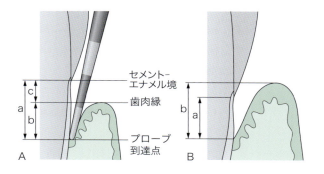

図 2-3 PPD と CAL，歯肉退縮の関係
A：歯肉退縮がある場合　a＝b+c
B：歯肉退縮がない場合（c＜0）a≦b
　　a：CAL，b：PPD，c：歯肉退縮

定する方法がある．炎症が重度になると自然出血や排膿がみられることもある．

歯肉炎症の数量化法の代表的なものに，BOP 陽性部位率がある．この他にも GI や PMA index など種々の方法が考案されている（☞ p.125 参照）．

c. 組織破壊・退縮・減少の検査

（ⅰ）プロービングポケット深さ probing pocket depth（PPD）

歯周プローブを用いて歯肉溝あるいは歯周ポケットの深さを測定する（図 2-2）．健康な歯肉溝の深さをポケット深さとよぶのは必ずしも正確ではない．PPD の定義は，歯肉辺縁から歯と歯肉の付着部位（アタッチメントレベル）までの距離（図 2-3）であるが，臨床的にはプロービングの到達点はアタッチメントレベルと一致しないことも多い（図 2-4）．

通常，PPD は 1 歯につき 6 か所を計測する 6 点法で行われ，値は 1 mm 刻みで計測する．4 mm 以上の場合に病的所見あり（ポケットの形成），3 mm 以下は所見なし（健康）と判定する．4 mm 以上でもアタッチメントロス（後述）を伴わない場合は仮性ポケット（歯肉ポケット）であり，歯周ポケット（真性ポケット）と区別する．なお前述の BOP は，PPD 測定のプローブを外した後 15〜30 秒程度までの出血の有無を記録することが通常である．

（ⅱ）アタッチメントロス（付着の喪失）とアタッチメントレベル（付着の位置）

密接に関連しながら微妙に概念の異なる用語であるが，略語はいずれも AL になるため混乱されやすい．本章では clinical attachment loss（CAL）を使用する．CAL はセメント－

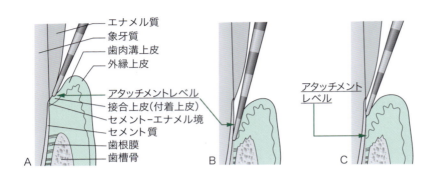

図2-4 正常なアタッチメントレベルとアタッチメントロスを伴う2種類のケース
A：健康な状態.
B：ポケット底部に炎症がある場合は，適正な力のプロービングでも付着部位を貫通する.
C：アタッチメントロスが組織学的に回復していなくても，歯周治療により炎症が消退し歯肉が引き締まると，適正な力でもプローブが付着部位まで到達しなくなる．真のアタッチメントゲインではない．

エナメル境とプローブの到達点までの距離である（図2-3）．歯肉退縮とPPDで規定される．歯周治療によりPPDは容易に減少するが，CALの変化は少ない．このためCAL検査は，歯周病の疫学指標として重要であるが，日常の臨床の場ではあまり使用されない．

(ⅲ) 根分岐部のプロービング

歯周ポケット底への垂直的なプロービングの他に，複根歯の根分岐部に対する水平的プロービング検査を行い，歯槽骨吸収の程度を把握する．

(ⅳ) 歯の動揺の程度

ピンセットで歯冠を把持し，頬舌方向および近遠心方向の動揺の有無と程度を評価する．歯周ポケットやアタッチメントロスを伴わない動揺歯は，一次性咬合性外傷と診断される．歯周炎により支持歯槽骨が吸収したことにより生理的な咬合力に耐えられなくなった状態は，二次性咬合性外傷と診断される．

(ⅴ) エックス線画像検査

歯肉炎と歯周炎の鑑別のために，歯槽骨の吸収・破壊の有無や程度を調べることができるエックス線画像検査が有用である．歯周病診断のための読影の要点は，歯槽骨頂部の位置，外形，歯槽硬線の肥厚，歯根膜腔の拡大，根分岐部の状態などである．

(2) 病原因子（細菌・プラーク/バイオフィルム）に関する検査

a. プラークの付着状態（部位・範囲・量）の検査

歯周病の主要な病原因子であるプラーク細菌について検査を行う．歯肉炎の直接的病因である歯肉縁上プラークの付着の部位や量を記録する方法は種々考案されているが，臨床においてはO'Learyのプラークコントロールレコード（☞p.133参照）が広く普及している．プラークの付着状況から，患者のセルフケアの問題点や治療に対する協力度など，重要なリスクファクターの情報が得られる．

プラークの付着状態と同時に，プラークリテンションファクター（蓄積因子）の状況把握が重要である．不適合修復物，頬唇小帯の高位付着，付着歯肉幅狭小などを調べる（表2-1）．歯石そのものは直接的な病原因子ではないが，強力なプラークリテンションファクターとして治療の標的であり，重要な検査項目である．

表 2-1 歯周病のリスクファクター（広義）

細菌因子	環境因子
プラーク（バイオフィルム：歯肉縁上，歯肉縁下） 歯周病原細菌 　特に *P. gingivalis*, *T. forsythia*, *T. denticola*, 　*A. actinomycetemcomitans*	喫煙 ストレス（心理社会的） 栄養（食習慣） 肥満 薬物 社会経済的環境（学歴，収入，職業） 不定期歯科受診

宿主因子
　年齢，人種，性別
　遺伝的要因
　　歯周病家族歴
　　炎症性サイトカイン遺伝子多型（IL-1，TNF-αなど），
　　他の遺伝子多型
　全身疾患
　　糖尿病，骨粗鬆症，HIV（AIDS），ある種の遺伝病

　局所の因子
　　プラークリテンションファクター：
　　　歯石（歯肉縁上，歯肉縁下），不適合修復物・補綴装置，義歯・矯正装置，
　　　歯列不正，歯の形態異常（エナメル突起，根面溝，口蓋裂溝など），
　　　小帯の付着位置異常，付着歯肉幅狭小，歯肉退縮，根面齲蝕（歯頸部）
　　咬合力の問題：歯の動揺，咬合性外傷（主に二次性），歯ぎしり（ブラキシズム）
　　BOP 陽性，深い歯周ポケット，アタッチメントロス，根分岐部病変

b. 病原性の検査（質的評価）

　歯肉縁下プラークの病原性の検査法が開発されているが，まだ日常臨床に十分普及してはいない．後述の「先進的な検査」の中で扱う．

（3）リスクファクター・増悪因子の検査

a. 検査の意義

　リスクファクターとは，疾患の直接的原因そのものだけではなく，その因子が存在することにより疾患が発症する可能性が高まるものである．縦断的な疫学研究で立証され，直接的に（間接的ではなく）発症確率の増加に関与し，その因子の排除によって発症確率が減少するものと定義されている（American Academy of Periodontology，1996）．歯周病の予防のためには，病状や病因の検査に加えてリスクファクターの検査を行い，リスク診断を行う必要がある（後述）．広義のリスクファクターは，狭義の risk factors（因果関係あり），risk indicators（因果関係未確立），risk predictors（risk markers）（予知因子であり因果関係の必要なし），prognostic factors（予後因子）などに細分できる．細菌因子，環境因子，宿主因子の 3 群に分類されることが多い（表 2-1）．疾病発症後の重症化にかかわるものを，特に増悪因子という．

b. 検査方法（医療面接，質問票調査）

　喫煙をはじめ，重要なリスクファクターの多くは医療面接（問診）で調べられる（表 2-2）．日本のみならず全世界で，地域や職域における歯周病の集団検診の必要性が指摘されて久しいが普及は進んでいない．この状況を改善するための妥協策として，自己式質問票を用いてリスクファクターを調べることによって，対面での検診を代替する提案もなされている．具

第2編 予防歯科臨床

表 2-2　医療面接項目（問診で聴取すべきこと）

・主　訴 ・現病歴 ・既往歴 　　歯科的既往歴 　　医科的既往歴 　　　全身疾患既往歴 　　　　糖尿病，骨粗鬆症，免疫疾患 　　　　（アレルギー，リウマチ） 　　服薬歴	・全身的宿主要因 　　年齢・性 　　遺伝的要因（家族歴） ・生活習慣 　　喫煙 　　栄養（食習慣） 　　ストレス（心理的・社会的）

体例の1つとして，日本歯科医師会が開発した歯科健診プログラム（生活歯援プログラム）などがある．

2）先進的な検査

　前述の基本的な検査は，歯科医師が手技により計測，もしくは視診で判定するものであることから，歯科以外の医療専門職との間で患者情報として共有することが困難である．歯周病と全身疾患の関連性が明らかになり，多職種連携の必要性が高まっている現在において，客観的で定量性のある検体検査の普及が必要となっている．

（1）血液検査，唾液検査などの検体検査

　患者個人レベルの情報を得るための検体としては，血液や唾液が有用である．歯肉溝滲出液を検体とすると，特定の歯の近心頬側などのような局所レベルの情報を得ることもできる．測定項目は，炎症性バイオマーカー（ヘモグロビン，細胞逸脱酵素，種々のサイトカイン，炎症性メディエーター，タンパク質分解酵素など）や歯周病原細菌に対する特異抗体価などである．

　まだ普及は十分ではないが，唾液中のヘモグロビンを測定して歯周病のスクリーニングを行う体外診断薬や，組織破壊による細胞死で漏出する細胞内酵素（乳酸脱水素酵素など）の測定キットはすでに実用されている．

　歯周病の検体検査に期待される特徴としては，①集団検診（スクリーニング）に利用できる，②疾病活動性を測定できる（個人レベルあるいは局所レベル），③糖尿病など全身疾患との関連性を測定できる（特別なタイプの歯周病を識別する）の3つをあげることができる．なお，1種類の検査が3つの特徴を兼備する必要はない．予防で重視されるのは①の特徴である．

（2）細菌検査（病原性，細菌叢の構成の検査）

　歯肉縁下プラークの病原性など質的な評価のために，特定の歯周病原細菌種の存在や，細菌叢の構成を調べる必要がある．かつては細菌培養法に依存していたが，嫌気培養のための特殊な装置や熟練が必要であり，臨床的な普及を阻んでいた．近年になり分子生物学的手法が発展し，遺伝子増幅法やDNA配列決定法の進歩により迅速な高感度検査が比較的容易になってきている．

　歯周病の分子生物学的細菌検査は，研究レベルでは広く普及しており，一般臨床の場面でも利用可能な検査キットが市販されている．進歩の著しい分野であり，今後の普及が期待さ

表 2-3　歯周病の新国際分類（2017）による歯肉の健康と歯肉炎の診断基準[*]

	無傷の歯周組織 intact periodontium		減少歯周組織 reduced periodontium （歯周炎既往なし）		歯周治療終了後の 安定期患者	
診断	健康	歯肉炎	健康	歯肉炎	健康	歯肉炎
CAL	なし	なし	あり	あり	あり	あり
PPD	≦ 3 mm	≦ 3 mm[**]	≦ 3 mm	≦ 3 mm[***]	≦ 4 mm[****]	≦ 3 mm
BOP	< 10%	≧ 10%	< 10%	≧ 10%	< 10%	≧ 10%[*****]
歯槽骨吸収	なし	なし	あり	あり	あり	あり

CAL：臨床的アタッチメントロス，PPD：プロービングポケット深さ，BOP：プロービング時の出血（陽性部位率）
[*]　　　患者個体レベルの診断であり，歯・部位レベルの診断ではない.
[**]　　 PPD ≧ 4 mm で CAL なしは仮性ポケットであり，BOP の基準により健康あるいは歯肉炎と診断.
[***]　 PPD ≧ 4 mm で CAL ありは歯肉炎と診断.
[****]　ただし 4 mm の部位は BOP 陰性であることが条件. 4 mm で BOP 陽性，あるいは BOP 陰性でも PPD ≧ 5 mm は歯周炎の再発と診断.
[*****]歯周病既往歴のある歯肉炎の患者と診断.

(Chapple ILC et al.：2018[4]，Caton J et al.：2018[5])

れている.

（3）歯周炎症表面積 periodontal inflamed surface area（PISA）

　技術的には必ずしも先進的ではないが，既存の歯周プローブによる検査で得られる CAL と歯肉退縮および BOP の情報を組み合わせて，歯周病の重症度を炎症創面の面積により患者個体レベルで定量・数値化することに成功したものが，Nesse らが発表した PISA である. 1 歯 6 点法の PPD と BOP のデータを入力すると，面積（mm^2）が自動計算されるコンピュータプログラムが普及している. 現在ではこの指標を用いて，歯周病と全身疾患との関連についての臨床研究が次々と行われている. 医科と歯科の連携治療において，歯科患者情報の医科での共有手段としての活用が期待されている.

（4）口臭検査

　歯周病原細菌が増殖すると，代謝産物である揮発性硫黄化合物，主として硫化水素，メチルメルカプタンが発生し，口臭を生じる. 口臭は歯周病の改善すべき症状の 1 つであり，口臭検査を行うことで治療効果の評価にも応用できる. 特に客観的な検査方法であるガスクロマトグラフィやガスセンサーによる測定は信頼性が高く，将来的には歯周病のスクリーニング検査としての応用も期待される（☞第 2 編第 3 章参照）.

3）歯周病の診断・歯周組織の健康の診断

　歯周病の細かな分類は非常に複雑であるが（☞第 1 編第 5 章-1 参照），日常臨床で遭遇するケースとしては，プラーク細菌を原因とする歯肉炎と歯周炎の 2 種が主なものである. 早期の治療を必要とする歯肉炎あるいは歯周炎か，それとも一次予防の対象であり治療は必要としない健康な歯周組織であるかの鑑別が，予防歯科臨床上の歯周病診断の要点である. 2017 年に発表された歯周病の新国際分類で，初めて歯周組織の健康と，健康な減少歯周組織 reduced periodontium が定義された. これらの診断基準を示す（**表 2-3**）.

第2編 予防歯科臨床

2 歯周病の予防・管理

1）リスクの診断

歯周病の発生と進行を予防し，管理するために，調べるべきリスクファクターは**表2-1**に示した．これらの中で，歯周病原細菌と遺伝的要因の一部は先進的な検査項目であるが，他はすべて，リスク診断を行うために必ず調べる項目である．リスク診断は，臨床的には個体レベルと，局所レベル（歯単位・部位単位）で行われる．公衆衛生的には集団レベルのリスク診断も実施される．

2）リスクの管理（排除・軽減）

集団および個人あるいは歯・部位の単位で，存在するリスクファクターを可能なかぎり排除，もしくは軽減することが「予防」の方法である．全身性宿主因子のように修正の困難なものと，局所的な因子や環境因子のように，努力で修正が可能なものがあり，効率的な介入が求められる．喫煙は，最も修正効果の大きなリスクファクターである．

治療により歯周病が治癒し，健康を回復した後，再発を予防するために，定期的な検診と予防処置でリスクを管理することがメインテナンスである．これに対して，治癒はしていないが，治療によって病状が安定し，その状態を維持するために行う医療行為がSPT（歯周病安定期治療）である．違いはあるが，いずれにおいても医療行為の中心は「リスクの診断と管理」である．

3）歯周病予防の場面

疾病予防は一次予防，二次予防，三次予防の3ステージに分類される．発症前の一次予防と，発症後できるだけ早期に発見して治療につなげる二次予防のステージが予防歯科臨床の主要な対象である．

（1）セルフケア

歯周病のセルフケアとしてブラッシング（口腔清掃）は重要である（☞第2編第4章参照）．さらに禁煙や，よりよい食生活の実践など，歯周病のリスクとなる生活習慣の改善が，一次予防にとって重要である．

（2）プロフェッショナルケア

定期的な歯科受診による，異常やリスクの早期発見や修正が効果的である．PMTCやスケーリングによる直接的プラークコントロールのほか，プラークリテンションファクターの修正，行動科学的アプローチによる保健指導などを行う．禁煙指導は最も重要な事項の1つである（☞第2編第5章参照）．一次予防に加えて，二次予防にとっても重要な場面となる．

（3）コミュニティケア

健康増進法や歯科口腔保健法（☞p.211参照）などの法整備，これらに基づく歯周病定期検診の機会の提供，歯周病に関する健康目標の設定，予防処置や検査に対する医療保険の適用拡大などを含む，種々の公衆衛生活動はこれに相当する．

(伊藤博夫)

第2編　予防歯科臨床

第3章　口臭予防

本章の要点
- 口臭検査には主観的な官能検査と客観的検査（ガスクロマトグラフィ）を併用する．
- 口臭の予防や制御には，舌清掃や歯周治療，塩化亜鉛製剤による洗口が有用である．
- 口臭予防には口腔清掃以外にも口腔乾燥の管理，食事指導が有用である．
- 口臭症治療では心身医学的配慮が必要である場合や医科との連携が必須となる場合がある．

Keywords　官能検査（OLS），ガスクロマトグラフィ検査，揮発性硫黄化合物（VSC），舌苔，塩化亜鉛，不定愁訴への対応，口臭恐怖症，医科との連携

　口臭を主訴に歯科に来院する患者に対しては，医療面接における病状聴取において心身医学的配慮が必要となる．患者自身でその臭気強度を知ることは困難であるため，検査によって臭気強度を可視化する意義は大きい．精神的問題から生じる心理的口臭症も念頭においたうえで，「口臭に気づいたきっかけ（現病歴）」「口臭を感じる時間帯（現症）」「他科の受診歴（受療行動）」「口臭について相談できる家族や友人がいるかどうか（社会歴）」といった聴取項目は，患者の解釈モデルを明らかにし，信頼関係の構築に重要な情報となる．検査・診断の前に十分なラポールの形成を得ることが重要である．

　口臭の予防や制御には，機械的清掃や洗口液の使用が有用である．

1　検査・診断

　臭気の測定法は，臭気の質と強さの測定を目的として行われる官能試験法と，臭気成分の分析を主目的とする機器分析法に大別される．口臭の検査方法は同様に，官能検査と機器による分析とに分けられる．

　1960年代以降，分析機器の発展に伴い臭気成分の分析が可能となり，口臭の原因となる呼気中のさまざまな臭気物質が同定されてきた．その中で，揮発性硫黄化合物（VSC）が，ヒトの嗅覚閾値を上回って検出される場合に，体感される口臭の程度とほぼ一致することから口臭の代表的な原因物質とされ，臨床診断における呼気中の揮発性硫黄化合物濃度測定が定量的な口臭検査として行われている．

　一方，官能検査は検査者の嗅覚で判定する主観的方法で再現性に乏しいとされるものの，悪臭と感じられる実際の口臭は数百種ともいわれる多様な揮発性生体ガス（表3-1）に起因し，口臭の有無についての診断には揮発性硫黄化合物に限定されない同法の有用性が高い．これらの背景から口臭の臭気判定には，官能検査と機器による分析の併用が推奨されるが，最終判定は官能検査に基づく．

表 3-1　主な疾患に関連する臭気成分

疾患	関連する臭気成分
糖尿病	アセトン，その他ケトン体
腎不全	アンモニア，ジメチルアミン，トリメチルアミン
肝疾患	C2-C5 脂肪酸，酪酸，イソ酪酸，イソ吉草酸
肺がん	アセトン，2-ブタン，n-プロパノール，アニリン，トルイジン
上気道・中咽頭がん	C2-C8 有機酸
トリメチルアミン尿症	トリメチルアミン

図 3-1　官能検査

表 3-2　官能検査の判定基準

スコア	判定基準（強さと質）
0：においなし	嗅覚閾値以上のにおいを感知しない
1：非常に軽度	嗅覚閾値以上のにおいを感知するが，悪臭と認識できない
2：軽度	かろうじて悪臭と認識できる
3：中等度	悪臭と容易に判定できる
4：強度	我慢できる強い悪臭
5：非常に強い	我慢できない強烈な悪臭

1）官能検査 organoleptic score（OLS）

　スクリーンを介したチューブに被検者の呼気を吹き込ませ，その臭気を検査者の嗅覚で判定する検査法である（**図 3-1**）．
① 被験者に1分間鼻呼吸させ，チューブ（直径2.0〜2.5×10 cm）をくわえさせる．
② 10秒程度かけてゆっくり呼気を吹き込むよう指示する．
③ 検査者は鼻尖がチューブ端に触れる位置で，はじめの1〜2秒で判定する．
　一般的な臭気の官能試験法は種々あげられるが，口臭検査における官能検査には6段階臭気強度表示法（**表 3-2**）が利用されている．判定基準は臭気の強さと質からスコア0〜5で表し，「においとして感知できるものの悪臭と認識できない」スコア1以下では口臭ありと判定せず，「辛うじて悪臭と判定できる」スコア2以上を口臭ありと診断する．

2）ガスクロマトグラフィ検査 gas chromatography

　口臭検査におけるガスクロマトグラフィ検査では，揮発性硫黄化合物の定性・定量目的に限定した，高精度で再現性も高い炎光光度検出器（FPD）を備えたガスクロマトグラフが用いられている（**図 3-2**）．硫化水素，メチルメルカプタン，ジメチルサルファイドといった主要な揮発性硫黄化合物をそれぞれ分離して同定・定量測定でき，原因の診断や治療への応用に有益である．

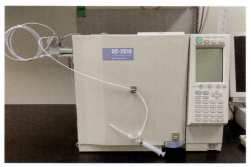

図 3-2　ガスクロマトグラフ

3）半導体ガスセンサー検査

（1）硫化物モニタ
　半導体センサーによって呼気中の硫化物濃度を測定し，口臭の有無を数値で表す．ガスクロマトグラフィ検査と比較し各種揮発性硫黄化合物を分離しないため，定性評価の面で劣るが，平易な操作で扱えるのが利点である．

（2）簡易ガスクロマトグラフィ
　ガスクロマトグラフィの測定原理を応用し，大規模な設備を必要とせず硫化水素，メチルメルカプタン，ジメチルサルファイドの 3 成分を分離し，半導体ガスセンサーで定量化する装置である．

（3）機械学習型検査機器
　特性の違う数種の半導体ガスセンサーを用い，その特性差による検出値の違いをパターン化し，機械学習によってさまざまな臭気物質を同定・定量する機器である．現在は 3 種の主要な揮発性硫黄化合物の測定に特化したものが製品化されている．

4）口臭の測定条件

　口臭の強度は起床直後が最も強く，飲食の直後は低値となるなど日内変動が大きい（☞ p.73 図 6-3 参照）．また，食物や嗜好品の摂取，洗口の影響も大きいため，口臭検査にあたっては，測定条件に患者要件がある．

　検査当日は以下を禁止する．
① 一切の飲食
② 口腔清掃
③ 洗口液・口中清涼剤の使用
④ 喫煙

　また，検査前日より以前から禁止する事項として以下がある．
① 抗菌薬などの服用（3 週間前）
② ニンニク，タマネギなどの揮発成分を含む食品の摂取（48 時間前）
③ 香水，香料の強い整髪料や化粧品の使用（24 時間前）

第2編 予防歯科臨床

2 予防・管理

1）口腔清掃の徹底

　口腔から発生する臭気は口腔細菌の代謝やタンパク質分解によって産生される揮発性ガスである．したがって，その産生能の高い嫌気性細菌を増加させないことが重要である．ブラッシングを主体とした口腔清掃の徹底は，口臭のみならず口腔疾患の予防・治療の基本となる．

2）舌苔の制御

　揮発性硫黄化合物による臭気の認められる口臭で，発生部位として最も優位であるのは舌苔と報告されている．舌苔は剝離上皮細胞や食物残渣などのタンパク質が構成要素であり，これらが温床となって細菌による代謝・分解を経て揮発性硫黄化合物が発生される．この舌苔の制御を目的とした舌清掃が口臭の予防・管理として行われている．舌清掃には舌ブラシ，ガーゼなどを用い，舌の分界溝付近から舌尖方向へ向け，力を入れすぎないようにして擦掃する．過度の擦過により出血が起こると，血球成分がかえって揮発性硫黄化合物産生のタンパク源となるので注意する．舌清掃は患者自身による日常のセルフケアとして，歯科医院では歯磨き同様に指導を行う．

　また，舌苔は食事摂取の状況によって付着量が左右され，軟食や付着性の高い食事に偏りがみられる場合や，経口摂取の頻度が低い場合には舌苔付着量は増加しやすく，予防には食事や生活の指導も重要である．

3）洗口液などによる口臭予防

　セルフケアにおいては，医薬部外品として提供される歯磨剤，洗口液の薬効成分の効果が期待される．口臭の予防効果としては①臭気のマスキング効果，②産生菌に対する抗菌的作用，③臭気物質の拡散抑制があり，単独または各種が配合された製品が市販されている．

（1）塩化亜鉛

　口臭の予防目的で使用される代表的な薬効成分であり，細菌のタンパク分解酵素活性の阻害と含硫アミノ酸との結合による揮発性硫黄化合物発生の抑止，さらには発生した揮発性硫黄化合物と結合し，臭気物質の不揮発化と拡散抑制効果による高い消臭効果がある．

（2）クロルヘキシジン

　欧米では0.2％で用いられているが，日本ではアナフィラキシーショックの副作用例が報告されたため，洗口には0.05％以下の濃度に制限されている．口腔細菌に対する抗菌作用が高いが適正濃度での使用と過敏症既往の確認が必須である．

（3）塩化セチルピリジニウム（CPC）

　抗菌作用とそれによるプラーク抑制効果があり，クロルヘキシジンとの混合ではクロルヘキシジン単独よりも低濃度で同等の口臭抑制効果があると報告されている．

（4）その他

　このほか，抗菌・殺菌作用を有する塩化ベンゼトニウム，トリクロサン，ポビドンヨード

についても口臭抑制効果が期待される．また，乳酸菌などによるプロバイオティクスや漢方（東洋医学）の有効性も報告されている．ペパーミントなどのハーブオイルは香料としてのマスキング効果とともに高い消臭効果を有する．

4）口腔内の保湿と唾液分泌促進

　過労や緊張，ストレスあるいは高齢者に多くみられる多剤服用による唾液分泌の減少や口呼吸による口腔乾燥の影響により水分の不足した口腔では，揮発性ガスは呼気を通じて拡散しやすく，自浄作用も低下するため臭気の強度は増加する．規則正しい日常生活・食生活に努め，十分な水分摂取や口腔内の保湿指導にも留意する．

5）原因となる口腔疾患の治療と不定愁訴への対応

　口腔領域における口臭を発生させる原因疾患の筆頭に歯周病があげられる．口腔清掃指導や歯周治療は病的口臭の解消に効果的である．多数歯に及ぶ齲蝕や易出血性のびらんを呈するような口腔粘膜疾患など，極端に口腔清掃状態が悪化する原因や疾患は改善が必要である．口臭の訴えに付随して口腔乾燥・味覚異常感・咽頭違和感などの不定愁訴を訴える場合も，それぞれの症状に対応した処置を心がける．

6）医科との連携

　耳鼻科領域，内科領域に原因疾患を疑う場合は専門科への紹介を行う．精神科・心療内科領域の疾患を疑う場合も基本的には同様で紹介や受診の勧奨を行うが，患者が受け入れない場合も少なくない．歯科へ受診したということは精神的問題ではなく身体的疾患であるとの解釈のうえでの受療行動であるので，不用意な精神的問題との判断は避けたい．自己評価式の抑うつや神経症の診査票の併用は精神的問題を疑う際に，ある程度の根拠を提示できるので，多く使用されている．

　検査結果や診断結果を受け入れないほどの妄想性を有する口臭恐怖症（☞第1編6章参照）患者では，歯科医師・身体科医師のみでの対応は困難である．精神科医などの専門科医師の併診とともに事前に精神科医との打ち合わせを行っておくのが望ましい．

（山本　健，野村義明）

第2編　予防歯科臨床

第4章 プラークコントロール

本章の要点
- 歯科医師は，個人あるいは地域全体に対して，プラークコントロールを実質的にサポートできる専門家である．
- 多種多様な刷掃具や刷掃方法の特徴を生かした口腔衛生指導を実践できなくてはならない．
- プラークコントロールに対する動機づけが，予防・治療の成否を左右する．
- 歯磨剤や洗口液は法律上，医薬部外品と化粧品に分類される．

Keywords　プラークコントロール，歯間部清掃具，医薬部外品，歯磨剤，洗口液，動機づけ

　プラークはバイオフィルムの一種としてとらえられる．バイオフィルムは，歯面に付着するほか，補綴装置表面，義歯の粘膜面，舌表面，インプラント表面にも付着する．このような場所にプラークが付着するのを防ぎ，また付着したプラークを除去するのがプラークコントロールであり，齲蝕予防や歯周病予防において最も基本となる行為である．一方，歯口清掃ということばがあるが，歯口清掃にはスケーリング（歯石除去）を含んで使われる場合もあり，厳密には一致しない．

1　プラークコントロールの分類

　3方向のベクトルで考えると整理しやすい．すなわち，①誰が（自分自身で行うセルフケア，歯科専門職によるプロフェッショナルケア，地域ぐるみのコミュニティケア），②どうやって（機械的コントロール，化学的コントロール），③どの場所を（歯肉縁上，歯肉縁下，口腔粘膜，義歯など）行うのかである（図4-1）．

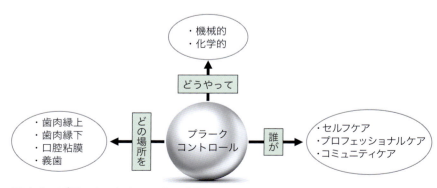

図4-1　プラークコントロールの分類

1） セルフケア，プロフェッショナルケア，コミュニティケア

　歯表面に付着したプラークを認識し，それを効率よく除去するための知識やスキルを身につけることが良好なセルフケアの第一歩である．また，食生活の面から，プラークの定着や成熟を促す食物をコントロールし，望ましい口腔環境を整えるのも広義のプラークコントロールといえよう．最も重要なことは，プラークが歯面に強固に付着する前段階での予防的アプローチである．

　プロフェッショナルケアとしてのプラークコントロールは，セルフケアのみでは不十分な部位に付着したプラークを歯科専門職の技術を駆使して除去することである．近年は，定期的に歯科医院でプロフェッショナルケアを受けて，良好な口腔衛生の維持と歯科疾患予防に努める人が増えている．また，施設や居宅での介護サービスのメニューとなっている．歯面に付着したプラークの除去に加えて，舌背表面，頬粘膜，咽頭粘膜の清掃，あるいは義歯の清掃も含む．さらに近年，良好な口腔衛生状態の維持が外科手術後のトラブル（術後肺炎による発熱，口内炎による食欲不振など）を軽減することが認識されてきた．そこで，急性期病院を中心に，術前・術後の患者に対する歯科専門職によるプロフェッショナルケアの必要性が高まっている．

　地域の健康祭りのようなイベントや日常の啓発活動を通じて，地域ぐるみで住民のセルフケア能力を高める機会を設けることがコミュニティケアの1つである．このような活動は地味で効果の程度も確認しにくいが，ポピュレーションアプローチの観点からすると，これらのコミュニティケアを継続的に推し進めることが地域全体の口腔保健の底上げにつながる．

2） 機械的プラークコントロールと化学的プラークコントロール

　機械的プラークコントロールは，歯ブラシや補助清掃具（歯間ブラシ，デンタルフロスなど）を用いて歯の表面などを物理的に清掃することである．高齢者や障害者（児），あるいは要介護者にとって自分自身で行うのは困難な行為であり，専門家や介護者の補助を必要とする．歯科医師や歯科衛生士が清掃用器具を用いて口腔内を清掃する行為（PTC，PMTC）も機械的プラークコントロールである．

　化学的プラークコントロールは，機械的プラークコントロールに比べると，除去能力や効率性の面で劣る．しかし，機械的プラークコントロールのみで歯表面のプラーク付着を完全に阻止することは事実上不可能である．これに対して，歯磨剤や洗口液は歯ブラシの届かない部位にも容易に到達する．したがって，化学的プラークコントロールは，歯磨剤や洗口液を使ってプラークの付着や成熟を抑制する方法として機械的プラークコントロールを補助する手段として考えるのが適当である．一方，高齢や障害などの理由で機械的清掃具を自分で操作できない場合，また凹凸が著しい舌表面のように，機械的プラークコントロールのみでは十分な効果を期待できない部位では，化学的プラークコントロールの役割は大きい．

3） 歯肉縁上プラークコントロールと歯肉縁下プラークコントロール

　咬頭頂周囲や平滑面の最大膨隆部は，自浄域とよばれ，口腔が正常に機能する限りにおい

ては，プラークの付着は起こりにくい．咀嚼や会話の間，舌や頬は絶えず運動しながら歯表面に接し，唾液の流れとの相乗作用で，これらの部位は自然と清掃される．一方，それ以外の場所，すなわち不潔域ではプラークが付着しやすい．小窩裂溝，隣接面，歯頸部などが相当する．自浄作用が及びにくく，清掃器具も届きにくい部位である．また，萌出途上の歯，孤立歯，対合歯のない歯，傾斜の著しい歯，ブリッジのポンティック基底部にもプラークは付着しやすい．このような部位は，後述する各種補助清掃具や洗口液の併用によりある程度の効果が期待できる．

　歯頸部付近に付着したプラークは，歯肉の縁上から歯肉の縁下へと連続している．歯肉縁下では歯周ポケット内に浮遊している細菌や歯根表面に付着している細菌が生息しており，歯肉縁上の細菌とは性状や病原性が異なっている．歯ブラシの毛先がポケット内に到達できる距離は 1 〜 2 mm 程度のため，それよりも深い部位の機械的清掃は難しい．また，ポケット底から歯肉辺縁に向かって歯肉溝滲出液が漏出しており，洗口液などの液体はポケット内に入りにくい．したがって，不潔域や歯肉縁下はセルフケアの及びにくい部位であり，プロフェッショナルケアが必要となる．

2 ブラッシング

　ブラッシングの目的は，①プラークを除去する，②食物残渣や色素を除去する，③歯肉へ機械的刺激を付与する（歯肉マッサージ）ことで歯周組織の新陳代謝や酸素飽和度を高める，④歯磨剤の薬効成分を歯・口腔全体にいきわたらせるなどがあげられる．手用歯ブラシを用いるのが一般的であるが，近年はさまざまな補助清掃具や電動歯ブラシが市販されている．

1）歯ブラシ

（1）手用歯ブラシ

a. 持ち方

　歯ブラシを 5 指と手掌で把持するパームグリップと，ペンを持つように 3 指（拇指，示指，中指）で把持するペングリップがある．パームグリップは比較的強い力をかけて磨くことが可能であり，毛の脇腹を使うブラッシング方法に適している．一方，小刻みに横に振動させるような細かい動作は難しい．ペングリップは細部まで毛を到達させやすく，毛先を使うブラッシング方法に適している（図 4-2）．

b. 毛の硬さと種類，植毛方法，毛先の形

　歯ブラシの部位は先端から頭部（ヘッド），頸部（ネック），把持部（ハンドル）に分かれる．それぞれの形状と大きさはさまざまである．頭部に植毛されている毛の硬さ（やわらかめ，ふつう，かため），種類（ナイロン毛，天然毛），毛束密度（密盲，疎毛），刷毛部の形態（直線型，山切型など），毛先の形状（ラウンド，テーパード，球状）も多種多様である（図 4-3, 4）．

　関連各社が製品の特徴について工夫を凝らして広告しており，消費者が容易に理解しやす

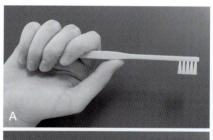

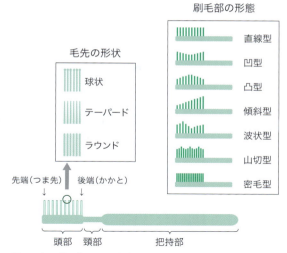

図4-2 歯ブラシの持ち方
A：パームグリップ．B：ペングリップ．

図4-3 歯ブラシの各部の名称と刷毛部・毛先の形

い時代となった．しかしその反面，種類が多すぎて歯ブラシの選択に迷うことも多い．個人の口腔内の状態に即したブラッシング方法に適した歯ブラシが理想であるが，具体的な選択基準は明確に設定されておらず，専門家内でも意見が一致しない．一般的に，多くのブラッシング方法に適用できる歯ブラシは2～3列の植毛で，刷毛部の形態は直線型，毛の種類はナイロン毛，毛先の形状はラウンドのものである．

そのほか，ある特定の場所のプラークや食物残渣を除去するためのワンタフトブラシがある．適応される場所は，最後臼歯の遠心面，ブリッジや矯正装置装着部，インプラント周囲である（図4-4 B）．

c．歯ブラシの管理

使用後は流水でよく洗い，その後，水を切ってコップに立てるなどして頭部を上に向け十分に乾燥させて，風通しのよい場所で保管する．湿ったまま保管すると雑菌が繁殖しやすい．歯ブラシ交換の時期の目安は，一般的に1か月といわれている．しかし，ブラッシング圧や方法，1日の使用頻度で大きく異なる．

（2）電動歯ブラシ

電気のエネルギーをさまざまな形に変えて，プラークを除去する器具の総称である（図4-5）．プラーク除去効果は手用歯ブラシと同等，あるいはそれ以上と認識されている．また，腕に障害のある場合や神経性疾患により手先の細かい動作ができない場合には有効な器具といえる．一方，手用歯ブラシと比較して重いので携帯には不向きであり，高価な製品が多い．誤った使用により歯肉の損傷や知覚過敏症を誘発する可能性が指摘されているものの実証には至っていない．

a．電動歯ブラシ（狭義）

ブラシのヘッド（頭部）が往復運動や回転運動，あるいはその複合した動きをすることで機械的にプラークを除去する．手用歯ブラシよりも，プラークの付着や歯肉の炎症を軽減す

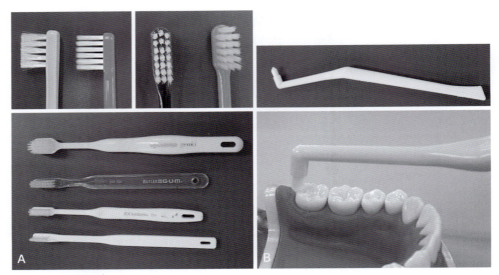

図4-4 各種歯ブラシ
A：さまざまな歯ブラシの例．B：ワンタフトブラシとその使い方．

るのに効果的であるというシステマティックレビューも報告されている．

b．音波歯ブラシ，超音波歯ブラシ

　音波とは，人の耳で聞き取れる範囲にある振動波（20〜20,000 Hz，1 Hz＝1秒間に1回の振動）である．音波歯ブラシの刷毛部が高速で微振動（約30,000回／分）する．適度の圧を加えながら，毛の先端を歯の表面に沿って移動させ，毛先の微振動でプラークを除去する．ブラシの毛先が直接届いていない場所（毛先の周囲）にも音波振動が波及し，歯とプラークの結合を弱める効果があるので，歯周ポケット内のプラークや小窩・裂溝の色素の除去が期待できる．超音波歯ブラシは，音波よりも高い周波数，すなわち人間には聞こえない振動数（20,000 Hz以上）の超音波がブラシの先端から発生し，歯とプラークの結合を弱めると同時に，グルカンの分解を促す．

（3）舌ブラシ，スポンジブラシ，義歯専用ブラシ

　舌ブラシ（図4-6 A）は，舌背部の舌苔や食物残渣を取り除くための清掃具であり，口臭の予防や誤嚥性肺炎の予防に有用な清掃具である．スポンジブラシ（図4-6 B）は舌表面に加えて，頬粘膜，口蓋粘膜，咽頭粘膜の清掃に用いることができる．

　義歯床の粘膜面やクラスプ，バーのような金属部分にもデンチャープラークが付着しやすい．通常の歯ブラシで清掃することも可能であるが，デンチャープラークは歯表面のプラークよりも強固に付着する．そのために義歯専用ブラシの毛は，通常の歯ブラシの毛よりも硬く設計されている（図4-6 C）．

　これらの刷掃具は，高齢者や要介護者の増加した昨今において，セルフケア，プロフェショナルケア，いずれの場面においても高頻度で使用されるようになった．

2）ブラッシング方法

　約半世紀以上も前から多くのブラッシング方法が開発・紹介されてきた．歯ブラシの動き

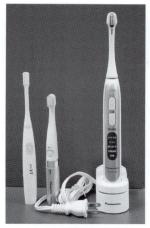

図 4-5　各種電動歯ブラシ

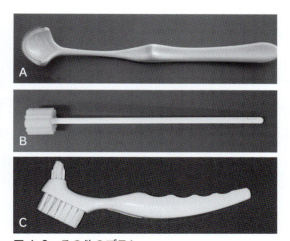

図 4-6　その他のブラシ
A：舌ブラシ．B：スポンジブラシ．C：義歯専用ブラシ．

方によって名づけられた方法（スクラビング法，ローリング法，つまようじ法）および開発者の名前にちなんだ方法（バス法，スティルマン改良法，チャーターズ法，フォーンズ法）である．

　これらの方法は，毛先を主に使う方法と毛の脇腹を主に使う方法とに大別される．毛先を主に使う方法はスクラビング法，フォーンズ法，バス法で，プラーク除去を重視した方法である．つまようじ法は毛先を使って歯間部のプラークを除去すると同時に，毛先と毛の脇腹で歯間部歯肉をマッサージする方法である．毛の脇腹を主に使う方法はローリング法，スティルマン改良法，チャーターズ法で，歯肉マッサージを重視した方法である（**表 4-1**）．**図 4-7** に，それぞれの方法について歯ブラシの動かし方とそれぞれの効果をまとめている．1つのブラッシング方法のみで口腔内全体を清掃することは実際にはほとんどない．日常のブラッシングでは，いくつかの方法を混在させて清掃するのが一般的である．また，他の補助清掃具との併用や，専門家による清掃との組み合わせによって，より理想に近いプラークコントロールが達成できる．

3　歯間清掃

　歯間部は，プラークが停滞しやすく歯ブラシの毛が到達しにくい．そのため，以下に示す歯間部用の補助清掃具がある．歯周病予防には歯間部清掃具の使用が効果的であると確認されているが，個人の技術に頼る部分が多く，技術指導が難しい．

1）デンタルフロス

　歯間乳頭の発達した小児，若年層には適した隣接面用の清掃具である．材質はナイロン糸が多く，表面にワックスがコーティングされているタイプと，されていないタイプがある（**図 4-8 A**）．最近ではフッ化物が配合されているものもある．ワックスタイプのほうが隣接面の接触部を通過しやすいことから操作性に優れる．ノンワックスタイプは歯面の細かな

表 4-1　ブラッシング方法とその効果

ブラッシング方法		歯ブラシの当て方，動かし方	プラーク除去効果	歯肉マッサージ効果
主に毛先を使う	スクラビング法	・毛先を歯面に直角に当てる ・小さなストロークで水平（近遠心的）に動かす	++	±
	フォーンズ法（描円法）	・毛先を歯面に直角に当てる ・頬側では円を描くように，舌側では前後に動かす	+	+
	バス法	・毛先を歯軸に45°の角度で当てる（毛先を歯肉溝に1 mm程度入れるようなつもりで） ・近遠心的に数mmの範囲で微振動させる	++	++
	つまようじ法	・毛先を歯間部にまっすぐ挿入し，歯間部を通過したら，元の位置まで戻す ・このストロークを1部位につき数回繰り返す	++	++
主に毛の脇腹を使う	ローリング法	・毛先を根尖に向け，その後，切端側に回転させる	+	++
	スティルマン改良法	・毛先を根尖に向け歯肉を圧迫振動させる ・圧迫振動後，切端側に回転させる	+	++
	チャーターズ法	・毛先を切端側に45°の角度で当てる ・毛先が歯間部に入る場所で歯肉を圧迫振動させる	+	++

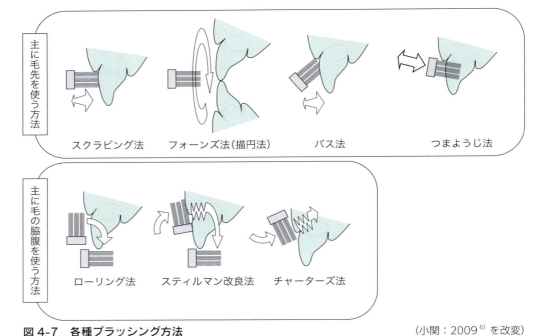

図 4-7　各種ブラッシング方法

（小関：2009[6]）を改変）

凹凸を敏感に反映するので清掃能力はワックスタイプより優れており，隣接面齲蝕による実質欠損や縁下歯石を触知しやすい．

　最も一般的な使い方は，指に巻きつける方法である．40 cm程度の長さのデンタルフロスを両手の中指に巻きつけ，拇指や示指で固定する（図 4-8 B, C）．30 cm程度のデンタルフロスを輪状にして把持する方法もある．どちらの場合も，両手の指の間隔は1〜2 cm程度が操作しやすい．一方，ホルダーつきのデンタルフロスも多数市販されている（図 4-8 D, E）．小児や開口量の小さい人の臼歯部など口腔内に指を入れて操作するのが難しい場合に推奨さ

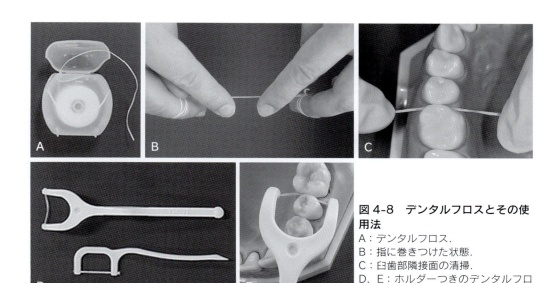

図 4-8　デンタルフロスとその使用法
A：デンタルフロス.
B：指に巻きつけた状態.
C：臼歯部隣接面の清掃.
D，E：ホルダーつきのデンタルフロスと使用例.

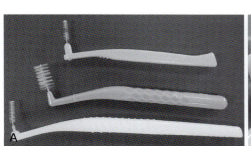 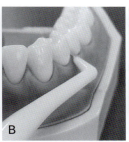 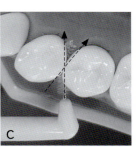

図 4-9　歯間ブラシ
A：さまざまな大きさの歯間ブラシ．B：先端をやや歯冠側に向けて挿入する．C：咬合面からみたストローク．

れているが，特に問題のない一般の人にも広く用いられるようになってきた．ただし，修復物の多い口腔内には不向きである．

2）歯間ブラシ

　歯間空隙が大きくなった歯間部の清掃に適しており，歯肉のマッサージ効果もある．歯間部のみならず，最後臼歯遠心面，ポンティック基底部，孤立歯の隣接面，根分岐部，フルバンドの矯正装置のブラケット周囲など用途範囲は広い．
　さまざまな空隙の大きさに対応できるサイズがあり（**図 4-9 A**），ワイヤーの周りにブラシが放射線状に出ているもの，歯肉を傷つけないようにゴムで加工したものなどがある．使用の際は，歯間ブラシの先端を歯冠側に向かって斜めに傾けたほうが挿入しやすい．また，可及的に隣接面を広く清掃するように動かす（**図 4-6 B, C**）．デンタルフロスに比べると個人の技術の影響は少ないといわれている．

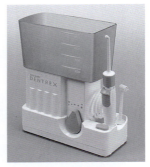

図4-10　歯間刺激子　　　　　　図4-11　口腔洗浄器

3）歯間刺激子

　木製（図4-10），プラスチック製のウェッジ，ゴム製の円錐型チップなどがある．刺激子 stimulator の名のとおり，プラークコントロールよりも，むしろ歯肉マッサージを目的として使うことが多い．

4）口腔洗浄器

　勢いよく噴射された水流で口腔を清掃する．プラークを十分に除去することはできないが，食物残渣は除去できる（図4-11）．

4　プラークコントロールに対する動機づけ

　多種多様な歯ブラシとブラッシング方法がある．また，補助刷掃具や洗口液・歯磨剤も多数開発されている．とはいえ，最終的にプラークコントロールの成否を決定するのは，「どのような歯ブラシやブラッシング方法を選ぶか」よりも「個人の口腔衛生に対する姿勢・関心」である．

　ブラッシングが歯科疾患の予防の基本であることは，いまや誰もが知っている．しかし，知っているだけで望ましい行動（ここでいう正しいプラークコントロールの行為）につながるかといえば疑問である．まずは望ましい保健行動を実現させるための動機づけ，きっかけが必要である．

　動機づけの方法として，「これをすればすべての患者に対して成功」するというような方法は存在しない．以下に，従来からよく使われているいくつかの方法を示す．
① プラークを染色し，手鏡やマイクロカメラに直結したディスプレイで付着部位を確認してもらう．
② 患者自身のプラークを採取し，位相差顕微鏡で細菌を観察してもらう．
③ 歯科医師が患者の口腔を約5～7分程度かけてブラッシングし，磨いた後の爽快感を体験してもらう．

　また最近は，患者教育用に多数の視覚素材がDVDや製品として販売されているので，患者の理解度，生活背景，口腔内の状態に応じて使い分けることも可能である．

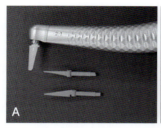  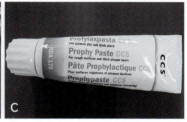

図 4-12　PTC，PMTC で用いる器具，材料
A：往復運動式エバチップ（PMTC 用）．B：歯面研磨用ラバーカップ，ポリッシングブラシ．C：フッ化物配合ペースト（研磨剤）．

　動機づけにおける最低条件は，「主治医は自分の口腔内の健康に強い関心をもって接している」と，患者に自然と伝わることである．言語的，あるいは非言語的コミュニケーション技法の習得も重要である．そして，患者が口腔衛生への疑問を投げかけ，知識を収集する態度を示すようになれば，動機づけの到達点が近づいたと判断してもよい．

　8020 運動が広く知られるようになり，歯を可能な限り保存する気運が浸透してきた．子どもの口腔の健康に対する保護者の関心も高い．また，巷にあふれる多くの健康情報が，口腔衛生の向上を後押ししている．このような時代を背景に，プラークコントロールということばは国民に定着している．また，それに伴い，さまざまな歯の衛生用品が次々に市販されている．歯科医師はプラークコントロールにまつわる情報を正確に国民に伝え，歯科専門職として責任をもって患者や地域住民のプラークコントロールの向上に努める義務がある．

5　PTC，PMTC

　PTC と PMTC は，厳密には意味が異なる．PTC は歯科専門職がプラーク除去，スケーリング，ルートプレーニング，歯面研磨などを行って口腔を清掃することである．PMTC は Axelsson によって提唱されたもので，専用の器具（エバチップ）を用いて，セルフケアの及びにくい歯面を中心に，歯科専門職がフッ化物を応用しながら機械的にプラークを除去する手法である．図 4-12 A に示すようなエバチップが前後に往復運動し，歯冠と歯肉縁下 3 mm 程度までが清掃可能域であるといわれている．意味合いは若干異なるが，いずれも歯科医師，歯科衛生士の専門性を生かしたプロフェッショナルケアであり，齲蝕や歯周病の発症予防，重症化予防に効果的である（図 4-12）．

6　歯磨剤・洗口液

1）歯磨剤

　医薬品，医療機器等の品質，有効性及び安全性の確保等に関する法律（薬機法）によると，歯磨剤はその成分によって医薬部外品，化粧品のどちらかに分類される．市販されている歯磨剤の 90％以上は医薬部外品である．

第2編　予防歯科臨床

表 4-2　歯磨剤の基本成分（化粧品，医薬部外品に共通）

種　類	成　分	作　用
研磨剤*	炭酸カルシウム†，リン酸カルシウム†，ピロリン酸カルシウム，無水ケイ酸，不溶性メタリン酸ナトリウム	歯の表面を傷つけずにプラークや外因性色素沈着物，食物残渣を取り除く
湿潤剤	ソルビトール，グリセロール，プロピレングリコール	歯磨剤の湿り気，しっとり感を適度に保つ
発泡剤	ラウリル硫酸ナトリウム，ラウリルスルホン酸ナトリウム，ショ糖脂肪酸エステル	発泡することで歯磨剤を口腔内に拡散させ，界面活性作用で汚れを除去する
粘結剤*	カルボキシメチルセルロースナトリウム，カラギーナン，アルギン酸ナトリウム	液体成分と固体成分が分離するのを防ぎ，適度な粘性を与える
香味剤	スペアミント油，サッカリンナトリウム，メントール	使用時の爽快感や香りを与える
保存剤	パラベン類，パラオキシ安息香酸エステル	歯磨剤の変質を防ぐ

*液体の歯磨剤や泡状の歯磨剤には含まれていない
†フッ化ナトリウム，フッ化第一スズ配合歯磨剤では使用不可（フッ化物と反応するため）

（1）法律上の分類

　基本成分（**表 4-2**）のみでつくられているのが化粧品の歯磨剤である．プラークの除去，齲蝕の予防，歯石沈着の防止はある程度期待できる．

　医薬部外品の歯磨剤には基本成分に加えて薬用成分が含まれる（**表 4-3**）．薬用成分は治療を目的としてではなく，予防効果を目的として配合されている．したがって，パッケージに記載される具体的な効能について，それぞれの歯磨剤に応じた記載内容とするよう規定されている（**表 4-4**）．

（2）剤型による分類

　練り状（ペースト状）のものが多く市販されているが，そのほか，ジェル状，泡状（フォーム），液体（マウスウォッシュ，水歯磨き），粉状の歯磨剤がある．

　ペースト状の歯磨剤は基本成分をすべて含んでいる．ジェル状の歯磨剤は研磨剤や発泡剤が少なめで，粉状の歯磨剤は研磨剤の割合が高い．液体の歯磨剤や泡状の歯磨剤には研磨剤や粘結剤が含まれていないか，わずかに含まれている程度である．薬用成分としてフッ化物を配合した歯磨剤で歯磨きをした後は少量の水（10 〜 15 mL 程度）で 1 〜 2 回すすぎ，その後 1 〜 2 時間は飲食を控えると効能が期待できる．

　泡状やジェル状，液体の歯磨剤は，ペースト状の歯磨剤に比べ短時間で口全体に均一に成分をいきわたらせることができる．液体の歯磨剤には，口に含んだままブラッシングするものや，歯磨剤を吐き出した後にブラッシングするものがある．

2）洗口液（洗口剤）

　洗口液は薬機法で化粧品と医薬部外品に分類される．薬用成分は歯磨剤と同様（**表 4-3**）であるが，歯磨剤と異なり基本成分に研磨剤，発泡剤，粘結剤を含まず，液状である．性状は液体の歯磨剤と似ているが使用法は異なる．歯磨剤は歯ブラシとともに用いるが，洗口液は歯ブラシを使わずに含嗽するだけで，吐き出した後は水で洗口しない．歯磨きができない

表4-3　歯磨剤，洗口液の薬用成分（化粧品には含まれない）

薬用効果	成　分	薬理作用
齲蝕予防	フッ化ナトリウム モノフルオロリン酸ナトリウム フッ化第一スズ	プラーク中での酸産生制抑制 歯質の耐酸性向上 歯質の再石灰化促進
齲蝕・ 歯周病予防	デキストラナーゼ	プラークの分解，形成抑制
齲蝕・ 歯周病予防	クロルヘキシジン 塩化セチルピリジニウム イソプロピルメチルフェノール 塩化ベンゼトニウム	殺菌
歯周病予防	トラネキサム酸	抗炎症，抗プラスミン，止血
歯周病予防	イプシロンアミノカプロン酸	抗炎症，抗プラスミン，止血
歯周病予防	グリチルリチン酸およびその塩類	抗炎症，抗アレルギー
歯周病予防	塩化ナトリウム ヒノキチオール	収斂（歯肉の引き締め）
歯周病予防	リゾチーム	抗炎症，組織修復の促進
歯周病予防	酢酸DL-α-トコフェロール	末梢血管循環促進
歯周病予防	ポリリン酸塩 ピロリン酸塩	歯石沈着予防
知覚過敏予防	乳酸アルミニウム 硝酸カリウム 塩化ストロンチウム	象牙細管の封鎖 神経線維の興奮抑制
タバコの やに除去	ポリエチレングリコール	非イオン型界面活性作用

表4-4　効能の記載内容

医薬部外品
歯周炎（歯槽膿漏）の予防 歯肉（齦）炎の予防 歯石の沈着を防ぐ むし歯の発生及び進行の予防 　（または　むし歯を防ぐ） 口臭の防止 タバコのやに除去 歯がしみるのを防ぐ 歯を白くする 口中を浄化する 口中を爽快にする

化粧品
歯を白くする 口中を浄化する むし歯を防ぐ 口臭を防ぐ 歯のやにを取る 歯垢を除去する 歯石の沈着を防ぐ

（厚生労働省医薬食品局長：2015[7]）

（外出先や時間的余裕がない，つわりなどで歯ブラシを口に入れられない）ときの代用や，手に障害がある場合，一時的に爽快感が欲しい場合などにも使われる．

　マウスウォッシュ，デンタルリンスなどといった別称もあるが，これらは洗口液のみを含んでいる場合もあれば，洗口液と液体の歯磨剤の両方を含めてよぶ場合もある．洗口液と液体の歯磨剤の使用法は異なるので，注意書きの確認が必要である．

　一方，含嗽剤とよばれる製品は，いわゆる「うがい薬」で，薬機法では医薬品に含まれる．口腔や咽頭部の消炎，殺菌，止血，鎮痛などの目的で用いられるので，プラークコントロールを補助するものではない．

3）義歯洗浄剤

　義歯の清掃は，まず流水下で義歯用ブラシを用いることを基本とする．しかし，強固に付着したプラークや色素，あるいは義歯固有のにおいなどの対策には義歯洗浄剤が効果的である．主成分として次亜塩素酸，過酸化物，カンジダ溶菌酵素，タンパク分解酵素，消臭剤などが配合されている．しかし，義歯洗浄剤が口腔内に持ち込まれることは想定されておらず，薬機法による規定もないことから，洗浄後には洗浄剤を十分に洗い流す必要がある．

（森田　学）

第2編　予防歯科臨床

第5章　禁煙支援・指導

本章の要点
- 歯科での禁煙介入には多くの利点があり，効果的な介入を多くの患者に提供できる．
- WHOは5A5Rの簡易的禁煙支援を歯科診療の中に統合することを推奨している．
- 5A5Rでは，禁煙準備のない者には動機づけ支援を，準備のある者にはニコチン依存に配慮した禁煙の実行支援と再喫煙防止のための禁煙継続の支援を行う．
- 非喫煙者には受動喫煙を避けるための支援を行う．
- 加熱式タバコへの対応は紙巻タバコへの対応と変わらないことに留意する．

Keywords　簡易的禁煙支援，コモンリスクファクター・アプローチ，非感染性疾患の予防

1　タバコ使用への介入の背景

1）喫煙・受動喫煙の健康影響

　タバコの煙には約5,300種類の化学物質が含まれ，少なくとも250種類は有害で，約70種類には発がん性がある．これらの化学物質はすみやかに肺に到達し，血液を通じて全身に運ばれる．発がん性物質はDNAの損傷などを通じてがんの原因となる．タバコ煙への曝露は，動脈硬化や血栓形成傾向の促進を通じて循環器疾患につながり，肺の組織に炎症などを引き起こして呼吸機能の永続的な低下の原因となる．

　口腔はタバコの煙に最初に晒される器官であり，口腔細菌の病原性の強化や免疫応答・創傷治癒の障害を通じて，歯や口腔にもさまざまな健康影響を及ぼす（**表5-1**，**図5-1**）．

2）禁煙介入を行う理由

　喫煙対策と受動喫煙防止対策は公衆衛生上の重要政策である．日本人の喫煙率は男性25.6％，女性6.9％，計15.7％（2023年国民健康・栄養調査），喫煙者における「紙巻タバコ」の使用割合は男性69.7％，女性63.2％で，「加熱式タバコ」は男性38.5％，女性42.3％である．タバコをやめたいと思う者の割合は男性19.7％，女性23.9％，計20.7％である．

　日本が批准している「たばこの規制に関する世界保健機関枠組条約」には，保健医療機関が取り組むべきタバコ対策が示されている．また，2021年の世界保健総会における口腔保健声明やFDI世界歯科医師連盟の禁煙推進声明では，歯科疾患とNCDの共通リスクファクター（喫煙，砂糖摂取，過度のアルコール摂取など）に対して，コモンリスクファクター・アプローチを行うことで国民の健康負荷が軽減されるとされている．2020年から日本のタバコ箱の注意文言に歯周病が採用されている．

3）歯科で禁煙介入を行う理由

　歯科における禁煙介入には多くの利点があり，効果的で効率的な介入を多くの喫煙患者に

表 5-1 喫煙・受動喫煙の健康影響（喫煙の健康影響に関する検討会報告書）

1. 全身への影響（レベル1*のみ）
    1）能動喫煙による喫煙者本人への影響
        がん：肺がん，頭頸部がん，喉頭がん，鼻腔・副鼻腔がん，食道がん，胃がん，肝臓がん，膵臓がん，尿路がん，子宮頸がん
        循環器：虚血性心疾患，脳卒中，アテローム性動脈硬化など
        呼吸器：慢性閉塞性肺疾患（COPD），結核
        糖尿病：2型糖尿病
    2）妊婦の喫煙による影響
        出産：早産，低出生体重・胎児発育遅延
        乳幼児：乳幼児突然死症候群
    3）未成年者の喫煙による影響
        喫煙開始年齢が早いため，全死因死亡・がん死亡・循環器疾患死亡・がん罹患のリスクが増加
    4）受動喫煙による影響
        成人：肺がん，虚血性心疾患，脳卒中，臭気・鼻への刺激感
        小児：喘息，乳幼児突然死症候群
2. 歯・口腔への影響
    1）能動喫煙による喫煙者本人への影響
        口腔・咽頭がん，歯周病（レベル1），齲蝕，口腔インプラント失敗，歯の喪失（レベル2）
        歯肉メラノーシスは歯周病の症状として含まれる
    2）受動喫煙（妊婦喫煙を含む）による影響
        子どもの齲蝕（レベル2）

*喫煙と疾患の因果関係の判定：研究結果の一致性，量反応関係，禁煙後のリスク減少の有無などの要素から判定
レベル1：科学的根拠は因果関係を推定するのに十分である
レベル2：因果関係を示唆しているが十分ではない

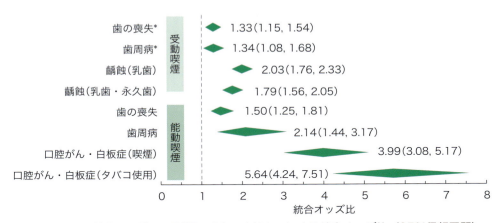

図 5-1 タバコ使用の口腔への影響のメタアナリシスによる統合オッズ比（95%信頼区間）
（*は Akinkugbe AA et al.：2016[4]，他は WHO モノグラフ[5]）

提供することができる（**表 5-2**）．また，喫煙と関連した歯や歯肉の着色などの口腔内症状を喫煙者に示すことは禁煙の動機づけに効果的である．

禁煙によりリスクが低下することが明らかな歯科疾患は，口腔がん，白板症，歯周病，歯の喪失，歯肉メラノーシスで，歯周治療効果の増大（非喫煙者に期待される効果にまで近づく），歯周ポケットの dysbiosis の改善，歯の着色や口臭の減少，味覚の回復なども期待できる．

第2編 | 予防歯科臨床

表 5-2 歯科で禁煙介入・支援を行う利点

- 歯科を受診するさまざまな年齢層の喫煙患者に，繰り返し禁煙支援の働きかけができる．
- 子どもなどの若い患者への受動喫煙を避ける支援を通して，家族に対する禁煙支援も行える．
- 禁煙支援やフォローアップを歯科受診機会と合わせて行うことができ，効率的である．
- 歯科医師と歯科衛生士によるチームアプローチで，禁煙介入の時間が増加し，効果が高まる．
- 口腔への喫煙の影響を自己認識できるので，禁煙の重要性に対する意識が高まる．
- 味覚や口臭などの日常生活の話題と喫煙を関連づけて考えられるので，禁煙に対する意識が高まる．
- 歯科では予防的診療行為が日常的に行われているので，禁煙支援に対する受容性が高い．

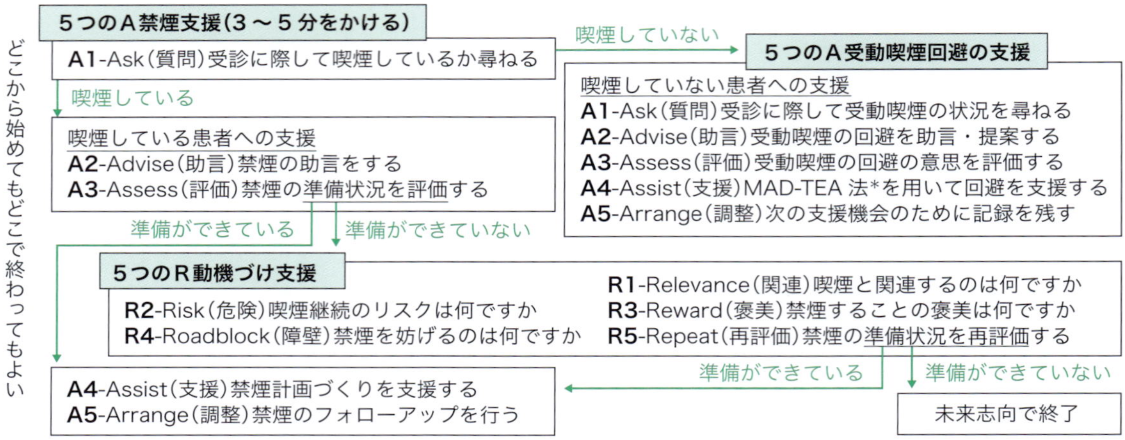

5つのA禁煙支援（3〜5分をかける）

A1-Ask（質問）受診に際して喫煙しているか尋ねる

　　　　　　　　　　　　　　　　　　　　　　喫煙していない

5つのA受動喫煙回避の支援

喫煙している

喫煙している患者への支援
A2-Advise（助言）禁煙の助言をする
A3-Assess（評価）禁煙の準備状況を評価する

喫煙していない患者への支援
A1-Ask（質問）受診に際して受動喫煙の状況を尋ねる
A2-Advise（助言）受動喫煙の回避を助言・提案する
A3-Assess（評価）受動喫煙の回避の意思を評価する
A4-Assist（支援）MAD-TEA法*を用いて回避を支援する
A5-Arrange（調整）次の支援機会のために記録を残す

準備ができている　　準備ができていない

5つのR動機づけ支援

R2-Risk（危険）喫煙継続のリスクは何ですか
R4-Roadblock（障壁）禁煙を妨げるのは何ですか

R1-Relevance（関連）喫煙と関連するのは何ですか
R3-Reward（褒美）禁煙することの褒美は何ですか
R5-Repeat（再評価）禁煙の準備状況を再評価する

準備ができている　　準備ができていない

A4-Assist（支援）禁煙計画づくりを支援する
A5-Arrange（調整）禁煙のフォローアップを行う

未来志向で終了

どこから始めてもどこで終わってもよい

図 5-2　WHO の簡易禁煙支援のフローチャート
* MAD-TEA 法については表 5-10 参照．　　　　　　　　　　　　　　　　（WHO モノグラフ[5]を改変）

2 禁煙支援・指導の実際

1）WHO の簡易的禁煙支援

　WHO は簡易な禁煙支援を歯科診療で行うことを推奨している（**図 5-2**）．歯科診療の中で質問・助言・評価・支援・調整（5つの A）をもとに 3〜5 分の簡易介入を実施する．患者に喫煙状況を質問し，非喫煙者に対しては受動喫煙を避ける支援を行い，喫煙者には禁煙の助言に進む．評価で禁煙の準備ができていない者には，関連・危険・褒美・障壁・再評価（5つの R）を元に禁煙の動機づけ支援を行う．再評価の段階で，禁煙準備ができない場合には前向きに終了し，次の機会に備える．禁煙の準備ができている者には禁煙実行の支援とフォローアップを行う．5つの A のどこから開始してもよく，どこで終了してもよいが，5つの A のどの位置にいるのかの認識が重要である．

2）喫煙状況の質問（Ask）と禁煙の助言（Advice）

　喫煙状況の質問は禁煙支援の第一歩である．再診時には簡便に行う．喫煙者には，明確に「○○さんにとって禁煙は重要です．私たちが禁煙のお手伝いをします」・強く「○○さんのお口の健康を考えると禁煙の優先順位が高いことを知ってほしいと思います」・個別の内容（健康状況や社会的な要因）の助言を行う．個別の内容の例として，女性では妊孕性（妊娠する力）の低下，経済に関心がある人にはタバコの費用，歯周病患者には歯の喪失などがあ

186

表 5-3　禁煙の準備状況を評価する質問と判定

質　問	は　い	わからない	いいえ
禁煙の重要性：禁煙することは重要か	準備できている	準備できていない	準備できていない
禁煙への自信：禁煙に成功する自信はあるか	準備できている	準備できている	準備できていない

(WHO モノグラフ[5])

表 5-4　動機づけ面接の原理と代表的対応

原　理	代表的対応
1. 共感の表現	1. 行動変容の問題を患者自身が解決するように支援する
2. 現在の行動と目標との間のギャップの明確化	2. 情の交錯（変わりたい・変わりたくない）の両価性を明確にする
3. 抵抗への対応（抵抗を情報として扱う）	3. 医療者は，患者の行動変容の問題解決を支援する
4. 自己効力感の支援	4. 患者は，内的変化の動機づけ強化の支援を受ける

る．喫煙の健康影響は多様なので，すべてを網羅して説明する必要はない．個別の内容がつかめない場合は，患者に「禁煙することはどのように○○さんに個人的に最も関係していますか」と質問し，患者から内容を引き出す．これは，医療面接の解釈モデルを尋ねることに相当する．

3）禁煙の準備状況の評価（Assess）

　禁煙の準備状況の判定には2つの方法がある．動機づけ支援につながる重要性と自信の2つの質問を用いて判定するのがよい（**表 5-3**）が，「30日以内に禁煙しようと考えていますか？」を用いてもよい．重要性が「わからない」場合は準備ができていないと判定する．

4）禁煙の準備ができていない患者への動機づけ支援

　禁煙の重要意識が弱い，または，自信がない人には，動機づけ支援として5つのR（**図 5-2**）を順に行うが，関連と再評価は必須である．歯科では受診内容が喫煙と関連していることが多い．行動変容の準備状況を再評価する．禁煙の重要性が低い人には危険と褒美に，禁煙の自信が低い人には障壁に重点を置く．方向性があり患者中心のカウンセリングスタイルである動機づけ面接を4つの原理を元に行う（**表 5-4**）．共感の表現では，判断・批判・叱責を避けて，患者の喫煙についてのどんな考えも受容し，患者の見解を理解しようとする．個人の目標・価値観と現在の行動のギャップを認識できるように支援する．抵抗に逆らわず，変化への情報源として扱う．自己効力感の支援では，成功体験を振り返り，他人の行動の観察を尋ねる．社会的な例を用いて説得したり，意見したりする．情緒的にも，身体的にも，変わろうとする目覚めを導く．開かれた質問・是認や肯定・聞き返し・要約といった基本的コミュニケーションスキル（OARS）を用い（**表 5-5**），「変わりたい」気持ちの言葉を聞き返したり，抵抗への対応として，傾聴・個人の選択・自己決定権を重視する．

5）禁煙を希望する患者への禁煙支援（Assist）

　歯科治療の予定とあわせて，禁煙の計画立案・禁煙実行の支援，禁煙外来との連携，禁煙

第2編　予防歯科臨床

表5-5　動機づけ面接に用いる基本的コミュニケーションスキル（OARS）

Open question	開かれた質問（行動変容についての考えを自由な言葉で聴く）
Affirming	是認・肯定（相づちや受容的応答によって相手の発話を増やす）
Reflecting	聞き返し（相手の言葉をそのまま，もしくは理解した内容で返す）
Summarizing	要約（それまでに出てきた話の内容を箇条書きのように並べて相手に戻す）

(WHOトレーニングプログラム[8]を改変)

表5-6　禁煙実行計画を支援する手順と内容（STAR）

Set a quit date	禁煙開始日を2週間以内の日に設定する
Tell about quitting	禁煙計画を家族や同僚に伝え，理解・支援を求める
Anticipate challenges	禁煙挑戦後数週間内に発生する問題などを予測する
Remove tobacco products	周囲にあるタバコ製品を捨て，家を禁煙にする

(WHOモノグラフ[5]を改変)

表5-7　禁煙補助薬の種類

利用形態	医療用医薬品		OTC医薬品	
	医師の処方		薬局やドラッグストアなどで購入	
剤形	外用剤（貼付剤，パッチ）	内用剤（錠剤）	外用剤（ガム）	外用剤（貼付剤，パッチ）
期間	8週間	12週間	12週間	8週間
特徴	使用時から禁煙　就寝時使用可	最初の1週間は，喫煙しながら使用	使用時から禁煙　徐々に個数を減らす	使用時から禁煙　高用量剤型なし　起床時に貼り，就寝時にはがす
依存度	ニコチン依存症の診断による		タバコ依存度テスト（FTND）が低・中程度（表5-8）	
副作用	皮膚のかぶれ，かゆみ	嘔気	むかつき，のどの刺激	皮膚のかぶれ，かゆみ

教材の提供などを行う．禁煙実行計画の支援の手順（STAR，**表5-6**）の3番目の予測では，喫煙再開のリスク（再開を促しやすい周囲の状況，再開を促す心理的な状況，日常的な喫煙の行動）についてのカウンセリングを行い，問題の解決策（再喫煙の引き金となる状況の回避，ネガティブなムードの改善，ストレスを減らすなどの生活スタイルの変更）を話し合い，禁煙成功のための基本情報（少しの喫煙でも喫煙再開の確率が高まること，禁煙後1〜2週間に典型的なニコチン不足による離脱症状が現れ，症状は数か月続くこと，どのような離脱症状が現れるかといったこと）を説明する．

　ニコチン依存症の医師による禁煙治療は健康保険適用となっている．医療用医薬品を用いた禁煙治療は効果的であり，禁煙外来の受診を勧める．医師による禁煙治療の保険給付の適用条件は，①1か月以内に禁煙しようと考えている，②ニコチン依存症の10項目の質問への適合を調べるスクリーニングテスト（TDS）が5点以上である，③禁煙治療の受診を文書で同意している，④35歳以上はBrinkman指数（喫煙年数×喫煙本数）が200以上である，の4つである．原則として外来患者が対象で，前回の保険適用から1年を経過していることが必要である．禁煙治療は，初回診察の後，2，4，8，12週後の4回行い，医療用医薬品の禁煙補助薬が用いられる（**表5-7**）．生理的ニコチン依存の判定にはニコチン依存度テスト（FTND，**表5-8**）を用いる．オンライン診療（再診の3回）も保険適用となっている．

　禁煙開始後の2週間は喫煙再開が起こりやすい．喫煙の渇望は約2分続くが，時間とともに渇望の頻度，程度は減弱する．喫煙の渇望には4つのDで対応する（**表5-9**）．最初の

表 5-8　ニコチン依存度テスト（FTND）

質問	スコア
1. 朝起きて，最初のタバコを吸うのは何分後ですか？	a. 5 分以内：3 点　　b. 6 〜 30 分：2 点 c. 31 〜 60 分：1 点　　d. 60 分以降：0 点
2. 禁煙の指定がある場所でも禁煙するのがつらいですか？	a. はい：1 点　b. いいえ：0 点
3. 1 日の喫煙で，どちらがよりやめにくいですか？	a. 朝の最初の 1 本：1 点 b. その他の 1 本：0 点
4. 1 日に何本吸いますか？	a. 31 本以上：3 点　　b. 21 〜 30 本：2 点 c. 11 〜 20 本：1 点　　d. 10 本以下：0 点
5. 起床後数時間のほうが，他の時間帯より多く喫煙していますか？	a. はい：1 点　b. いいえ：0 点
6. 風邪などで寝込んでいる時も，喫煙しますか？	a. はい：1 点　b. いいえ：0 点

0 〜 3 点：依存度低い　4 〜 6 点：依存度中程度　7 〜 10 点：依存度高い

表 5-9　喫煙の渇望への対応（4 つの D）

Delay	我慢して遅らせる
Deep	深呼吸をする
Drink	水を飲む
Do	歯磨きなど何かをする

（WHO トレーニングプログラム[8] を改変）

表 5-10　受動喫煙を避けるための支援（MAD-TEA）

Meet	スモークフリーの場所で友人と会う約束をする
Ask	家族などに屋外で喫煙するように頼む
Declare	家庭や個人空間（車など）のスモークフリー宣言をする
Talk	家族や同僚に受動喫煙のリスクを話す
Encourage	家族，友人，同僚らに禁煙を勧める
Advocate	職場や公共の場の包括的受動喫煙防止規制を提唱する

（WHO トレーニングプログラム[8] を改変）

フォローは禁煙開始 1 週間以内に行い，2 回目は 1 か月以内に行う．来院時，あるいは電話，郵便・電子メールなどを用いてこれまでに経験した問題点の復習と今後の問題点の予測と対応の確認，禁煙支援機関の利用，禁煙補助薬の使用と問題の評価，次回のフォローを行う．

禁煙継続の場合には禁煙の成功を称賛する．喫煙再開の場合は喫煙再開の状況を振り返り，再挑戦の気持ちを引き出し，より集中度の高い禁煙支援の利用につなげる．禁煙後の離脱症状として口内炎が発生することがある．また，体重増加への対処として食生活の見直しを助言する．

6）禁煙した患者に対する支援と調整（Arrange）

ニコチン依存による喫煙欲求は長期間継続する．ニコチン離脱症状は禁煙開始 3 か月後には低くはなるが，再喫煙は発生しやすい．したがって，継続的な禁煙のフォローが必要である．禁煙後の問題としては，支援不足，うつ状態，強い離脱症状，体重増加，周囲からの喫煙の誘いなどがある．また，医師による禁煙治療終了（禁煙開始 3 か月）後の支援不足を，歯科で補うことが可能である．

7）非喫煙患者に対する受動喫煙を避ける支援

有害物質が多く含まれる副流煙による受動喫煙の健康被害は口腔領域にも現れる．受動喫煙を避けるための支援には MAD-TEA を用いる（表 5-10）．受動喫煙防止対策は，改正健康増進法で 2022 年 4 月から義務化され，職場では改正労働安全衛生法で 2015 年から努力義務となっている．

第2編 | 予防歯科臨床

表5-11 燃焼式タバコと新型タバコの違い

種類	燃焼式タバコ	新型タバコ	
		加熱式タバコ	電子タバコ	
ニコチン	含む	含む	含む	含まない
煙草の葉	燃やす	加熱する	含まない	含まない
市販	可*	可*	不可	可

*たばこ事業法による認可が必要

表5-12 タバコハームリダクションの公衆衛生施策としての要件

項目	内容
リスク低減	健康リスクが従来型タバコより低い
禁煙の効果	従来型タバコをやめることができる
公衆衛生上の懸念	新たな公衆衛生上の懸念が生じないか少ない
当局の規制権限	保健当局がタバコ産業から独立して規制できる

8）加熱式タバコへの対応

　加熱式タバコは煙草の葉を含むのでタバコ製品であり，加熱式タバコに切り替えても，禁煙したことにはならない（**表5-11**）．加熱式タバコの流行に対して公衆衛生上の懸念が指摘されている．加熱式タバコは，紙巻タバコに比べるとニコチン以外の主要な有害物質の曝露量を減らせる可能性があるが，有害物質の種類は多く，曝露とリスクの間に安全域はない．妊婦と胎児および小児に健康リスクがある．また，周囲の非使用者の体内にもエアロゾルの成分が蓄積される．さらに，燃焼式との併用が起こり，禁煙を阻害し，燃焼式タバコのゲートウェイとなる．また，タバコとニコチンの仕様を完全に排除させることなく，害を最小限に抑え，死亡と疾病を減少させるタバコハームリダクションの公衆衛生施策がとられている国があるが，加熱式タバコはタバコハームリダクションの3つの要件（**表5-12**）を満たしていない．これらのことから，加熱式タバコにも紙巻タバコと同様の規制を行う．なお，加熱式タバコ使用も医師による禁煙治療の健康保険の対象になっている．タバコの葉の入ったカプセルやポッドに気体を通過させるタイプの加熱式タバコの35歳以上の使用者の健康保険の適用条件で用いるBrinkman指数の計算にタバコ1箱を紙巻タバコ20本として換算して計算式に加える．また，煙草の葉を含まない電子タバコとの違いの知識も重要である．加熱した蒸気の中にニコチンを含む電子タバコは，法律で販売が禁じられている．

（埴岡　隆）

第2編　予防歯科臨床

第6章　栄養・食生活指導

本章の要点

- 食生活指針はバランスのとれた食生活を国民が実践するための主要10項目から構成される.
- 食事バランスガイドは食生活指針を具体的な食行動に結びつけるために策定された.
- 食事摂取基準は国民の健康の保持・増進,生活習慣病予防,高齢期の低栄養・フレイル予防を目的とする.
- 歯科における食生活指導には特定保健用食品と特別用途食品の活用も含まれる.
- 第4次食育推進基本計画には歯科保健活動が包含されており,「嚙ミング30」などの活動を通じて全ライフステージにて食べ方の支援を推進する.
- 歯科医師および歯科衛生士は栄養サポートチーム（NST）のメンバーとして低栄養の予防・改善をはかる.

Keywords　食生活指針,食事摂取基準,食事バランスガイド,食育推進基本計画,代用甘味料,特定保健用食品,特別用途食品,栄養サポートチーム（NST）

1　栄養・食生活に関する健康課題と施策

　がん,糖尿病,循環器疾患などの非感染性疾患（NCDs）の発症は,食生活との関連性が深い.また,齲蝕のリスク要因として甘味食品の摂取があげられる.一方,高齢期においては低栄養の予防に対して,口腔機能の維持・向上が大きな役割を果たし,生涯を通じて歯・口腔の健康を保つことがフレイル予防に寄与することが報告されている.栄養・食生活は健康づくりの基盤となる.栄養・食生活に関連する法規は健康増進法や食育基本法が代表的であるが,保健機能食品に関しては食品表示法や食品衛生法も関与するなど多岐にわたる.

　健康増進法では栄養・食生活にかかわるものとして健康日本21（第三次）などの基本方針の策定（第7条）,国民健康・栄養調査（第10条）,食事摂取基準（第16条の2）,特別用途食品の表示許可（第43条）などが規定されている.これら法律で規定されている事項以外に,栄養・食生活対策を円滑に進めるためのものとして食生活指針や食事バランスガイドが国で定められ,公衆栄養施策に活用されている.

　食育基本法では,日本の独自概念である「食育」を実践するための理念と基本的施策を規定している.食育は「健康」「農業」「教育」などの異なる分野の横断的連携を基盤とするものであり,国民がさまざまな場面で生涯を通じた適切な食事のとり方や食習慣および地域の食文化の継承に至る過程を含むものである.

　一方,健康の維持・増進への関心の高まりを受けて,消費者である国民が適切な食品選択ができるための制度として保健機能食品制度が創設された.保健機能食品のうち特定保健用食品では,齲蝕予防に関連するものが含まれている.

2 食生活指針と食事バランスガイド

　食生活指針とは，日本の食文化を踏まえるとともに健康的な食生活を営むために策定されたものである．栄養素別に必要な量などを記載した食事摂取基準とは異なり，一般の人々がバランスのとれた食生活を実践するための主要10項目をわかりやすく示している（表6-1）．食生活指針は栄養学の立場からの食生活のあり方に加え，食事を楽しむことや食文化の継承および食料資源に関連するものまで広く収載している．

　一方，食事バランスガイドは，食生活指針を具体的な食行動に結びつけるものとして策定された（図6-1）．健康で豊かな食生活を営むために，1日に「何を」「どれだけ」食べたらよいかについて，おおよその食事量と組み合わせをイラストで示し，バランスが取れた食生活が営まれている状態をコマがなめらかに回転している状況に見立てたものである．「何を」については主食，副菜，主菜，牛乳・乳製品，果物の5つの料理区分を設定した．「どれだけ」については1日の目安を料理区分ごとに食事供給量としてのサービング（SV）量で示している．栄養・食生活の課題が可視化できるため，栄養・食生活指導で広く使用されている．

表6-1　食生活指針（平成28年6月一部改正）

1. 食事を楽しみましょう．
2. 1日の食事のリズムから，健やかな生活リズムを．
3. 適度な運動とバランスのよい食事で適正体重の維持を．
4. 主食，主菜，副菜を基本に，食事のバランスを．
5. ごはんなどの穀類をしっかりと．
6. 野菜・果物，牛乳・乳製品，豆類，魚なども組み合わせて．
7. 食塩は控えめに，脂肪は質と量を考えて．
8. 日本の食文化や地域の産物を活かし，郷土の味の継承を．
9. 食料資源を大切に，無駄や廃棄の少ない食生活を．
10. 「食」に関する理解を深め，食生活を見直してみましょう．

（文部科学省，厚生労働省，農林水産省：2016[2]）

図6-1　食事バランスガイド

（農林水産省，厚生労働省：2005[3]）

3 ── 食事摂取基準

　食事摂取基準は，健康増進法を根拠に，国民の健康の保持・増進および生活習慣病の予防や高齢者の生活機能の維持・向上を目的として，性・年齢区分別にエネルギーと栄養素ごとの摂取量の目安を示したものである．5年ごとに食事摂取基準は見直されており，2025年版が最新のものである．

1）エネルギーの指標

　食事摂取基準ではエネルギー摂取・消費量のバランスを示す指標としてBMIを用いている．目標とするBMIの範囲は成人において提示され，18〜49歳では18.5〜24.9，50〜64歳では20.0〜24.9，65歳以上では21.5〜24.9である．

2）栄養素の指標

　栄養素の5つの指標として推定平均必要量（EAR），推奨量（RDA），目安量（AI），耐容上限量（UL），目標量（DG）が設定されている（**図6-2**）．このうち，推定平均必要量（半数の者で必要量を満たす量）と推奨量（ほとんどの者で必要量を満たす量）および目安量（一定の栄養状態を維持するのに十分な量）の3つについては摂取不足の回避を目的としている．一方，耐容上限量は摂取過剰による健康障害の回避を目的としている．また，目標量は生活習慣病の発症予防を目的としており，摂取不足や過剰摂取とは異なる視点で基準値が設定されている．

3）2025年版食事摂取基準の特色

　きめ細かな栄養施策を推進する観点から，50歳以上について，より細かな年齢区分による摂取基準を設定し，幼児について「出生後6か月未満」「6か月以上1歳未満」の2区分とし，高齢者については「65〜74歳」「75歳以上」の2つの区分とした．また，2025年版食事摂取基準では策定の目的に「生活機能の維持・向上」が加わり，総エネルギー量に占めるべきタンパク質由来エネルギー量の割合（％エネルギー）について，65歳以上の目標量は男女とも15〜20％エネルギーとした．また，骨粗鬆症とエネルギー・栄養素との関連が加えられた．

　一方，鉄の耐容上限量の削除や食物繊維の測定法の変更などの対応を行った．

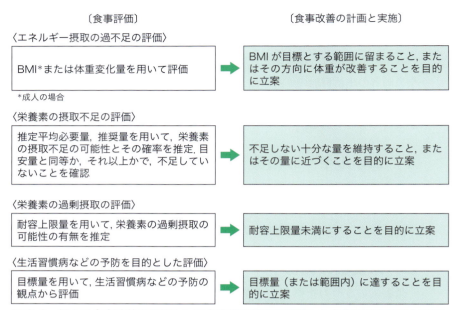

図 6-2　個人の食事改善を目的として食事摂取基準を活用した食事改善の計画と実施

(厚生労働省：2025[4])

4　歯科における食生活指導

1）齲蝕の予防・管理における食生活指導と代用甘味料

　齲蝕の予防・管理には，甘味食品・飲料の摂取総量と摂取頻度の低減をはかることが重要である．甘味食品・飲料の過剰摂取は肥満のリスクも高めるため，WHOは1日の糖質摂取量を総摂取エネルギー量の10%未満とし，齲蝕と肥満のリスク低減をはかるように勧告している．代用甘味料（表 6-2）の適正利用も齲蝕発症リスクを低下させるのに役立つ．これらの代用甘味料は多くの食品（菓子類を含む）・飲料に使用されており，食品表示を確認したうえで食品選択ができる能力の醸成は食生活指導においても重要である．

2）保健機能食品・特別用途食品を活用した食生活指導

（1）保健機能食品の活用

　保健機能食品は特定保健用食品（トクホ），栄養機能食品，機能性表示食品の3つから構成される．このうち，特定保健用食品は生理機能に影響を与える成分を含み，消費者庁の個別審査を受けた食品であり，許可マークが付与される（図 6-3）．「むし歯の原因になりにくい食品」や「歯を丈夫で健康にする食品」が特定保健用食品の項目に入っており，歯科保健対策でも活用されている．

　栄養機能食品は栄養素の補給のために利用される食品であり，サプリメントなどが該当する．また，機能性表示食品は特定保健用食品とは異なり，科学的根拠を有する機能性成分について企業側が届け出たものである．歯科に関する機能性表示食品の数も増えつつあり，今後の利用拡大が期待される．

表 6-2　主な代用甘味料

分類		名称	甘味度 （スクロース＝ 1）
糖質系 甘味料	糖アルコール	キシリトール	1.08
		マルチトール	0.8〜0.95
		エリスリトール	0.7〜0.8
		マンニトール	0.57
		ソルビトール	0.54
		還元パラチノース （イソマルチトール）	0.5
		還元水飴	0.2〜0.7
非糖質系 甘味料	アミノ酸系	アスパルテーム	100〜200
	配糖系	ステビオサイド （ステビア）	300
	化学合成系	アセスルファムカリウム	200

図 6-3　特定保健用食品のマーク

○乳児の発育や，妊産婦，授乳婦，えん下困難者，病者などの健康の保持・回復などに適するという特別の用途について表示を行うもの（特別用途表示）．
○特別用途食品として食品を販売するには，その表示について消費者庁長官の許可を受けなければならない（健康増進法第 43 条第 1 項）．
○表示の許可に当たっては，規格又は要件への適合性について，国の審査を受ける必要がある．

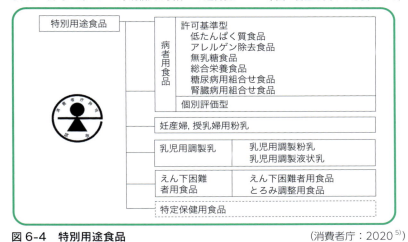

図 6-4　特別用途食品　　　　　　　　　　　　　　　　　　　（消費者庁：2020[5]）

（2）特別用途食品の活用

　高齢者歯科保健と密接な関連性を有するのが特別用途食品である．特別用途食品は病者用，乳幼児用，えん下困難者用などの医学・栄養学的な要配慮者に適することを明示できる食品であり（図 6-4），その表示には消費者庁長官の許可が必要となる（健康増進法第 26 条）．えん下困難者用の特別用途食品の主要なものは水分補給用ゼリーなどの食品であるが，2018 年度に「とろみ調整用食品」が追加された．口腔機能低下によって誤嚥リスクや低栄養リスクが高まった場合，特別用途食品を適正に利用することは高齢者の健康の維持・向上に大きく役立つ．

第 2 編 予防歯科臨床

5 ─ 食育と歯科保健

　食育基本法に基づき策定されるのが食育推進基本計画である．2021 年度から第 4 次食育推進基本計画が実施されており，食育を国民運動として推進するための定量的な目標が策定されている．第 4 次食育推進基本計画では，重点目標として「生涯を通じた心身の健康をささえる食育の推進（国民の健康の視点）」「持続可能な食を支える食育の推進（社会・環境・文化の視点）」「新たな日常やデジタル化に対応した食育の推進（横断的な視点）」の 3 つを掲げている．歯科保健活動における食育の重要性についても記載されている．80 歳になっても自分の歯を 20 本以上保つことを目的とした「8020 運動」やひとくち 30 回以上噛むことを目標とした「噛ミング 30（カミングサンマル）」などの推進を通じて，乳幼児期から高齢期までの各ライフステージに応じた窒息・誤嚥防止などを含めた食べ方の支援など，地域における歯と口の健康づくりのための食育を一層推進することが明記されている．また，数値目標として「ゆっくり噛んで食べる国民の割合を増やす」（令和 7 年度の目標値：55.0％以上）が設定されている．

6 ─ 栄養サポートチーム（NST）における歯科の役割

　栄養サポートチーム nutrition support team（NST）とは，患者に最適の栄養管理を提供するために，医師，歯科医師，看護師，薬剤師，管理栄養士，言語聴覚士，歯科衛生士など関連専門職から構成された医療チームのことである．NST の主たる対象は低栄養のリスクを有する高齢者であり，現在では多くの医療機関にて超高齢社会における保健医療サービスとして実施されている．NST は当初，医療機関内のみで取り組みとしてスタートしたが，地域包括ケアシステムの進展に伴い，在宅高齢者も対象とした地域一体型 NST の取り組みが拡大している．NST における歯科医師の役割としては，咀嚼などの口腔機能低下の診断，歯科治療による咬合機能の回復，歯・口腔の状況を踏まえた食形態などの指導があげられる．

（三浦宏子）

第2編　予防歯科臨床

第7章　高齢者・有病者の口腔健康管理

本章の要点
- 口腔健康管理は，口腔機能管理，口腔衛生管理，口腔ケアに分けられる．
- フレイル予防のために口腔機能向上を支援するプログラムを実施する．
- 訪問指導や摂食嚥下指導は，多職種連携によるチーム医療で行う．
- 周術期は，全身状態と医科治療の内容を理解し，口腔から医科治療を支援する．

Keywords　口腔健康管理，口腔機能管理，口腔衛生管理，フレイル対策，口腔機能向上プログラム，基本チェックリスト，チーム医療，摂食嚥下指導，言語聴覚士，周術期等の口腔健康管理，医科歯科連携，人工呼吸器関連肺炎，薬剤関連顎骨壊死

1　口腔健康管理の定義

1）口腔へのかかわりと口腔のケア

　たとえば終末期医療の緩和病棟から口腔のケアの依頼が届いた場合，われわれが口腔にかかわる意義をあらためて考えるきっかけとなるであろう．高齢者・有病者の口腔のケアは，医療の視点からみれば誤嚥性肺炎予防であろうが，生活者の視点からは，「おいしく食べて」「たくさん話して」「大きく笑う」ために行うwell-beingのケアである．したがって，生まれてから終末期まで，身体と心がどのような状態であっても，個人の現時点の自己実現を支援しQOLを高めていく福祉と保健・医療の口腔へのかかわりが口腔のケアである．

2）口腔健康管理

　日本歯科医学会の『「口腔ケア」に関する検討委員会』によれば，いわゆる口腔のケア全体を「口腔健康管理」とよび，歯科専門職が実施する口腔へのかかわりを「口腔機能管理」と「口腔衛生管理」，歯科専門職以外が実施する口腔へのかかわりを「口腔ケア」とよぶことを提案している（表7-1）．
　「口腔機能管理」は，歯科治療による咀嚼機能回復と摂食機能療法，感染源の除去を含む．また，「口腔衛生管理」は，口腔の保清と感染源の除去を含む．一方，「口腔ケア」は，毎日の口腔清拭や口腔清掃の提供，義歯の清掃を含む「口腔清潔など」と，食事前の口腔体操やマッサージ，嚥下体操や食事介助を含む「食事への準備など」がある．歯科専門職は，対象者の口腔の機能的問題を解決する「口腔機能管理」を行い，歯科専門職の行いうる「口腔衛生管理」を実施する．これにより，本人や介護者が日々の「口腔ケア」を実施しやすい口腔環境を整えるとともに，本人や介護者に「口腔ケア」の効果的な実施方法を伝え，口腔のQOLを高めるための支援と指導を行う．

表 7-1 口腔健康管理の分類

口腔健康管理			
口腔機能管理	口腔衛生管理	口腔ケア	
^^	^^	口腔清潔など	食事への準備など
項目例		項目例	
齲蝕処置 感染根管処置 口腔粘膜炎処置 歯周関連処置* 抜歯 ブリッジや義歯などの処置 ブリッジや義歯などの調整 摂食機能療法	歯磨き（非セルフケア） バイオフィルム除去 歯間部清掃 口腔内洗浄 舌苔除去 歯石除去など フッ化物塗布	口腔清拭 歯ブラシの保管 義歯の清掃・着脱・保管 歯磨き（非セルフケア）	嚥下体操指導（ごっくん体操など） 唾液腺マッサージ 舌・口唇・頬粘膜ストレッチ訓練 姿勢調整 食事介助

*歯周関連処置と口腔衛生管理には重複する行為がある

（日本歯科医学会：2015[4]）

2 口腔機能向上支援

1）口腔の健康とフレイル対策

　口腔の機能低下の症状（口腔衛生状態不良，口腔乾燥，咬合力低下，舌口唇運動機能低下，低舌圧，咀嚼機能低下，嚥下機能低下）が3項目以上あれば，口腔機能低下症と診断される．特に高齢者では，口腔機能低下がフレイル（虚弱）を進行させる要因として注目されている．咀嚼や嚥下に滞りが生じてくると，食欲低下や食品選択の幅が狭まり，結果として栄養摂取が滞り，全身性の骨格筋量と骨格筋力の進行性低下を特徴とするサルコペニアやロコモティブシンドローム（運動器症候群）などのフレイルの引き金になると考えられている．また，認知症は進行すると指導や治療が困難となることがあるので，健常時から口腔の健康管理と高い口腔機能の維持は大切である．

2）口腔機能向上プログラム

　2000年にスタートした介護保険では，介護状態になることへの予防および介護状態の重度化予防として「介護予防」が掲げられた．2006年には予防重視型システムへの変換がはかられ，「口腔機能向上プログラム」（地域支援事業では「口腔機能向上事業」，介護保険サービスでは「口腔機能向上サービス」）が導入された．

　2014年には，地域支援事業における介護予防事業（一次予防事業および二次予防事業）を再編し，全国一律の予防給付（訪問介護，通所介護）に移行させた，新たな介護予防・日常生活支援総合事業（総合事業）を設置した．総合事業では，ポピュレーションアプローチの考え方も踏まえた，通いの場などの取り組みを推進するための「一般介護予防事業」と，従前の二次予防事業に位置づけられていた通所型（訪問型）介護予防事業を含む「介護予防・生活支援サービス事業」が含まれる．これに伴い，二次予防事業対象者の把握のために活用していた基本チェックリスト（**表 7-2**）は，必要な支援を市町村や地域包括センターに相談に来た者に対して，簡便にサービスにつなぐ目安として取り扱いを見直した．

　2022年に更新された『介護予防マニュアル第4版』では，短期集中予防サービスを中心

表 7-2　基本チェックリストの口腔機能にかかわる質問

13	半年前に比べて堅いものが食べにくくなりましたか	1.　はい　0.　いいえ
14	お茶や汁物等でむせることがありますか	1.　はい　0.　いいえ
15	口の渇きが気になりますか	1.　はい　0.　いいえ

＊全 25 項目中 3 項目　　　　　　　　　　　　　　　　　　　（厚生労働省：2005[5]）

に，生活機能が低下した高齢者に対する取り組みに重点をおくこととした．収載されている
プログラムは，理学療法士などを中心に多職種が協働して行う運動器の機能向上プログラ
ム，管理栄養士などが中心となって低栄養状態を改善するための支援を行う栄養改善プログ
ラム，歯科衛生士などが看護職員，介護職員らと協働して，摂食・嚥下機能訓練，口腔清掃
の自立支援などを実施し，口腔機能を向上させるための支援を行う口腔機能向上プログラ
ム，その他のプログラム，さらに，運動器の機能向上，栄養改善，口腔機能向上プログラム
を複合的に実施する複合プログラムがある．特に複合プログラムは，たとえば口腔機能向上
プログラムと栄養改善プログラムを組み合わせて実施したりすることで効果が大きいと考え
られている．

　口腔機能向上プログラムは，①口腔機能向上の必要性についての教育，②口腔清掃の自立
支援，③摂食・嚥下機能などの向上支援の 3 つの軸で構成されている．対象者は，基本
チェックリストの 3 項目中 2 項目以上該当する者，視診により口腔内の衛生状態に問題を確
認した者，反復唾液嚥下テスト（RSST）が 3 回未満の者などである．参加者は，口腔機能
向上プログラム計画が，対象者の生きがいや自己実現にどのように関連し，効果があるのか
の説明を受けて動機づけを行い，参加者一人ひとりに適した効果的な摂食嚥下機能の向上訓
練の方法，口腔清掃法の説明を受ける．さらに，摂食嚥下機能の向上のための口の体操や口
腔清掃が，参加者の生活習慣の一部として定着するように情報提供を受ける．

3 訪問指導

1）訪問指導時のチーム医療

　疾病や障害によって医療機関への通院が困難となった患者に対して，在宅や施設での訪問
歯科診療や指導が広く実施されている．歯科訪問診療では，歯科医療機関での診療とは異な
る環境下で，患者にかかわる方々と Transdisciplinary 型チーム医療の連携体制を組んで多
種多様なニーズに対応しなければならない（**図 7-1**）．

2）在宅訪問指導時の留意点

　自宅で実施する訪問指導は，こちらが訪問者であるので，要介護者主体の「生活の場」に
おける保健指導を行い，要介護者や家族との信頼関係を構築する．また，家族や介護者は，
介護に対する大きな不安とストレスを抱いている．特に食形態や「むせ・せき・やせ」など
は大きな不安要素となるので，十分に問題点や不安を聴取し，それに対して的確な指導を行
い，介護負担を少しでも軽減する．

　要介護高齢者や認知症患者が口腔内の問題を的確に訴えることができない場合は，治療方

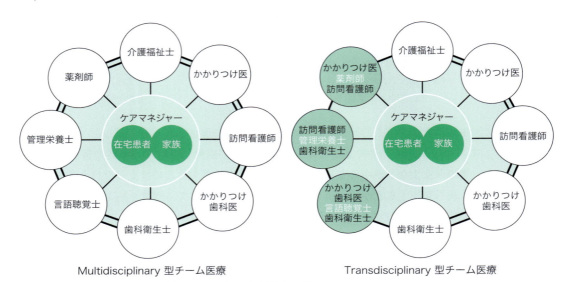

図 7-1　Transdisciplinary 型チームによる在宅医療の例
Multidisciplinary 型チーム医療は，専門職が揃って各職種が専門的役割を分担して協力体制を構築するが，在宅などでは対象者にかかわる専門職種が限られてくる．一方，Transdisciplinary 型チーム医療は，チームのメンバーが不在の職種の専門的な問題にも柔軟に対応し，不足や欠点を補い合う．

針や指導目標について意思決定権をもつキーパーソンを把握し，多職種と連携しながら本人・家族の価値観を共有する．また，対象者や家族が，基礎疾患への対応や偶発症対策，感染症対策が万全であることを確認する．

終末期における口腔領域の支援について，症状緩和やその人らしさを全うできるよう，いつでも支援することを伝えておく．また，事前指示書（リビングウィル）がある場合は，口腔領域で支えることができるかを確認する．

3）施設訪問指導時の留意点

高齢者施設への訪問の場合は，日々の口腔ケアを支援する施設職員の口腔ケアに対する不安や疑問を取り払い，口腔ケア実施へのモチベーションを上げるために，口腔健康管理を実施することによって施設職員の口腔ケアが実施しやすい状態にし，さらに施設職員の口腔ケア実施を支援する指導や声がけを行う．また，食事の様子を見て回り，適切な食事がなされているかなどの誤嚥防止の評価を行い，本人や介護者に指導する．さらに，施設を訪問するたびに施設職員への技術指導やさまざまな口腔に関する相談に乗り，施設チームの一員として多職種との連携体制を確立する．

4　摂食嚥下指導

全身疾患や障害のために必要量の食事を摂取することができない場合は，経鼻経管栄養や胃瘻（PEG）などの経管栄養や静脈栄養で生命をつないでいかなければならなくなる．したがって，ものを食べて飲み込むこと（摂食嚥下）に問題がある状態，もしくは誤嚥が予測で

きる場合は，適切な食べる機能を回復・維持できるよう，摂食嚥下訓練・指導を行う．

摂食嚥下訓練・指導は，多職種連携のチーム医療体制で取り組む．歯科医師は，口腔領域の器質および口腔機能にかかわる摂食嚥下機能を診断，評価し，機能回復に必要な口腔機能管理を行い，摂食嚥下リハビリテーションの実施および指導管理を行う．

また，歯科衛生士と言語聴覚士（ST）は歯科医師の指示のもと，歯科衛生士は口腔衛生管理や口腔機能訓練，言語聴覚士は，口腔・嚥下機能の評価と基礎訓練や摂食訓練を担う．

摂食嚥下訓練・指導の実施には，問診や観察による現症の把握，全身状態・栄養摂取状態・口腔・咽頭機能の診断，各種のスクリーニングテストを実施して訓練・指導計画に反映させる．嚥下訓練には，飲食物を用いない間接訓練と，飲食物を用いる直接訓練があり，通常は間接訓練を十分に行ってから，誤嚥や窒息を起こさないように注意して直接訓練を行い，最終的に食事支援に移行できるように進める．

5 周術期等の口腔健康管理

1）周術期等における口腔健康管理の意義

大きな疾病の治療では，全身への負荷が大きく，口腔の健康状態もその治療結果に大きな影響を及ぼす．したがって，手術前後の周術期とアクティブな医科処置期間には，集中的に口腔健康管理を行うことが必要となる．「がん基本対策推進基本計画（2012年度から）」では，取り組むべき施策に「医科歯科連携による口腔ケアの推進」などのチーム医療の推進をあげている．周術期等の口腔健康管理は，治療チームの一員として口腔内の支持療法を目的に行うので，主治療の結果が最大となるように柔軟な対応が求められる．特に，闘病生活には日々の栄養管理が重要になるので，食支援として術前から義歯調整などを行い，術後の経口摂取再開の支援を行う．

また，主治療中は口腔内が不潔になりがちであり，さらに口腔内感染巣が急性化し，それが血液を介して全身状態へ影響する可能性が高まる．したがって，主治療の前に口腔内の感染巣の除去を行い，口腔清掃の必要性を理解させて的確に患者に実施させ，闘病期間を通して口腔が清潔に保てるように口腔健康管理を実施する．

2）医科処置に対応した口腔健康管理の留意点

外科手術を実施する場合は，全身麻酔時の気管挿管の偶発症となる前歯部の破折や脱臼などのリスクを考慮し，マウスガードを装着する．さらに，術前から術後まで口腔衛生管理を実施して，人工呼吸器関連肺炎（VAP）を含む術後の誤嚥性肺炎防止をはかる．特に，眼窩下から横隔膜までの部位で外科手術を実施する場合は，手術創に唾液が触れる場合が多いので，常に清潔な唾液が口腔内を満たすように留意する．

がんの化学療法や頭頸部への放射線療法では，軟らかく動きが大きい部位に口腔粘膜炎が発症しやすいため，治療中は十分な保湿と適切な口腔衛生管理を確実に行う．口腔粘膜炎などの口腔内症状が強く，栄養管理や疼痛管理が困難になる場合は，治療を中断せざるをえなくなるので，口腔粘膜炎発症予防と管理には細心の注意を払う．

第2編 予防歯科臨床

　がんの化学療法では，白血球数が減少して免疫能が低下する場合は易感染状態となり，ヘルペス性口内炎やカンジダ性口内炎も発症しやすくなる．一方，頭頸部への放射線療法では，治療後に唾液腺への障害から長期間重度の口腔乾燥症を発症するので，放射線性ランパントカリエス予防のための長期管理が必要となる．また，高線量が照射された部位は，顎骨壊死などの放射線性骨障害のリスクが高まり，骨露出を伴う観血処置などを控える必要があるため，照射野にある歯の根尖病巣や歯周炎などの感染巣は，照射前に可能な限り除去する．

3）周術期の口腔健康管理の支援計画の策定

　周術期の口腔健康管理にて支援計画を立案する場合は，以下の点に留意する．

（1）厳密な口腔健康管理の期間（入院期間中か，生涯を通してか）

　臓器移植患者や心臓血管手術後の感染性心内膜炎予防が必要な場合は，術前に口腔内の感染源を完全に除去し，術後も厳密な口腔健康管理を実施する必要がある．さらに，がんの骨転移がある場合や副腎皮質ホルモン長期投与の際の骨粗鬆症予防の場合は，ビスホスホネート系製剤などの骨修飾薬を長期投与する場合が多く，薬剤関連顎骨壊死（MRONJ）予防のために，同様の厳密な口腔健康管理が必要となる．

（2）社会復帰を目指すのか，best supportive care（BSC）を目指すのか

　口腔健康管理の方針は，主治療によって社会復帰を目指すのか，緩和医療の比重が増加するBSCのアプローチを行うのかで変わり，さらにリビングウィルの内容も反映される場合がある．

（3）許容される歯科治療の侵襲はどれくらいか

　出血や大きな侵襲を伴う歯科処置は，医科と連携しながら実施する必要がある．特に白血病治療をはじめとする化学療法では白血球数や血小板数が刻々と変化するので，歯科治療で許容できる侵襲の量が日々変わる．また，呼吸器関連の疾患では歯科治療で口呼吸を止めると血中酸素飽和度が下がる場合もある．

（小関健由）

第 **3** 編

地域口腔保健

第3編　地域口腔保健

第1章 地域口腔保健序論

本章の要点
・地域保健は地域の特性に合致した保健活動が特徴的である．
・地域保健活動は地域保健法や健康増進法などを基盤にしている．
・「歯科口腔保健の推進に関する法律」は歯科口腔保健施策を総合的に推進する基本法である．
・健康日本21に「歯・口腔の健康」が位置づけられている．

Keywords　地域保健の概念，地域保健法，健康増進法，国民健康づくり（健康日本21），地域口腔保健活動

1　地域保健の概要

1）地域保健の概念

　地域保健とは，かつての感染症時代に全国一様な包括的な対策をとってきた，いわゆる「公衆衛生」対策とは異なり，生活圏域を中心にして地域の特性を配慮した，より住民主体の保健サービスを展開する概念である．すなわち「地域保健は，公衆衛生において，地域社会を強調する場合に用いる．地域社会とは，一定の単位の，環境や特徴，あるいは共通の利益をもった個人の集合体である．地域保健とは，地域社会で生活する人々の健康を，地域の資源を活用することを通して，保持増進するための科学であり，技術であり，取り組みと努力である」（日本口腔衛生学会地域口腔保健委員会2012年1月30日）と定義し解説をしている．地域保健は，一般に，地域住民がその生活圏域の中で自分の健康の保持増進をはかるために必要な要因を，その地域に最も合ったように組織的に提供し，健康を支援していく保健活動といえる．このような健康づくりの概念は世界的にも提唱されており，1978年のWHOのアルマ・アタ宣言 Declaration of Alma-Ataすなわちプライマリヘルスケアの提唱があり，さらには1986年のオタワ憲章 Ottawa Charterすなわちヘルスプロモーションなどが知られている．

　プライマリヘルスケアはWHOにおいて「必要不可欠なヘルスケアであり，それは現実的であり，科学的妥当性があり，社会的に受け入れられる方法と技術に基づいており，地域において個人と家族が彼らの完全な参加を通して普遍的にアクセス可能で，そして自助自決の精神のもとで自らの発展のすべてのステージにおいて地域と国が維持できるコストで提供可能な活動である Primary health care is essential health care based on practical, scientifically sound and socially acceptable methods and technology made universally accessible to individuals and families in the community through their full participation and at a cost that the community and country can afford to maintain at every stage of their development in the spirit of self-reliance and self-determination.（WHO 1978, Declaration: VI）」

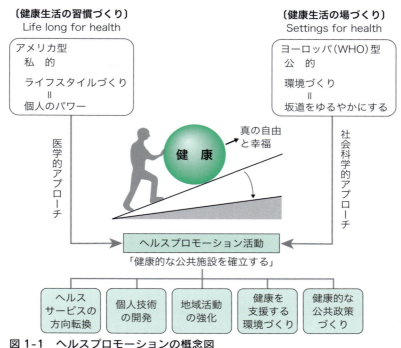

図1-1 ヘルスプロモーションの概念図
(島内:1987/島内, 鈴木:2011[1] を改変)

と定義されている.

プライマリヘルスケアの最終目的はすべての人々のよりよい健康状態であり, WHOは目的到達のための5つの要素をあげている.
① 健康における排斥や社会格差の減少（普遍的なサービス）
② 人々のニーズや期待に対する健康サービスの構築（サービスの供給）
③ すべての部門領域への健康の浸透（公衆施策）
④ 政策協議の共同モデルの追及（リーダーシップ）
⑤ 利害関係者の参加の増加

また, ヘルスプロモーションは「人々が自らの健康とその決定要因をコントロールし, 改善することができるようにするプロセス」（1986年）と定義されている（図1-1）.

日本は, 少子高齢化の進展, 超高齢社会, 人口の減少といった人口構造の変化に加え, 単独世帯や共働き世帯の増加など住民の生活スタイルも大きく変化するとともに, がん, 循環器疾患, 糖尿病, 慢性閉塞性肺疾患（COPD）などの非感染性疾患の増加, 健康危機に関する事案の変容など地域保健を取り巻く状況は, 大きく変化している.

2）地域社会と地域での生活

地域社会とは, 一定の地域で人間関係および地縁関係により住民が形成する仕組みを指すといわれる. ある1つの地域社会は, 住民の生活様式や習慣, 伝統などによって独自の共通性を有しており, その他の地域社会とは異なる特徴をもっていた. しかし, 1960年代の高度成長期を契機として地域差が減少し社会の均質化が進展した. これにより地域社会の崩壊

が危惧されたが，その後，1970年代からは豊かで質の高い生活の場としての新しい価値観による地域社会づくりが進んだといわれる．今日，地域社会とは地域住民が生活を営む場であり，消費・生産，労働や教育，保健・医療および文化活動など多様なニーズを充足させる地域的な関係性の総体と考えられている．

行政における地域単位は，都道府県あるいは市町村というような自治体を基本とする．さらには，統合された形での地域ブロック（関東，信越，東海など）や介護などのような広域市町村圏域，さらに保健所管轄に対応する行政事務生活圏域などのレベルで設定されている．

一方，生活圏とは，地域を階層的な圏域（一次生活圏，二次生活圏，地方生活圏）に区分したものであり，各圏域については次のような構成を標準としている（国土交通省）．

（1）一次生活圏

役場，診療所，集会所，小中学校など基礎的な公共公益的施設を中心部にもち，それらのサービスが及ぶ地域．圏域範囲は半径4〜6km程度．

（2）二次生活圏

高度の買い物ができる商店街，専門医をもつ病院，高等学校などを中心部にもち，いくつかの一次生活圏から構成される地域．圏域範囲は半径6〜10km程度．

（3）地方生活圏

総合病院，各種学校，中央市場などの広域利用施設を中心部にもち，いくつかの二次生活圏から構成される地域．圏域範囲は半径20〜30km程度．

3）地域保健に関する法律

地域保健は対人保健と対物保健に大別され，中心となる法律に地域保健法がある（図1-2）．

（1）地域保健法（旧保健所法）

第一条　この法律は，地域保健対策の推進に関する基本指針，保健所の設置その他地域保健対策の推進に関し基本となる事項を定めることにより，母子保健法（昭和四十年法律第百四十一号）その他の地域保健対策に関する法律による対策が地域において総合的に推進されることを確保し，もつて地域住民の健康の保持及び増進に寄与することを目的とする．

第五条　保健所は，都道府県，地方自治法（昭和二十二年法律第六十七号）第二百五十二条の十九第一項の指定都市，同法第二百五十二条の二十二第一項の中核市その他の政令で定める市又は特別区が，これを設置する．

　　2　都道府県は，前項の規定により保健所を設置する場合においては，保健医療に係る施策と社会福祉に係る施策との有機的な連携を図るため，医療法（昭和二十三年法律第二百五号）第三十条の四第二項第十二号 に規定する区域及び介護保険法（平成九年法律第百二十三号）第百十八条第二項 に規定する区域を参酌して，保健所の所管区域を設定しなければならない．

第六条　保健所は，次に掲げる事項につき，企画，調整，指導及びこれらに必要な事業を行う．

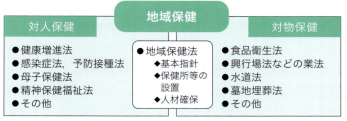

図1-2 地域保健 （厚生労働省[2]一部改変）

　　一　地域保健に関する思想の普及及び向上に関する事項
　　二　人口動態統計その他地域保健に係る統計に関する事項
　　三　栄養の改善及び食品衛生に関する事項
　　四　住宅，水道，下水道，廃棄物の処理，清掃その他の環境の衛生に関する事項
　　五　医事及び薬事に関する事項
　　六　保健師に関する事項
　　七　公共医療事業の向上及び増進に関する事項
　　八　母性及び乳幼児並びに老人の保健に関する事項
　　九　歯科保健に関する事項
　　十　精神保健に関する事項
　　十一　治療方法が確立していない疾病その他の特殊の疾病により長期に療養を必要とする者の保健に関する事項
　　十二　エイズ，結核，性病，伝染病その他の疾病の予防に関する事項
　　十三　衛生上の試験及び検査に関する事項
　　十四　その他地域住民の健康の保持及び増進に関する事項
第十八条　市町村は，市町村保健センターを設置することができる．
　　2　市町村保健センターは，住民に対し，健康相談，保健指導及び健康診査その他地域保健に関し必要な事業を行うことを目的とする施設とする．

（2）健康増進法

第一条　この法律は，我が国における急速な高齢化の進展及び疾病構造の変化に伴い，国民の健康の増進の重要性が著しく増大していることにかんがみ，国民の健康の増進の総合的な推進に関し基本的な事項を定めるとともに，国民の栄養の改善その他の国民の健康の増進を図るための措置を講じ，もって国民保健の向上を図ることを目的とする．

4）地域保健に関係する組織

　地域保健に関係する組織には，保健所，市町村保健センター，医療機関，介護関連施設，市町村，住民組織など多くの関係者がいる．

（1）地域連携クリティカルパス

　地域連携クリティカルパスは「診療にあたる複数の医療機関が，役割分担を含め，あらか

じめ診療内容を患者に提示・説明することにより，患者が安心して医療を受けることができるようにするもの．内容としては，施設ごとの治療経過にしたがって，診療ガイドラインなどに基づき，診療内容や達成目標等を診療計画として明示」とされている．

（2）クリニカルパス（日本クリニカルパス学会）

患者状態と診療行為の目標，および評価・記録を含む標準診療計画であり，標準からの偏位を分析することで医療の質を改善する手法を意味する．

クリニカルパスを効果的に運用するためには，医師，看護師，薬剤師，栄養士，理学療法士，臨床検査技師，作業療法士，放射線技師，介護福祉士，病院管理者，医療事務担当者，行政側および患者などすべての医療にかかわる人々が，チームとして一体となった医療が最も必要とされる．さらにさまざまな医療を支援する企業との連携も不可欠となる．

5）地域保健の関係職種

地域保健対策の推進に関する基本的な指針（平成6年12月1日厚生省告示第374号）においては以下の記載がある．

地域保健対策に係る多くの職種に渡る専門技術職員の養成，確保及び知識又は技術の向上に資する研修の充実を図るため，市町村，都道府県及び国は，次のような取組を行うことが必要である．

（1）人材の確保について

①都道府県，政令市及び特別区は，地域における健康危機管理体制の充実等の観点から，保健所における医師の配置に当たっては，専任の保健所長を置くように努める等の所管区域の状況に応じた適切な措置を講じるように努めること．

②都道府県は，事業の将来的な見通しの下に，精神保健福祉士を含む地域保健法施行令（昭和二十三年政令第七十七号）第五条に規定する職員の継続的な確保に努め，地域保健対策の推進に支障を来すことがないように配慮すること．

③市町村は，事業の将来的な見通しの下に，保健師，管理栄養士等の地域保健対策に従事する専門技術職員の計画的な確保を推進することにより，保健事業の充実及び保健事業と介護保険事業等との有機的な連携その他の地域保健対策の推進に支障を来すことがないように配慮すること．

また，市町村は，医師，歯科医師，薬剤師，獣医師，助産師，看護師，准看護師，理学療法士，作業療法士，歯科衛生士，社会福祉士，介護福祉士，精神保健福祉士，言語聴覚士等の地域における人的資源を最大限に活用すること．このため，地域の医師会，歯科医師会，薬剤師会，看護協会等の支援を得ること．

④国は，専門技術職員の養成に努めるとともに，業務内容，業務量等を勘案した保健師の活動の指標を情報として提供する等の支援を行うこと．

（2）多職種連携

多職種チームアプローチともいう．医師・歯科医師，保健師・看護師，精神保健福祉士，作業療法士，臨床心理士，歯科衛生士など患者を中心として，それぞれの専門性から支援を行うことをいう．この多職種連携においては，関係職種が治療，援助における一定水準の知

識と技能をもち，さらに，互いの専門性に関しても一定水準の知識をもっているということが大切である．このような多職種連携を取ることで患者に対する質の高い医療サービスが提供できるようになる．

（安井利一）

2 健康増進法と国民健康づくり

1）地域保健の増進

生涯にわたって健康を維持し，生き生きとした生活を送ることはすべての人々にとって共通の願いであり，日本国憲法第25条に規定されているように，国が国民に対して保障する基本的人権の1つでもある．

日本の地域保健活動は，図1-3に示すように，保健所，市町村保健センターの整備や地域保健にかかわる人材の確保を規定する地域保健法および市町村，学校，事業所，医療保険者などの健康増進事業実施者が健康相談・保健指導などの健康増進事業を効果的かつ総合的に実施するための方針などを定めた健康増進法（☞ p.212 参照）を基盤とし，具体的な健康診査や保健指導・健康教育の実施については，母子保健法，学校保健安全法，労働安全衛生法など，ライフステージごとの個別法に基づいて実施されている．

なお，2011年に制定された歯科口腔保健の推進に関する法律（歯科口腔保健法☞ p.216 参照）は地域保健法や健康増進法と補完・連携しながら生涯を通じた歯科疾患の予防などの歯科口腔保健施策を総合的に推進していくための基本法という位置づけである．

2）地域と学校，職場との連携

（1）連携の必要性

健康診査や保健指導・健康教育などの保健活動の実施主体は，母子保健法では各市町村，学校保健安全法では各学校（設置者）および教育委員会，労働安全衛生法では事業者（企業など），高齢者の医療の確保に関する法律では各医療保険者，介護保険法の介護予防事業については各市町村とされており，それぞれ異なっている．

このため，生涯を通じた地域保健活動を効果的に進めるためには，地域（市町村），学校，職場などの各実施主体が相互に連携，情報交換し，整合性のある保健サービスを総合的に提供していくことが不可欠である．

（2）連携推進のための組織・取り組み

保健所には保健所運営協議会や地域保健医療協議会，市町村には健康づくり推進協議会など，保健・医療・福祉などに関する地域の関係者・団体などが参画する組織が設置されていることが多い．こうした既存の組織を有効活用しながら，その専門分科会などの形で，医療機関や教育委員会，健康保険組合，事業者団体・商工会，労働基準監督署，地域産業保健センターなどの保健担当者が参加する連携推進組織を設置する方法がある．また，学校保健委員会や労働衛生委員会などの学校・職域保健に関する協議・検討の場に地域保健関係者が定期的に参画できるように調整することも有効である．

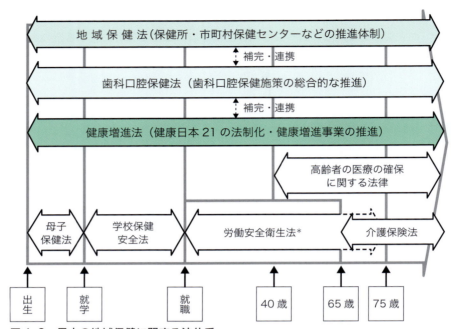

図 1-3　日本の地域保健に関する法体系
*労働安全衛生法は雇用されているかぎり対象

こうした取り組みを通じ，単に各保健活動の目的・内容の共有やハイリスク者などの円滑な引き継ぎ・連携システムを構築するだけでなく，健康教育・講演会など個別の保健活動や従事者研修会などの情報を共有し，相互活用による効率的な運用などをはかっていくことも求められる．

3）健康づくり対策の沿革

日本では，第二次世界大戦以降，生活環境の改善や医学の進歩によって感染症が激減する一方，がんや循環器疾患などの慢性疾患による死亡が増加している．こうした疾病構造の変化を受け，1955年頃から厚生省（現：厚生労働省）は脳血管障害，がん，心疾患，糖尿病など中高齢期に発生率の高い疾患を「成人病」とよび，この対策に乗り出した．その後，経済成長の鈍化や高齢化への対応が迫られ，生涯を通じた予防・健診体制の充実と市町村保健センターをはじめとした健康づくり基盤の整備などにより，国民の主体的な健康づくりを推進する「第1次国民健康づくり対策」が1978年度から開始された（図1-4）．

この対策は1988年度から「第2次国民健康づくり対策（アクティブ80ヘルスプラン）」として引き継がれ，運動を中心とした生活習慣の改善による疾病予防・健康増進の考え方が拡充された．こうした中，1996年に厚生省（現：厚生労働省）はそれまでの「成人病」に代わって「生活習慣病」という疾病概念を導入し，生活習慣の改善による疾病発生そのものの防止（一次予防）により力点を置くようになった．

これを受け，2000年度からは「第3次国民健康づくり対策」として「21世紀における国民健康づくり運動（健康日本21）」が策定されたが，この対象分野の中には「歯の健康」が

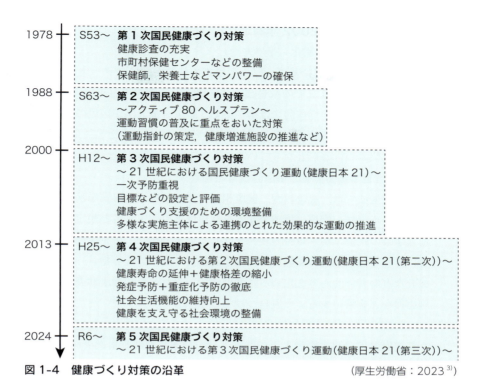

図 1-4　健康づくり対策の沿革　　　　　　　　　　　　　　　　（厚生労働省：2023[3]）

位置づけられている．また，2002年には健康日本21に法的な基盤を与えてより効果的に推進するため，健康増進法が制定されている．

当初，健康日本21は2010年度を終期としていたが，医療制度改革に伴う保険者保健事業の見直し（特定健診・特定保健指導の導入など）を受けて2012年度末まで延長され，2012年7月に策定・公表された「21世紀における国民健康づくり運動（健康日本21（第二次））」へと引き継がれている．

4）健康増進法と健康日本21

（1）健康日本21（2000～2012年度）

a．健康日本21の目的・対象分野・目標

第3次国民健康づくり対策として2000年度からスタートした「21世紀における国民健康づくり運動（健康日本21）」は壮年期死亡の減少，健康寿命の延伸，生活の質（QOL）の向上を目的とし，健康の実現に向けた各個人の主体的な取り組みを促進するとともに，健康に関連するすべての関係機関・団体などが一体となって個人の取り組みを総合的に支援していこうとするものである．

これを実現するために，健康日本21では目標管理手法を導入し，①栄養・食生活，②身体活動・運動，③休養・こころの健康づくり，④タバコ，⑤アルコール，⑥歯の健康，⑦糖尿病，⑧循環器病，⑨がんの9分野にわたって，計59項目（複数分野で重複する21項目を除く）の具体的目標を設定した．

（2）健康増進法（2002 年制定）

a. 健康日本 21 の法制化（基本方針）

　健康日本 21 は通知に基づく厚生労働省の施策としてスタートしたが，これに法的な基盤を与えるため，それまでの栄養改善法を廃止し，その内容を包含する形で 2002 年に健康増進法が制定された．具体的には第 7 条で「厚生労働大臣が国民の健康の増進の総合的な推進をはかるための基本的な方針」（基本方針）を定めることとし，この中で健康日本 21 の目標値などを位置づける形となっている．

b. 健康増進事業実施者と健康診査など指針

　健康増進法では，健康教育，健康相談などの健康増進事業を法令に基づいて実施する医療保険者，市町村，学校，事業者などを健康増進事業実施者と規定し，相互連携や必要な健康増進事業の推進に関する努力義務を課している．また，厚生労働大臣が，健康増進事業実施者に対する健康診査の実施などに関する指針（健康診査等指針）を策定することとし，健康診査などの具体的内容を定める各個別法で，それぞれが健康診査等指針に調和した内容の実施指針などを策定するよう義務づけている．

c. 都道府県および市町村健康増進計画

　都道府県には厚生労働大臣の基本方針を勘案した健康増進計画の策定を必須とする一方，市町村の健康増進計画は策定に努めるものとしている．

d. 市町村による健康増進事業の実施

　市町村に生活習慣の改善に関する相談・指導などの実施を義務づけるとともに，省令で定める市町村健康増進事業の実施に努めるよう求めている．この省令で規定される市町村健康増進事業として骨粗鬆症検診，肝炎ウイルス検診，がん検診などと並んで歯周病（疾患）検診が位置づけられている．

e. その他の事項

　健康増進法では，このほかに，健康日本 21 の評価などを目的とした国民健康・栄養調査の実施や，多数の者が利用する施設について類型に応じた禁煙や受動喫煙防止のための措置のほか，旧栄養改善法を引き継いだ，食事摂取基準の策定や特定給食施設における栄養管理，食品の特別用途表示などについて定めている．

（3）健康日本 21（第二次）

　健康日本 21 の最終評価などを踏まえ，2012 年 7 月に健康増進法に基づく基本方針が全面改正され，2013 年度から 2022 年度までを期間とする「21 世紀における国民健康づくり運動（健康日本 21（第二次））」がスタートした．

　健康日本 21（第二次）は，①健康寿命の延伸と健康格差の縮小，②生活習慣病の発症予防と重症化予防の徹底，③社会生活を営むうえで必要な機能の維持・向上，④健康を支え，守るための社会環境の整備，⑤栄養・食生活等に関する生活習慣および社会環境の改善の 5 つの柱から構成され，重複を除いて 53 項目の目標値が設定された．歯科に関する目標は「歯・口腔の健康」として，⑤栄養・食生活等に関する生活習慣および社会環境の改善のなかで，「栄養・食生活」，「身体活動・運動」，「休養」，「飲酒」，「喫煙」とならんで位置付けられ，歯科口腔保健の推進に関する法律（歯科口腔保健法）に基づき，同時期に策定された

表 1-1　健康日本 21（第二次）の最終評価結果の概要

	最終評価結果	項目数（再掲を除く）
A	目標値に達した	8 項目（15.1%）
B	現時点で目標値に達していないが，改善傾向にある	20 項目（37.7%）
C	変わらない	14 項目（26.4%）
D	悪化している	4 項目（7.5%）
E	評価困難	7 項目（13.2%）
	合計	53 項目（100%）

「歯科口腔保健の推進に関する基本的事項」における目標値から一部を選択し，10 項目の共通の目標値が設定されている．なお，設定された目標値の一部は 2018 年の中間評価をふまえ改定され，その後，医療費適正化計画等の期間と健康日本 21（第二次）に続く次期プランの期間を一致させるため，期間を 1 年延長して 2023 年度までとなった．

（4）健康日本 21（第二次）の評価結果と健康日本 21（第三次）の策定

2021 年 6 月から厚生科学審議会地域保健健康増進栄養部会および健康日本 21（第二次）推進専門委員会において，健康日本 21（第二次）の最終評価が行われ，2022 年 10 月には健康日本 21（第二次）の最終評価報告書が公表されている．健康日本 21（第二次）では，**表 1-1** に示すように全 53 項目の目標値のうち，約 5 割にあたる 28 項目で目標達成または改善傾向を示したとしている．

なお，新型コロナウイルス感染症の影響で，国民健康・栄養調査などのデータソースとなる調査が中止となるなどのため，評価困難とされた項目が 7 項目（13.2%）あり，うち 3 項目が歯科疾患実態調査の中止などによる歯・口腔の健康に関する目標となっている．

最終評価結果の取りまとめを受け，厚生科学審議会地域保健健康増進栄養部会に「次期国民健康づくり運動プラン（2024 年度開始）策定専門委員会」が設置され，次期プランの検討を経て，2023 年 5 月に「国民の健康の増進の総合的な推進を図るための基本的な方針」（令和 5 年厚生労働省告示第 207 号）が告示された．当該方針に基づき，2024 年度から 2035年度までの 12 年間を計画期間とする「健康日本 21（第三次）」がスタートした．健康日本 21（第三次）では「全ての国民が健やかで心豊かに生活できる持続可能な社会の実現」というビジョンの実現に向けて，①健康寿命の延伸と健康格差の縮小，②個人の行動と健康状態の改善，③社会環境の質の向上，④ライフコースアプローチを踏まえた健康づくり（胎児期から高齢期に至るまでの人の生涯を経時的に捉えた健康づくり）の 4 つを基本的な方向として取組みを推進していくこととしている（**表 1-2**）．健康日本 21（第三次）では全 51 項目（重複を除く）の目標値を設定しているが，今回も歯・口腔の健康に関する目標が，②個人の行動と健康状態の改善のなかに位置付けられ，歯科口腔保健の推進に関する法律（歯科口腔保健法）に基づき，同時期に策定された「歯科口腔保健の推進に関する基本的事項（第二次）」における目標のなかから 3 項目が共通の目標値として設定されている（**表 1-3** の○印の項目）．目標の達成状況については，計画開始後 6 年の 2029 年度を目途に中間評価を行い，計画開始後 10 年の 2033 年度を目途に最終評価を行う予定としている．

第 3 編 | 地域口腔保健

表 1-2　健康日本 21（第三次）の基本的な方向と領域・目標の概要

健康寿命の延伸・健康格差の縮小		健康寿命，健康格差
個人の行動と健康状態の改善		
生活習慣の改善	栄養・食生活	適正体重を維持している者，肥満傾向児，バランスのよい食事，野菜・果物・食塩の摂取量
	身体活動・運動	歩数，運動習慣者，子どもの運動・スポーツ
	休養・睡眠	休養が取れている者，睡眠時間，週労働時間
	飲酒	生活習慣病のリスクを高める量を飲酒をしている者，20 歳未満の飲酒
	喫煙	喫煙率，20 歳未満の喫煙，妊婦の喫煙
	歯・口腔の健康	歯周病，よく噛んで食べることができる者，歯科検診受診率
生活習慣病（NCDs）の発症予防／重症化予防	がん	年齢調整罹患率・死亡率，がん検診受診率
	循環器病	年齢調整死亡率，高血圧，脂質高値，メタボ該当者・予備群，特定健診・特定保健指導
	糖尿病	合併症（腎症），治療継続者，コントロール不良者，有病者数
	COPD	死亡率
生活機能の維持・向上		ロコモティブシンドローム，骨粗鬆症検診受診率，心理的苦痛を感じている者
社会環境の質の向上		
社会とのつながり・こころの健康の維持及び向上		地域の人々とのつながり，社会活動，共食，メンタルヘルス対策に取り組む事業場
自然に健康になれる環境づくり		食環境イニシアチブ，歩きたくなるまちなかづくり，望まない受動喫煙
誰もがアクセスできる健康増進のための基盤の整備		スマート・ライフ・プロジェクト，健康経営，特定給食施設，産業保健サービス
ライフコースアプローチを踏まえた健康づくり		
ライフコースアプローチを踏まえた健康づくり	子ども	子どもの運動・スポーツ，肥満傾向児，20 歳未満の飲酒・喫煙
	高齢者	低栄養傾向の高齢者，ロコモティブシンドローム，高齢者の社会活動
	女性	若年女性やせ，骨粗鬆症検診受診率，女性の飲酒，妊婦の喫煙

（厚生労働省：2023 [3]）

5）8020 運動と「歯・口腔の健康」

　1989 年から厚生省（現：厚生労働省）および日本歯科医師会が中心となって提唱・推進されている 8020 運動は，1987 年に神奈川県厚木市で開かれた地域歯科保健関係者によるワークショップでの提言が元になっている．

　同ワークショップで，喪失歯数が 10 歯以下であればほとんどの食品が咀嚼できるというデータに基づき，生涯を通じた歯科保健目標として「平均寿命の 80 歳まで喪失歯を 10 歯以下（8010）」とすることを提言した．

　1989 年，厚生省（現：厚生労働省）に設置された成人歯科保健対策検討会は，この喪失歯 10 歯以下を残存歯数の 20 歯以上に置き換え，「平均寿命である 80 歳まで 20 歯以上の自分の歯を残そう」とする 8020 運動の推進を盛り込んだ中間報告をまとめた．これを受け，厚生省（現：厚生労働省）は 1991 年の歯の衛生週間（現：歯と口の健康週間）の重点目標に「8020 運動の推進」を掲げ，翌年度からは 8020 運動推進関連の事業を予算化した．これは 8020 運動・口腔保健推進事業として現在も継続されており，都道府県における生涯を通じた歯科保健事業の推進体制の整備が行われている．

　なお，8020 は当初，80 歳時点における具体的な数値目標というよりは，生涯にわたって

表 1-3　歯科口腔保健の推進に関する基本的事項（第二次）の目標値および健康日本 21（第三次）の目標値との関係

目　標	指　標		目標値	健康日本21（第三次）採用項目
1．歯・口腔に関する健康格差の縮小				
1）歯・口腔に関する健康格差の縮小によるすべての国民の生涯を通じた歯科口腔保健の達成				
①歯・口腔に関する健康格差の縮小	ア　3 歳児で 4 本以上の齲蝕のある歯を有する者の割合		0%	
	イ　12 歳児で齲蝕のない者の割合が 90% 以上の都道府県数		25 都道府県以上	
	ウ　40 歳以上における自分の歯が 19 歯以下の者の割合（年齢調整値）*		5% 以下	
2．歯科疾患の予防				
1）齲蝕の予防による健全な歯・口腔の育成・保持の達成				
①齲蝕を有する乳幼児の減少	3 歳児で 4 本以上の齲蝕のある歯を有する者の割合（再掲）		0%	
②齲蝕を有する児童生徒の減少	12 歳児で齲蝕のない者の割合が 90% 以上の都道府県数（再掲）		25 都道府県以上	
③治療していない齲蝕を有する者の減少	20 歳以上における未処置歯を有する者の割合（年齢調整値）*		20% 以下	
④根面齲蝕を有する者の減少	60 歳以上における未処置の根面齲蝕を有する者の割合（年齢調整値）		5% 以下	
2）歯周病の予防による健全な歯・口腔の保持の達成				
①歯肉に炎症所見を有する青壮年の減少	ア　10 代における歯肉に炎症所見を有する者の割合		10% 以下	
	イ　20 代〜 30 代における歯肉に炎症所見を有する者の割合（年齢調整値）*		15% 以下	
②歯周病を有する者の減少	40 歳以上における歯周炎を有する者の割合（年齢調整値）*		40% 以下	○
3）歯の喪失防止による健全な歯・口腔の育成・保持の達成				
①歯の喪失の防止	40 歳以上における自分の歯が 19 歯以下の者の割合（年齢調整値）*（再掲）		5% 以下	
②より多くの自分の歯を有する高齢者の増加	80 歳で 20 歯以上の自分の歯を有する者の割合		85% 以上	
3．口腔機能の獲得・維持・向上				
1）生涯を通じた口腔機能の獲得・維持・向上の達成				
①よく噛んで食べることができる者の増加	50 歳以上における咀嚼良好者の割合（年齢調整値）*		80% 以上	○
②より多くの自分の歯を有する者の増加	40 歳以上における自分の歯が 19 歯以下の者の割合（年齢調整値）*（再掲）		5% 以下	
4．定期的な歯科検診または歯科医療を受けることが困難な者に対する歯科口腔保健				
1）定期的な歯科検診または歯科医療を受けることが困難な者に対する歯科口腔保健の推進				
①障害者・障害児の歯科口腔保健の推進	障害者・障害児が利用する施設での過去 1 年間の歯科検診実施率		90% 以上	
②要介護高齢者の歯科口腔保健の推進	要介護高齢者が利用する施設での過去 1 年間の歯科検診実施率		50% 以上	
5．歯科口腔保健を推進するために必要な社会環境の整備				
1）地方公共団体における歯科口腔保健の推進体制の整備				
①歯科口腔保健の推進に関する条例の制定	歯科口腔保健の推進に関する条例を制定している保健所設置市・特別区の割合		60% 以上	
② PDCA サイクルに沿った歯科口腔保健に関する取組の実施	歯科口腔保健に関する事業の効果検証を実施している市町村の割合		100%	
2）歯科検診の受診の機会および歯科検診の実施体制等の整備				
①歯科検診の受診者の増加	過去 1 年間に歯科検診を受診した者の割合		95% 以上	○
②歯科検診の実施体制の整備	法令で定められている歯科検診を除く歯科検診を実施している市町村の割合		100%	
3）歯科口腔保健の推進等のために必要な地方公共団体の取組の推進				
①齲蝕予防の推進体制の整備	15 歳未満でフッ化物応用の経験がある者の割合		80% 以上	

*（年齢調整値）：5 歳階級別に平成 27 年平滑化人口により年齢調整を行って算出した値

（厚生労働省：2023[4]）

自分の歯を健康に保ち，自らの歯で食べる楽しみを維持しようという理念・目的を表現したスローガン的性格のものとされた．そのため，歯科疾患実態調査の結果報告において，8020達成者率（80歳で現在歯数20歯以上有する者の割合）や80歳の1人平均現在歯数の結果が公表されるようにはなっていたが，正式な形で数値目標として位置づけられたのは2000年度からスタートした健康日本21においてであり，80歳（75〜84歳）で20歯以上自分の歯を有する人の割合　20%以上」，「60歳（55〜64歳）で24歯以上の自分の歯を有する者の割合　50%以上」が目標値として設定された．

6）歯科口腔保健の推進に関する法律（歯科口腔保健法）

（1）歯科口腔保健法制定の背景

　2011年8月，歯科界でかねてから必要性を指摘する声の高かった，歯科保健に関する単独法である「歯科口腔保健の推進に関する法律」（歯科口腔保健法）が制定された．単独法制定に至った背景として，歯科口腔保健法第1条で「口腔の健康が国民が健康で質の高い生活を営むうえで基礎的かつ重要な役割を果たしている」と規定しているように，口腔の健康が全身の健康やQOLの向上に与える影響に関する知見が集積され広く関係者の認識が深まったこと，2008年に新潟県で最初に制定された地方自治体における歯科保健条例制定の動きが急速に全国に広がったことなどがあげられる．

（2）歯科口腔保健法の概要

　歯科口腔保健法は，歯科疾患の予防などによる口腔の健康の保持に関する施策を総合的に推進し，国民保健の向上に寄与することを目的としている．概要は**図1-5**に示すとおりで，①目的（第1条），②基本理念（第2条），③責務（第3〜6条），④歯科口腔保健の推進に関する施策（第7〜11条），⑤歯科口腔保健の推進に関する基本的事項の策定等（第12〜13条），⑥財政上の措置等（第14条），⑦口腔保健支援センター（第15条）という7項目，全15条からなっている．

（3）歯科口腔保健の推進に関する基本的事項

　歯科口腔保健法第12条で，厚生労働大臣は国および地方公共団体が講じる歯科口腔保健の推進に関する施策を総合的に実施するための方針，目標，計画などの基本的事項（基本的事項）を定めるものとするとされている．2012年7月にはこの基本的事項が策定・告示され，①歯科口腔保健の推進のための基本的な方針，②歯科口腔保健を推進するための目標・計画に関する事項，③都道府県および市町村の歯科口腔保健の基本的事項の策定に関する事項，④調査および研究に関する基本的な事項，⑤その他歯科口腔保健の推進に関する重要事項が示されている．

　歯科口腔保健を推進するための目標・計画としては，①健康格差の縮小，②歯科疾患の予防，③口腔機能の維持・向上，④定期的な歯科検診などを受けることが困難な者への歯科口腔保健，⑤社会環境の整備の5項目について，乳幼児期の「健全な歯・口腔の育成」など計10項目の目標を掲げ，これらに関し19項目の2022年度までに達成すべき目標値を設定している（健康日本21（第二次）と同様，期間は2023年度まで1年間延長）．

　なお，健康日本21（第二次）の最終評価とあわせ，基本的事項の最終評価も行われ，

目的	○口腔の健康は，国民が健康で質の高い生活を営む上で基礎的かつ重要な役割 ○国民の日常生活における歯科疾患の予防に向けた取組が口腔の健康の保持に極めて有効

国民保健の向上に寄与するため，歯科疾患の予防等による口腔の健康の保持の推進に関する施策を総合的に推進

基本理念
① 国民が歯科疾患の予防に向けた取組を行うとともに，歯科疾患を早期に発見し，早期に治療を受けることを促進
② 各ライフステージにおける口腔（機能）状態・歯科疾患の特性に応じて，適切かつ効果的に歯科口腔保健を推進
③ 保健，医療，社会福祉，労働衛生，教育等，関連施策との有機的な連携を図りつつ，その関係者の協力を得て，総合的に歯科口腔保健を推進

責　　務
① 国及び地方公共団体，②歯科医療等業務従事者，③健康保持増進のために必要な事業を行う者
④ 国民について，責務を規定

歯科口腔保健の推進に関する施策
① 歯科口腔保健に関する知識等の普及啓発等
② 定期的に歯科検診を受けること等の勧奨等
③ 障害者等が定期的に歯科検診を受けること等のための施策等
④ 歯科疾患の予防のための措置等
⑤ 口腔の健康に関する調査及び研究の推進等

推進基盤

基本的事項の策定等	口腔保健支援センター
国：施策の総合的な実施のための方針，目標，計画その他の基本的事項を策定・公表 都道府県：基本的事項の策定の努力義務	都道府県，保健所設置市及び特別区が設置（任意設置） ※センターは，歯科医療等業務に従事する者等に対する情報の提供，研修の実施等の支援を実施

財政上の措置等 国及び地方公共団体は，必要な財政上の措置，その他の措置を講ずるよう努める

図 1-5　歯科口腔保健法の概要　　　　　　　　　　　　　　　　　　　　（厚生労働省：2022[4]）

2022 年 10 月に歯科口腔保健の推進に関する基本的事項最終評価報告書が公表されている.

最終評価では，基本的事項の目標値全 19 項目のうち，評価時点（直近値）で目標達成したのは「12 歳児で齲蝕のない者の割合の増加」と「20 歳代における歯肉に炎症所見を有する者の割合」の 2 項目（10.5%）のみであった. 評価時点で目標値に達していないが，改善傾向にあるのは 6 項目（31.6%）で，そのうち目標設定年度までに目標達成見込みである目標が 4 項目（19.0%），目標設定年度までに達成が危ぶまれる項目が 2 項目（10.5%）であったとしている. 一方，変化なしと悪化が各 1 項目（各 5.3%）となった. 新型コロナウイルス感染症の影響は対面での歯科健診などの結果を多く用いる歯科口腔保健領域では甚大で，歯科疾患実態調査などの中止により，評価困難とされた項目が 9 項目（47.4%）と半数近くを占める結果となった. しかしながら，歯科疾患実態調査などの直接の評価指標は得られなかったものの，参考値などから統計分析が可能であった参考指標の評価結果なども踏まえ，この 10 年間で，歯科口腔保健の取り組みは大きく進み，国民の歯および口腔の健康への関心が高まったことにより，全体としては歯・口腔の状態は向上したと総括している.

（4）歯科口腔保健の推進に関する基本的事項（第二次）

健康日本 21（第三次）と同様，歯科口腔保健の推進に関する基本的事項についても，厚生科学審議会地域保健健康増進栄養部会に設置されている「歯科口腔保健の推進に関する専門委員会」で次期プランの検討が行われ，2023 年 10 月に基本的事項の全部改正が告示（厚生労働省告示第 289 号）されている. 基本的な構成は踏襲しているが，今回，これまで「その他歯科口腔保健の推進に関する重要事項」の中で記載されていた歯科口腔保健を担う人材

第3編 地域口腔保健

に関する内容が「第4　歯科口腔保健を担う人材の確保・育成に関する事項」として独立し，第1　歯科口腔保健の推進のための基本的な方針　〜　第6　その他歯科口腔保健の推進に関する重要事項の6項目となっている．

　2024年度から2035年度までの12年間を計画期間とする「歯科口腔保健の推進に関する基本的事項（第二次）」（通称：歯・口腔の健康づくりプラン）では，全ての国民にとって健康で質の高い生活を営む基盤となる歯科口腔保健の実現に向けて，「個人のライフコースに沿った歯・口腔の健康づくりを展開できる社会環境の整備」および「より実効性をもつ取組を推進するために適切なPDCAサイクルの実施」に重点を置き，歯科口腔保健のさらなる推進を図るものとしている．具体的な目標値としては再掲を除き17指標が設定されているが，今回から一部の指標において，幅広い年齢層を対象とした疾患の罹患状況等の評価が可能になるよう年齢調整値を用いた目標値が採用されている（表1-3）．目標の達成状況については，健康日本21（第三次）と同様，計画開始後6年の2029年度を目途に中間評価を行い，計画開始後10年の2033年度を目途に最終評価を行うこととしている．なお，基本的事項の告示の際に発出された通知では，「歯・口腔の健康づくりプラン推進のための説明資料」を示し，歯科口腔保健の推進のためのグランドデザインやロジックモデルをはじめとした，その詳細な趣旨や目標値設定の考え方などを解説するとともに，地方自治体が状況に応じて施策の立案や検証に用いることができるよう，基本的事項の17項目に加え，参考指標として20項目の目標値が示されている．

3 地域口腔保健活動の進め方

1）活動の場

　地域で行われる保健活動は，健康相談，健康教育，健康診査および保健指導などの対人保健サービスが中心となる．なかでも，日本では，母子保健法，学校保健安全法などの各法律に基づき行政や学校，事業所などが行う健康相談・教育や健康診査などの活動が主体となっている．

　行政が行う対人保健サービスの拠点としては，地域保健法で保健所と市町村保健センターが規定されている．現在，母子，成人・高齢者などの一般的な対人保健サービスの実施主体は市町村となっており，市町村保健センターが住民に身近な保健活動の拠点となっている．ただし，市町村保健センターだけでなく，公民館などの地域住民が集まりやすい場所・施設を利用して健康相談や健康教室などを開催することも行われている．また，受診券を交付して，健診機関やかかりつけ医・かかりつけ歯科医などに健康診査や保健指導を委託実施したり，外出困難な対象者には自宅や施設を訪問して行う保健指導や健康診査も行われている．

　一方，学校保健安全法および労働安全衛生法に基づく健康診査などの保健活動の場は，それぞれ学校および事業所が中心となるが，労働（産業）保健分野では健康診査やその後の保健指導を健診機関などに委託して実施することが多い．また，独自に医療専門職を確保して保健活動を行うことが困難な中小企業のために，各地域に地域産業保健センターが設置されている．

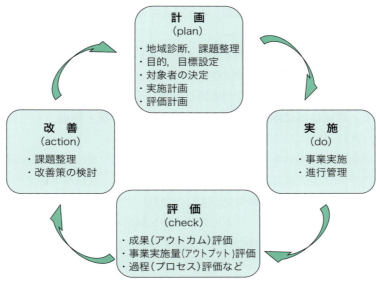

図 1-6　地域保健活動における PDCA サイクル

2）地域口腔保健活動を進める際の基本的考え方

（1）地域保健対策の推進の基本的な方向

　地域保健法第 4 条第 1 項に基づき，地域保健対策の推進に関する基本的な指針が告示されている．その中で，第一として，地域保健対策の推進の基本的な方向が示されており，①自助および共助の支援の推進，②多様なニーズに対応したきめ細かなサービスの提供，③地域の特性を生かした保健と福祉の健康なまちづくり，④医療，介護，福祉などの関連施策との連携強化，⑤地域における健康危機管理体制の確保，⑥科学的根拠に基づいた地域保健の推進，⑦国民の健康づくりの推進などを柱として掲げている．これらは地域口腔保健活動を進める際にも等しく当てはまる．

（2）科学的根拠に基づく地域保健活動と PDCA サイクル

　特に，実際に地域で事業を企画，実施していくうえでは，⑥科学的根拠に基づいた地域保健の推進で述べられている内容が骨子を示している．具体的には，健康阻害要因を科学的に明らかにするとともに，疫学手法などを用いて地域保健対策の評価を行い，それらに基づき，計画の策定および対策の企画・実施・評価を行うことを求めている．

　つまり，住民の健康状態や生活環境の実態などの把握・分析に基づき，地域において取り組むべき健康課題を明らかにし，エビデンスに基づいた対策や計画を立案するとともに，計画 plan，実施 do，評価 check，改善 action という PDCA サイクル（図 1-6）を継続していく必要がある．

3）地域診断

　地域保健活動における地域診断については明確な定義はされていないが，一般的には，「特定の地域（コミュニティ）を対象に，健康にかかわるさまざまな情報から，地域の現状を分析し，地域の健康課題を把握すること」とされている．広義の地域診断ではその後の対

第3編 | 地域口腔保健

策の立案，実施，成果の評価・再検討まで含めた一連のプロセスとして用いられる場合もある．

いずれにしても，地域のさまざまな情報を収集・分析したうえで，課題を明確化することは，根拠に基づく地域保健活動を展開していくうえで最も基本的で重要なことであり，限られた資源の中で効果的かつ効率的な活動を展開することを可能にする．

（1）地域診断に用いる資料の収集・整理・分析・評価

a. 資料の収集

地域診断に用いる情報・資料としては人口動態や健診結果などの各種保健医療統計，住民アンケート調査結果などの量的データだけでなく，住民や関係者へのヒアリング結果や従事している保健医療専門職の気づきなどの質的データも用いられる．地域診断の目的を達するために不足しているデータがあれば，新規調査の実施も検討する．

また，課題解決に向けた対策を検討する際の資料としては，地域の健康課題にかかわる人的・物的資源や関連サービスの提供状況などに関する情報も把握しておく必要がある．なお，健診結果などの個人を特定可能なデータを取り扱う際には，後述する個人情報保護に関する配慮を行う必要がある．

b. 収集した資料の整理・分析・評価

量的データは他地域との比較や経年推移をみることで地域の課題を把握することが可能となる．ただし，こうしたデータを比較分析する際には，対象集団の性・年齢分布の差や診査基準の違いなど，偏りの補正または評価を適切に行う必要がある．また，未処置歯の多い人は集団歯科健診を避けるといった選択バイアスの存在など，データのもととなった対象集団の代表性についても意識しておく必要がある．

地域診断の目的に沿った評価（アセスメント）項目を設定し，収集した資料を項目ごとに分類し，アセスメントを行う．

アセスメントの結果に基づき，課題点を列挙し，各課題の相互関係や社会的な影響の大きさ，改善可能性などを総合的に判断しながら地域の健康課題を集約・特定する．この際，専門職だけで行うのではなく地域住民の代表に参加してもらい，住民の目線に立った検討を行うことが重要である．

4）活動計画の立案と実践

（1）目的・目標の設定

地域診断結果から特定した健康課題の解決に向けて，目的および目標を設定する．目的はなぜその活動や事業を行うのかに重点が置かれ，最終的な目指す状態を示すもので，通常，個々の目標を達成した後も継続する．一方，目標は目的を達成するための具体的な道標であり，実施する各事業の成果を評価できるよう具体的で，かつ，達成可能である必要がある．また，目標は住民にとって理解しやすく，自分自身の目標としてもとらえられるものであることが望ましい．

目標を設定する際には後述する評価の段階も見据え，DMFT指数や適切な保健行動を行っている人の割合といった健康状況などに関する成果目標（アウトカム指標）だけでなく，健

康相談の実施回数や参加者数などの事業実施量目標（アウトプット指標）も設定するとともに，計画の策定段階から，何の評価を，いつ，誰が実施するのかなどの評価計画も一体的に策定しておくことが望まれる．

（2）活動（事業）計画の策定

目標を達成するためにどのような対象，内容・方法で行うのが最も効果的であるか，文献などのエビデンスや他地域での実践例などを参考に具体的な活動（事業）計画を立てる．その際，各事業に必要となる予算，マンパワー，器具・機材および実施主体や実施時期・場所，対象者の把握と周知方法などについても，検討する必要がある．また，活動（事業）計画の策定段階においても，地域住民の代表に参加してもらうことが効果的である．

地域口腔保健活動の内容・方法としては，広く住民全体を対象として行うキャンペーンや普及啓発活動などから，特定の集団や個人を対象とした健康相談・健康教育や健康診査，訪問指導やフッ化物歯面塗布などの予防処置，あるいは住民の自主活動グループの育成支援まで，さまざまなアプローチがあり，対象および目的・目標に応じて適切に選択あるいは組み合わせていく必要がある．

5）活動の実践と評価

策定した活動（事業）計画に沿って，各事業を実践に移していくが，事業開始前および事業実施期間中を通じ，地域住民および事業関係者に対して事業の意義・目的を十分に周知徹底していくことが重要である．また，計画通り各事業が展開されているか，障害となる事象が発生していないかなど，随時，進行管理を行っていく必要がある．

また，当初予定された評価計画に基づき，評価を行う．評価を行うことは現在の活動や計画を改善したり，よりよい活動（事業）計画を立案するために不可欠である．活動費用を負担しているステークホルダーや関係者に対して説明責任を果たすという意味合いもある．

成果目標の評価は一定期間を経過した後に行うが，事業実施量目標の評価は各事業の進行に伴いすぐに実施できるため，進行管理の面からも重要である．

上記の成果評価および事業実施量評価のほか，事業を実施するための仕組みや体制を評価する構造評価や各実施プロセス（手順）や活動状況に着目して主に質の観点から評価する過程評価が必要に応じて行われる．

6）個人情報の保護

（1）個人情報保護法

プライバシーに関する権利意識の高まりや情報化の進展に伴い個人の権利利益侵害の危険性が増大したことを受け，2003 年に個人情報の保護に関する法律（個人情報保護法）が制定されている．

同法では，対象とする個人情報について，「生存する個人の情報であって，当該情報に含まれる氏名，生年月日，その他の記述などにより個人を識別できるもの（他の情報と容易に照合でき，それにより個人を識別できるものを含む）および，個人識別符号が含まれるもの（個人識別符号とは，指紋認証データなど個人の身体の一部の特徴を電子的に変換したもの

および会員番号など特定の利用者などを識別できるよう付された符号）」と規定している.

個人情報保護法では，こうした個人情報をデータベース化して事業活動に利用している者を個人情報取扱事業者とし，個人情報の取得，保管・管理などに関する義務を課している.

（2）個人情報取り扱いの原則

① 利用目的を特定し，本人の同意なしに目的外利用や第三者提供はしない.

② 情報の取得にあたっては利用目的などを公表またはすみやかに本人に通知する（人種，信条，社会的身分，病歴，犯罪歴などの要配慮個人情報は事前に本人同意を得て取得する）.

③ 個人データの漏えい防止などの必要な安全管理措置を行う.

④ 個人データを取り扱う従事者やデータ管理の委託先の監督を適切に行う.

⑤ 本人からの開示，訂正，利用停止などの請求には適切に対応する.

（3）個人情報保護に関するガイドラインなど

業種により取り扱う個人情報の内容，目的や管理運用方法は大きく異なることから，個人情報保護法では詳細な運用基準を定めず，各主務大臣や民間の認定個人情報保護団体が定める個人情報保護指針（ガイドライン）による運用が行われている. また，地方自治体はそれぞれが個人情報保護条例を制定して運用しており，市町村などから健康診査や保健指導の委託を受けて実施した場合の個人情報の取り扱いについては，個別に担当者などに確認する必要がある.

保健医療分野に関するガイドラインとしては，厚生労働省が作成した「医療・介護関係事業者における個人情報の適切な取扱いのためのガイダンス」などがあり，これらのガイドラインに基づいた適切な対応が必要である.

4 地域活動と口腔保健医療

1）地域口腔保健をめぐる諸問題

（1）健康寿命の延伸に寄与する地域口腔保健活動の展開

高齢化と人口減少が同時進行する中で，健康寿命を延伸し，平均寿命とのギャップをできる限り縮小することが重要となっている. 歯周病と糖尿病や循環器疾患との関連，歯の喪失を防ぎ，咀嚼・口腔機能を維持することの健康長寿への寄与など，さまざまなエビデンスが蓄積されており，こうしたエビデンスや地域での実践を積み重ねていくとともに，地域口腔保健活動の最終目的を健康寿命の延伸に置き，広い視野でさまざまな関係者と連携・協働した活動を展開していくことが求められている.

（2）地域包括ケアシステムにおける介護予防・日常生活支援への参画

医療，介護，介護予防，住まいおよび日常生活支援が一体的に確保される地域包括ケアシステムを各地域で構築していくことが急務となっている. こうした中，要介護高齢者に対する訪問歯科診療や口腔健康管理の確保だけでは十分でない. 介護予防を進め，すべての地域住民・高齢者ができるだけ長く自立した日常生活を送れるよう，「通いの場」をはじめとしたさまざまな機会をとらえて，口腔機能の維持向上と食の自立に向けた支援に積極的に参画していく必要がある.

（3）地域間格差・個人（世帯）間格差問題への対応

　幼児の齲蝕罹患状況をはじめとして，口腔保健状況にも地域間・個人間の格差があることが知られている．今後，各地域間の人口動態（高齢化・人口減少）や経済・所得状況などの差がいっそう拡大していくことが予想されている．社会経済状況が口腔の健康状態に与える影響を考慮した実効ある地域間・個人（世帯）間格是正に向けた対応を検討する必要がある．

（4）推進基盤としての歯科専門職の確保

　歯科口腔保健法の基本的事項の中でも必要性が述べられているように，口腔保健に関する計画の策定や各施策・事業の企画調整などにおいて，行政内部に歯科専門職が配置されているか，いないかは大きな違いを生む．

　地域保健・健康増進事業報告による 2020 年度末現在の保健所および市区町村の地域保健事業にかかわる常勤歯科医師・歯科衛生士はそれぞれ 121 人，708 人となっている．ちなみに医師は 895 人，保健師は 27,298 人，管理栄養士・栄養士は 4,309 人である．地域口腔保健を推進するための基盤としての行政歯科専門職の重要性を再確認する必要がある．

2）地域と歯科医療施設の連携

　行政，学校，企業などの保健管理・健康増進部門に所属する歯科専門職の数は，保健師などの他の専門職と比較して圧倒的に少なく，こうした場における口腔保健活動も，地域の歯科診療所の歯科医師などが歯科医師会などを通じて依頼を受け，実質的な活動の中核を担っているのが実情である．

　また，歯周病予防をはじめ，口腔疾患の予防はセルフケアとプロフェッショナルケアを車の両輪として行っていくことが最も効果的であり，先に述べたように地域保健活動に専従する歯科専門職が十分確保できない状況では，地域住民全体に対する意識啓発やスクリーニングなどの集団を対象とした活動と，個々の住民・患者に対する予防処置やメインテナンス，個別歯科保健指導といった歯科医療機関ベースで対応可能な活動を，それぞれの機能に応じて効果的に組み合わせ・連携して，総合的に展開していくことが合理的である．

　地域の歯科医療機関も地域口腔保健を推進するために重要かつ不可欠な社会資源として，積極的に地域口腔保健活動に参画していくことが望まれる．

3）生涯を通じた口腔保健管理とかかりつけ歯科医の役割

　歯科口腔保健法の基本理念で「乳幼児期から高齢期までのそれぞれの時期における口腔とその機能の状態および歯科疾患の特性に応じて適切かつ効果的に歯科口腔保健を推進すること」と規定され，基本的事項においても各ライフステージの目標などが設定（**表 1-2**）されている．このことからも明らかなように，歯科疾患は乳歯齲蝕〜永久歯齲蝕〜歯肉炎〜歯周炎〜歯の喪失・咀嚼機能の低下というようにその好発時期が異なり，しかも各疾患の影響が経時的に累積して歯の喪失・咀嚼機能の低下につながることから，口腔の健康を保つためには生涯を通じた口腔保健管理が不可欠である．この点で，妊娠中，乳幼児期から高齢期，看取りの時期まで継続的にかかわることが可能な「かかりつけ歯科医」に対する期待は大き

く，口腔状況や生活環境，保健行動の変化など個々の状況を踏まえながら，適切な時期に効果的な介入・支援を行っていくことが望まれる．

　なお，2017年12月に厚生労働省が公表した歯科医師の資質向上等に関する検討会中間報告書〜「歯科保健医療ビジョン」の提言〜では，「かかりつけ歯科医」について，地域包括ケアシステムの一翼を担い，地域保健活動や外来受診患者の口腔疾患の重症化予防のための継続的な管理を通じて，地域住民の健康の維持・増進に寄与すべきであるとしている．そのための具体的なかかりつけ歯科医の機能として，歯科疾患の予防・重症化予防や口腔機能に着目した歯科医療の提供や住民への健康教育，歯科健診などの地域保健活動への参画を通じた「住民・患者ニーズへのきめ細やかな対応」，外来診療だけでなく，病院・施設や在宅への訪問歯科診療の実施や夜間・休日の対応などのための歯科医療機関間の連携体制の確保を通じた「切れ目のない提供体制の確保」，医療・介護関係職種などとの口腔内状況の情報共有が可能な連携体制の確保や食支援などの日常生活支援のための他職種連携の場への参画を通じた「他職種との連携」の3つをあげている．

（大内章嗣）

第3編　地域口腔保健

第2章　母子の口腔保健

本章の要点
- 母子保健は母性ならびに乳幼児の健康の保持・増進をはかることを目的としている．
- 母子保健法による事業は市町村が実施主体となり，母子健康手帳の交付，訪問指導，健康診査，公費医療制度などが行われている．
- 母子保健活動は，母子保健法，母体保護法，児童福祉法，地域保健法などに基づき実施される．
- 妊娠は，多要因により口腔環境を悪化させる可能性がある．
- 妊娠時にみられる妊娠性歯肉炎は出産後軽快する．
- 妊娠中のみならず出産後も歯科保健指導や食事指導などでフォローアップする．
- 乳幼児期の齲蝕は減少しており，個々のリスク要因に対する歯科保健指導が重視されている．
- 1歳6か月児歯科健康診査，3歳児歯科健康診査では齲蝕の存在部位で齲蝕罹患型を決定している．
- 児童虐待は増加傾向にあり，歯科でも診査時に虐待の徴候を把握する可能性がある．

Keywords　母子保健法，母子保健統計，母子保健事業，妊娠と口腔環境，妊産婦歯科保健指導，1歳6か月児歯科健康診査，3歳児歯科健康診査，児童虐待

1　母子保健の概要

1）母子保健の意義

　妊娠，出産は生理的現象といえども母性に大きな変化と影響を与える．また，子どもにとって胎児期から新生児期，乳幼児期はさまざまな物理的，化学的，生物学的影響に曝され，それに順応しなければ生命を維持できないが，その多くは母親の庇護のもとで成長することができる．

　一方，口腔保健に目を向けると，母体においては妊娠による内分泌や食物嗜好の変化などにより口腔内環境が変化することで歯肉炎や齲蝕が多発する傾向がある．また，子どもにおいては，乳歯の歯胚形成が胎生7週で早くも開始される．また，永久歯の歯の形成は，そのほとんどが乳幼児期になされている．さらに，幼児期は齲蝕の好発時期である．

　以上のことから，母子保健は，健康な次世代を育てるという人類にとって重要な保健領域である．一方，成人期における疾病の原因は，必ずしもその疾病の発症近傍にあるのではなく，胎児期，乳幼児期などの各ライフステージで受けたさまざまな疾病要因の蓄積が発症の原因となる可能性がある．このような疾病の原因を，その人がどのような環境で，あるいはどのような軌跡を辿って受けてきたのかで説明するのがライフコースアプローチである．よって，ライフコースの基点を守備範囲とする母子保健には，母親にはじまり子につなぐ健康の保持・増進をはかるという大切な意義がある．

（1）母子保健統計

母子保健統計には，出生，妊産婦死亡率，周産期死亡率，死産率，乳児死亡率などの統計値が用いられている．このうち，死亡，死産に関する統計値は，国や地域における母子保健水準を強く反映する．

a. 出生

2023年における出生数（概数）は約73万人であり出生率（人口千対）は6.0である．1990年における出生数は約122万人で，出生率は10.0であったように，近年は継続してこれらの数値は減少している．

出生時の平均体重をみると，2013年では男女とも約3,000gである．これまでは全出生数中の低出生体重児の割合が9.6%（2012年）と増加する傾向をみせていたが，近年では横ばいで推移している．

b. 死亡

母子保健に関するものでは，①妊産婦死亡，②死産，③周産期死亡，④乳児死亡，⑤幼児死亡などがある．

（ⅰ）妊産婦死亡

妊娠・出産あるいは妊娠・出産に関連する疾病による死亡を妊産婦死亡といい，年間の妊産婦死亡数を年間出生数（出生数＋死産数）で除した値である．妊産婦死亡率を求める際の妊産婦の期間は，妊娠中および妊娠終了後満42日未満としている（母子保健法における妊産婦の用語の定義と異なる）．

日本における妊産婦死亡率（出産10万対）は1960年以降，大きく減少し（**表2-1**），現在では先進国の中でも低い値（出生10万対）となっている．

（ⅱ）死産

人口動態統計でいう死産は，妊娠満12週以降の死児の出生であり，自然死産と人工死産に分かれる．人工死産は母体保護法の規定により実施されるもので，その対象は妊娠満22週未満としている（**図2-1**）．日本の死産率の状況をみると，自然・人工死産率ともに母の年齢が15～19歳で高く，その後低下するも，40歳を超えると再度上昇するというU字型の推移を示す（**表2-2**）．なお，自然・人工死産率はともに減少傾向にある．

表2-1　妊産婦死亡率（出産10万対）の推移

	妊産婦死亡率		妊産婦死亡率
1955（昭和30）年	161.7	1995（平成 7）年	6.9
'60（昭和35）年	117.5	2000（平成12）年	6.3
'65（昭和40）年	80.4	'05（平成17）年	5.7
'70（昭和45）年	48.7	'10（平成22）年	4.1
'75（昭和50）年	27.3	'15（平成27）年	3.8
'80（昭和55）年	19.5	'20（令和 2）年	2.7
'85（昭和60）年	15.1	'21（令和 3）年	2.5
'90（平成 2）年	8.2	'22（令和 4）年	4.2

（厚生労働統計協会編：2024[2]）

図 2-1　人口動態統計の死産・周産期死亡と人工妊娠中絶
（厚生労働統計協会編：2021[2]）

1) 母体の生命を救うための緊急避難の場合などに限られる（死亡診断書・出生証明書・死産証書記入マニュアル（平成7年版）から）．
2) 平成3年（1991）以降，従来の「妊娠満23週以前」が「妊娠満22週未満」となった．
3) 〇は未満を示す．

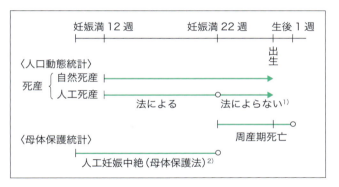

表 2-2　自然―人工・母の年齢階級別にみた死産数と死産率（出産千対）

2022（令和4）年

	自然死産		人工死産	
	死産数	死産率	死産数	死産率
総　数[1]	7,391	9.4	7,788	9.9
15〜19歳	60	11.3	739	138.6
20〜24	466	8.5	1,705	31.0
25〜29	1,507	7.3	1,512	7.4
30〜34	2,389	8.4	1,534	5.4
35〜39	2,113	11.3	1,442	7.7
40〜44	818	17.1	760	15.9
45〜49	31	18.2	69	40.6

1) 母の年齢が15歳未満，50歳以上と年齢不詳を含む．（厚生労働統計協会編：2024[2]）

(ⅲ) 周産期死亡

　妊娠満22週以降の死産と早期新生児死亡（生後1週未満の死亡）をあわせたものを周産期死亡という（**図 2-1**）．この周産期における子の死亡は母体の健康状態に強く影響されることから，1950年以降WHOによって周産期死亡率を算出することが提唱された．日本の周産期死亡率は継続して低下しており（**図 2-2**），その値は先進国の中でもきわめて低い．

(ⅳ) 乳児死亡

　生後1年未満の死亡を乳児死亡といい，出生千対の乳児死亡率として観察する．乳児死亡率を観察するのは，乳児の生存には母体の健康状態，養育条件，地域の保健・医療，上下水道などの社会資本の整備および教育や経済を含めた社会全体の状態を反映するためである．

　日本における乳児死亡率は2022年では1.8（出生千対）と世界でも最高の水準を達成している．なお，日本の乳児死因で最も多いのは先天奇形，変形および染色体異常であり，2021年におけるその割合は35.1％である（**表 2-3**）．

　一方，2021年の不慮の事故は乳児死因の4.4％を占め，乳児死因の第4位である．同年の不慮の事故による乳児死亡の状況をみると窒息によるものが最も多く，乳児の不慮の事故死全体の約92％を占める．よって，食べ物や玩具を喉に詰まらせないように注意を払う必要がある．

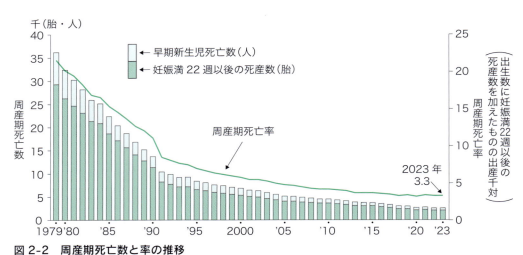

図 2-2　周産期死亡数と率の推移

（厚生労働統計協会編：2024[2]）

表 2-3　死因順位第 5 位までの死因別乳児死亡の状況　　2022（令和 4）年

	死　因	乳児死亡数	乳児死亡率（出生10万対）	乳児死亡総数に対する割合(%)
	全　死　因	1,356	175.9	100.0
第1位	先天奇形，変形及び染色体異常	483	62.7	35.6
2	周産期に特異的な呼吸障害及び心血管障害	202	26.2	14.9
3	不慮の事故	60	7.8	4.4
4	乳幼児突然死症候群	44	5.7	3.2
5	妊娠期間及び胎児発育に関連する障害	42	5.4	3.1

（厚生労働統計協会編：2024[2]）

（v）幼児死亡

　満 1 歳を超えると子どもの活動範囲や摂取する食べ物の種類も大きく広がり，保護者の監視外における不測の事態が発生しやすくなる．そのため不慮の事故の割合が 0 歳児（乳児）に比べ上昇する．その中では交通事故，溺死および溺水および窒息が多くを占めている．

2）母子保健に関する法律

（1）母子保健法

　母子保健法第 1 条では，「この法律は，母性並びに乳児及び幼児の健康の保持及び増進を図るため，母子保健に関する原理を明らかにするとともに，母性並びに乳児及び幼児に対する保健指導，健康診査，医療その他の措置を講じ，もつて国民保健の向上に寄与することを目的とする」としているように，いくつかある母子保健関連法規の基幹となるものであり，母子保健事業の根拠となっている．

a．用語の定義

　母子保健法第 6 条で，母子保健で用いる用語を定義している．
①「妊産婦」とは，妊娠中又は出産後一年以内の女子をいう．

②「乳児」とは，一歳に満たない者をいう．

③「幼児」とは，満一歳から小学校就学の始期に達するまでの者をいう．

④「保護者」とは，親権を行う者，未成年後見人その他の者で，乳児又は幼児を現に監護する者をいう．

⑤「新生児」とは，出生後二十八日を経過しない乳児をいう．

⑥「未熟児」とは，身体の発育が未熟のまま出生した乳児であって，正常児が出生時に有する諸機能を得るに至るまでのものをいう．

母子保健法で定義している用語で⑥の「未熟児」は，日や年という期間ではなく，身体機能によって定義されていることに留意する．

b．母子保健法による届出

妊娠をした者は，すみやかに市町村長に届出を行う．届出を受けた市町村は母子健康手帳を届出者に交付する．また，体重が2,500 g未満の乳児が出生したときは，その保護者は，戸籍法による出生届とは別に，すみやかに，低出生体重児として市町村に届け出なければならない．

（2）母体保護法

母体保護法は，母性の生命健康を保護することを目的とする法律で，その中で不妊手術と人工妊娠中絶に関する事項を定めている．

（3）児童福祉法

児童福祉法では，その対象を18歳未満の者とし，これら児童が心身ともに健やかに生まれ，かつ育成されることを理念とし，保育所などの児童福祉施設，児童相談所の設置や職務，療育医療などを規定している．このうち児童相談所は都道府県，指定都市が設置が義務づけられている施設で，児童やその家庭・保護者に対する相談や指導，児童の一時保護などの業務を行っている．

（4）地域保健法

健康診査を中心とする母子保健サービス提供施設としての市町村保健センターの設置を定めている．また，母子保健事業の実施主体である市町村への技術支援を行う保健所の設置もこの法律で規定している．

（5）障害者の日常生活及び社会生活を総合的に支援するための法律（障害者総合支援法）

この法律は，障害者および障害児が，必要な障害福祉サービスにかかる給付，地域生活支援事業その他の支援により，障害の有無にかかわらず安心して暮らすことのできる地域社会の実現に寄与することを目的としている．その目的を達成するために自立支援医療による公費医療費負担制度がある．

（6）児童虐待の防止等に関する法律

この法律は，虐待の予防と早期発見を目的として定められている．詳細はp.243を参照．

（7）労働基準法

仕事をしながら出産を迎える女性が取得できる産前産後休業について規定している．通常であれば産前は6週，産後は8週の休業期間が取得できる．

第3編 | 地域口腔保健

（8）育児休業，介護休業等育児又は家族介護を行う労働者の福祉に関する法律（育児・介護休業法）

事業所に就業している父母に対する休業措置で，育児休業として1年間，事業主に申請して取得することができるとされている．

3）母子保健事業

（1）母子保健法による事業（実施主体は市町村である）

a. 母子健康手帳の交付

妊娠の届出をした者に市町村が交付する．母子健康手帳の様式は厚生省令で定められており，その内容は母子の健康記録（母親の飲酒・喫煙の有無，健康診査や保健指導の記録，予防接種歴などの医学的記録）と育児情報（母子保健行政に関する情報，保健に関する情報）である．この中で，歯に関する項目は，母の妊娠中と産後の歯の状態や，子の経年的な歯の状態を記録するページが設けられている．

b. 妊産婦保健事業

妊産婦に対する保健事業として，妊娠中の健康診査，母親学級などの集団指導や個別相談などが行われている．

c. 訪問指導・未熟児訪問指導

市町村長は，妊娠の届出をした者，新生児および未熟児に対し，医師，保健師，助産師などによる訪問指導を行う．また，未熟児に対しては必要に応じて未熟児の訪問指導として行っている．

d. 産後ケア事業

市町村は，出産後一年を経過しない女子および乳児の心身の状態に応じた保健指導，療養に伴う世話または育児に関する指導，相談その他の援助（産後ケア）に努めなければならないとされている．

e. 健康診査

母子保健法では，市町村に対し1歳6か月児と3歳児に対し健康診査の実施を義務づけている（健康診査の具体的内容については☞ p.237 参照）．

一方，この他市町村の事業として生後1か月以内の新生児期，3〜6か月，9〜11か月の間に各1回の健康診査を実施している．また，1，2，4，5歳児に対しても時期を定めて健康診査を実施している．

f. 母子健康包括支援センターの設置

市町村は母子保健施設としての同センターの設置に努めなければならない．このセンターの業務は，母子保健に関する相談，保健指導，健康の保持・増進の支援，さらにこれらにあわせた健康診査や助産である．

（2）公費医療制度

a. 未熟児養育医療

医師が入院養育の必要を認めた未熟児に対し支給される．その対象は，出生体重2,000g以下や，生活力が特に薄弱な乳児としている．給付されるのは診察，薬剤・治療材料，移送

などで，健康管理と健全な育成をはかることを目的に，入院養育に必要な費用の一部が公費負担となる．実施根拠は母子保健法である．

b．自立支援医療（育成医療）

障害児（障害に係る医療を行わないときは将来障害を残すと認められる疾患がある児童を含む）でその身体障害を除去，軽減する手術などの治療によって確実に治療効果が期待される児童に対し支給される．歯科領域においては，音声・言語・咀嚼機能障害のある者（歯科領域では口蓋裂，唇顎口蓋裂など）に対して支給される．実施根拠は障害者の日常生活及び社会生活を総合的に支援するための法律（障害者総合支援法）である．

c．療育医療（結核児童療育給付）

骨関節結核，その他の結核に罹患したことで長期の入院加療を要する児童に支給される．入院医療費について医療保険の自己負担分が給付され，さらに学用品や日用品が支給される．実施根拠は児童福祉法であり，実施主体は都道府県，特別区，保健所設置市である．

（3）その他の保健事業

a．B型肝炎母子感染防止対策事業

B型肝炎ウイルス（HBV）の垂直感染による出生児のB型肝炎健康保菌者への移行を予防するため，全妊婦に対するHBs抗原検査が妊産婦検診に取り入れられている．この中では，B型肝炎ウイルスマーカー陽性の妊婦から出生した児に抗HBs免疫グロブリンやHBワクチンを接種することで健康保菌者への移行を阻止する対策がなされている．

b．新生児マススクリーニング

すべての新生児を対象に，先天性内分泌疾患（先天性甲状腺機能低下症，先天性副腎皮質過形成症）と先天性代謝異常症（ガラクトース血症，メープルシロップ尿症，フェニルケトン尿症，ホモスチン尿症）などに対するスクリーニングが都道府県，保健所設置の市が公費負担で実施している．日本では先天性甲状腺機能低下症の発見率が最多である．

（4）母子保健施策

a．健やか親子21（第二次）

日本の少子化対策としての子育て支援施策であった「エンゼルプラン」で残された課題や思春期の健康問題，児童虐待など新たに顕在化してきた諸問題に対応した21世紀の母子保健の取り組みの指針として「健やか親子21」が2001年から開始された．2015年からはそれまでの取り組みから得られた課題を踏まえた「健やか親子21（第二次）」が2025年度までの期間で開始された．「健やか親子21（第二次）」では10年後に目指す姿を「すべての子どもが健やかに育つ社会」として3つの基盤課題と2つの重点課題（**図2-3**）を取り上げ，それぞれに達成すべき数値目標を定めている．基盤課題のAとBには歯科に関する目標項目と目標値が策定されている（**表2-4**）．

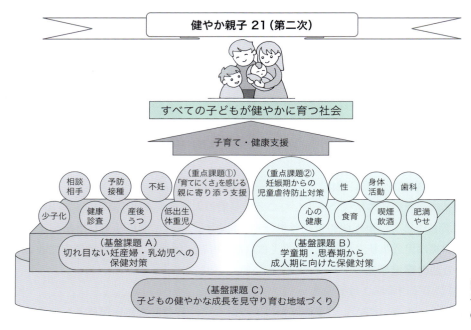

図 2-3 健やか親子 21（第二次）の概念図

表 2-4 健やか親子 21（第二次）指標および目標（歯科関連）

	指　標	中間評価 （2019年度）目標	最終評価 （2024年度）目標
基盤課題 A　切れ目ない妊産婦・乳幼児への保健対策	むし歯のない 3 歳児の割合	85%	90%
	子どものかかりつけ歯科医をもつ親の割合（3 歳児）	45%	50%
	仕上げ磨きをする親の割合	75%	80%
基盤課題 B　学童期・思春期から成人期に向けた保健対策	歯肉に炎症がある 10 代の割合	22.9%	20.0%

2　妊産婦の口腔保健

1）口腔の特徴

（1）歯と口腔の疾病・異常

　妊娠の成立は，妊娠前にはみられなかったさまざまな変化を母体にもたらす．その 1 つにホルモン分泌の変化がある．また，食事回数も増えたり，酸味を嗜好する傾向や悪阻による胃酸逆流など，口腔環境を変化させる条件が出現する．また，妊娠による悪阻や，体型変化や体重増加による倦怠により，歯口清掃を怠る傾向もみられる．その結果，歯肉炎や齲蝕が多発しやすくなる．

a．妊娠性歯肉炎

　妊娠により，女性ホルモンであるプロゲステロンやエストロゲンなどの分泌が変化する．

その結果，歯肉局所の微小血管系に影響を及ぼし，歯肉炎を発症しやすくなる．また，この女性ホルモンは歯肉炎の原因細菌である *Prevotella intermedia* や *Prevotella nigrescens* の増殖を促進する．すなわち，妊娠により通常時に比べ，より多く分泌されるこれら女性ホルモンが血流を介して歯肉局所に供給されることで，これら細菌の増殖を促す．その結果，妊娠性歯肉炎が発症すると考えられている．事実，出産後，妊娠性歯肉炎の多くは軽快することが知られている．なお，通常，歯口清掃が良好な妊婦に歯肉炎は認められないことから，妊娠性歯肉炎は妊婦に必発ではないことがわかる．

b．齲蝕の多発

妊産婦に齲蝕が多発する原因として，間食や食事回数の増加，偏食などの不規則な食生活によるもの，悪阻による歯口清掃困難があげられる．また，妊娠により唾液 pH が低下することも知られており，口腔環境は通常時に比べ齲蝕リスクが高い状態にある．また，妊娠中はもちろんのこと，出産後も育児などによる生活変化に対応するためのストレスも歯口清掃の意欲を低下させる原因となり，齲蝕多発の原因の１つとなる．

c．その他

歯間乳頭部の歯肉が増殖する妊娠性エプーリスが認められることがある．上顎前歯部が好発部位である．プラーク，歯石あるいは適合不良修復物などの局所因子が発症原因と考えられている．

2）妊産婦に対する口腔保健管理と指導

（1）歯科健康診査と口腔保健指導

a．妊産婦の歯科健康診査

妊産婦に対する歯科健康診査では，母体に負荷をかけないよう，診査時は無理のない姿勢（座位）とし，育児の時間などに配慮が必要である．

歯科健康診査は，まず問診を行い，自覚症状や歯科保健行動について質問する．口腔内診査は，歯と歯の状況の観察，口腔内不潔物付着状態の観察，その他口腔粘膜などの異常の有無についてもあわせて診査する．その結果は，母子健康手帳にある「妊娠中と産後の歯の状態」のページ（**図 2-4**）に記録する．

b．口腔保健指導

歯科健康診査の結果をもとに保健指導を実施する．保健指導は母親学級などの場において集団や個人を対象として実施されている．指導項目とその要点は次のとおりである．

（i）歯口清掃指導

妊娠は病気ではないので，妊産婦が通常の歯口清掃を実施できていれば，ことさら重点的に歯口清掃を指導する必然性はない．しかし，多くの妊婦は悪阻による気分不快などから歯口清掃を怠りがちであること，食生活の変化などが認められることなどから，口腔環境が劣悪になりやすい．そのため，通常時に比べ妊娠中は齲蝕や歯周病の感受性が高いこと，妊娠後期や出産直後は歯科治療が困難であることを説明し，歯口清掃の重要性を理解させることが大切である．

第3編　地域口腔保健

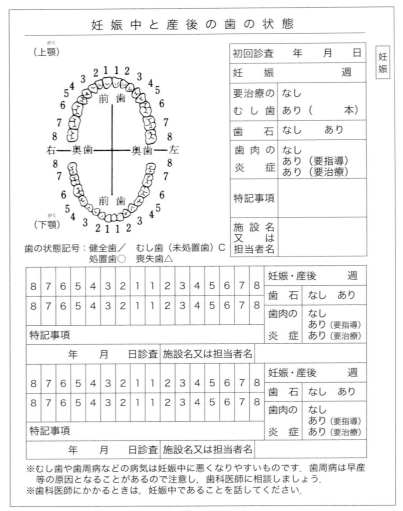

図2-4　母子健康手帳にある母の歯の健康記録（様式第三号）

(ⅱ) 栄養・食事指導

　妊産婦自身はもとより，生まれてくる子どもにとっても妊産婦の健康は重要である．そのため，妊産婦は必要な栄養を食事から摂取する必要がある．日本人の食事摂取基準では，エネルギーといくつかの栄養素に対し妊婦と授乳婦に対する付加量が設定されている．それらを参考に必要な栄養素を適量摂取するよう指導する．また，食事の内容が偏らないよう，間食回数はもとより間食の内容についても指導が必要となる．さらには，生まれてくる子どもに対する栄養の情報を提供することにより，健康で齲蝕のない子どもを育てる一助となる．

(ⅲ) 歯科治療

　妊娠後期や出産後1年ほどは，母体に対するリスクや育児に忙殺されるなどで歯科治療を受けることが困難となる．よって，妊娠前に歯科治療をすべて完了させておくことが大切である．妊娠中に歯科治療が必要となった場合には，母体が比較的安定している16～27週の

妊娠中期に治療を受けることを勧める．歯科診療にあたっては，妊婦が仰臥位にならないよう留意し，口腔内に挿入する歯科治療器具が嘔吐反応を惹起しないよう配慮する．さらにエックス線検査時の被曝防護にも注意する．

（廣瀬公治）

3　乳幼児の口腔保健

1）乳幼児口腔保健の現状と目標

　乳幼児期は顎口腔の基本的な形態・機能を獲得し，成長発育が旺盛な時期である．歯科保健対策についても，発達段階や家庭環境に配慮しつつ，適切かつ効果的な指導が求められる．

　乳幼児期の成長発育は，家庭環境や両親，特に母親の健康状態と密接な関係にあり，母子ともに心身の健康を保持増進させることを重視した歯科健康診査や保健指導が求められる．健康的な生活リズムは，親子がよく触れ合い，規則的な日常を過ごしながら形成していくものである．口腔疾患に罹患した場合，痛みや不快感だけでなく，人格形成や顎顔面の発育，全身的な成長にも影響する可能性がある．その影響を可及的に小さいものとするためにも，平素からの早期発見・早期治療対策が重要であり，リスクや指導時期をとらえた歯科保健対策が求められる．

　第二次世界大戦後から1970年代までの間，乳幼児期の齲蝕は全国的に増加し蔓延していたが，1977年から1歳6か月児健康診査に歯科健康診査が導入され，フッ化物応用も拡大し，幼児期の齲蝕は減少に転じた．

　全国の2020年までの3歳児歯科健康診査結果の推移（図2-5，6）をみても，齲蝕有病者率は11.8％，1人平均齲歯数（dft）は0.39本と減少が認められたが，次第に地域間の格差が問題視されるようになってきた．健康日本21（第二次）では，齲蝕の地域格差の縮小に向けた目標値として，「3歳児で齲蝕がない者の割合が80％以上である都道府県の増加」を設定している．

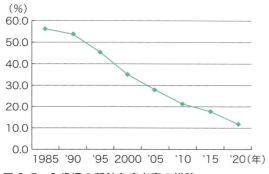

図2-5　3歳児の齲蝕有病者率の推移

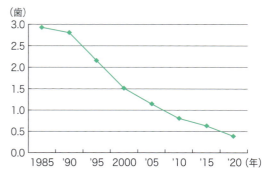

図2-6　3歳児のdftの推移

２）歯と口腔の疾病・異常

（１）無歯期（乳歯萌出前期：Hellman の歯齢ⅠA）

a. 先天性歯

　出生時〜生後１か月の間に早期萌出した乳歯は先天性歯とよばれる．下顎乳中切歯に多いが，他の歯種にもみられる．授乳時の障害となったり，Riga-Fede 病の原因となることがある．経過観察となる場合が多いが，切縁を形態修正することもある．

b. Riga-Fede 病

　先天性歯や早期萌出した乳歯により，舌下面に外傷性の潰瘍を形成する疾患である．軽度の場合は経過観察とするが，授乳の障害となる場合は，必要に応じて原因歯の切縁を削合・研磨することもある．

c. 上皮真珠

　歯槽頂部に生じる小真珠状の腫瘤で，白色球状の角化物が塊状となっていることが多い．歯堤上皮の残遺により生じた組織であり，自然に脱落するので無理に除去せずに経過観察としてよい．

（２）乳歯列期（乳歯萌出〜完了：Hellman の歯齢ⅠC 〜ⅡA）

a. 萌出遅延（萌出困難）

　早産や遺伝的要因，甲状腺機能異常などの全身的要因で歯の萌出が遅れることをいう．外傷や萌出余地不足などの局所的な要因で萌出が障害されることもある．

b. 萌出性歯肉炎

　乳歯の萌出中に生じる歯肉炎で，萌出が完了するまでに自然治癒する．痛みや違和感から，指や異物を口に入れようとすることがあるため，口腔内の清潔保持に努める必要がある．

c. 乳歯齲蝕

　近年，減少が認められるが，永久歯齲蝕より多く，進行しやすい傾向がある．自覚症状が不明確な場合が多いため，進行してから発見されることが多い．哺乳瓶の継続使用者には哺乳瓶齲蝕が生じやすい．乳歯齲蝕の特徴としては次のようなものがある．

- ・年齢により好発しやすい歯種，歯面がある．
- ・第二象牙質の形成が盛んである．
- ・自覚症状が永久歯より不明確である．
- ・多発や進行の傾向に個人差が大きい．
- ・哺乳瓶の長期使用や間食の摂取状況と関連がある．

d. 歯などの外傷

　歩行が可能になり行動範囲が拡大する２歳前後に，転倒などによる歯の外傷が好発する．男児に多く，上顎前歯が受傷しやすい．

（3）第一大臼歯，前歯萌出開始期（Hellman の歯齢 II C）

a. 齲蝕および齲蝕の重症化による継発症（根尖部膿瘍など）

b. 歯肉炎

c. 不正咬合および歯の萌出・交換の異常

その他，軟組織異常（小帯付着位置など）にも注意が必要である．

3）乳児期の口腔保健指導

保護者に対して栄養と養護の重要性を認識させつつ，顎口腔の健全な成長発育と，乳歯齲蝕の発生阻止に向けた指導が中心となる．

（1）授乳および哺乳瓶の使用

母乳栄養の長所を説明し，母乳哺育による母子相互作用が親子関係を良好に導くことを理解させる．育児不安への助言や予防に配慮し，養育態度や家庭環境を把握し，授乳環境の向上に努めるように指導する．WHO では，生後 6 か月まで完全母乳哺育を推奨している．状況に応じて人工乳を用いることも必要であるが，哺乳瓶齲蝕発生の危険性について説明し，1 歳以降はコップの使用を段階的に勧め，早期に哺乳瓶の使用をやめるように説明する．哺乳瓶に糖類を含むスポーツドリンクなどを入れて与えることも，齲蝕の原因となるためやめさせる．

（2）離乳食

一般的に生後 5 ～ 6 か月頃に離乳食を開始する場合が多く，段階的に固形成分を多く含む内容とし，口腔機能の向上に合わせて 1 歳 6 か月頃までに完了期を迎える場合が多い．授乳および離乳食の開始・進行については，厚生労働省が「授乳・離乳の支援ガイド」（**図2-7**）を策定しており，一貫した支援や指導のために，その内容の周知がはかられている．

（3）口腔清掃

乳幼児期は，口腔清掃習慣の導入期にあたる重要な時期であるとともに，習慣形成にも大切な時期である．口腔清掃指導は幼児の口腔状況や生活習慣を十分に把握し，保護者の理解を確認しながら進める必要がある．乳歯萌出前の歯肉は敏感であり，徐々に歯ブラシに慣らすようにする．乳前歯の萌出開始後はガーゼや綿棒などで歯面を拭い，清掃時の感触に慣れてから歯ブラシを本格的に導入するようにする．

4）1 歳 6 か月児歯科健康診査

母子保健法第 12 条の規定により，市町村と特別区が満 1 歳 6 か月～満 2 歳に達しない幼児を対象として実施する．市町村保健センターで実施される場合が多いが，歯科医療機関委託方式を採用する自治体もある．

3 歳児健康診査よりも早い段階で疾病や障害を発見し，育児環境も含めた包括的な指導を行い，幼児期の健康保持増進をはかる．

（1）1 歳 6 か月児の身体と精神の発達

身長は 75 ～ 85 cm，体重は出生時の 3 倍以上の 9 ～ 12 kg に増加する．ただし，運動機能面も含めて個人差が大きく，一概には評価しにくい時期である．処女歩行は満 1 歳前後と

第3編 | 地域口腔保健

	離乳の開始　　　　　　　　　　　　　　　　　　　　離乳の完了			
	以下に示す事項は，あくまでも目安であり，子どもの食欲や成長・発達の状況に応じて調整する．			
	離乳初期 生後5～6か月頃	離乳中期 生後7～8か月頃	離乳後期 生後9～11か月頃	離乳完了期 生後12～18か月頃
食べ方の目安	・子どもの様子をみながら1日1回1さじずつ始める ・母乳や育児用ミルクは飲みたいだけ与える	・1日2回食で食事のリズムをつけていく ・いろいろな味や舌ざわりを楽しめるように食品の種類を増やしていく	・食事リズムを大切に，1日3回食に進めていく ・共食を通じて食の楽しい体験を積み重ねる	・1日3回の食事リズムを大切に，生活リズムを整える ・手づかみ食べにより，自分で食べる楽しみを増やす
調理形態	なめらかにすりつぶした状態	舌でつぶせる固さ	歯ぐきでつぶせる固さ	歯ぐきで噛める固さ
1回当たりの目安量				
I　穀類（g）	つぶしがゆから始める	全がゆ50～80	全がゆ90～軟飯80	軟飯90～ご飯80
II　野菜・果物（g）	すりつぶした野菜なども試してみる	20～30	30～40	40～50
魚（g）		10～15	15	15～20
または肉（g）		10～15	15	15～20
III　または豆腐（g）	慣れてきたら，つぶした豆腐・白身魚・卵黄などを試してみる	30～40	45	50～55
または卵（個）		卵黄1～全卵1/3	全卵1/2	全卵1/2～2/3
または乳製品（g）		50～70	80	100
歯の萌出の目安		乳歯が生え始める	1歳前後で前歯が8本生えそろう	離乳完了期の後半頃に奥歯（第一乳臼歯）が生え始める
摂食機能の目安	口を閉じて取り込みや飲み込みができるようになる 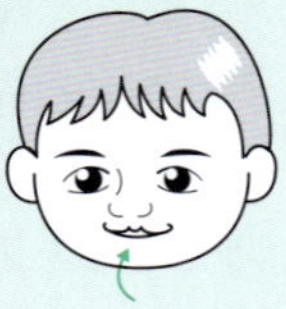	舌と上あごで潰していくことができるようになる 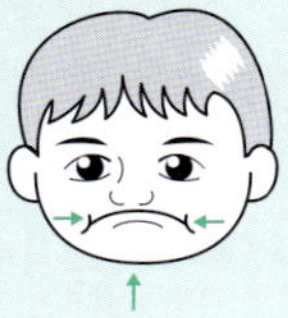	歯ぐきで潰すことができるようになる 	歯を使うようになる

※衛生面に十分に配慮して食べやすく調理したものを与える

図2-7　離乳食の進め方の目安　　　　　（厚生労働省授乳・離乳の支援ガイド改定に関する研究会編：2019[3]）

され，行動範囲が拡大し，意味のある単語を話すようになり，快・不快の表情もより明確になってくる．乳歯は第二乳臼歯を除く12～16本が萌出しており，この段階で齲蝕のある者は少ない（2015年の有病者率の全国平均値は1.91%）．

（2）1歳6か月児歯科健康診査と歯科保健指導

母子保健法（1977年以降）により，市町村および特別区に実施義務がある．一般健康診査（医科）と歯科健康診査がある．

（3）問診項目

表2-5の項目で問診を実施し，リスク要因を把握する．自治体ごとに必要に応じて問診項目を加えることも可能である．

（4）口腔診査

表2-6に示したように，生歯，齲蝕，口腔清掃状況，軟組織などを視診により確認する．

表 2-5　1 歳 6 か月児歯科健康診査の問診項目

問診項目		⇒リスクファクター
1．主な養育者	父　母	その他（　）
2．母乳の有無	与えていない	与えている
3．哺乳瓶	使用していない	使用している
4．よく飲むもの	牛　乳	清涼飲料水など
5．間食時刻	決めている	決めていない
6．歯の清掃	行　う	行わない
視診項目		**⇒リスクファクター**
プラーク付着状態	良　好	不　良

（右に回答したものを危険因子とみなす）
（厚生省健康政策局長通知：2018[4] を改変）

表 2-6　1 歳 6 か月児と 3 歳児歯科健康診査の診査項目の比較

診査項目		1 歳 6 か月児歯科健康診査	3 歳児歯科健康診査	
歯の状態	生歯	歯種別に萌出状態を診査し，一部でも萌出していれば生歯とする．歯式欄には「／」を記載		
	齲歯	エナメル質に明瞭な脱灰が認められる歯，およびそれ以上に進行したものを齲歯とする．歯式欄には「C」を記載		
歯の本数	生歯の数	通常は 12 歯から D～D の 16 歯が標準的な生歯数である	全乳歯 20 歯の萌出を確認する	
齲蝕罹患型	齲蝕なし	2 型に亜分類　齲蝕がない者		
		O_1 型　口腔環境良好　リスクファクター少ない	O 型	齲蝕がない者
		O_2 型　口腔環境不良　リスクファクター多い		
	齲蝕あり	A 型　上顎前歯部のみ，または臼歯部のみに齲蝕がある者		
		B 型　臼歯部および上顎前歯部に齲蝕がある者		
		C 型　臼歯部および上下顎前歯部すべてに齲蝕がある者	2 型に亜分類	
			C1 型	下顎前歯部のみに齲蝕がある者
			C2 型	下顎前歯部を含む他の部位に齲蝕がある者
歯の清掃状況	診査の対象	上顎両側乳中切歯，乳側切歯 4 歯の唇面	全歯の唇面	
	診査基準	およそ半分以上にプラークが付着している場合は清掃不良とする	ほぼ全歯の唇面にプラークが付着していて清掃指導を必要とする者は清掃不良とする	
歯列咬合		顕著な歯列不正などで，将来，咬合異常が予想される場合に「有」とする	明らかな歯列不正や不正咬合が認められる場合は「有」とし，その内容を反対咬合，開咬，その他に分類．開咬では指しゃぶりの有無を確認	
総合判定		問診結果や齲蝕罹患型などから「問題なし」「要指導」「要観察」「要治療」の 4 段階で判定する		

（厚生省健康政策局長通知：2016[5] から作成）

表 2-7　乳歯の齲蝕罹患型判定区分（1 歳 6 か月児歯科健康診査）

乳歯齲蝕罹患型			判定区分
O 型	O₁ 型	齲蝕がない	齲蝕がなく，かつ口腔環境もよいと認められるもの．つまり，歯の汚れの程度が"きれい""ふつう"（プラーク・スコアをとった場合は，その値が 8 以下）で，甘味嗜好の傾向も強くなく間食習慣も良好なもの（質問事項の解答が"a"に集中するもの）．
	O₂ 型		齲蝕はないが，口腔環境が良好でなく，近い将来において齲蝕罹患の不安のあるもの．
A 型			上顎前歯部のみ，または，臼歯部のみに齲蝕のあるもの．
B 型			臼歯部および上顎前歯部に齲蝕のあるもの．
C 型			臼歯部および上下顎前歯部すべてに齲蝕のあるもの（臼歯に生歯があるなしにかかわらず下顎前歯部に齲蝕を認める場合はこれに含める）．

（厚生省健康政策局長通知：2016[5] を改変）

診査時は，幼児に恐怖感を与えないようにしながら仰臥位の姿勢をとらせ，保護者に体幹や手足を支えるように固定してもらい，頭部を診査者の膝の上にのせる．対面姿勢で診査が実施できる場合は，保護者に頭部を支えてもらう．診査中の幼児の拒否行動は，必要に応じて保護者に抑止してもらう．

口腔診査の要点を以下に示す．

a. 生歯

一部でも口腔内に萌出し，視診で確認できれば生歯とする．

b. 齲歯と齲蝕罹患型

診査前にガーゼなどで歯面を清掃してから診査する．齲歯はエナメル質に明瞭な脱灰を認める歯およびそれ以上に進行した齲蝕のある歯とする．齲蝕罹患型は**表 2-7** を参照．

c. 清掃状況

上顎乳中切歯，側切歯の合計 4 歯の唇面を診査し，およそ半分以上にプラークが付着している場合は「不良」とする．

（5）結果の記録・判定と事後指導

問診や口腔診査の結果および判定結果（問題なし，要指導，要観察，要治療）は，診査票ならびに母子健康手帳に記録する．齲蝕罹患型に準じた予後の予測と指導内容は**表 2-7，8**に示した．齲蝕がない O₁ 型の幼児にもフッ化物歯面塗布を勧める．齲蝕のある A 型以上の者には，フッ化ジアンミン銀溶液（齲蝕進行阻止剤）の塗布を勧める．

すべての保護者に対して指導する「一般的な指導事項」の内容（日常生活における育児上の注意点）は，パンフレットなどを活用し，要点を伝えるようにする．

歯面清掃は，幼児を仰臥位とし，頭部を膝の上にのせて，口腔内を観察しながら行うように指導する．間食については，時間を決めて内容や量を考えて与える必要がある．

5）3 歳児歯科健康診査

母子保健法第 12 条の規定により，市町村と特別区が満 3 歳～満 4 歳に達しない幼児を対象として実施する．3 歳児の齲蝕罹患状況には個人差，地域差が認められるため，健康日本 21（第二次）では地域格差の解消に向けた目標値を設定している．

表 2-8 乳歯の齲蝕罹患型に応じた指導事項一覧

罹患型	予後の推測	指導事項
O$_1$ 型	齲蝕感受性は低いものと思われる.	① 現在の状態を続けるように努力させる. ② 一般的な指導事項を指導する. ③ 予防処置（フッ化物歯面塗布）をすすめる.
O$_2$ 型	齲蝕発生の可能性が強いと思われる.	① 一般的な指導事項を徹底する. 特に歯の清掃と間食, 飲物に対して十分に注意, 指導する. ② 6か月後に再検査の必要性があることを指導する. ③ 予防処置フッ化物歯面塗布をすすめる.
A 型	齲蝕感受性は高い.	① 齲蝕進行阻止の処置（フッ化ジアンミン銀溶液塗布）を指示する. ② 哺乳瓶の使用が多ければ, それに対して注意する. ③ その他, O$_2$ 型に準じて指導する.
B 型	齲蝕感受性は高い. 広範性齲蝕になる可能性もある.	① A 型に準じて指導する. ② 定期検査を確実に受けるように指導する.
C 型	齲蝕感受性は著しく高い. 広範性齲蝕になる可能性が強い.	① B 型に準じて指導する. ② 可能な限り齲蝕の治療をすすめる. ③ 小児科医の診察も受けるようにすすめる.

(厚生省健康政策局長通知：2016 [5] を改変)

（1）3歳児の身体と精神の発達

満3歳頃の幼児の身長は約 90 〜 105 cm, 体重は出生時の約5倍の 14 〜 18 kg まで増加する. 運動能力では歩行が安定し, かけ足や平均台, 階段昇降ができるようになる. 知能, 言語, 情緒, 主体的行動が複雑多様になり, 「なぜ？」などの疑問詞を発し, 会話から一定の理解が可能となる. 自律的な行動が可能となる時期である.

（2）3歳児歯科健康診査と歯科保健指導

1歳6か月児歯科健康診査同様, 一般健康診査（医科）と歯科健康診査が実施されている. 1歳6か月児歯科健康時の結果も必要に応じて参照しながら指導を実施する.

（3）問診項目

1歳6か月児歯科健康診査での問診から, 授乳に関する項目が除かれ, 間食の回数や保護者が仕上げ磨きを実施しているかなどを問う内容となっている. 地域の実情に応じて問診項目を加えることも可能である.

（4）口腔診査

1歳6か月児歯科健康診査と同様, 表 2-6 に示したように, 生歯, 齲蝕, 口腔清掃状況, 軟組織などを視診により診査する. 軟組織や歯列咬合に関する診査は詳細に行う. 診査時の幼児の姿勢は, 立位で対面して実施する場合には, 保護者に頭部を後方から支えて固定してもらう.

口腔診査の要点を以下に示す.

a. 生歯

一部でも口腔内に露出した状態を視診で確認できれば生歯とする.

b. 齲歯と齲蝕罹患型

1歳6か月児歯科健康診査の基準に準じて診査する. 齲蝕罹患型は表 2-9 を参照.

第3編 | 地域口腔保健

表 2-9　乳歯の齲蝕罹患型と保健指導（3歳児歯科保健指導要領）

乳歯の齲蝕罹患型	現症および予後の推測	指導事項
Ⅰ　齲蝕のない者　O型		① 口腔清掃に注意する．3歳では自分で完全な口腔清掃が行えないから保護者が行ってやる．この際，特に隣接面や歯頸部をよく清掃する．これを1日2～3回食後に行えば理想的であるが，最低1日1回は励行させる．また，歯ブラシ使用の習慣をつくるように指導する． ② 1年に3～4回歯科医院を訪れて検診を受け，その際齲蝕の予防薬の歯面塗布をしてもらう． ③ 食間に糖分や粘着性のでん粉をとることを極力やめさせて，果実類や牛乳などに代えていく．
Ⅱ　齲蝕のある者　A型	上顎前歯のみまたは臼歯のみに齲蝕がある．齲蝕罹患型からみると比較的程度の軽いものである．	① 現在ある齲蝕の治療を受けるように指示する． ② 齲蝕が上顎前歯部に強く限定してあらわれる場合は，吸指癖や人工栄養に関連がある場合が考えられるので，その点に注意して観察し，その矯正について指導することにより齲蝕の拡大を防ぐ． ③ その他は齲蝕のない者にあげた指導事項に準じて指導する．
B型	臼歯および上顎前歯に齲蝕がある．上下，左右の4つの部分の臼歯に齲蝕がある場合は，齲蝕の感受性はかなり高く，将来C2型に移行する可能性が強い．	① A型の指導要領に準じて指導する． ② 齲蝕感受性が高いと思われる者については定期検診を確実に受けるように指導する． また，甘味食品を減らすように指導し，歯口清掃には特に注意するよう指導する．
C型	下顎前歯に齲蝕のある者	
C1型	下顎前歯のみに齲蝕のある者	① 現在ある齲蝕の治療を受けるよう指示する． ② その他は齲蝕のない者にあげた指導事項に準じて指導する．
C2型	下顎前歯を含む他の部位に齲蝕のある者　齲蝕の感受性は極めて高く，齲蝕の進行は急速である．将来，第一大臼歯の近心転位や，近心傾斜，犬歯の唇側転位，小臼歯の舌側転位などが起こることもある．	① 直ちに歯科医院を訪れ，治療を受け，また，定期検診を確実に受けるように勧める． ② この型の者は，全身的な原因のあることが想像され，また逆に重症齲蝕のために全身的な機能低下をきたしていることがあるので，是非とも小児科医の診療を受けるように勧める． ③ その他はB型に準じて指導する．

（厚生省健康政策局長通知：2016[5]を改変）

c. 清掃状況

　全歯の唇面を診査し，ほぼ全歯にプラークの付着が認められ，清掃指導を要する場合には「不良」とする．

d. 軟組織の疾病・異常

　小帯，歯肉，その他の異常の有無を確認する．

e. 歯列咬合

　反対咬合，開咬（認められた場合は指しゃぶりの有無を確認），その他の異常の有無を確認する．

（5）結果の記録・判定と事後指導

　問診や口腔診査の結果，判定結果（問題なし，要指導，要観察，要治療）は，診査票だけでなく母子健康手帳にも記録する．齲蝕罹患型に準じた予後の予測と指導内容は**表 2-9**に示した．

齲蝕の治療も状況により可能な年齢なので，齲歯の認められた幼児には治療を勧める．3歳児以降は乳臼歯部の齲蝕が増加してくるので，O型の幼児に対しても口腔清掃状況が不良の場合には，定期的に歯科診療所で口腔清掃指導を受けるよう助言する．

6）4，5歳児の口腔保健

幼児期後期には，幼児本人に対する指導の具体的な目標を設定できるようになる．幼稚園や保育園での集団活動を通じて，生活習慣や社会生活に関する決まりを身につける時期にあたる．歯口清掃も自分でやりたがるが，磨き残しが多いため，仕上げ磨きの必要性を理解させ，口腔観察も兼ねて必ず実行するように指導する．

食事や間食などの食習慣も，この時期の指導が重要とされており，偏食や甘味食品・飲料の摂取に対する具体的な指導を保護者から求められる場合が多い．顎口腔領域の成長も旺盛であり，永久歯の多くは石灰化が進行中の状態にある．咀嚼力も強くなるので，口腔機能に関する理解が深まる時期でもある．食物をよく噛んでから飲み込むよう，基本的な咀嚼・嚥下訓練が必要となる場合もある．

第一大臼歯の萌出がみられることも多く，その萌出以降の清掃指導は，この時期の最重要課題といえる．上下顎の第一大臼歯が咬合するまでには長い期間があり，自浄作用が乏しいため不潔な状態になりやすいことを理解させ，第一大臼歯の清掃法を指導する．齲蝕ハイリスク者に対しては，フッ化物歯面塗布やシーラントによる小窩裂溝填塞法を勧め，定期的に歯科健診を受診するよう指導する．

混合歯列期を迎えるため，暦年齢に応じた歯の交換が進行しているかを確認するためにも，保護者に対して歯の交換や不正咬合に関する指導を行う．

7）児童虐待と歯科医療

2000年に児童虐待の防止に関する法律が施行されて以降，対策が整備されてきたが，全国の児童相談所に寄せられる児童虐待に関する相談対応件数は，施行前に比べ10倍以上に増加している．深刻な現状を踏まえ，歯科関係者も児童虐待に関する基本的な知識を備えておく必要がある．

児童虐待防止法では，保護者が監護する児童に対し，次の①～④の4行為を行うことを児童虐待と定義している．

①身体的虐待，②性的虐待，③心理的虐待，④ネグレクト

児童虐待という言葉から身体的虐待に目が向きがちであるが，心理的虐待やネグレクトも少なくない．死亡事例は低年齢児に多いが，乳幼児期から小学生期までに被害に遭遇する場合が多く，虐待者は実母である場合が多い．

歯科受診時に虐待の徴候を把握できることもあり，幼児の服装や態度を含め，以下のような異常には留意する必要がある．

・保護者が述べる受傷理由では説明不可能な顔面や頭頸部の外傷
・新旧の受傷（打撲など）の痕跡が混在する状態
・口角部の猿ぐつわ痕など拘束の痕跡

・不自然な位置の熱傷痕や外傷痕

・受傷後に早期受診せず放置が疑われる場合

これらに加え，近年では多数の重症未処置歯の存在を児童虐待の徴候ととらえる意見もある．適正な歯科医療を受けさせない状況が推察され，ネグレクトの徴候の1つとして留意しておく必要がある．

厚生労働省の「子ども虐待対応の手引き」では，児童虐待の発生要因として「保護者」，「子ども」，「養育環境」の3つをあげている．問診などにより虐待の背景となる要因を把握できる可能性もある．虐待の可能性が高く，緊急性が高いと判断した場合には，躊躇なく通告する必要がある．通告先は，法的には市町村，児童相談所もしくは福祉事務所とされている．

（小松﨑　明）

第3編　地域口腔保健

第3章　学校での口腔保健

・学校保健は，保健教育，保健管理，保健組織活動の3つの分野で構成される．
・学校保健活動は，「疾病発見・管理重視型手法」から「健康志向・教育重視型手法」へと転換している．
・歯・口腔の健康診断は，健診当日だけでなく，保健調査などの事前準備および健康相談，保健指導などの事後措置も重要である．

Keywords　学校保健安全法，生きる力，保健調査，歯・口腔の健康診断，CO，GO，事後措置，健康相談，保健指導，学校安全対策

1　学校保健の概要

1）学校保健の意義と領域

　子どもが健康に成長していくことは，保護者や学校教職員だけでなく，社会全体の願いである．学校は，勉学に励む場であるとともに，教育やさまざまな体験を通じて健康づくりの基礎が培われる場でもある．よい生活習慣も悪い生活習慣も，主には学齢期から始まるといわれており，学校における適切な学習や指導によって「自分の健康は自分で守る」という健康に対する意識や行動を確立していくことが重要である．すなわち，学校保健のあり方が，子どもの一生の健康づくりに大きな影響を及ぼすと考えられ，生涯を通じた健康づくりにおいて，学齢期は最も重要な時期であるといっても過言ではない．

　中央教育審議会は，1996年7月に「21世紀を展望した我が国の教育の在り方について」を答申し，「学校の目指す教育は，生きる力の育成を基本とし，知識を一方的に教え込むことになりがちであった教育から，子どもたちが，自ら学び，自ら考える教育への転換を目指す」とした．それ以後，学校保健においては，「生きる力をはぐくむ健康づくり」が主眼に置かれている．また，中央教育審議会は，2008年1月に「子どもの心身の健康を守り，安全・安心を確保するために学校全体としての取組を進めるための方策について」を答申し，「子どもは守られるべき対象であることにとどまらず，学校において，その生涯にわたり，自らの健康をはぐくみ，安全を確保することのできる基礎的な素養を育成していくことが求められる」とし，学校においてもオタワ憲章によるヘルスプロモーションの概念に基づくプログラムを取り入れることとしている．

　人の生涯にわたる健康づくりは，乳幼児期のように自らの健康がおおむね保護者などの手にゆだねられ管理されている「他律的健康づくり」の時期から，成人期以降の自らの思考・判断による意思決定や行動選択による「自律的健康づくり」へと移行していかなければならない．学齢期は，まさしくその大切な転換期である（図3-1）．したがって，学校での健康づくりは，学校全体での一様な対策ではなく，子どもの成長・発育に応じた学年別の対応が

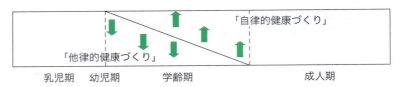

図 3-1　生涯にわたる健康づくりからみた学齢期の重要性の概念図
(文部科学省：2011[1])

必要である．

　学校保健とは，幼児，児童，生徒，学生および教職員などを対象として行う学校生活における健康・安全に関する一切の教育活動のことであり，保健教育，保健管理および保健組織活動の3つの分野から構成される（**図 3-2**）．

　保健教育は，主に学校教育法に基づいて行われる教育活動のことで，保健学習と保健指導からなる．保健学習は，健康に関する基本的な知識を習得し，自律的行動，すなわち，自己決定・自助努力が実践できるように，主に教職員による授業を通じて行われるものである．また，保健指導は，保健学習で得た知識・技能を実生活に応用・実践できるような能力や態度を育成するため，教職員だけでなく，学校歯科医，学校医，学校薬剤師などによるチーム・ティーチング（T.T）や外部講師による課外活動も含めて行われるものである．

　保健管理は，主に学校保健安全法に基づいて行われるもので，各学校が立案した学校保健計画に基づいて進められるが，その内容には，健康観察，健康診断，健康相談，疾病予防，体力測定，安全および救急措置，学校環境衛生などが含まれる．これらは校長以下，保健主事，養護教諭，保健教科担当教員，一般教員，学校医，学校歯科医，学校薬剤師らの協力により実践される．

　保健組織活動は，保健管理を効率的に行うための教育活動で，学校保健委員会，PTA活動，地域保健活動などを通じて行われる．

2）学校保健の現状

　学校保健統計調査によると，学校における幼児・児童および生徒の発育・健康状態の概要は次の通りである（**表 3-1**）．

（1）身長・体重

　戦後，児童・生徒の身長・体重はともに上昇してきたが，身長については，1994～2001年をピークにその後，横ばい傾向であり，2022年度において，11歳男子が146.1 cm，女子が147.9 cmである．また，体重については，1998～2006年をピークにその後，横ばい傾向であり，2022年度において，11歳男子が40.0 kg，女子が40.5 kgである．

（2）学齢期の好発疾患

　定期健康診断でみつかる疾病異常は，近年むし歯（齲歯）の罹患率が減少し，アレルギー性鼻炎やぜんそくなどのアレルギー疾患が増加傾向にあることが特徴である．

　それでも，学校種別疾病異常の順位は，幼稚園，小学校，中学校，高等学校で裸眼視力1.0未満が最も多く，次いでむし歯（齲歯）の順になっている．

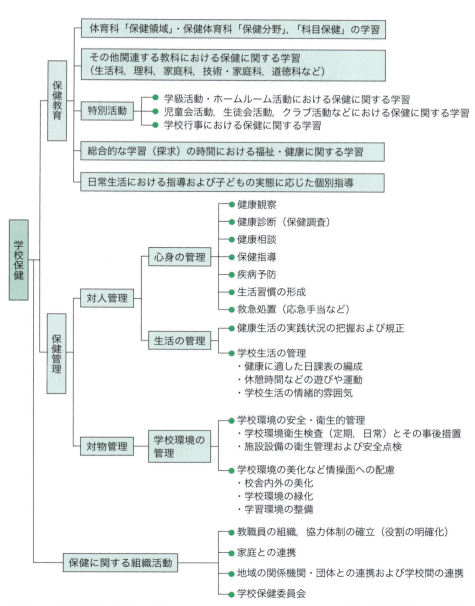

図 3-2 学校保健の領域と構造　　　　　　　　　　　　　　　　　　　　　　　　（日本学校保健会：2020[2]）

表 3-1　児童・生徒の主な疾病・異常の被患率　　　　　　　　　　　　　　　（単位：%）

	幼稚園	小学校	中学校	高等学校
むし歯（齲歯）	24.9	37.0	28.2	38.3
裸眼視力 1.0 未満の者	25.0	37.9	61.2	71.6
鼻・副鼻腔疾患	3.0	11.4	10.7	8.5
蛋白検出の者	0.9	1.0	2.9	2.8
ぜん息	1.1	2.9	2.2	1.7

（文部科学省：2023[3]）

（3）肥満・やせ

肥満傾向児の出現率は，男女ともに算出方法が変更になった 2006 年以降は減少傾向であったが，2022 年度において 11 歳男子が 14.0％，女子が 10.5％と増加傾向である．また，やせ傾向児の出現率は，おおむね増加傾向となっており，2022 年度において 11 歳男子が 2.9％，女子が 2.4％である．

（4）不登校

何らかの心理・情緒・社会的要因により登校しない，あるいはしたくてもできない不登校の状態の児童生徒は，小学校では約 13.0 万人，中学校では約 21.6 万人，高等学校では約 6.9 万人であり，中学校が最も多くなっている．

（5）いじめ

いじめとは，児童生徒が心理的，物理的な攻撃を受けたことにより，精神的苦痛を感じているものをいう．いじめの認知件数は，小学校では約 58.9 万人，中学校では約 12.3 万人，高等学校では約 1.8 万人であり，新型コロナウイルス感染症の影響によりいったん減少したが，その後増加し過去最多となった（文部科学省：2024）．

3）学校保健関連法規

（1）学校保健安全法

学校保健安全法は，幼児，児童，生徒，学生および教職員の健康保持増進をはかるため，環境衛生，健康観察，健康相談，健康診断，感染症予防などについて定めた法律である．

a. 学校保健計画の策定（第 5 条）

学校は児童・生徒および職員の健康診断，環境衛生検査，指導その他保健に関する事項についての計画を策定し，実施しなければならない．養護教諭の協力のもと，保健主事が中心となり作成する．

b. 学校環境衛生（第 6 条）

児童・生徒や職員の健康を維持するために望ましい基準として，換気，採光，照明，騒音，水泳プール，飲料水などについて学校環境衛生基準を定めており，学校では適切な環境維持に努めなければならない．学校薬剤師は，この基準項目について定期・臨時に検査を行う．また，教職員は毎授業日に点検を行い，常に良好にその環境維持改善を行う．

c. 健康相談（第 8 条）

学校においては，児童・生徒などの心身の健康に関し，健康相談を行う．健康相談は従来，学校医，学校歯科医が行うものとされてきたが，養護教諭，学級担任などが行うものも規定されており，より幅広い概念になっている．

d. 保健指導（第 9 条）

養護教諭その他の職員は，相互に連携して，児童・生徒などに健康上の問題があると認めるとき，必要な指導を行うとともに，保護者に必要な助言を行う．

e. 健康診断（第 11 ～ 17 条）

a）定期健康診断

学校は，幼児・児童・生徒などの健康診断を毎年 6 月 30 日までに実施する．なお，大学

においては健康診断の項目から歯・口腔に関する検査を除くことができる.

b）就学時健康診断

市町村教育委員会は，就学させるべき者の健康診断を小学校入学4か月前までに実施する.

c）臨時健康診断

学校は，伝染病や食中毒が発生したとき，災害などで感染症の発生のおそれのあるとき，夏休み前後，その他必要であるときに，臨時に健康診断を実施する.

d）職員の健康診断

学校設置者は，学校教職員を対象に，毎年，定期的に健康診断を実施するが，歯・口腔に関する検査項目はない.

f. 出席停止（第19条）

校長は，学校感染症とよばれる疾患に罹患している，あるいは罹患の疑い，おそれのある児童・生徒を出席停止させることができる.

g. 臨時休業（第20条）

学校設置者は，学校感染症とよばれる疾患の予防上必要があるときは，臨時に，学校の全部または一部の休業を行うことができる.

（2）学校教育法

学校における保健学習，安全学習についての教育基準を示している.また，学校の定義が定められており，小学校，中学校，高等学校，中等教育学校，大学，高等専門学校，特別支援学級，幼稚園とされている.

（3）学校給食法

学校教育活動の一環として実施されている学校給食について規定している.この法律に基づき，健康によい食事，人間関係・作法の教育などの学校給食指導と栄養管理，衛生管理（食中毒予防）などの学校給食管理が行われる.

2005年からは，食に関する指導や学校給食の管理を行う栄養教諭制度が創設されている.

4）学校保健関係者

（1）常勤職員

a. 学校設置者

学校医，学校歯科医，学校薬剤師の任命，施設の整備充実の措置，学校の臨時休業の決定などを行う.

b. 学校長

学校保健の総括責任者.学校保健計画の決定，児童生徒の出席停止の決定などを行う.

c. 保健主事

総括責任者の補佐，学校保健計画の作成と実施，学校保健と学校全体の活動との調整（保健教育，保健管理，組織活動の調整），学校保健に関する組織活動の推進などを行う.

d. 養護教諭

学校保健の専門職員，児童生徒の健康の保持・増進にあたり，保健室の運営や実質的な学

校保健活動の推進などを行う。いわゆる「保健室の先生」である。

e. 教諭（学級担任など）

児童・生徒の健康の変化をいち早くみつけるなど健康観察を行う。学校保健計画立案への協力，環境衛生検査の実施などを行う。

（2）非常勤職員

a. 学校医

すべての学校で必置。保健管理に関する専門的事項について，技術・指導に従事する。学校保健計画の立案に参画，必要に応じて健康管理に関する専門的事項の指導，健康相談，保健指導，健康診断（定期・臨時・就学時），職員の健康診断，疾病の予防措置，感染症・食中毒の予防措置，救急措置，学校環境衛生の維持・改善の指導などを行う。

b. 学校歯科医

大学以外の学校に必置。歯に関する検査，事後措置や健康相談などの保健管理に従事する。学校保健計画立案に参画，必要に応じて健康管理に関する専門的事項の指導，健康相談，保健指導，歯に関する健康診断（定期・臨時・就学時）と疾病の予防措置などを行う。

c. 学校薬剤師

大学以外の学校に必置。学校環境衛生検査，学校環境衛生の維持・改善の助言と指導などへの従事，学校保健計画立案に参画，必要に応じて健康管理に関する専門的事項の指導，健康相談，保健指導，学校で使用する医薬品，毒物，保健管理に必要な用具・材料の管理に関する必要な助言と指導などを行う。

d. 学校保健技師

都道府県教育委員会の事務局に置くことができる専門職で，学校における保健管理に関する専門的事項について学識経験がある者でなければならないとされており，学校保健に精通した医師，場合によっては歯科医師，薬剤師などが任ぜられる。学校保健技師は，上司の命を受け，学校における保健管理に関し，専門的な技術的指導および技術に従事する。

2 学校歯科保健教育

1）歯・口の健康づくり

（1）学校における「歯・口の健康づくり」の意義

一般的には，子どもにとって健康というものは実体がなく，とらえにくいものである。しかし，歯と口腔の健康状態は目でみることができ，健康像と異常像の知識さえ習得すれば，健康を実感することができる。すなわち，歯磨きを頑張れば歯肉の腫脹は治まり，齲蝕を放置すれば齲窩はどんどん広がっていく。健康づくりでは，「実感させること」が大きな動機づけとなる。「歯・口の健康づくり」は，努力すれば健康は保てることを実感できる優れた健康づくりの教材となる。

（2）学校における「歯・口の健康づくり」の取り組み

「食べること」は生きるために不可欠なことであり，また，「話すこと」は，人間が人間らしく生きるために不可欠なことである。すなわち，「歯・口の健康づくり」は，「食べるこ

と」と「話すこと」を支える「生きる力」を育むもので，学校保健にとってはきわめて大切なことであり，各教科，道徳，総合的な学習の時間，特別活動，課外活動など学校の教育活動だけでなく，家庭および地域の関係機関・団体との密接な連携を取りながら進めていかなければならない．また，学校における健康づくり活動は，「疾病発見・管理重視型手法」から「健康志向・教育重視型手法」へと転換していっており，自律的に健康問題を解決し，行動できる子どもの育成をはからなければならない．子どもの心身は，急速に発達するため，幼稚園，小学校，中学校，高等学校，中等教育学校，特別支援学校において発達の段階や特別な配慮のあり方も踏まえながら，一貫した「歯・口の健康づくり」に努める必要がある．

以下に，各発達段階の子どもにおける課題を示す．

a. 幼児

① よく噛んで食べる習慣づけ
② 好き嫌いをつくらない
③ 食事と間食の規則的な習慣づけ
④ 乳歯のむし歯予防と管理
⑤ 歯・口の清掃の開始と習慣化
⑥ 歯・口の外傷を予防する環境づくり

b. 小学校低学年

① 好き嫌いなく，よく噛んで食べる習慣づくり
② 規則的な食事と間食の習慣づけ
③ 第一大臼歯のむし歯予防と管理
④ 歯の萌出と身体の発育への気づき
⑤ 自分の歯・口を観察する習慣づけ
⑥ 食後の歯・口の清掃の習慣化の自律
⑦ 休憩時間などでの衝突・転倒などによる歯・口の外傷の予防

c. 小学校中学年

① 好き嫌いなく，よく噛んで食べる習慣の確立
② 規則的な食事と間食の習慣の確立
③ 上顎前歯や第一大臼歯のむし歯予防と管理
④ 歯肉炎の原因と予防方法の理解
⑤ 自分に合った歯・口の清掃の工夫
⑥ 歯の形と働きの理解（歯の交換期）
⑦ 休憩時間などでの衝突・転倒などによる歯・口の外傷の予防

d. 小学校高学年

① 咀嚼と体の働きや健康とのかかわりの理解
② むし歯の原因とその予防方法の理解と実践
③ 第二大臼歯のむし歯予防と管理
④ 歯周病の原因とその予防方法の理解と実践
⑤ 自律的な歯・口の健康的な生活習慣づくりの確立

⑥ スポーツや運動などでの歯・口の外傷予防の大切さや方法の理解

e. 中学生

① 咀嚼と体の働きや健康とのかかわりの理解

② 歯周病の原因と生活習慣の改善方法の理解と実践

③ 第二大臼歯および歯の隣接面のむし歯の予防方法の理解

④ 歯周病や口臭の原因と予防などに関する理解

⑤ 自分に合った歯・口の清掃方法の確立

⑥ 健康によい食事や間食の習慣，生活リズムの確立

⑦ 運動やスポーツでの外傷の予防の意義・方法の理解

f. 高校生

① 生涯にわたる健康づくりにおける歯・口の健康の重要性の理解

② 歯・口の健康づくりに必要な生活習慣（咀嚼，規則的な食事と歯・口の清掃など）の確立

③ 歯周病の予防の意義と方法の理解と実践

④ 自分の歯・口の健康課題への対応

⑤ 運動やスポーツでの歯・口の外傷の予防の意義や方法の理解と実践

g. 特別な支援を必要とする子ども

① 歯・口の健康の大切さの理解

② 歯・口の発育と機能の発達の理解

③ 歯・口の健康づくりに必要な生活習慣の確立と実践

④ むし歯や歯周病の原因と予防方法の理解と実践

⑤ 障害の状態，発育・発達段階を踏まえた支援と管理の実践

⑥ 必要な介助と支援の実践

⑦ 歯・口の外傷の予防の支援と管理

（資料：学校歯科医の活動指針　平成 27 年改訂版：学校歯科医会）

2）学校歯科保健の現状

　齲蝕のある者の割合は，幼稚園では 1970 年度，小学校および中学校では 1979 年度，高等学校では 1980 年度にピークを迎えたが，その後減少し続けており，2022 年度では，幼稚園で 24.9％，小学校で 37.0％，中学校で 28.2％，高等学校で 38.3％となっている．処置完了者の割合は，8 歳以降，未処置歯のある者の割合を上回っている（図 3-3 ～ 6）．中学校 1 年（12 歳）の 1 人平均 DMF 歯数は，1984 年度の調査開始以降ほぼ毎年減少し，2022 年度では，0.56 本となっている．都道府県別にみると 12 歳児の 1 人平均 DMF 歯数は，最も多い沖縄県の 1.2 本と最も少ない新潟県，愛知県，岐阜県の 0.3 本との間に，0.9 本の差がある．また，1.0 本未満である都道府県は，44 都道府県であり，健康日本 21（第二次）が掲げる 2022 年までの目標値である 47 都道府県に達していないが改善傾向にあるとされた（図 3-7，8）．

図 3-3　幼稚園児（5歳）の齲蝕有病者率の年次推移　　　（文部科学省：2023[3]）

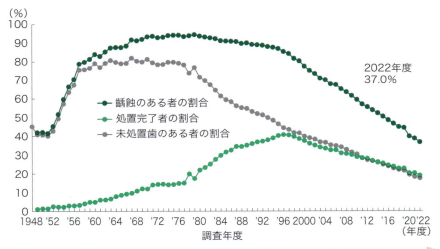

図 3-4　小学校児童（全体）の齲蝕有病者率の年次推移　　　（文部科学省：2023[3]）

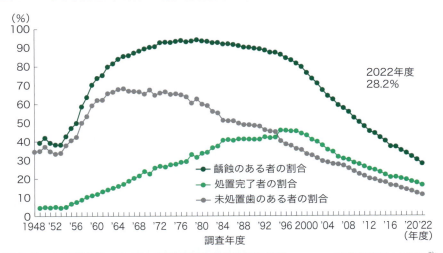

図 3-5　中学校生徒（全体）の齲蝕有病者率の年次推移　　　（文部科学省：2023[3]）

第3編 地域口腔保健

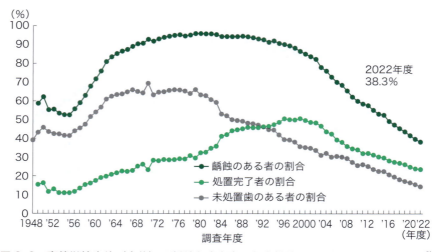

図3-6 高等学校生徒（全体）の齲蝕有病者率の年次推移　（文部科学省：2023[3]）

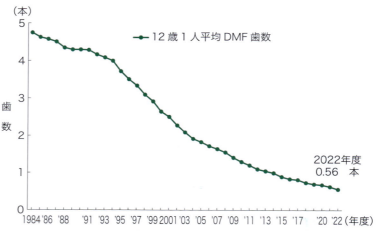

図3-7 12歳児の1人平均DMF歯数（DMFT指数）の推移　（文部科学省：2023[3]）

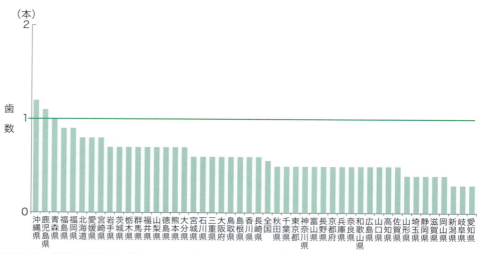

図3-8 都道府県別12歳児の1人平均DMF歯数（DMFT指数）（2022年）

（文部科学省：2023[3]）

3 学校歯科医と学校歯科保健管理

1）学校歯科医の職務

学校歯科医の職務は，学校保健安全法施行規則に定められており，学校保健における3つの領域，すなわち「保健教育」「保健管理」「保健組織活動」のすべてにかかわっている．

学校歯科医の職務執行の準則（学校保健安全法施行規則第23条）（抜粋）

> 一　学校保健計画及び学校安全計画の立案に参与すること．
> 二　法第8条の健康相談に従事すること．
> 三　法第9条の保健指導に従事すること．
> 四　法第13条の健康診断のうち歯の検査に従事すること．
> 五　法第14条の疾病の予防処置のうち齲歯その他の歯疾の予防処置に従事すること．
> 六　市町村の教育委員会の求めにより，法第11条の健康診断のうち，歯の検査に従事すること．
> 七　前各号に掲げるものの他，必要に応じ，学校における保健管理に関する専門的事項に関する指導に従事すること．
> 2　学校歯科医は，前項の職務に従事したときは，その状況の概要を学校歯科医執務記録簿に記入して校長に提出するものとする．

学校歯科医は，学校保健計画・学校安全計画の立案に参与することをはじめ，学校保健安全法に定められている健康相談や保健指導の実施，健康診断およびそれに基づく疾病の予防処置，感染症対策，食育，生活習慣病の予防や「歯・口の健康づくり」などについて，それぞれ重要な役割を担っている．さらに学校と地域の医療機関などとの連携を円滑にする役割も果たしている．

2）歯・口腔の健康診断

（1）目的

学校における歯・口腔の健康診断の一義的な目的は，歯科医学的な立場からの確定診断を行うものではなく，受診者を「健康」，「要観察」，「要医療」にスクリーニング（ふるい分け）することである．

しかし，2013年12月に文部科学省に設置された「今後の健康診断の在り方等に関する検討会」から出された「今後の健康診断の在り方等に関する意見」により，健康診断の目的と役割は，「健康志向」の観点から子どもの疾病リスクをスクリーニングし，その健康状態を把握するとともに，学校での健康課題を明らかにし，健康教育の充実に役立てることだと明記された．すなわち，学校という教育の場で行われる歯・口腔の健康診断は，単に齲蝕や歯肉炎を検出するだけでなく，子どもが健康診断の体験を通じて，歯・口腔の健康状態を把握し，健康の保持増進への意識や態度を育成していくことが重要である．

（2）歯・口腔の健康診断項目

①姿勢，顔面，口腔の状態，②顎関節，③歯列・咬合，④歯垢の付着状態，⑤歯肉の状態，⑥歯の状態，⑦その他，本人の気になること．

第3編 地域口腔保健

このカードに記入し健康診断の時に持ってきてください.

保健調査票（歯科用）
＿＿年＿＿組 氏名＿＿＿＿＿＿＿＿＿＿＿＿

歯，歯肉，歯並び，かみ合わせ，顎関節，歯垢の状態などを検査します．あてはまる方に○をつけてください.

Ⅰ 自分の歯，歯肉，顎のチェック項目

1. 口を開け閉めした時に，あごの関節で音がすることがありますか.
　　　　　　　　　　　　　　　　　　　　　　（ はい ・ いいえ ）

2. 口が開きにくかったり，開く時に痛みを感じることがありますか.
　　　　　　　　　　　　　　　　　　　　　　（ はい ・ いいえ ）

3. 歯並びが気になりますか.　　　　　　　　　（ はい ・ いいえ ）

4. 歯肉から血が出ますか.　　　　　　　　　　（ はい ・ いいえ ）

5. 歯が痛んだり，しみたりしますか.　　　　　（ はい ・ いいえ ）

6. 食べ物が飲み込みにくいことがありますか.　（ はい ・ いいえ ）

7. 口の臭いが気になりますか.　　　　　　　　（ はい ・ いいえ ）

8. CO を知っていますか.　　　　　　　　　　（ はい ・ いいえ ）

9. GO を知っていますか.　　　　　　　　　　（ はい ・ いいえ ）

【学校歯科医さんに相談したいこと】

図3-9　保健調査票の一例　　　　　　　　　　　　　　（日本学校歯科医会：2015[4]）

（3）事前の準備

a. 保健調査

　健康診断を円滑に実施し，健康状態をより的確にかつ総合的に評価するためには，事前に子どもの歯・口腔の状態を把握しておくことが望ましい．そのために健康診断前に保健調査を実施して，事前に調査結果を把握しておくとともに，日常の健康観察の結果や前年度までの健康診断などの記録を十分活用できるようにすることが必要である（**図3-9**）.

　2016年4月に学校保健安全法施行規則の一部が改正され，小学校，中学校，高等学校および高等専門学校においては全学年を対象に，幼稚園，大学においては，必要と認めたときに，健康診断の前に，あらかじめ児童生徒などの発育，健康状態などに関する保健調査を必ず行うこととなった.

b. 事前指導

　子どもが主体的に健康診断を受けるためには，健康診断の事前指導として，健康診断の予告，健康診断のねらい，昨年度の健康診断結果の紹介，健康診断を受けるときの心構え，健康の自己チェックなどについて，学級活動において意識づけをはかっておくことが大切である.

（4）歯・口腔の健康診断の実施

　定期健康診断は次のような手順で行う.

小・中学校用

| 氏 名 | | | | | | | | 性別 | 男 | 女 | 生年月日 | 年 | 月 | 日 |

歯式の表（児童生徒健康診断票 歯・口腔）:

年齢	年度	顎関節	歯列・咬合	歯垢の状態	歯肉の状態	歯 式	歯の状態		その他の疾病及び異常	学校歯科医	事後措置

歯の状態内訳：乳歯（現在歯数／未処置歯数／処置歯数）、永久歯（現在歯数／未処置歯数／処置歯数／喪失歯数）

歯式の凡例：
・現在歯
・う 歯　┌未処置歯　C　└処置歯　○　（例　A B）
・喪失歯（永久歯）　△
・要注意乳歯　×
・要観察歯　CO

| 歳 | 令和 0 1 2 年度 | 0 1 2 | 0 1 2 | 0 1 2 | 0 1 2 | 8 7 6 5 4 3 2 1　1 2 3 4 5 6 7 8 上右 E D C B A　A B C D E 左 下 E D C B A　A B C D E 上 下 8 7 6 5 4 3 2 1　1 2 3 4 5 6 7 8 | | | | 月 日　月 日 |

図 3-10　児童生徒健康診断票（歯・口腔）

a. 歯・口腔の健康診断の健康診断票（図 3-10）

小・中学校用は，9 年間の記録が連続して記載できるようになっている．

b. 保健調査票で本人の状態や問題点を確認

健康診断前に保健調査票を確認して問題点などを把握して検査を行い，必要ならばその場で学級担任を交えて指導と相談を行うことが望ましい．

c. 歯列・咬合，顎関節，歯垢の状態，歯肉の状態の検査

①顎関節部に指を当て，口を開閉させて顎関節の状態を検査する．
　異常なし　→0
　定期的な観察が必要　→1
　専門医（歯科医師）による診断が必要　→2

②口を開閉させて歯列・咬合の状態を検査する．
　異常なし　→0
　定期的な観察が必要　→1
　専門医（歯科医師）による診断が必要　→2

③噛み合わせた状態で前歯部の歯垢の付着状態を検査する．
　ほとんどなし　→0
　歯面の 1/3 以下　→1
　歯面の 1/3 を超える　→2

④噛み合わせた状態で前歯部の歯肉の状態を検査する．
　異常なし　→0
　定期的な観察が必要（GO）　→1
　専門医（歯科医師）による診断が必要（G）→2

d. 歯の検査

歯の検査結果は，表 3-2 に示す基準に基づいて分類し，記号を用いて歯式の欄に記入する．歯の状態の欄は歯式の欄に記入された該当事項について，上下左右の歯数を集計した数を該当欄に記入する．なお，CO，シーラントなどは，集計上，健全歯として扱う．

a）CO（要観察歯）

齲窩は確認できないが，齲蝕の初期症状（白濁，白斑，褐色斑など）が認められ，放置すると齲蝕が進行すると考えられる歯である（図 3-11）．

第3編　地域口腔保健

表3-2　健康診断に用いる記号と説明

永久歯	記号	説明
現在歯	－，／，＼	現在萌出している歯は，斜線または連続横線で消す．過剰歯は数えず，「その他の疾病及び異常」の欄に記入．
要観察歯	CO	視診では明らかな齲窩のある齲蝕と判定できないが，生活習慣に問題があり，放置すると齲蝕に進行すると考えられる歯．学校での生活習慣改善のための保健指導を基本とし，必要に応じて地域の歯科医療機関における専門管理も併行して行う．
むし歯（D）	C	視診にて歯質に齲蝕性病変と思われる実質欠損が認められる歯．二次齲蝕も含む．確定診断ではないのでC_1，C_2，C_3はすべてCと記入．治療途中の歯もCとする．治療等のため受療が必要．
喪失歯（M）	△	齲蝕が原因で喪失した歯．乳歯には用いない． ※齲蝕以外の原因で喪失した歯（例：矯正治療，外傷等）および先天性欠如歯はDMFのMには含まない
処置歯（F）	○	充塡，補綴（冠，継続歯，架工義歯の支台等）によって歯の機能を営むことができる歯．
シーラント処置歯	☺（補助記号）	健全歯の扱い．歯式に記載の必要があれば☺の記号を使用する．
歯周疾患要観察者	GO	歯肉炎が認められるが，歯石沈着は認めず，生活習慣の改善と適切なブラッシング等の保健指導を行うことで改善が望める者．
歯周疾患要処置者	G	歯石沈着を伴う歯肉炎が認められるなど精密検査や治療等のため受療が必要な者．
歯石沈着	ZS（補助記号）	歯肉炎を認めないが歯石沈着のある者．Gとせず，「0」と判定し，学校歯科医所見欄に「歯石沈着」あるいは「ZS」と記入し受療を指示する．
乳歯	記号	説明
現在歯	－，／，＼	現在萌出している歯は，斜線または連続横線で消す．
要観察歯	CO	永久歯に準ずる．
むし歯（d）	C	永久歯に準ずる．
処置歯（f）	○	永久歯に準ずる．
要注意乳歯	×	保存の適否を慎重に考慮する必要があると認められる乳歯．
サホライド塗布歯	⊕（補助記号）	COと同様の扱いとするが，治療を要する場合にはCとする．サホライド塗布歯であることを歯式に記載の必要があれば⊕の記号を使用する．
シーラント処置歯	☺（補助記号）	永久歯に準ずる．

（日本学校歯科医会：2015[4]）を改変）

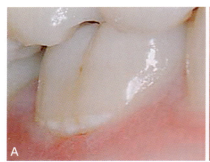 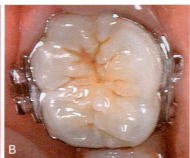 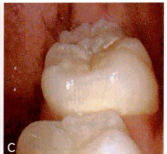

図3-11　COの一例
A：平滑面において，エナメル質の実質欠損は認められないが，白濁が認められる歯．
B：小窩裂溝において，エナメル質の実質欠損は認められないが，褐色斑が認められる歯．
C：隣接面において，エナメル質の実質欠損は認められないが，白濁が認められる歯．

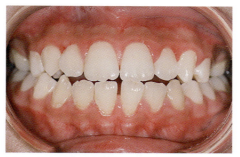

図 3-12　GO の一例

b）GO（歯周疾患要観察者）

　歯肉に軽度の炎症が認められるが，歯石沈着は認められず，生活習慣の改善と適切なブラッシングなどによって改善が望める者（図 3-12）．

e．その他

　「その他の疾病及び異常」の欄は，病名または異常名を記入する．

　「学校歯科医所見」の欄は学校において取るべき事後措置に関連して，学校歯科医が必要と認める所見を記入押印し，押印した月日を記入する．所見の内容としては，経過観察の対象となる「GO」，歯科医療機関への受診勧奨の対象となる「G」，「ZS」，「CO 要相談」（隣接面や修復物下部に着色変化がみられる場合など精密検査が必要な CO）などがある．

　「事後措置」の欄は学校において取るべき事後措置を具体的に記入する．

（5）健康診断の安全対策

　手指の消毒，グローブの交換には細心の注意を払う必要がある．検査には，鋭利な探針は用いず，CPI プローブのような先端が球形のものを用いる．

　器具は，ディスポーザブルのものが適しているが，消毒が必要な場合は，高圧蒸気滅菌（オートクレーブ）などの採用が望ましい．

（6）事後措置

　健康診断は，事後措置が十分に行われてはじめて意義のあるものとなる．事後措置は，単に「健康診断結果のお知らせ」を出すだけでなく，健康診断結果から，子どもが自分の健康課題ととらえて自分で解決する力を身につけるように支援すること，すなわち，「歯・口の健康づくり」や健康教育に活用していくことが必要である．

　健康診断の結果は，健康診断終了後 21 日以内に，心身に疾病または異常が認められる場合だけでなく，健康と認められる児童生徒およびその保護者にも事後措置として通知し，当該児童生徒などの健康の保持増進に役立てることとなっている（図 3-13）．

　歯と口腔の健康診断後の事後措置の具体的な内容には次のようなものがある．

① 歯科疾患の治療の指示（主に C，G，ZS の保有者）

② 歯科疾患・異常の精密検査の受診の指示（主に CO 要相談である者，歯列・咬合および顎関節の要相談である者，要注意乳歯がある者）

③ 要観察者への継続的な観察と指導（主に CO，GO の保有者，歯列・咬合および顎関節の要観察者）

第 3 編 | 地域口腔保健

年　月　日

保　護　者　様

○○市立＿＿＿＿＿＿＿学校・幼稚園

校(園)長名＿＿＿＿＿＿＿＿＿＿＿＿＿

歯・口腔の健康診断結果のお知らせ

＿＿年＿＿組　氏名＿＿＿＿＿＿＿＿＿＿

先日行われた健康診断の結果は，下記の○印のとおりでしたので，お知らせいたします。

| | 健康診断の時には特に問題は見つかりませんでした。これからも一層家庭での食生活や口腔清掃に気をつけ健康な状態を保つように努力しましょう。また定期的にかかりつけ歯科医の検診を受けましょう。 |

経過観察のみに○印のある人は，各家庭で歯みがき・食生活に十分な注意が必要です。また，かかりつけ歯科医による継続的な指導・管理を受けることをおすすめします。

経過観察	CO（シーオー）	むし歯になりそうな歯があります。学校でも観察・指導していますが，家庭でもおやつの食べ方や CO の歯の清掃に注意しましょう。
	GO（ジーオー）	軽度の歯肉炎があります。歯肉(歯ぐき)に軽度の腫れや出血がみられます。このまま放置すると歯肉炎が進行する可能性が高くなります。
	歯垢(しこう)	歯みがきが不十分です。むし歯や歯肉炎の原因になる歯垢が残っています。学校でも指導しますが，家庭でもていねいにみがくように心掛けましょう。
	顎関節 歯列・咬合	(顎・かみ合わせ・歯並び)のことで経過観察や適切な指導が必要な状態です。特に気になるようでしたら，かかりつけ歯科医や専門医療機関で相談を受けて下さい。 ＊矯正治療中の方もこの項目に含まれます。

下の欄に○印のある人は，早めに精密な検査，適切な治療や相談を受けることをおすすめします。治療および相談が終わりましたら，受診結果を記入していただきこの通知書を学校(園)に提出してください。

受診のおすすめ	治療や検査等が必要な項目	
	むし歯 C があります	(乳歯・永久歯)に治療を必要とするむし歯があります。早めに治療するとともに，食生活や口腔清掃を見直して，新しいむし歯を作らないようにしましょう。
	歯肉の病気があります (歯肉炎・歯周炎)	治療を必要とする歯肉の病気があります。早めに治療を受けて下さい。
	検査が必要な歯があります (CO 要相談，要注意乳歯×)	かかりつけ歯科医に相談してください。
	相談が必要です。 (顎・かみ合わせ・歯並び)	(顎・かみ合わせ・歯並び)のことで相談し，必要ならば検査・治療を受けて下さい。
	歯石の沈着 ZS があります	歯の表面に歯石の沈着があります。早めに適切な処置や指導を受けて下さい。
	その他(　　　)	(　　　　　　　　　　　　　)のため，検査または治療を受けてください。

受　診　結　果

※部　位(　　　　　　　　　　)　　　　　　　　　※転帰(治療済・継続中・経過観察)

※所　見(　　　　　　　　　　　　　　　　　　　　　　　　　　　　　　　　　　)

　※　　　　年　　　月　　　日　　　　　　　医療機関名

　　　　　　　　　　　　　　　　　　　　　歯科医師名＿＿＿＿＿＿＿＿＿＿印

図 3-13　事後措置票の一例　　　　　　　　　　　　　　　（日本学校歯科医会：2015[4]）

④ 歯口清掃，生活習慣改善指導

⑤ 個別の保健指導

⑥ 健康相談

⑦ 歯科疾患の予防処置の指示（フッ化物の応用など）

　　また近年，歯・口腔の健康診断の結果，口腔内裂傷，齲蝕の多発，口腔内清掃不良から児

童虐待が発見されるケースが多く報告されており，注意深い対応が必要となってきている．

（7）健康診断結果の集計分析と評価

　健康診断の結果は，もちろんそれぞれの子どもの健康保持増進に役立つが，学級，学年，学校単位での結果は，集団としての現状と問題点の把握，ならびにその対策を立案するために重要な資料となる．他の集団や全国平均と比較しながら，根拠に基づいた学校保健活動を進めていくことが重要である．

3）健康相談，保健指導

　健康相談の目的は，「児童生徒の心身の健康に関する問題について，児童生徒や保護者に対して，関係者が連携し相談を通じて問題の解決をはかり，学校生活によりよく適応していけるように支援していくこと」である．これに対して，保健指導の目的は，「個々の児童生徒の心身の健康問題の解決に向けて，自分の健康問題に気づき，理解と関心を深め，自ら積極的に解決していこうとする自主的，実践的な態度の育成をはかること」である．しかし，健康相談と保健指導を明確に区別できるものではなく，相互に関連させながら展開していくものである．

（1）健康相談

a．学校歯科医の役割

　学校保健安全法の一部改正により，従来，学校歯科医のみが行うとされてきた歯・口腔の健康相談は，子どもの多様な健康課題に組織的に対応する観点から，学校医，学校薬剤師をはじめ養護教諭，保健主事，学級担任などの関係職員などが積極的に参画するものとされている．また，学校歯科医は歯・口腔以外の健康相談にも対応することから，学校歯科医の職務は，「健康相談のうち歯に関する健康相談に従事すること」から「健康相談に従事すること」に改正され，範囲を限定する規定が削除されている．学校歯科医が行う健康相談は，受診の必要性の有無，疾病予防，治療の相談など，主に医療的な観点から行われ，専門的な立場から学校および児童生徒を支援していくことが求められる．また，地域の医療機関などとの連携が必要な場合，その橋渡し役を担うことも重要な役割である．

b．対象者

① 歯・口腔の健康診断で学校歯科医が健康相談の必要性を認めた者
② 子どもや保護者が，子どもの健康状態から健康相談を希望する者
③ 学校歯科医がかかわらないと解決できない健康上の問題のある者
④ 歯・口腔の健康に無関心な者で，学校関係者だけでは適切な指導が困難と思われる者
⑤ 養護教諭が子どもの問題の性質上，相談が必要と思われる者
⑥ 学級担任などが健康観察の結果，相談が必要と思われる者　　　　　　　　　　　　　など

c．手順

① 健康相談対象者の把握（相談の必要性の判断）
② 問題の背景の把握
③ 支援方針・支援方法の検討
④ 実施・評価

d. 健康相談実施上の留意点

① 学校保健計画に健康相談を位置づけ，計画的に実施する．

② 学校歯科医が歯科医学的見地から行う健康相談は，事前の打ち合わせを十分に行い，相談結果について養護教諭，学級担任などと共通理解をはかり，連携して支援を進めていく．

③ 健康相談について十分な理解が得られるよう，そのねらいや実施内容について周知をはかる．

④ 相談内容や相談者のプライバシーが守られるよう十分に配慮する．相談場所の設定に配慮し，秘密保持について関係者が共通理解しておく．

⑤ 継続支援が必要な者については，校内組織および必要に応じて関係機関と連携して実施する．

（2）保健指導

a. 学校歯科医の役割

従来，学校歯科医による保健指導は，健康診断の事後措置としての位置づけが大きかったが，近年，メンタルヘルスに関する課題やアレルギー疾患などの健康課題が生じるなど，子どもの心身の健康問題が多様化，深刻化しているため，さまざまな関係職員が多角的かつ組織的に保健指導を行うことが求められている．

b. 対象者

① 歯・口腔の健康診断で学校歯科医が保健指導の必要性を認めた者

② 保健室などでの児童生徒の対応を通じて，保健指導の必要性がある者

③ 日常の健康観察の結果，保健指導を必要とする者

④ 心身の健康に問題を抱えている者

⑤ 健康生活の実践に関して問題を抱えている者　　　など

c. 手順

① 保健指導対象者の把握（保健指導の必要性の判断）

② 心身の健康問題の把握と保健指導の目標設定

③ 指導方針・指導計画の作成と役割分担

④ 実施・評価

d. 保健指導実施上の留意点

① 指導の目的を確認し，発達段階に即した指導内容に努め，学級担任などとの共通理解をはかっておく．

② 家庭や地域社会との連携をはかりながら実施する．

③ 教科および特別活動の保健指導と関連をはかっていく．

なお，ここで述べた保健指導は，学校保健安全法に基づく「個別の保健指導」であり，学習指導要領に基づく集団を対象とした「特別活動による保健指導」とは，制度上異なるものである．しかし，このような整理は学校におけるさまざまな保健活動について体系的な理解をはかる観点から，実務上，便宜的になされているものである．2つの保健指導はきわめて関連性の深いものであり，「個別の保健指導」の実施にあたっては，「特別活動による保健指導」と関連をはかっていくことが重要である．

4）学校安全対策

（1）歯・口腔の外傷への対応と予防

　歯・口腔の外傷は，ほかの身体部位の外傷に比べて多く発生している．学校保健において，外傷の応急処置や予防に努めることは，その後の日常生活やスポーツ活動に大きく影響し，子どものQOLを高める．学校歯科医は，教職員や児童・生徒などに歯・口腔の外傷の応急手当について指導するとともに，マウスガードなどによる外傷予防を周知することが大切である．歯の外傷の種類には，歯冠破折，歯根破折，脱臼，陥入などがある．

a. 応急手当

① 顎骨骨折の場合は，できるだけ動かさずに歯科口腔外科に搬送する．

② 歯の脱臼はできる限り早急に歯科医療機関で再植する．この際，歯冠部をもつように注意し，歯根をもたないようにする．再植を可能とするには，歯根周囲の組織が必要なので，歯根には手を触れないことが原則となる．泥などで汚れた場合も洗いすぎない，こすらないようにする．また，ただちに対応できないときは乾燥させないよう市販の「歯の保存液」，あるいは「牛乳」に保存して，可及的すみやかに歯科医療機関を受診する．

③ 歯の陥入は止血処置を優先して歯科医療機関へいく．

④ 歯の破折は歯髄が露出しているようならただちに歯科医療機関にいく．

b. マウスガードによる外傷予防

　マウスガードは，上顎の歯列を軟性樹脂で被覆し，外力を緩和する装置であり，基本的には「スポーツによって生じる口腔外傷，特に歯とその周囲組織の外傷発生やダメージを軽減するために口腔内に装着する弾力性のある装置」を意味している．特に，コンタクト・スポーツ（バスケットボール，ラグビー，アイスホッケーなど）や，格闘技あるいは球技（野球，ソフトボール，ホッケーなど）に参加する子どもには，自らの歯や口腔の外傷を未然に防ぐためにマウスガードの装着が必要である．

（2）学校歯科健康診断に基づく児童虐待の把握

　児童憲章で「すべての児童は心身ともに健やかにうまれ，育てられ，その生活を保障される」とされているにもかかわらず，児童相談所での児童虐待相談対応件数は年々増加している．児童虐待とは，保護者がその監護する児童に対して，①身体的虐待，②性的虐待，③ネグレクト，④心理的虐待を行うことである．

　児童虐待の防止等に関する法律の第5条において，歯科医師をはじめ児童の福祉に職務上関係のある者は，児童虐待を発見しやすい立場にあることを自覚し，児童虐待の早期発見に努めなければならないとしている．歯科医師は，日々の歯科診療だけでなく，学校保健を通じても児童虐待を早期に発見できる可能性がある．

　学校歯科健康診断での口腔内のチェックポイントとしては，極端に多い齲蝕，口腔衛生状態不良，要治療歯の放置，口腔内の外傷（口腔粘膜，舌，口角の内出血，凝血，裂傷）などがあげられる．とくに，齲蝕については，前述のとおり，児童・生徒において激減しているなか，齲蝕が多発し，治療した形跡もない子どもについては注意が必要である．また，歯科健康診断時には，口腔内だけでなく，全身の観察も必要であり，極度のやせ，不自然な傷，

第3編 │ 地域口腔保健

やけど，汚れた衣服，無表情，無気力，怯えた表情などがチェックポイントとなる．児童虐待の防止等に関する法律では，児童虐待にかかる通告義務は，「児童虐待を受けた児童」だけでなく，「虐待を受けたと思われる児童」についても求められている．学校歯科医は，学校歯科健康診断で虐待が疑われる児童を発見した場合は，過去の健康診断結果も確認しながら，養護教諭，学級担任および学校長と協議し，学校を通じて児童相談所や市町村の虐待相談窓口に通告（連絡）を行い，児童虐待の早期発見に努めなければならない．

5）その他の保健管理

（1）全校的な歯科疾患予防対策

学校歯科医は，事後措置の1つとして健康診断結果を集計分析し，学校・学年・学級の状態を把握し，課題や問題点を学校保健委員会に提出する．改善策の例としては，歯肉炎予防を目的とした給食後の歯磨き事業および齲蝕予防を目的とした集団フッ化物洗口事業などがある．

（2）「食べ方」と「口腔機能」の維持管理

健康診断をはじめとする保健管理は，現在まで，主に齲蝕や歯肉炎などの疾病・異常を対象に行われてきた．しかし，これからの保健管理は，どのように食べるかという「食べ方」や，どのように歯・口腔が機能しているかという「口腔機能」の維持管理にも眼を向けなければならない．「食べ方」については早食いや咀嚼回数（よく咬むこと），「口腔機能」については咀嚼能力や咬合力へのアプローチが必要である．いずれも，健康診断にはない項目であるが，肥満や摂食嚥下などの全身の健康と密接にかかわるものであり，保健管理の一環として，測定・評価を行い，その結果，問題のあった児童・生徒等に対しては，保健学習や特別活動における保健活動と連携をはかりながら，継続的な観察や指導を行うことが望ましい．

（三宅達郎）

第3編　地域口腔保健

第4章　成人の口腔保健

本章の要点
- 成人保健の目的は，高齢期の非感染性疾患の発症予防や介護予防である．
- 代表的な成人保健事業である特定健康診査・特定保健指導は，疾病の早期発見ではなく生活習慣の改善によるリスク低減を目的としている．
- 歯周病をはじめとする口腔疾患は，他の非感染性疾患と同様に成人期の予防も重要である．
- 口腔疾患の予防は全身の健康増進や要介護状態の予防につながる．
- 歯科保健を含む成人保健活動は「健康増進法」，「高齢者の医療の確保に関する法律」，「歯科口腔保健の推進に関する法律」などを法的基盤としている．

Keywords　非感染性疾患，健康増進法，高齢者の医療の確保に関する法律，歯科口腔保健の推進に関する法律，特定健康診査・特定保健指導，健康日本21（第二次）

1　成人保健の概要

1）成人保健の特徴

　高齢化による疾病構造の変化により，日本の主要死因は非感染性疾患（NCDs）となった（図4-1）．また，非感染性疾患は脳血管疾患に代表されるように，直接の死因にならなくても，その後の生活機能を低下させ，要介護状態の原因となる．さらに，非感染性疾患は慢性疾患であり，介護サービスなどの日常生活への支援と同時に長期間にわたる医療サービスの提供も必要となるため，福祉，介護両面から，近年の社会保障費増大の原因となっている．

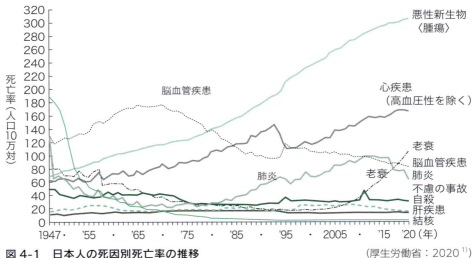

図4-1　日本人の死因別死亡率の推移

（厚生労働省：2020[1]）

第3編 | 地域口腔保健

　非感染性疾患は発生時期が不明瞭であり，健康から疾病，虚弱，機能喪失（要介護状態）を経て死亡に至る状態は連続的である．また，特定の病原体が存在しないため，ワクチンのような特異的予防手段は適用できず，健康増進が主たる予防手段である．健康増進の主な方法は個人の生活習慣中のリスクを低下させることである．脳血管疾患や心疾患の急性発作（脳卒中，心筋梗塞）は動脈硬化性疾患ともよばれ，喫煙，高血圧，血中脂質異常，糖尿病がその大きなリスクであることが明らかになっている．また，喫煙や大量飲酒が消化器や呼吸器の悪性新生物のリスクであり，特に食道がんでは，タバコとアルコールの同時摂取によりさらにリスクが増すことも知られている．非感染性疾患は65歳以上の高齢者に好発する．しかし，緩慢に進行する非感染性疾患では，成人期のこれらリスクの蓄積が高齢期の発症に大きく影響する．それゆえ，非感染性疾患の予防には成人を対象とした保健活動が重要である．

2）成人保健に関連する法律

（1）高齢者の医療の確保に関する法律（高齢者医療確保法）

　2008年に施行された．国民の高齢期における適切な医療の確保をはかるため，医療費適正化計画，前期高齢者交付金，後期高齢者医療制度，特定健康診査・特定保健指導などを定め，国民保健の向上および高齢者の福祉の増進をはかることを目的とする法律である．医療費適正化計画は，国が策定する医療費適正化基本方針に即して国，都道府県が6年ごとに策定することとされている．第3期となる2013～2023年度期の医療費適正化計画では，従来の策定方針に加え，2014年の医療法改正で都道府県医療計画に組み込まれた地域医療構想の推進による成果を反映させることが定められた（**表4-1**）．

（2）健康増進法

　2003年に施行された．国民の健康の増進に関する基本的事項と栄養の改善，その他健康の増進をはかるための措置を講じることによって，国民保健の向上をはかることを目的とする法律である．

　「健康増進法」が定める主な事項は以下のとおりである．

① 国民の健康増進に関する国民，国，地方自治体，健康増進事業実施者の責務

② 都道府県，市町村の健康増進計画を定める義務（市町村は努力義務）

③ 厚生労働大臣による健康診査等の実施指針の策定

④ 厚生労働大臣による国民健康・栄養調査の実施

⑤ 厚生労働大臣による食事摂取基準の策定

表4-1　第3期医療費適正化計画の考え方

	第1期，第2期	第3期
入院医療費	平均在院日数の縮減	各都道府県の医療計画（地域医療構想*）に基づく病床機能の分化・連携の推進の成果を反映
外来医療費	特定健診・保健指導の推進	特定健診・保健指導の推進に加え，糖尿病の重症化予防，後発医薬品の使用促進，医薬品の適正使用など

*将来人口推計をもとに2025年に必要となる4つの医療機能ごとの病床数（高度急性期，急性期，回復期，慢性期）を推計し，病床の機能分化などを進めることで効率的な医療提供体制を実現する取組み．

266

⑥ 市町村による生活習慣相談等，都道府県の専門的保健指導等の実施

⑦ 市町村による健康増進事業の実施

⑧ 特定給食施設における栄養管理

⑨ 公共施設等における受動喫煙の防止

⑩ 内閣総理大臣による食品の特別用途表示の許可（特定保健用食品を含む）

（3）歯科口腔保健の推進に関する法律（歯科口腔保健法）

　2011 年に施行された．法の目的を述べている第 1 条で，「口腔の健康が国民が健康で質の高い生活を営む上で基礎的かつ重要な役割を果たしている」と，口腔の健康が全身の健康と QOL の向上に寄与することを積極的に認めている．さらに「国民の日常生活における歯科疾患の予防に向けた取組が口腔の健康の保持に極めて有効である」と，定期歯科受診を含めたセルフケアの有効性を認めたうえで，これを推進するための国，地方公共団体，歯科医療・保健従事者そして国民自らの責務を定めている．

　「歯科口腔保健の推進に関する法律」が定める主な事項は以下のとおりである．

① 国及び地方公共団体の責務

　歯科口腔保健の推進に関する施策を策定，実施する．

　（施策内容）

　・歯科口腔保健に関する知識等の普及啓発

　・定期的に歯科検診を受けること等の勧奨

　・障害者等が定期的に歯科検診を受けること等のための施策

　・歯科疾患の予防のための措置に関する施策

② 歯科医師等の責務（医師等の関連職種と連携し，国，地方公共団体の施策に協力する）

③ 国民の責務（日常生活において自ら歯科疾患の予防に向けた取組を行うと共に定期的に歯科に係わる検診を受けるなどして歯科口腔保健に努める）

④ 厚生労働大臣による歯科口腔保健の推進に関する基本的事項の策定

⑤ 国及び地方公共団体の財政上の措置（歯科口腔保健の推進に関する施策を実施するために必要な財政上の措置その他の措置を講ずる）

⑥ 口腔保健支援センター（都道府県，保健所を設置する市及び特別区は，口腔保健支援センターを設けることができる，口腔保健支援センターは，歯科口腔保健の推進に係る施策の実施のため，歯科医療等業務に従事する者等に対する情報の提供，研修の実施その他の支援を行う機関とする）

3）成人保健の実態

（1）成人の身体状況の概要（2009 ～ 2019 年の推移）

a. 肥満者（BMI ≧ 25 kg/m²）の割合

　男性では 2013 年の 28.6％を最低にその後増加しており，2019 年には 33.0％と 2013 年に比べて有意に増加している．一方，女性では毎年ほぼ 20％弱で大きな変化は認められていない．年齢階級別では，男性は 40 ～ 60 歳代で多く，女性は高齢になるほど多くなる．

b. 糖尿病が強く疑われる者（HbA1c 6.5 以上または糖尿病治療歴のある者）の割合

男性は 16 ～ 20％，女性は 9 ～ 11％で推移しており，人口の高齢化を調整すると有意な変化は認められない．年齢階級別では男女とも高齢になるほど多くなる．

c. 血圧の状況

収縮期血圧の平均値，収縮期血圧が 140 mmHg 以上の者の割合，のいずれも，この 10 年間で男女ともに有意に減少している．

d. 血中コレステロールに関する状況

2009 ～ 2019 年の間に，血中総コレステロールが 240 mg/dL 以上の者の割合は，男性が 10.4％から 12.9％に，女性が 16.0 ～ 22.4％に増加しており，特に女性では年齢調整した場合でも統計学的に有意に増加している．

これらの状況は改善が必要であり，健康日本 21（第二次）を基本方針とした成人保健の推進が，保険者の保健事業，市町村の健康増進事業，および職域におけるトータルヘルスプロモーションとして進められている．

（2）健康日本 21（第二次）

21 世紀における第 2 次国民健康づくり運動の通称である．その基本方針には健康寿命の延伸と健康格差の縮小，非感染性疾患（NCDs）の予防などがあげられており，成人から高齢期の健康づくりに主眼が置かれている．健康日本 21（第二次）で NCD として具体的な低減目標があげられているのは，がん，循環器疾患（脳血管疾患，虚血性心疾患，高血圧，脂質異常症），糖尿病，COPD（慢性閉塞性肺疾患）である．

（3）特定健康診査・特定保健指導

a. 定義

「高齢者の医療の確保に関する法律」で公的医療保険の保険者に義務づけられた保健事業であり，40 ～ 74 歳の被保険者・被扶養者を対象とする．特定健康診査と特定保健指導は同法により以下のように定義されている．

（ⅰ）特定健康診査

糖尿病その他の生活習慣病（高血圧症，脂質異常症，糖尿病その他の生活習慣病であって，内臓脂肪の蓄積に起因するもの）に関する健康診査をいう．

（ⅱ）特定保健指導

特定健康診査の結果により健康の保持に努める必要がある者に対し，保健指導に関する専門的知識及び技術を有する者が行う保健指導をいう．

特定保健指導を行う専門的知識及び技術を有する者は，医師，保健師または管理栄養士と厚生労働省令「特定健康診査及び特定保健指導の実施に関する基準」に明記されているが，これらの職種に加え，「食生活の改善指導又は運動指導に関する専門的知識及び技術を有すると認められる者」として，歯科医師，薬剤師，助産師，准看護師，歯科衛生士が食生活・運動に関する個別の支援計画に基づく実践的指導を行うこととされている（厚生労働省健康局長，保険局長通知「特定健康診査及び特定保健指導の実施について」）．

b. 特定健康診査等実施指針と特定健康診査等実施計画

保険者は厚生労働大臣の定める特定健康診査等実施指針に即して，5 年ごとに特定健康診

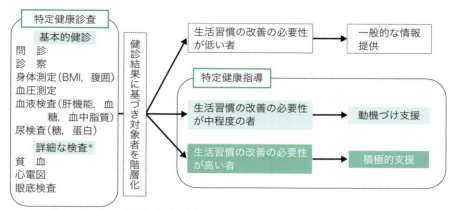

図 4-2 特定健康診査，特定保健指導の流れ

表 4-2 特定健康診査結果による対象者の階層化

腹 囲	追加リスク (1) 血糖 (2) 脂質 (3) 血圧	(4) 喫煙歴	(5) 対 象 40〜64 歳
≧ 85 cm（男性）≧ 90 cm（女性）	2つ以上該当		積極的支援
	1つ該当	あり	積極的支援
		なし	動機づけ支援
上記以外で BMI ≧ 25	3つ該当		積極的支援
	2つ該当	あり	積極的支援
		なし	動機づけ支援
	1つ該当		動機づけ支援

(1) 血糖：空腹時血糖 100 mg/dL 以上　または　ヘモグロビン A1c 5.2% 以上
(2) 脂質：中性脂肪 150 mg/dL 以上　または　HDL コレステロール 40 mg/dL 未満
(3) 血圧：収縮期血圧 130 mmHg 以上　または　拡張期血圧 85 mmHg 以上
(4) 喫煙歴の斜線欄は，階層化の判定が喫煙歴の有無に関係ないことを意味する．
(5) 65〜74 歳はいずれの場合も動機づけ支援のみ行う．

（厚生労働省保険局[8]を改変）

査等実施計画を定める．

c. 特定健康診査と特定保健指導の流れ

特定健康診査はメタボリックシンドローム（内臓脂肪症候群）に着目した健診で，基本的健診項目には服薬歴，喫煙歴などの問診，BMI，腹囲，血圧，肝機能，血中脂質，血糖，尿糖，尿タンパクが含まれる．また，前年度の検査結果などに応じて，必要に応じて詳細な検査（貧血，心電図，眼底検査）が行われる．特定健康診査の結果に基づき，対象者を3段階に階層化（リスクによる保健指導のレベル分け）して，生活習慣の改善の必要性が中等度以上の者に対して，特定保健指導（動機づけ支援，積極的支援）を行う（図 4-2, 表 4-2）．

d. 特定健康診査・特定保健指導の考え方

社会保障制度維持のために医療費や介護費を抑制することは急務であり，そのためには実際に疾病やリスクの減少につながる健康診査，保健指導が必要である．それゆえ，特定健康診査・特定保健指導は従来の疾病の早期発見を目的とした健診と異なり，対象者の行動を変容し，実際に生活習慣を改善することを目的としている（図 4-3）．

第3編　地域口腔保健

	かつての健診・保健指導		現在の健診・保健指導
健診・保健指導の関係	健診に付加した保健指導		内臓脂肪型肥満に着目した生活習慣病予防のための保健指導を必要とする者を抽出する健診
特徴	プロセス（過程）重視の保健指導		結果を出す保健指導
目的	個別疾患の早期発見・早期治療	最新の科学的知識と，課題抽出のための分析	内臓脂肪型肥満に着目した早期介入・行動変容 リスクの重複がある対象者に対し，医師，保健師，管理栄養士などが早期に介入し，行動変容につながる保健指導を行う
内容	健診結果の伝達，理想的な生活習慣に係る一般的な情報提供		自己選択と行動変容 対象者が代謝などの身体のメカニズムと生活習慣との関係を理解し，生活習慣の改善を自らが選択し，行動変容につなげる
保健指導の対象者	健診結果で「要指導」と指摘され，健康教育などの保健事業に参加した者		健診受診者全員に対し，必要度に応じ，階層化された保健指導を提供 リスクに基づく優先順位をつけ，保健指導の必要性に応じて「情報提供」「動機づけ支援」「積極的支援」を行う
方法	一時点の健診結果のみに基づく保健指導 画一的な保健指導		健診結果の経年変化および将来予測を踏まえた保健指導 データ分析などを通じて集団としての健康課題を設定し，目標に沿った保健指導を計画的に実施 個々人の健診結果を読み解くとともに，ライフスタイルを考慮した保健指導
評価	アウトプット（事業実施量）評価 実施回数や参加人数	行動変容を促す手法	アウトカム（結果）評価 糖尿病などの有病者・予備群の25％減少
実施主体	市町村		医療保険者

図4-3　特定健康診査・保健指導の考え方

(厚生労働省保険局[8])

（4）健康増進法による市町村の健康増進事業

a. 市町村の生活習慣相談などの実施

　市町村は医師，歯科医師，薬剤師，保健師その他職員に，栄養や生活習慣の改善に関する事項について住民からの相談に応じさせ，必要に応じて栄養指導，保健指導を行わせる．また，都道府県は市町村の行う健康増進事業に対して技術的援助などを行う．

b. 市町村による健康増進事業の実施

　市町村は生活習慣相談などに加えて厚生労働省令で定める以下の健康増進事業を実施する．

① 歯周病（疾患）検診

② 骨粗鬆症検診

③ 肝炎ウイルス検診

④ 40歳以上74歳以下の者であって高齢者の医療の確保に関する法律の特定健康診査の対象とならない者などに対する健康診査

⑤ 特定健康診査非対象者に対する保健指導

⑥ がん検診

2 成人の口腔保健の概要

1) 成人の口腔の特徴

歯科疾患実態調査によると，日本における1人平均喪失歯数は40歳代以降に急速に増加する（☞ p.140 図 11-4 参照）．40 歳以降の歯の抜去原因で最も多いのは歯周病である（☞ p.114 図 10-6 参照）．また，加齢とともに歯周病の明確なリスクファクターである糖尿病は，他の非感染性疾患同様に中高年期以降に急増する．さらに近年，歯周病が糖尿病や循環器疾患の増悪因子であることも明らかにされてきており，成人期には歯の喪失防止と同時に全身の健康増進のためにも歯周病の予防が重要である．

2) 成人の口腔保健状況の特徴

（1）定期的歯科検診の受診状況

健康日本 21（第二次）では歯・口腔の健康の目標の1つに「過去1年間に歯科検診を受診した者の割合の増加」を掲げている．2016 年の国民健康・栄養調査によると，20 歳以上で過去1年間に1回以上歯科検診を受けた者の割合は，男性が 48.7％，女性が 56.5％であり，2012 年に行った同様の調査と比べて，全年齢階級で歯科検診を受けている者の割合は増加している．70 歳未満では若い年代ほど受診率が低く，また男性のほうが低い（図 4-4）．

（2）口腔清掃習慣

2016 年の歯科疾患実態調査によれば，1日の歯磨き回数は，男女別では女性で多く，30～49 歳の女性のほぼ 90％が1日2回以上歯を磨いている．これに対して男性は 30～44 歳で 70％程度，45 歳～59 歳では約 64％の者が1日2回以上歯を磨いている．

また，成人（平均年齢 47 歳）を対象とした調査で，37％の者が舌清掃習慣をもっており，その 86％が口臭予防効果を期待して舌清掃を行っていたという報告がある．

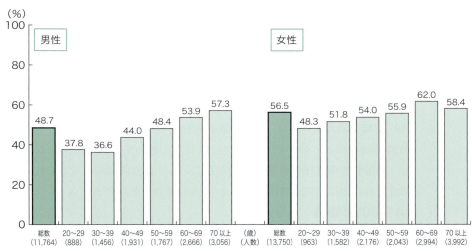

図 4-4 過去1年間に歯科検診を受けた者の割合
（20 歳以上，性・年齢階級別，全国補正値）

（厚生労働省[9]）

表 4-3　標準的な質問票の咀嚼に関する質問と対応

項目番号	質問項目	回答
13	食事をかんで食べる時の状態はどれにあてはまりますか.	①何でもかんで食べることができる ②歯や歯ぐき，かみあわせなど気になる部分があり，かみにくいことがある ③ほとんどかめない

・②または③と回答した者のうち，血糖を下げる薬またはインスリン注射で加療中の場合は，歯周病の治療などを行うことで糖尿病の重症化を予防することが期待される.
・②または③と回答した者の多くは，歯科治療を受けることで改善することが期待されるため，歯科医療機関の受診を勧奨する.
(厚生労働省 [20]，日本歯科医師会 [21])

3) 成人の口腔保健事業

(1) 歯周病（疾患）検診

　健康増進法で定められた市町村の健康増進事業の1つである．40歳，50歳，60歳および70歳の者を対象とする．歯周組織の評価には WHO の CPI 2013 年改定法（☞ p.129 参照）の基準を用いるが，診査対象は全現在歯ではなく，改定以前と同様の代表 10 歯としている．成人以降に行われる唯一の法的根拠をもった公的歯科検診だが，対象年齢人口に対する受診率は都道府県によって 0.4 %〜 13.7 %（2020 年度）と地域差が大きい．歯周病検診は定期歯科受診につながる契機になることが期待されており，今後の受診率の増加が求められている．

(2) 特定健康診査・特定保健指導

　特定保健指導の対象の階層化は健診結果と質問票による生活習慣などの把握によって行われる．厚生労働省が示す 22 項目からなる「標準的な質問票」に，2018 年度から咀嚼に関する項目が新規に組み込まれた（**表 4-3**）．この質問に②または③と回答した者に対しては，特定保健指導の必要性にかかわらず，歯科医療機関の受診を勧奨することとされている．また，特定保健指導の実施者は医師・保健師・管理栄養士とされているが，特定保健指導の中の食生活の改善に関する支援計画においては，歯科医師は，「専門的知識および技術を有すると認められる者」として 3 か月以上の継続的な支援において食生活の支援についての特定保健指導を実施できる者と規定されている．

(3) 都道府県，市町村の歯科保健事業

　1997 年の厚生省（現厚生労働省）通知による「都道府県および市町村における歯科保健業務指針」で，「少子・高齢社会を迎え，地域における歯科保健業務については，これまでの妊産婦・乳幼児を中心とした母子歯科保健の向上だけでなく，成人・高齢者に対する 8020 運動の推進，要介護者の歯科対策などについても視野に入れる必要がある」とし，成人，高齢者の歯科保健の推進を勧告している．また同通知で示された市町村の具体的な歯科保健業務の中に，成人に関すること（8020 運動など）が含まれている．

(4) 8020 運動

　1989 年から厚生省（現厚生労働省）と日本歯科医師会で推進している日本の歯科保健のための国民運動である．20 歯以上残存歯があれば咀嚼状況はほぼ良好であることから，「80歳になっても自分の歯で食べられるよう 20 歯以上歯を保つ」ことをスローガンとしている．

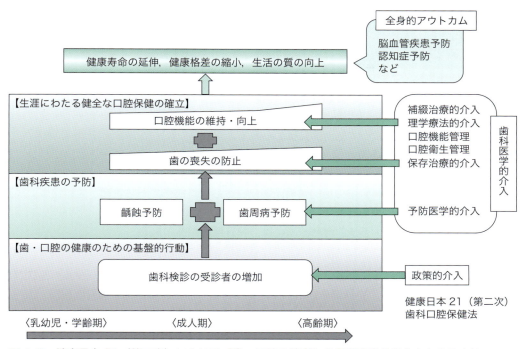

図 4-5 健康日本 21（第二次）における「歯・口腔の健康」の目標設定の考え方と介入方法
（厚生科学審議会地域保健健康増進栄養部会　次期国民健康づくり運動プラン策定専門委員会：2012[22]）を改変）

（5）健康日本 21 と歯科口腔保健法の推進に関する法律

　健康日本 21（第二次）で最上位のアウトカムとされているのが「健康寿命の延伸」と「健康格差の縮小」である．これに到達するための目標を生活習慣病（非感染性疾患）の発症および重症化予防と社会生活機能維持向上としている．さらに，その具体的方法には社会環境と個人の生活習慣の改善（リスクの低減）を設定している．「歯・口腔の健康」は栄養・食生活などと同様にこの社会環境と生活習慣の改善項目に含まれている．法的基盤を整えるなどの政策的介入により歯科検診受診者を増加させ，歯科医学的介入による一次予防，二次予防による齲蝕，歯周病の発生，重症化を予防する．その結果，「歯の喪失」が防止され，口腔機能が維持向上されることで最終目標である「健康寿命の延伸」と「健康格差の縮小」につながるという考えである（**図 4-5**）．歯科口腔保健の推進に関する法律は健康日本 21（第二次）の「歯・口腔の健康」の目標を法制化したものといえ，歯・口腔の健康づくりの第一段階に位置づけられた「歯科検診受診者」の増加のため，定期的に歯科にかかる検診（健康診査および健康診断を含む）を受け，必要に応じて歯科保健指導を受けることを国民の努力義務としている．

（岸　光男）

第3編 地域口腔保健

職域での口腔保健

- 産業保健活動は，労働基準法や労働安全衛生法などにより，事業者の責任で行われる．
- 産業保健は，三管理といわれる作業環境管理・作業管理・健康管理と保健管理体制と保健教育によって総合的に進められる．
- 職域における健康保持増進措置に「トータルヘルスプロモーションプラン（THP）」があり，健康指導の実施項目に口腔保健指導がある．
- 職域での歯科保健の目的は成人期における歯科疾患の予防管理と歯科領域に関連する職業性疾患の予防管理である．
- 歯科医師による法的健康診断には，特殊健康診断がある．

Keywords 労働安全衛生法，作業環境管理，作業管理，健康管理，THP（トータルヘルスプロモーションプラン），特殊健康診断，特定健康診査・特定保健指導，歯周病検診

産業保健の概要

1）産業保健の現状

（1）産業保健の目的

　産業保健の対象は，就業者のうち農林業や自営業を除いた雇用者（賃金労働者）で，その数約6,000万人（総務省・労働力統計・2022年4月）である．産業保健は労働に基づく事故や疾病（職業性疾病）から労働者を守るために，職場における有害な因子を排除するばかりでなく，労働者が安心して仕事に従事できる快適な職域環境づくりを行うとともに，労働者の健康の保持増進をはかることが目的である．

　職域での歯科保健（産業歯科保健）の目的の1つは，齲蝕，歯周病などの成人期における歯科疾患の予防管理であり，もう1つは，歯科領域に関連する職業性疾患の予防管理である．

（2）産業保健の特徴

　明治期の「工場法」をスタートとして，雇用者の生活や健康を保護するための施策が進められてきたため，産業保健は以下に示すように，母子保健や学校保健と異なる特徴をもっている．

① 産業保健対策は，事業者に責任と義務があり，事業者が責任と義務を果たさない場合は，罰則が課せられる．

② 全国一律に規則を課す必要があるため，地域を監督する行政機関（都道府県単位の労働局および地域の労働基準監督署）は厚生労働省の直轄機関である．

③ 作業条件や作業環境は，新しい技術の導入などにより変化が著しい．変化に対応しすみやかに管理体制を整備充実する必要がある．

④ 義務のほか，事業者に努力規定を課している．また，職場での自主的な管理を求めている．

（3）制度

a. 産業衛生行政の歩み

　戦後，工場法と鉱業法が復活したものの国際的水準からは不十分であったことから，労務法制審議会の答申に基づいて，1947年に労働基準法が制定・施行された．戦前の各種労働者保護法令は，この労働基準法に集大成され，労働安全衛生に関する法体系が整備された．

　当時の課題は，結核，赤痢，けい肺，重金属中毒の防止であり，労働基準法に危害の防止，有害物の製造禁止，安全衛生教育，健康診断などの規定が定められ，健康診断の完全実施や保護具着用励行がよびかけられた．労働基準法を中心とした法制に基づく労働災害防止対策は，労働者の健康と安全の確保という点から総合的な予防対策を講じるためには不十分であり，産業社会の急激な進展に対応できないとの意見具申が労働基準法研究会からなされ，新たな法体系の整備に向けて総合的な検討が行われた．

　そして1972年に，労働基準法の安全衛生に関する規定や労働安全衛生規則などを集大成するかたちで労働安全衛生法が制定された．労働基準法が最低基準を示し，その遵守を強制するという性格が強かったのに対し，労働安全衛生法はさらに進んで業務内容の変化に即応した健康障害防止対策の展開と，より快適な職場環境の形成を目指すことを可能とするものとなった．同法の下で労働衛生の3管理（作業環境管理，作業管理，健康管理）と安全衛生教育が積極的に進められ，職業性疾病も急激に減少した．

　2008年度以降は，高齢者の医療の確保に関する法律の施行により，特定健診・特定保健指導が医療保険の保険者により実施されることになり，従来の健康診査・保健指導体制が整合性をもって一部変更して実施されている．

　さらに，2014年6月には，労働安全衛生法が，①特別規制の対象でない化学物質の管理のあり方の見直し，②ストレスチェック制度の創設，③受動喫煙防止対策の推進，④重大な労働災害を繰り返す企業への対応について改正された．

　また，2018年には，働き方改革関連法が成立し，①国は，働き方改革を推進するための基本方針を定める，②長時間労働の是正（時間外労働の上限設定），③産業医・産業保健機能の強化，④雇用形態にかかわらない公正な待遇の確保が進められることになった．

　これらの結果，労働者の健康度は著しく改善され，疾病を早期に発見するための健康診断から，健康を確保するための健康管理体制へと変化してきている．

b. 労働衛生行政の組織

　厚生労働省では労働基準局が労働基準行政を所管し，そのうち労働衛生行政に関しては安全衛生部が所管している．また，労働基準法および事業場の監督指導関係は監督課が，労働時間・賃金関係は勤労者生活部が，労働災害の認定業務関係は労災補償部補償課がそれぞれ所管している．

　労働基準行政の第一線の業務は，国の直轄機関として各都道府県にある労働局と労働基準監督署で行われており，職業性疾病の予防対策などに関しては，労働基準監督官，地方労働衛生専門官などの職員および労働衛生指導医，地方じん肺診査医などの非常勤職員が携わっている．また，労災保険に関する業務も労働局および労働基準監督署において行われている．

c. 産業衛生に関する法規

産業衛生にかかわる法規には，多くのものがあるが，主なものを示す．

(ⅰ) 労働基準法 (1947年)

労働者の保護をはかることを目的とし，使用者が労働者を使用する場合の労働条件の最低基準を定めている．具体的には，賃金，労働時間，休日および年次有給休暇，災害補償，就業規則などについて規定している．労使が合意のうえで締結した労働契約であっても，労働基準法に定める最低基準に満たない部分については，最低基準に置き換えられることになる．なお，「36協定」は，本法で規定された労働時間ならびに休日日数を超えて，時間外・休日労働させる場合には，あらかじめ協定を締結し，労働基準監督署に届出をいう．また，育児介護休暇については，別途，育児・介護休業法が規定されている．

(ⅱ) 労働安全衛生法，同施行令，安全衛生規則 (1972年)

労働基準法と相まって，危険防止基準の確立，責任体制の明確化などのために定められた法律であったが，産業構造の変化や技術革新，高齢化などによる生活習慣病・ストレス対策など，労働者の健康の保持増進を進めるためや，自主的活動の促進など総合的・計画的な対策を推進することにより，安全と健康を確保し，快適な環境の形成を促進することを目的とする法律となっている．

(ⅲ) 労働者災害補償保険 (労災保険) 法 (1947年)

労働者の業務・通勤災害に対し迅速な保護をするため，必要な保険給付を行い，あわせて，被災労働者の社会復帰の促進，被災労働者および家族の援護，適正な労働条件の確保により，労働者の福祉の増進に寄与することを目的としている．

(ⅳ) 作業環境測定法 (1975年)

適正な作業環境を確保し，職場における労働者の健康を保持するための法律である．

(ⅴ) じん肺法 (1960年)

じん肺に関し，適正な予防および健康管理その他必要な措置を講じることにより，労働者の健康保持その他福祉の増進に寄与するための法律である．

(4) 職業性疾病

職業性疾病とは，ある特定の職業に従事することによって発生するもので，その職業に従事する者にはすべて発症する可能性がある．要因としては，物理的，化学的な作業環境によるものと，作業方法などの作業条件によるものとに大別される．

物理的要因によるものには，高気圧障害，職業性難聴，振動障害などがあり，化学的要因によるものには，じん肺，有毒ガス中毒，有機溶媒中毒，重金属中毒などがある．作業条件によるものには，頸肩腕障害，職業性腰痛などがあり，これまでの労働衛生の重要な課題として，被災者対策や予防のために法的措置を含む多くの措置がとられてきている．

一方，業務上疾病とは，労働基準法での法律用語であり，労働者が業務上で負傷，疾病にかかった場合に，同法により「必要な療養に要する費用と，休業し療養中の者に対する賃金を支払うこと」を使用者に義務づけている．

（5）職業性疾病の発生状況

a. 労働災害と業務上疾病の発生状況

日本の労働災害による死傷者数は，1961年をピークに長期的な減少傾向を示してきた．2022年の労働災害による死亡者数は774人であり，休業4日以上の死傷者数は132,355人となった．業務上疾病（休業4日以上）の発生状況は，1979年には2万人を超えていたものが，その後，減少傾向であったが，近年は増加傾向にある．2022年は9,506人であった．

石綿による肺がんと中皮腫による労災認定件数は，2000年度以降急増したが，2006年をピークに減少傾向を示している．

脳・心臓疾患の労災認定数は，2002年度以降300人前後の高い水準で推移してきたが，近年，減少傾向にある．また，精神障害による労災認定件数は増加傾向にあり，2010年降，脳・心臓疾患の労災認定件数を上回っている．

（6）主な職業性疾病

日本では，主な化学物質だけでも5万種類以上が産業界で用いられており，さらに年々多くの化学物質が生み出され，産業の発展に大きな貢献をしている．しかし，それらは爆発などの危険性や中毒などの有害性をもつものも多い．塗装や洗浄のため多くの製造業で用いられているトルエンなどの有機溶剤は，揮発性と脂肪を溶かす性質があり，中枢神経系麻痺や皮膚粘膜への刺激などを起こす．

また，動的作業から静的・精神的作業に労働態様も変化しており，VDT作業による頸肩腕症候群や眼精疲労，さらにはストレス関連疾病，腰痛も労働態様に伴う職業性疾病として発生している．

一方，最近ではサラリーマンの過労死・就労関係による自殺が問題となっている．過労死とは，強度の精神的・身体的負荷や長時間労働などの過重な業務が原因となって，高血圧や動脈硬化などの疾病を悪化させ，脳血管疾患や心疾患により突発的に死に至る状態をいい，現在では労災補償の対象となっている．

2）産業保健活動

（1）産業保健対策および産業歯科保健対策

a. 産業保健管理体制

労働安全衛生法では，事業者は，事業場の規模に応じて必要な安全衛生管理体制の整備をはかることが義務づけられている．図5-1は，標準的な安全衛生管理体制を例示したものである．

b. 産業医・産業歯科医

産業医の専門性を確保するため，産業医として備えるべき要件が定められており，常時50人以上の労働者を使用する事業者は，これらの要件を備えた医師のうちから産業医を選任し，労働者の健康管理を行わせなければならない．50人未満の小規模事業場においても，これらの医師などに労働者の健康管理を行わせるよう努めることとされている．

また，常時1,000人以上の労働者を使用する事業場や特定の業務に常時500人以上の労働者を従事させる事業場では専属の産業医を置くことが規定されている．

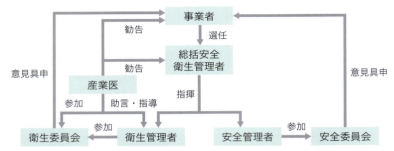

図5-1　労働安全衛生法に基づく事業場の安全衛生体制（例）
(厚生労働統計協会編：2021[1])

産業医の職務については，法定の健康管理のほか，労働安全衛生規則15条で，少なくとも毎月1回作業場を巡視し，衛生状態などに有害のおそれがあるときは，ただちに，労働者の健康障害を防止するため必要な措置を講じなければならないとされ，毎月1回以上開催される衛生委員会の法定構成員として出席することが求められている．

産業歯科医は，産業医のような法的に規定された業務はないが，歯科領域に発生する可能性のある職業性疾患の健診やその他の業務には大きな役割をもっている．

c．衛生委員会

常時50人以上の労働者を使用する事業場は，労働者の健康障害の防止，労働災害の発生防止などについて調査審議させ，事業者に対して意見を述べさせるため，衛生委員会を設け，毎月1回以上開催するようにしなければならない．議長を除く委員のうち半数は労働者の代表が選ばれることになっている．

d．衛生管理者・総括安全衛生管理者

常時50人以上の労働者を使用する事業者は，衛生に関する技術的事項を管理させるため，事業場の規模に応じて衛生管理者を選任しなければならない．

林業，鉱業などでは100人以上，製造業などでは300人以上，その他の業種では1,000人以上の労働者を使用する事業場においては，総括安全衛生管理者を選任しなければならない．

e．労働衛生コンサルタント

労働衛生コンサルタントは，労働安全衛生法第81条で規定された厚生労働省管轄の国家資格である．その内容として，「労働衛生コンサルタントは，労働衛生コンサルタントの名称を用いて，他人の求めに応じ報酬を得て，労働者の衛生の水準の向上を図るため，事業場の衛生についての診断及びこれに基づく指導を行うことを業とする」とされている．労働衛生コンサルタントは事業者と契約を結んで労働環境の衛生面を診断および指導することが業務であるが，事業者は選任する義務はない．

f．労働安全衛生マネジメントシステム（OSHMS）

労働安全衛生マネジメントシステムとは，「安全衛生計画」の作成（Plan），実施（Do），評価（Check）および改善（Action）というPDCAサイクルに基づいて，安全衛生管理を自主的・継続的に実施する仕組みをいう．

	使用から影響までの経路	管理の内容	管理の目的	指標	判断基準
労働衛生管理　作業環境管理	有害物使用量　↓　発生量　↓　気中濃度	代替　使用形態，条件　生産工程の変更　設備，装置の負荷　遠隔操作，自動化，密閉　局所排気，全体換気，建物の構造	発生の抑制　隔離　除去	環境気中濃度	管理濃度
作業管理	↓　ばく露濃度　体内侵入量　↓	作業場所，作業方法，作業姿勢，ばく露時間，呼吸保護具，教育	侵入の抑制	生物学的指標　ばく露濃度	ばく露限界
健康管理	反応の程度　↓　健康影響	生活指導，休養，治療，適正配置	障害の予防	健康診断結果	生物学的ばく露指標（BEI）

図 5-2　労働衛生管理の対象と予防措置の関連

（厚生労働統計協会編：2023[2]）

労働安全衛生マネジメントシステムは，安全衛生計画に基づいた継続的な安全衛生管理を自主的に進めることで，労働災害の防止や労働者の健康増進，快適な職場の形成，事業場の安全衛生水準の向上を図ることを目的としている．労働安全衛生マネジメントシステムに関する指針が1999年に公表された．また，2019年に改正された．事業者は指針に基づき自主的な安全衛生活動を実施することにより，安全衛生水準を向上させることが求められている．

（2）産業保健管理

労働衛生管理の基本は，①作業環境管理，②作業管理，③健康管理の3つである．労働衛生管理の対象と予防措置の関連について**図 5-2** に示す．

a. 作業環境管理

作業環境中の種々の有害要因を取り除き，適正な作業環境を確保することである．具体的には，設備などの改善措置のほかに，適正な整備，作業前および定期の点検の励行，環境を汚さない作業方法，局所排気・全体換気，清掃の励行などを行う．

b. 作業管理

有害な要因を適切に管理して，作業環境の悪化を防止し，労働者への影響を少なくすることである．作業自体を管理することで，作業環境管理や健康管理と一体をなす．具体的には，作業に伴う有害要因の発生を防止し，曝露量を減少させるような適切な作業方法や手順を定めて徹底させる．また，作業の負荷や姿勢などによる身体への悪影響を作業方法や作業機器で改善する．さらに，保護具を適正に用い，曝露量を減少させることなどがある．

c. 健康管理

健康診断およびその結果に基づく事後措置，健康測定結果に基づく健康指導まで含めた生活全般にわたる幅広い内容を含む．従来の健康管理は，疾病の早期発見と治療に重点をおいて組み立てられてきた傾向があるが，これからの健康管理は，健康診断を通じて，人の健康

と環境や作業とのかかわり合いを見出し，作業環境管理と作業管理とを合わせて，労働者の健康障害を未然に防止する積極的な内容に変えていく必要がある．最近では，さらに健康を保持増進して労働適応能力の向上することまで含めたものが，職場における健康管理の目標になってきた．

近年では，長時間にわたる過重な労働は疲労の蓄積をもたらす重要な要因と考えられ，さらには，脳・心臓疾患との関連性が強いという医学的知見が得られている．また，職場生活において強い不安やストレスを感じる労働者が6割を超え，さらに，業務による心理的負荷を原因として精神障害を発症し，あるいは自殺に至る事案が増加するなど，メンタルヘルス対策の取り組みが重要な課題となり，2006年にはメンタルヘルス対策の適切かつ有効な実施をはかるため，労働安全衛生法70条の2第1項に基づく指針として，新たに「労働者の心の健康の保持増進のための指針」が策定され，この指針に基づく対策の普及・定着が推進されている．2008年の総合対策においては，事業者は，過重労働による健康障害を防止するため，時間外・休日労働時間の削減，労働時間などの設定の改善，労働者の健康管理にかかわる措置の徹底などをはかることとされている．

そして，2014年には労働安全衛生法が改正され，常時50人以上の労働者を使用する事業者に対し，労働者のメンタルヘルス不調の未然防止などを目的としたストレスチェックを実施することが義務化された．

d. 健康診断および歯科健康診断

職場における健康診断は，職場において健康を阻害する諸因子による健康影響の早期発見や総合的な健康状況の把握だけでなく，労働者がその作業に従事してよいか（就業の可否），また，引き続き従事してよいか（適正配置）などを判断するためのものであり，労働者の健康状況の経時的変化を含めて総合的に把握したうえで，保健指導，作業管理あるいは作業環境管理にフィードバックすることにより，労働者が常に健康で働くことができるようにするためのものである．

職域での健康管理の基本は，健康診断と健康測定である．職域における健康診断の種類は，一般健康診断，特殊健康診断，臨時の健康診断がある．

（i）一般健康診断

労働者の一般的な健康状態を調べる健康診断を一般健康診断と称し，雇入時・定期・海外派遣労働など5種類が労働安全衛生規則に定められている．

目的は，職場における諸因子による健康影響の早期発見および総体的な健康状況の把握であり，保健指導・作業管理あるいは作業環境管理へのフィードバックを行うことにより，労働者が常に健康で働けるようにすることである．健康診断業務は，健康管理全体と同様に，健康診断のみにとどまらず，企画から事後措置を実施して完成する．

定期健康診断は1年に1回は必ず実施するが，他の健康診断についてはその事由が生じたときに行うことになっている．

（ii）特殊健康診断

労働衛生上，健康に有害な業務に従事する労働者を業務上疾病から予防するために行う健康診断であって，その数は70種類以上に及ぶ．特殊健康診断の目的は，一般健康診断と変

わりはないが，ある特定の健康障害を対象としている．健康診断の対象・間隔については，法令によって定められている．

特殊健康診断としては，①粉じん作業（じん肺法），②高圧室内業務と潜水業務（高気圧作業安全衛生規則），③放射線業務（電離放射線障害防止規則），④特定化学物質の製造・取扱業務（特定化学物質障害予防規則），⑤鉛業務（鉛中毒予防規則），⑥四アルキル鉛等業務（四アルキル鉛中毒予防規則），⑦有機溶剤業務（有機溶剤中毒予防規則），⑧石綿等業務（石綿障害予防規則）について実施が義務づけられている．事業者はこれらの健康診断を的確に実施する必要がある．口腔領域にみられる業務上障害としては，有害物質などによる職業性疾患と業務上の負傷がある．そのため，歯科医師による健康診断が義務づけられている．

(ⅲ) 臨時の健康診断

都道府県労働局長が労働者の健康を保持するために必要と認めたときに，事業者に対して，指示を出して行わせるものである．

e. 健康診断の事後措置

労働者の健康管理においては，健康診断の的確な実施に加え，その結果に基づく事後措置や保健指導の実施が重要である．このため，事業者は健康診断結果を労働者に通知するとともに，所見があると診断された労働者の健康保持のために必要な措置について医師の意見を聴かなければならない．また，必要があると認められる場合は，作業の転換，労働時間の短縮など適切な措置を講じなければならない．さらに，特に健康の保持に努める必要があると認める労働者に対して，医師または保健師による保健指導を行うよう努めることとされている．このような健康診断実施後の措置に関しては「健康診断結果に基づき事業者が講ずべき措置に関する指針」が策定されている．健康診断の実施だけでは，なんの価値も生じない．事後措置を行って初めて価値が生じるもので，法令によっても義務づけられている．

健康診断の結果は無所見と有所見に区分され，有所見の者は，さらに病名と，症度によって診断を確定し，健康管理区分を判断する．この際に機械的に判定するのではなく，その所見の経時的変化や他の健診項目，既往歴，業務歴などを勘案して総合的に判定する．その結果は，本人および職制に通知し，医療・就労・指導の各区分に従って措置を行い，健診結果と作業環境測定の結果や作業分析結果との照合も必要である．さらに，健康保持増進への展開のため役立てていくことも重要である．

（3）健康保持増進対策

日本の人口構成が超高齢化する中で，労働力人口に占める高齢者の割合も増加している．そして，有害業務での有病者率が著しく低下している反面，一般健康診断で把握される健康障害（主に生活習慣病）が著しく増加している．このような状況下で，健康で能力を十分に発揮できる職場環境を形成することが重要な課題となってきた．また，技術革新や就業形態の多様化により，総合的な労働衛生管理の一環として，健康づくり対策の中にメンタルヘルスケアを位置づけ，その推進をはかるために，労働安全衛生法により，事業者および労働者の努力義務とし，労働者の心身両面の健康保持増進措置の積極的な推進をはかってきた．この措置は，「トータルヘルスプロモーションプラン（THP）」と称され，健康診断と同時に健康測定が行われることが多く，この結果に基づき，産業医が中心となり，健康づくりス

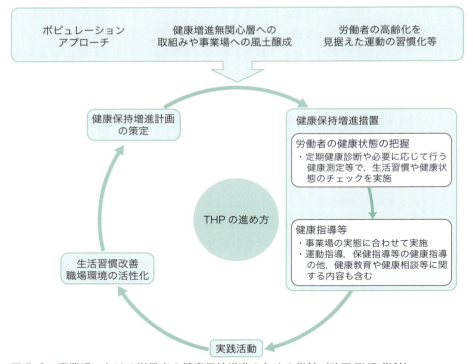

図 5-3 事業場における労働者の健康保持増進のための指針（改正 THP 指針）
(中央労働災害防止協会編：2021 [3])

タッフとともに，心身両面からのトータルな健康支援を行うものである．

このため，国は「事業場における労働者の健康保持増進のための指針」（THP 指針）を策定し，心身両面にわたる健康保持増進対策を推進してきた．2021 年 2 月，昨今の産業構造の変化や高齢化の一層の進展，働き方の変化を踏まえて前年度に続いて THP 指針の見直しが行われ，2021 年 4 月 1 日から改正 THP 指針が適用されている．

2019 年と 2020 年の THP 指針改正により，健康保持増進措置の対象の考え方には，生活習慣上の課題を有する労働者個人を対象とした，個々の健康状態の改善を目指す「ハイリスクアプローチ」と，課題の有無にかかわらず労働者を集団ととらえ，事業場全体の健康状態の改善を目指す「ポピュレーションアプローチ」の 2 つの視点が盛り込まれた．これらのアプローチは対象者，具体的な活動内容，期待される効果などの特徴を理解して，効果的に組み合わせて取り組むことが求められる．無関心な労働者が一定数存在すると考えられるので，成果を上げるうえでは企業や事業場として労働者の健康保持増進を重視し，積極的に取り組む企業文化・風土を醸成することが望まれる．

労働者が高齢期を迎えても働き続けるには，心身ともに健康が維持されていることが必要である．そのためには高齢期の健康悪化を防ぐ中長期的・予防的な観点から，若年期からの運動習慣，歯・口腔の健康維持などの健康保持増進に取り組むことが有効である．行動の習慣化，数値や指標を活用した身体状況の見える化によって，若年期から労働者自身の「自覚」を促し，健康保持増進に自発的に取り組んでもらえるような取り組みを行うよう推進している．また，健康指導の内容として，運動指導，メンタルヘルスケア，保健指導，栄養指

導に加えて，「歯・口の健康づくり」に向けた口腔保健指導が示されている．

THP指針は事業場規模，業務内容，年齢構成などの事業場の特性に合った健康保持増進措置の内容を検討し，実施できるように見直し，P（計画）D（実行）C（評価）A（改善）サイクルの各段階で，事業場が取り組むべき項目を明確にし，健康保持増進措置の「進め方」を規定する内容に見直しが行われている（図5-3）．

このような健康支援を一人ひとりの労働者に行うことによって，「社会，経済，個人の発展にとって大切な資源である健康」（WHO オタワ憲章，1986）を確保し，労働者の日常生活の質の向上をはかろうとしている．

2 職場における口腔保健

1）歯科医師による健康診断

職域での歯科保健の目的は，齲蝕，歯周病などの成人期における歯科疾患の予防管理と歯科領域に関連する職業性疾患の予防管理である．日本では，高等学校卒業以降，歯科保健管理が義務づけられている対象は，口腔領域に現れる職業性疾患のおそれのあるごく一部にかぎられており，ほとんど系統的に行われておらず，歯科医師による法的健康診断は特殊健康診断しかない．

歯科医師による特殊健康診断は以下のように規定されている．口腔領域にみられる業務上障害としては，有害物質などによる職業性疾患と業務上の負傷がある．そのため，労働安全衛生法66条第3項では，特定の有害な業務に従事する労働者に対して，歯科医師による健康診断を義務づけている．

その対象となるのは，「塩酸，硝酸，硫酸，亜硫酸，フッ化水素，黄リンその他の歯またはその支持組織に有害なもののガス，蒸気または粉塵を発散する場所」での業務（労働安全衛生法施行令第22条第3項）となっている．この健康診断は，労働安全衛生規則第48条により，これらの業務への雇入時，配置替え時，それ以降は6か月以内に1回の定期に行うことになっている．

しかし，労働者の健康増進をはかるうえで，この他の歯科健康診断も必要であり，その詳細は後述する．

2）健康保持増進対策での口腔保健

口腔保健は，事業者が行う健康の保持増進（THP指針）では，「若年期からの運動習慣，歯・口腔の健康維持などの健康保持増進に取り組むことが有効である」と位置づけられているが（図5-3），多くの場合，歯科だけの独立事業となっている傾向がある．しかし，全身と口腔の関連が，糖尿病など生活習慣病を中心にいくつかの知見が得られるようになり，また，喫煙による身体への影響が，全身症状より比較的早く歯周組織の症状として現れるように，全身症状より早期に口腔内に症状が顕在することも多く，労働者一人ひとりに合わせた健康支援を他領域とともに実施していく必要があろう．

2003年から健康増進法により，健康の増進は国民一人ひとりの主体的努力によってなさ

第3編 | 地域口腔保健

れるべきであり，国・地方公共団体・企業などはその取り組みの努力を支援することとなった．そのために関係者は推進と連携をはかり，協力していくことになったが，健康増進事業実施者としての保険者，事業者の責務をはじめ医療機関その他の関係者の連携および協力が明記されている．また，2008年度からは，高齢者の医療の確保に関する法律により，保険者による特定健康診査・特定保健指導（内臓脂肪症候群に対する）が義務づけられたが，食との関係が深く，生活習慣病との関連性も高い口腔保健領域から，この事業にかかわっていくことも重要であり，これらの事業を推進するときにその一部として，歯科保健活動の推進をしていくことが重要となっている

3）職場での口腔保健管理

職域での年長者は歯の喪失の年齢期に相当し，成人あるいは高齢期の口腔管理が口腔保健のため重要なポイントとなってくる．また，事業所内に歯科診療施設を整え，従業員の歯科診療・予防管理を実施している事業所もあるが，口腔保健管理体制の確立にはまだ多くの課題がある．

1995年度から老人保健法の総合健康診査に歯周疾患検診が導入され，1996年の労働安全衛生法の改正で，「……歯周疾患に関する健康診断の機会が事業場において提供されることが望ましい旨の啓発指導に努めること」という通達が，労働基準局長から都道府県労働局長に出され，職域における成人口腔健康管理が一歩進んだ．さらに，2000年度に老人保健法により，年齢は限定されているものの歯周疾患検診が単独検診となったが，2008年度から健康増進法に基づく事業となった．そして，2016年度以降は，2015年に出された「歯周病検診マニュアル2015（厚生労働省）」に従って歯周病検診が行われているが，地域との連携を考慮し，職場などにおいても，この検査基準について留意すべきであろう．

職域での従業員を対象とした歯周病対策では，日常の手入れとして，①適切な歯口清掃（フロッシング，歯間清掃なども含む）の励行，②歯科衛生士などによる定期的な専門的口腔清掃（スケーリング，PMTC など）および③歯周病の初期治療（SRP など）を実施して，予防効果が上がっていることはいうまでもない．したがって，職域で歯科衛生士による専門的口腔清掃を歯科保健活動に組み込めば，歯周病の予防効果は大きくなると考えられる．

一方，6か月以上の海外派遣労働者への一般の健康診断は義務づけられているが，歯科健康診断はあまりなされていない．海外派遣労働者は，国内と同様の歯科保健サービスを受けることができない．そのため，数多くの労働者が歯や口腔のことで，苦い経験（痛みもさることながら，金銭面でも）をもっている．出国前に歯科健診を実施し，その結果に基づいてある程度の処置を受け，さらに予防管理方法を修得していくことが必要であろう．

3 口腔にみられる職業性疾患

口腔領域に症状が現れる職業性疾患の主なものを**表5-1**に示す．

職業性疾患の発症には，①環境から有害物質が口腔に直接作用する場合，②生体内に吸収され中毒の一症状として口腔症状を呈する場合，③吸収された有害物質が血液・唾液を通じ

表 5-1　口腔に症状が現れる職業性疾患

原因	原因物質	疾患名および口腔症状
金属	鉛	鉛中毒，顔面蒼白，鉛縁，歯肉炎，味覚の異常
	水銀	水銀中毒，歯肉炎，口内炎，唾液分泌（流涎），金属味
	クローム	粘膜のクローム潰瘍，口蓋および扁桃に潰瘍性口内炎
	蒼鉛	歯肉に青紫の色素沈着（蒼鉛縁），流涎
	銅	緑色の歯石沈着
	カドミウム	歯頸部に黄色のカドミウム環（カドミウムリング）
ハロゲン	フッ素	カタル性・潰瘍性口内炎，歯の腐蝕
	塩素	カタル性・潰瘍性口内炎
	臭素	カタル性・潰瘍性口内炎，歯肉の着色
	ヨウ素	カタル性・潰瘍性口内炎，歯肉の着色
その他の無機物	ヒ素	歯肉炎，口内炎，骨疽
	リン（黄リン）	潰瘍性口内炎，骨疽（腐骨の形成）
酸類	硫酸，硝酸，塩酸，酢酸，蟻酸など	歯の酸蝕症（歯牙酸蝕症）
アルカリ酸	苛性ソーダ，苛性カリ，炭酸ソーダなど	口腔粘膜の剝離
ガス	亜硫酸ガス	歯の酸蝕症（歯牙酸蝕症）
有機化合物	アニリン	口唇チアノーゼ，歯肉に青紫の色素沈着
	タール	口内炎，歯肉炎，歯肉がん
	ベンゾール	口内炎，チアノーゼ，唾液分泌異常
ニトロ化合物	ニトロベンゼンなど	粘膜（特に口唇）のチアノーゼ，歯肉の色素沈着
	PCB	歯肉の色素沈着（青紫色）
粉塵	鉱物性および金属性	じん肺症，歯の摩耗症，歯肉炎，歯石沈着
作業と習慣	ガラス吹など	歯の摩耗症，前歯部の半月状欠損，歯の転位，歯肉肥大

（日本歯科医師会編：1982 [5]を改変）

て口腔内に分泌されて作用する場合，がある．ここでは，いくつか代表的なものをあげる．

1）歯の酸蝕症

　産業職場において発生した酸のガス，またはミストが直接歯に作用し，歯の表面の脱灰をきたし，白濁および欠損を生じたものをいう．発生のおそれのある業種は，主として酸の製造や取り扱う職場であるが，近年では酸が含まれる廃液処理現場で起こった例もある．なお，職業的なものだけでなく，柑橘類や酸性飲料の多量摂取や消化器系疾患などによる胃液の逆流によっても起こるので，注意を要する．

　対策としては，酸の発生を防ぐとともに，空気中の有害物質を許容機度＜許容濃度等の勧告・日本産業衛生学会 2023 年度＞（塩酸 $3\,mg/m^3$，硝酸 $5\,mg/m^3$，硫酸 $1\,mg/m^3$）以下にするように作業環境管理を行うか，できなければ作業方法を改善（遠隔操作など），もしくは保護具の使用などをする．

　空気中に浮遊する酸が歯に触れることによって発生するばかりでなく，口唇圧や咬合圧により進行するために，好発部は前歯部の唇面・切縁部であるとされている．

　歯の酸蝕症は，慢性の経過をたどるために自覚症状は弱く，冷たいものがしみるなど違和感がある程度である．歯の酸蝕症を酸による侵蝕の程度により 4 段階に分けている（**表 5-2**）．

表 5-2　歯の酸蝕症の診断基準

　±　　（E0）：エナメル質表面の軽度腐食（欠損），あるいは疑問型
第 1 度（E1）：欠損がエナメル質内にとどまるもの
第 2 度（E2）：欠損が象牙質に達しているもの
第 3 度（E3）：欠損が歯髄または歯髄近くまで及んだもの
第 4 度（E4）：歯冠部が大きく（またはおよそ 2/3 以上）欠損したもの

注 1）第 1 ～ 4 度は E1 ～ E4 と略してもよい．E は dental erosion を意味
　　　する．E1 ～ E4 は，ほぼ齲蝕の C$_1$ ～ C$_4$ をイメージしたものである．
　　　ただし，E4 は齲蝕のように残根あるいは抜歯適応症を意味するもの
　　　ではない．
注 2）酸蝕によるエナメル質の菲薄化により，透明性増加，変色，着色など
　　　がみられることがある．
注 3）±（E0）には次の 3 種類のものが含まれる．
　　　①酸蝕症か正常か不明のもの（軽度酸蝕症の疑い）
　　　②職業性か否か不明のもの（酸蝕度にかかわらず職業性酸蝕症の疑い）
　　　③なんらかの理由で確定診断ができないもの

(日本歯科医師会監修：2016[6])

2）黄色環（カドミウムリング）

　カドミウムを含む化合物の蒸気・発塵による曝露作業の際の慢性中毒の初期症状として発症する．カドミウムはエナメル質表面によく吸着することから，前歯部のエナメル質歯頸部に特有の黄金色が輪状に取り巻く．

3）摩耗症

（1）粉塵による歯の摩耗

　削岩器を用いるような現場，石切り，砕石，セメント製造や研磨作業などの硬度の高い粉塵の多い環境下で作業する者に発症する．前歯部および臼歯部の咬合面が強く摩耗する．これらは，上下顎のすべての咬合面・切端部分が平均的に摩耗しているのが特徴である．

（2）器具による歯の摩耗

　管楽器演奏家，ガラス吹き工，大工，漁業などの職業によっては硬いものを常時口にくわえて作業することにより，前歯の切端に器具をくわえる部分と同じ形の摩耗を生じる．

4）いわゆる菓子屋齲蝕

　菓子の製造業においては，製造過程上味見をする機会が多いばかりでなく，菓子類に砂糖その他の糖を含むものが多いために，長年にわたって毎日頻回に甘味飲食物を摂取した結果と同じになり，齲蝕が多発するものと考えられる．

(尾﨑哲則)

第3編　地域口腔保健

第6章　高齢者の口腔保健

本章の要点

- 急速に人口の高齢化が進む日本では，これまで高齢者の保健・医療・福祉に関してさまざまな取り組みがなされてきた．
- 高齢者保健に関する法律には，老人福祉法，介護保険法，高齢者の医療の確保に関する法律がある．
- 日本は世界でトップレベルの長寿国となったが，健康寿命は平均寿命よりも約10年短く，要介護の防止が重要な課題となっている．
- 地域包括ケアシステムとは，住まい，医療，介護，予防，生活支援が日常生活圏域で包括的，継続的に供給される体制である．
- 高齢者の現在歯数は時代とともに増加しているが，齲蝕と歯周病の有病者も増加傾向にある．
- 介護保険制度の中で，歯科医師は口腔機能の向上を中心とした役割がある．
- 歯科医師は，要介護高齢者の口腔の問題点を改善するために，地域包括ケアシステムの中でさまざまな関連機関・職種と連携することが求められている．

Keywords　高齢者，超高齢社会，健康寿命延伸，地域包括ケアシステム，口腔機能，介護保険制度，要介護高齢者

1　高齢者保健の概要

1）高齢者保健の特徴

（1）高齢化の状況

　日本では急速に人口の高齢化が進んでいる．高齢化率（65歳以上人口が総人口に占める割合）は1970年に7％（高齢化社会），1994年に14％（高齢社会）を超え，2007年には21％を超えて超高齢社会となった．高齢化率が7％から14％になる年数を倍加年数といい，日本は24年間であった．これは他の先進国であるフランス（115年），スウェーデン（85年），イギリス（47年），ドイツ（40年）よりも短い．

（2）高齢者保健の歴史

　戦後の老人保健・福祉は，1963年に制定された老人福祉法が担っていた．その後，老人医療費の無料化措置（1973年開始）などに伴い，高齢者医療費が急増したため，1982年に老人保健法が制定され，老人保健に関する制度が分離・強化された．老人保健法に基づく保健事業には健康手帳の交付，健康教育，健康相談，健康診査，機能訓練，訪問指導などがあり，実施主体は市町村であった．

　1980年代後半からは高齢者介護が社会問題となりその基盤整備のために，1989年に高齢者保健福祉推進十か年戦略（ゴールドプラン）が策定された．そして高齢化の急速な進行に伴い，従来の老人保健・福祉制度では対応しきれなくなった介護と慢性期医療を独立・再編

した介護保険法が 1997 年に制定された.

2000 年代に入ると高齢者医療制度が大幅に見直され，2008 年からは老人保健制度に代わって後期高齢者医療制度が始まった．根拠法は，老人保健法を全面改正した高齢者の医療の確保に関する法律である．この法律により 40 ～ 74 歳の者に対する特定健康診査・特定保健指導の実施が医療保険者に義務づけられた．また，75 歳以上の者に対する健康診査の実施が，後期高齢者医療広域連合への努力義務とされた.

2013 年に始まり 2023 年に終了した健康日本 21（第二次）では，高齢者の健康において，介護保険サービス利用者の増加の抑制，認知症サポーター数の増加，ロコモティブシンドローム（運動器症候群）を認知している国民の割合の増加，低栄養傾向（BMI 20 以下）の高齢者の割合の増加の抑制，足腰に痛みのある高齢者の減少，高齢者の社会参加の促進といった目標を掲げている．2024 年から始まった健康日本 21（第三次）では，低栄養傾向の高齢者の減少，ロコモティブシンドロームの減少，および社会活動を行っている高齢者の増加が目標となっている.

認知症施策では，認知症になっても本人の意思が尊重され，できる限り住み慣れた地域のよい環境で暮らし続けることができる社会の実現を目指して，2008 年に認知症施策推進 5 か年計画（オレンジプラン）が策定された．さらに認知症施策を加速させるために，2015 年には認知症施策推進総合戦略～認知症高齢者などにやさしい地域づくりに向けて～（新オレンジプラン）が策定された.

新オレンジプランに基づいて「歯科医師認知症対応力向上研修事業」が行われている．その目的は，歯科医師による口腔機能の管理などを通じて高齢者などと接する中で，認知症の疑いがある人に早期に気づき，かかりつけ医などと連携して対応するとともに，その後も認知症の人の状況に応じた口腔機能の管理などを適切に行うことを推進することである.

（3）高齢者の健康問題

個体の誕生から死に至る過程，すなわち発生，成長，成熟，退縮，そして死に至る時間的経過に従って起こるすべての変化を加齢現象という．これに対して成熟期以降に着目したものを老化という．老化は誰にも例外なく（普遍性），進行性に起こり（進行性），個体の生存に対して有害に働くものであるが（有害性），その原因は生体に自ら存在する（内在性）という特徴がある.

一般的に高齢者は有病率が高く，それらの疾患によって生命予後が左右されることが多く，また機能障害によって要介護状態となるという特徴がある．高齢で問題となる主要な疾患として，動脈硬化性疾患，悪性腫瘍，感染症，認知症および骨関節疾患（骨粗鬆症，変形性関節症など）があげられる.

高齢者の疾患の特徴を以下に列挙する.

・個人差が大きい.
・1 人で多くの疾患を有する.
・疾患の病態が若年者と異なる.
・症状が欠如したり非定型的であったりすることが多い.
・検査値の正常値が若年者と異なる.

・本来の疾患と直接関係のない合併症を起こしやすい.

・治療薬剤に対する反応が若年者と異なる.

・疾患の完全治癒が望めないことが多く，いかに社会復帰させるかが問題となることが多い.

・治療にあたり QOL に対する配慮がより必要となる.

・患者の予後が医学的な面とともに社会・環境的な要素により支配されやすい.

2）高齢者保健に関する法律

（1）老人福祉法

1963 年，高齢者の急速な増加を背景に，高齢者の心身の健康，生活の安定を保障するために制定された.

（2）介護保険法

高齢者の自立支援を基本理念として，1997 年に成立し，2000 年から施行された.

（3）高齢者の医療の確保に関する法律

後期高齢者医療制度を定めた法律であり，2006 年に老人保健法から改められ，2008 年より施行された. また，医療構造改革の中心となる医療費適正化計画や特定健康診査・特定保健指導の根拠にもなっている.

3）高齢者保健の実態

日本の平均寿命は，2023 年には男性 81.1 歳，女性 87.1 歳と，いずれも世界トップクラスとなっている. しかし，健康上の問題で日常生活に制限のある期間は，男性で 8.7 年，女性で 12.1 年と試算されている（2019 年）. すなわち，健康寿命の延伸が課題となっており，健康日本 21（第二次）が目指す基本的な方向にもなっている.

2022 年の国民生活基礎調査によると，65 歳以上の病気やけがなどで自覚症状のある者の割合（有訴者率）は人口 1,000 人あたり 418.2 であり，約半数の高齢者はなんらかの自覚症状を訴えている. また 65 歳以上の傷病で通院している者の割合（通院者率）は人口 1,000 人あたり 696.4 と約 7 割にのぼっている.

2023 年 3 月末現在の要介護（要支援）認定者数は，介護保険事業状況報告によると 694 万人となっている. また，2022 年の国民生活基礎調査によると，要介護になった主な原因は，認知症が全体の 16.6 ％で最も多く，脳血管疾患（16.1 ％），高齢による衰弱（13.9 ％）と続いている. 厚生労働省の研究班によると，認知症高齢者の数は，2022 年で 443 万人と推計されており，2040 年には約 584 万人に達することが見込まれている.

4）地域包括ケアシステム

「地域包括ケアシステム」は，2011 年度の介護保険制度改正で打ち出され，「ニーズに応じた住宅が提供されることを基本としたうえで，生活上の安全・安心・健康を確保するために，医療や介護，予防のみならず，福祉サービスを含めたさまざまな生活支援サービスが日常生活の場（日常生活圏域）で適切に提供できるような地域での体制」と定義されている. 具体的には，日常生活圏域〔おおむね 30 分以内にかけつけられる圏域（中学校区）〕におい

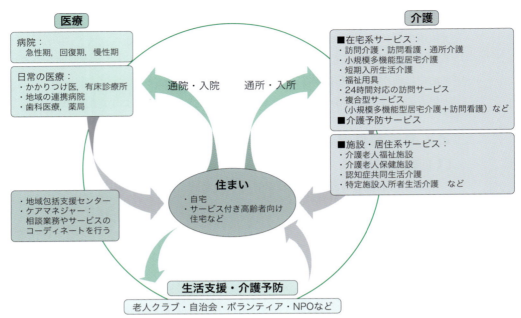

図 6-1　地域包括ケアシステムの姿
地域包括ケアシステムは，おおむね 30 分以内に必要なサービスが提供される日常生活圏域（具体的には中学校区）を単位として想定している．

(厚生労働省：2016 [15] より改変)

て，住まい，医療，介護，予防，見守り・買いものなどの生活支援という 5 つの取り組みが利用者のニーズに応じた適切な組み合わせによって入院，退院，在宅復帰を通じて切れ目なく提供されるというものである（**図 6-1**）．

人口が横ばいで 75 歳以上人口が急増する大都市部，75 歳以上人口の増加は緩やかであるが人口は減少する町村部など，高齢化の進展には大きな地域差がある．厚生労働省は，団塊の世代（約 800 万人）が 75 歳以上となる 2025 年を目途に，市町村や都道府県が，地域の特性に応じて地域包括ケアシステムをつくりあげるよう求めている．

2　高齢者の口腔保健の概要

1）高齢者の口腔の特徴

（1）口腔の老化

一般に高齢者では歯に亀裂，咬耗，摩耗が認められる．第二象牙質が添加され歯髄腔が狭小となる．セメント質は肥厚する．歯の透明度は減少し黄色・褐色を帯びてくる．歯肉が退縮し，特に歯間部に隙間が生じる．顎骨は全身の骨と同様に骨密度と骨量が減少する．顎関節では関節頭が扁平化し，下顎窩や関節結節が平坦化するために，下顎頭の可動性が増加し不安定となりやすい．神経筋系や感覚器系の加齢変化に伴い，筋の協調性が低下して咀嚼機能や嚥下機能が低下する．舌の筋線維量が低下し，舌圧や舌の巧緻性が低下する．唾液腺は腺房細胞の萎縮や脂肪化，線維化が起こり，安静時唾液量が減少する．口腔粘膜は萎縮をきたすことが多い．味覚閾値は加齢とともに上昇する傾向にある．

（2）高齢者の口腔疾患

　高齢者に多くみられる口腔疾患には，歯の喪失，歯周病，齲蝕（根面齲蝕を含む），口腔乾燥症，口腔粘膜疾患，口腔がん，摂食嚥下障害などがある．歯の喪失は主に歯周病と齲蝕によるもので，高齢になるまでに罹患した歯科疾患の結果（蓄積）ともいえる．また，加齢や服用薬剤が口腔乾燥を招き，歯周病，齲蝕，口腔粘膜疾患のリスクを高めることとなる．

2）高齢者の口腔保健状況の特徴

　歯科疾患実態調査において，高齢者の現在歯数は調査ごとに増加している．2022 年の 1 人平均現在歯数は，65 ～ 69 歳で 23.8，70 ～ 74 歳で 21.0，75 ～ 79 歳で 18.1，80 ～ 84 歳で 15.6，85 歳以上で 14.0 である．20 本以上の現在歯を有する者の割合は，65 ～ 69 歳で 81.4%，70 ～ 74 歳で 72.1%，75 ～ 79 歳で 55.8%，80 ～ 84 歳で 45.6%，85 歳以上で 38.1% である．

　現在歯に齲蝕を有する者の割合は 65 歳以上の各年齢階級で，調査ごとに増加がみられる．4 mm 以上の歯周ポケットを有する者の割合（対象歯をもたない者を含めた割合）は，75 歳以上では前回（2016 年）調査よりも高値を示した．原因として現在歯数の増加が考えられる．

　2014 年の国民健康・栄養調査によると，所得の低い世帯は高い世帯と比較して，現在歯数が 20 未満の者の割合が高かった．

　近年，国内外のコホート研究によって現在歯数が 20 以上ある者は，19 以下の者よりも，生存期間が長いのみならず，認知症や転倒，要介護となるリスクが低いなど，口腔の健康状態が全身の健康に寄与することが明らかになってきている．

3）高齢者の口腔保健事業

（1）介護保険の概要

a. 制度創設の背景と目的

　高齢化の進行に伴う要介護高齢者の増大，家族の介護機能基盤の弱体化および家族の介護負担の増大，従来の老人福祉制度と老人医療制度の問題点，介護費用の増大に対応した新しい財源確保の必要性などを背景として，介護に対する社会的支援，要介護者の自立支援，利用者本位（利用者の選択に基づき，利用者の希望を尊重すること）とサービスの総合化，社会保険方式の導入などを目的として創設された．

b. 保険者と被保険者

　保険者は市町村（特別区を含む）である．被保険者は 40 歳以上の者とし，65 歳以上の第 1 号被保険者と 40 歳以上 65 歳未満の医療保険加入者である第 2 号被保険者に区分される．

c. 給付の手続きと内容

　給付は，第 1 号被保険者は要支援状態または要介護状態と判断された場合，第 2 号被保険者は介護保険法で定める特定疾病（末期がん，関節リウマチなど）に罹患し，要支援状態または要介護状態と判断された場合に行われる．要支援状態とは，要介護状態となるおそれがあり日常生活に支援が必要な状態であり，要介護状態とは寝たきりや認知症で介護が必要な

第3編　地域口腔保健

状態である．要支援状態は要支援1〜2の2段階，要介護状態は要介護1〜5の5段階に区分される．要介護認定と介護サービスの利用手続きは**図6-2**のとおりである．

　介護や支援が必要になった場合，利用者本人または家族などが市町村の窓口に相談する．明らかに要介護認定が必要な場合や，チェックリストで申請が必要と判断された場合は申請を行う．市町村は申請を受けて心身の状況を確認するための認定調査を行う．

　要介護認定は市町村などに設置される介護認定審査会において行われる．本人の心身の状況調査に基づくコンピュータ判定の結果（一次判定），主治医の意見書，訪問調査時の特記事項の情報に基づき最終判定（二次判定）をする．

　利用者は要介護度の判定レベルに応じて，利用者自らが利用すべきサービスを選択する．要介護と認定された者が居宅サービスを利用する場合は居宅介護支援事業者（介護支援専門員）に居宅サービス計画を作成してもらい，施設サービスを利用する場合は施設の介護支援専門員が施設サービス計画を作成する．要支援と認定された者は地域包括支援センターに介護予防サービス計画の作成を依頼できる．

d. 給付の概要

　介護保険で利用できるサービスには，居宅サービス，施設サービス，地域密着型サービスの3つがある（**図6-2**）．要介護者は居宅サービス，施設サービス，地域密着型サービスを利用できる（介護給付）．要支援者が居宅サービスを利用する場合には，名称が「介護予防サービス」となり軽症者向けの内容と期間で提供される．地域密着型サービスについても同様で，受けられるサービスの内容と期間に違いがある．施設サービスは要介護者のみに提供され，要支援者は利用できない．

　居宅サービスは，訪問介護，訪問看護，通所介護などがある．居宅療養管理指導は，医師，歯科医師，薬剤師，歯科衛生士，管理栄養士などが通院困難な者の居宅を訪問して行う療養上の管理・指導である．

　施設サービスには，介護老人福祉施設（特別養護老人ホーム），介護老人保健施設，介護医療院がある．介護老人福祉施設では，身体・精神上の著しい障害のために常時介護が必要で在宅介護が困難な要介護者を対象に介護，機能訓練，健康管理，療養上の世話を行う．介護老人保健施設では，病状安定期にあって入院治療は必要ないが，リハビリテーションや看護・介護を必要とする要介護者を対象とし，看護，医学的管理下の介護・機能訓練，その他必要な医療や世話を行い，対象者の居宅における生活への復帰を目指す．介護医療院は，要介護高齢者の長期療養と生活施設としての機能とを兼ね備えた施設である．

　地域密着型サービスは，居宅の要介護者に対し，住み慣れた生活環境の中で生活が継続できるよう，定期巡回・随時対応型，小規模多機能型，夜間対応型，認知症対応型などの形態で提供されている．原則として居住する市町村内で提供されるサービスのみ利用できる．

e. 介護予防・日常生活支援総合事業

　介護予防・日常生活支援総合事業（**図6-2**にある「総合事業」）は，市町村が中心となって，地域の実情に応じて，住民などの多様な主体が参画し，多様なサービスを充実することにより，地域の支え合いの体制づくりを推進し，要支援者などに対する効果的かつ効率的な支援などを可能とすることを目指すものである．本事業は，①介護予防訪問介護などを移行

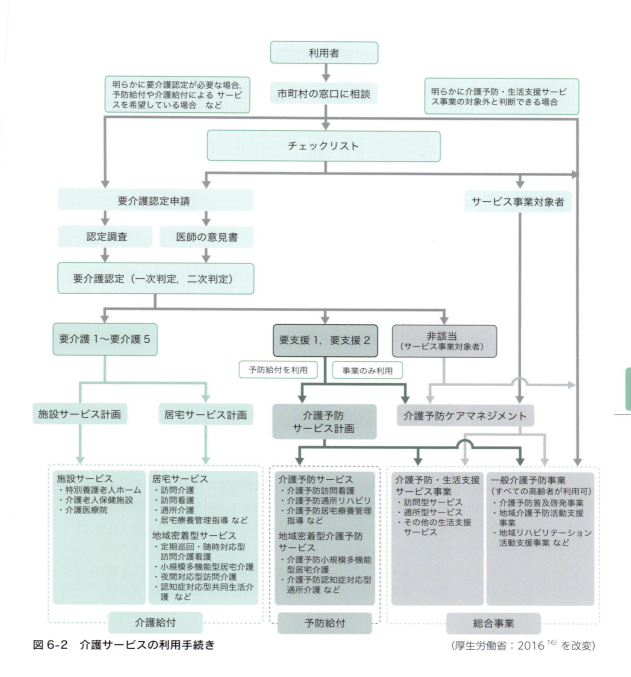

図 6-2　介護サービスの利用手続き　　　　　　　　　　　　　　　　　　　　（厚生労働省：2016[16)]を改変）

して，要支援者などに対して必要な支援を行う介護予防・生活支援サービス事業と，②第1号被保険者に対して体操教室などの介護予防を行う一般介護予防事業からなる．2006年の介護保険制度改正以来，二次予防事業で実施していた口腔機能の向上プログラムなどに相当する介護予防については，介護予防・生活支援サービス事業として介護予防ケアマネジメントに基づいて実施される．

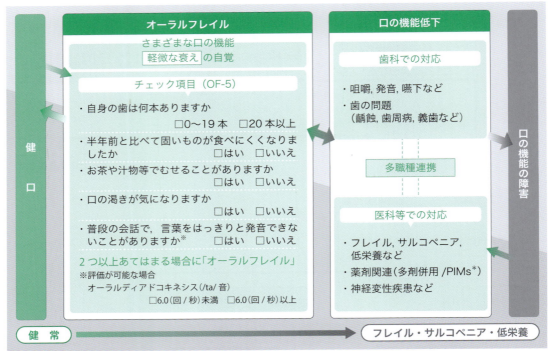

図6-3 オーラルフレイルの概念図

(日本老年医学会,日本老年歯科医学会,日本サルコペニア・フレイル学会:2019[20])

(2) フレイルと口腔機能低下・オーラルフレイル

　筋力,持久力,生理機能の減衰を特徴とする複数要因からなる症候群で,身体障害や死亡に対する脆弱性が増大した状態を「フレイル」とよぶ.高齢者の多くは健康な状態からフレイルの段階を経て要介護状態に陥るが,フレイルには介入により再び健常な状態に戻るという可逆性の意味が包含されている.

　フレイル予防には,定期的な運動の実践,十分な栄養摂取,活発な社会参加が三本柱となっており,その中でも栄養摂取は口腔の状態に強く影響を受ける.老化に伴うさまざまな口腔の状態(歯数・口腔衛生・口腔機能など)の変化に,口腔の健康への関心の低下や心身の予備能力低下も重なり,口腔の脆弱性が増加し,食べる機能障害へ陥り,さらにはフレイルに影響を与え,心身の機能低下にまでつながる一連の現象および過程を「オーラルフレイル」という.オーラルフレイルの概念図を図6-3に示す.オーラルフレイルは,口腔機能の重要性を国民に啓発するとともに,地域による介護予防事業での対応を促し,歯科診療所や専門の医師・歯科医師による対応を進めようとする概念である.

　2018年からは高齢者の口腔機能低下症に対して保険診療が行えるようになった.また,2020年からは,後期高齢者医療広域連合と市町村が主体となり,介護保険の地域支援事業や国民健康保険の保健事業と一体的に保健事業を実施することとなり,75歳以上を対象とした後期高齢者医療制度で行われる健康診査(いわゆるフレイル健診)が開始された.この健康診査で用いる「後期高齢者の質問票」には,「半年前に比べて固いものが食べにくくな

りましたか」と「お茶や汁物でむせることがありますか」の，口腔機能に関する質問が含まれている．さらに，2021年に閣議決定された「経済財政運営と改革の基本方針（骨太方針）2021」の社会保障改革のところに初めて「オーラルフレイル対策」が明記された．

（3）地域包括ケアシステムにおける歯科の役割

要介護高齢者の口腔内状況が劣悪であることがさまざまな調査で報告されている．高齢者施設入所者の約48％に歯科治療が必要であるという報告がある．また施設入所者および在宅療養者を対象とした調査では，要介護度が高くなるほど要治療歯が多くなり，口腔清掃状態が悪化するために誤嚥性肺炎の危険性が高まることが指摘されている．新オレンジプランでは，歯科医療機関が日常業務の中で認知症に気づき，認知症の人の状況に応じた口腔機能の管理を実践することができるよう，歯科医師の認知症対応能力向上研修を実施することが施策として明記されている．近年の疫学研究によって現在歯や口腔機能の維持が認知症リスクの低下に寄与することも明らかになってきた．

国は2025年をめどに，高齢者の尊厳の保持と自立支援を目的として，可能な限り住み慣れた地域（日常生活圏域）で，自分らしい暮らしを人生の最期まで続けることができるよう，住まい・医療・介護・予防・生活支援を一体的に提供する地域包括ケアシステムの構築を推進している．歯科医療機関も医療，予防，介護の各分野でこのシステムの構成員として機能することが求められ，2017年に国の検討会で示された「歯科保健医療ビジョン」にも明記されている．

（山本龍生）

第3編　地域口腔保健

第7章　障害児・者の口腔保健

本章の要点

- 障害の概念は，環境や社会的因子によって変化する．単に身体的，知的などに不利があるだけではない．
- WHOのICFの概念を元に日本も国連の「障害者の権利に関する条約」を締結し，共生する社会づくりを目指す国家となった．
- 障害者では，原因となっている疾病や異常が多岐にわたっている場合が多い．障害者では口腔領域にもその影響がみられることが少なくない．
- 口腔の健康障害と多岐にわたる障害の内容との関連性も十分に明らかにされていない．

Keywords　障害者基本法，ICF，障害者の権利に関する条約，障害者総合支援法，身体障害，知的障害，精神障害，歯科口腔保健法，医療的ケア児支援法

1　障害の概念

1）法と障害のとらえ方

　日本における心身障害に関する総括的基本法は，1970年に制定された心身障害者対策基本法であり，障害者の個人の尊厳や社会連帯といった理念を示したが，対策の対象としての障害者の域を出なかった．

　1975年代になると障害者問題は国際的にも注目されるようになり，1981年の国際障害者年を契機にして1982年に「障害者対策に関する長期計画」が策定された．1983年から始まった「国連・障害者の10年」は1992年で終了したが，1993年に障害者対策推進本部は，1993年以降も障害者対策を計画的に推進するための「障害者対策に関する新長期計画」を策定した．さらに同年12月には心身障害者対策基本法が障害者基本法に改正され，障害の分類もそれまでの肢体不自由，視覚障害，聴覚障害，平衡機能障害，音声障害もしくは言語機能障害，心臓機能障害，呼吸器機能障害に分かれていたものから，身体障害と知的障害または精神障害に改められた．

　「障害者対策に関する新長期計画」の後期重点施策の実施計画として，障害者施策としては初めて数値による達成目標が掲げられた障害者プランが策定され，2002年度で終期を迎えた．そこで，2002年12月に障害者基本計画が閣議決定され，2012年度までの10年間に講ずべき障害者施策の基本的方向が定められた．また，支援費制度の導入により，障害者自立支援法が制定されたが（2006年），2014年障害者の日常生活及び社会生活を総合的に支援するための法律（障害者総合支援法）に移行し，障害者の範囲の拡大や地域移行支援などが盛り込まれた．現在では障害者の範囲の見直しが行われており，身体障害，知的障害，精神障害だけではなく難病なども障害者総合支援法の対象となるように拡大されている．

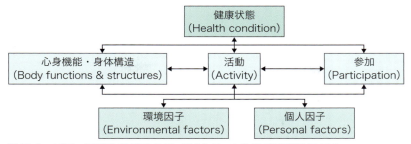

図 7-1　ICF：国際生活機能分類（2001）の生活機能構造モデル
(向井：2009[1])

　国際的には，国連は 1992 年に「国連・障害者の 10 年」の終了を受けて，国連「障害者に関する世界行動計画」を推進するため「アジア太平洋障害者の 10 年」がスタートし，2002 年には日本の主唱によりさらに 10 年延長された．また，WHO は 1980 年に国際障害分類初版（ICIDH：International Classification of Impairment, Disability and Handicap）を発表した．ICIDH は「機能障害 impairment →能力障害 disability →社会的不利 handicap」という障害の 3 階層に分けた国際分類モデルを提唱した．障害者の口腔保健領域も大きな影響を受け，この基本概念に基づいて臨床・研究・教育が行われてきた．翌 1981 年の国連国際障害者年の世界行動計画に ICIDH の「障害の 3 つのレベル」の基本概念が取り上げられ，多方面に非常に大きな影響を与えた．

　しかし，WHO では，障害と障害者に関する医療・福祉・行政などの分野間，さらにはそれらの分野と障害者との間の「共通言語」の確立を目指して，2001 年 5 月の総会において，ICIDH の改訂版である ICF（International Classification of Functioning, Disability and Health：生活機能，障害，健康の国際分類）を成立した（図 7-1）．ICF の中心となる新しい概念である「生活機能 functioning」とは，マイナスの包括概念である「障害 disability」と対応するものとして新しくつくられ，人間が生きることのすべての面を示すプラスの包括概念とされている．障害というマイナス部分を対象にするのではなく，健康から障害に至る生活状態の全般を対象とした概念で，21 世紀の障害者医療のあるべき姿を示唆するものと思われる．

2）口腔保健の現状と今後

　ICIDH の改訂など障害者の概念の変革期に内外の状況を踏まえて，日本の障害者基本計画が新たに船出した．従来の歯科疾患の予防や生活機能の中心をなす食行動や食機能をはじめ，障害者の口腔保健にかかわる直接的な記述はないが，重点的に実施する施策の中に，障害の原因となる疾病の予防および治療・医学的リハビリテーション，難治性疾患に関する病因・病態の解明や治療法の開発および生活の質につながる研究開発の推進，精神障害者施策の充実などがある．これらは口腔保健・医療がかかわることで，より充実した施策となるものと考えられる．ALS などの難治性疾患に対する呼吸器感染予防のための口腔健康管理や摂食機能療法などによる援助が，障害者の口腔保健に求められているのはいうまでもない．また，精神障害者の在宅と施設援助における口腔健康管理と食事機能のリハビリテーション

第3編 地域口腔保健

への口腔保健・医療支援も今後の課題である．このような障害者の保健・医療領域については，基礎的な研究が浅く，今後は研究成果をもとにして ICF に照らしながら，生活機能援助のためのガイドラインづくりが急がれている．

　障害児の教育（特別支援学校・支援学級）機関や育成施策における口腔保健の支援についても，障害児の生活自立援助として脱施設が叫ばれるいま，これまでの施設での生活から社会参加を大きく広げることを可能にする食事自立のための口腔保健からの教育支援は，その必要度が非常に高いと思われる．

　これまでの障害者歯科医療は，齲蝕，歯周病などの疾患の治療と，その器官の健康を守るための取り扱いを中心にした口腔保健対応が主であった．もちろんそれらは，障害のある多くの人に今後とも必要であることは間違いないが，生活の質を高めるための目的ではなく，そのための過程である．今後は WHO から提示された ICF の示す障害観，障害者観に照らしながら，これから必要とされる施策に対する生活機能への口腔保健からのサポートを通して，積極的な参加体制を整えつつ，障害者の QOL（生命の質，生活の質，人生の質）の向上に直接的に寄与する障害者口腔保健が必要となると思われる．

　日本も，国連の障害者の権利に関する条約を締結し，国内法制度を整備した．これにより，すべての国民が，障害の有無によって分け隔てられることなく，相互に人格と個性を尊重し合いながら共生する社会の実現に向け，障害を理由とする差別の解消を推進することを目的として，2013 年 6 月，障害を理由とする差別の解消の推進に関する法律（いわゆる障害者差別解消法）が制定され，2016 年 4 月 1 日から施行された．また，これに先立ち，2012 年 10 月 1 日には障害者虐待の防止，障害者の養護者に対する支援等に関する法律（いわゆる障害者虐待防止法）が施行されている．これらの法整備により，障害を理由とする安易な抑制治療に合理的な配慮（法的配慮）が必要となり，日本の障害者歯科治療の変革が急速に進められている．また，近年の医療技術や機器の革新により，医療的ケア児（日常生活・社会生活を営むために恒常的に医療的ケアを受けることが不可欠である児童）が増加している問題が浮上し，2021 年 6 月 18 日に医療的ケア児及びその家族に対する支援に関する法律（医療的ケア児支援法）が公布され，同年 9 月から施行された．

2 障害者の口腔保健上の特性

1）歯科治療の困難性

　障害の種類別身体障害者数の推移を表 7-1 に示す．日本の医療の発達とともに，救命率の上昇から障害者の高齢化が問題となってきている（表 7-2）．

　また，知的障害者数も同様に高齢化が進んでいる（表 7-3）．障害そのものの特徴によって歯科治療の困難性が異なるが，大別すると姿勢の保持不全（脳性麻痺など）と知的理解不全（精神発達遅滞など）による治療困難が主な原因である．姿勢の保持不全患者の歯科治療の困難性では不随意運動対策が重要となるが，安易に多人数で抑制治療を行ったりすると呼吸抑制が生じたりするため注意が必要である．

　また，知的理解不全に対しても同様にレディネス（準備性）や発達段階を把握しておかな

表 7-1　障害の種類別身体障害者数の推移　　　　　　　　　　　　　　　（単位：千人）

	総数	視覚障害	聴覚・言語障害	肢体不自由	内部障害	不詳	重複障害（再掲）
1991	2,722	353	358	1,553	458	－	121
'96	2,933	305	350	1,657	621	－	179
2001	3,245	301	346	1,749	849	－	175
'06	3,483	310	343	1,760	1,070	－	310
'11	3,791	311	312	1,667	921	582	168
'16	4,219	307	336	1,895	1,226	456	738

資料：厚生労働省「身体障害児・者実態調査」（2006 年以前）「生活のしづらさなどに関する調査」（2011 年以降）
注　：推計のため，千人未満を四捨五入しているため，必ずしも総数と一致しない．また年齢不詳分を含んでいる．

（厚生労働統計協会編：2021 [2]）

表 7-2　年齢階級別身体障害者数の年次比較　　　　　　　　　　（単位：千人，（　）内%）

	総数	18～19歳	20～29	30～39	40～49	50～59	60～64	65～69	70歳以上	不詳
2006 年 7 月	3,483 (100.0)	12 (0.3)	65 (1.9)	114 (3.3)	182 (5.2)	470 (13.5)	394 (11.3)	436 (12.5)	1,775 (51.0)	35 (1.0)
2011 年 12 月	3,791 (100.0)	10 (0.3)	57 (1.5)	110 (2.9)	168 (4.4)	323 (8.5)	443 (11.7)	439 (11.6)	2,216 (58.5)	25 (0.7)
2016 年 12 月	4,219 (100.0)	10 (0.2)	74 (1.8)	98 (2.3)	186 (4.4)	314 (7.4)	331 (7.8)	576 (13.7)	2,537 (60.1)	93 (2.2)
前回比（%）	111.3	100.0	129.8	89.1	110.7	97.2	74.7	131.2	114.5	372.0

資料：厚生労働省「身体障害児・者実態調査」（2006 年）「生活のしづらさなどに関する調査」（2011 年以降）
注　：推計のため，千人未満を四捨五入しているため，必ずしも総数と一致しない．

（厚生労働統計協会編：2021 [2]）

ければ，診療拒否につながり，結果として口腔保健が損なわれることも多い．保護者や後見人に許可なく抑制した場合には虐待と思われても仕方がない．したがって，前述の障害者虐待防止法に抵触せぬよう，同意書の整備や薬剤を用いた鎮静方法や全身麻酔下での歯科治療など，合理的配慮を行わなければならない．

2）歯科保健指導，管理とその困難性

　障害者は，障害の原因になっている疾病や異常が多岐にわたっている場合が多く，口腔領域にもその影響がみられることが少なくない．障害者の口腔保健でこれらの問題に対処するには，口腔管理の不十分さ，困難さから口腔衛生状態が不良とならないようにすることである．障害が重度になるに従い，口腔衛生状態は不良になりやすく，齲蝕や歯周病などにつながりやすい．そのために摂食嚥下機能不全が生じ，口腔領域の健康が損なわれる．

　このような特徴に対して，歯科保健上で問題となるのは，前述のような健康障害のもととなる悪循環に対する歯科的アプローチを妨げる種々の要因（患者側の要因，医療側の要因，社会的要因）が存在することである．これらの問題をいかに解決するかが，障害者の口腔保健対策の基本となる考え方である．

　障害者に対する歯科医療の確保については，従来から都道府県，市区町村，歯科医師会が

第3編 | 地域口腔保健

表 7-3　年齢階級別障害の程度別の知的障害者（在宅）数
（単位：千人，（　）内%）　　　　　　　　　　　　　　　　　　　2016 年 12 月 1 日現在

	総数	男	女	不詳	重度	その他	不詳
総数	962 (100.0)	587 (100.0)	368 (100.0)	8 (100.0)	373 (100.0)	555 (100.0)	34 (100.0)
0〜9歳	97 (10.1)	63 (10.7)	33 (9.0)	1 (12.5)	30 (8.0)	64 (11.5)	3 (8.8)
10〜17	117 (12.2)	77 (13.1)	40 (10.9)	− (−)	39 (10.5)	74 (13.3)	4 (11.8)
18〜19	43 (4.5)	21 (3.6)	21 (5.7)	− (−)	14 (3.8)	28 (5.0)	1 (2.9)
20〜29	186 (19.3)	126 (21.5)	59 (16.0)	1 (12.5)	73 (19.6)	107 (19.3)	6 (17.6)
30〜39	118 (12.3)	76 (12.9)	43 (11.7)	− (−)	42 (11.3)	73 (13.2)	4 (11.8)
40〜49	127 (13.2)	74 (12.6)	53 (14.4)	− (−)	45 (12.1)	76 (13.7)	6 (17.6)
50〜59	72 (7.5)	43 (7.3)	29 (7.9)	− (−)	28 (7.5)	39 (7.0)	5 (14.7)
60〜64	34 (3.5)	18 (3.1)	16 (4.3)	− (−)	11 (2.9)	23 (4.1)	− (−)
65〜69	31 (3.2)	19 (3.2)	13 (3.5)	− (−)	15 (4.0)	15 (2.7)	1 (2.9)
70〜74	35 (3.6)	20 (3.4)	15 (4.1)	− (−)	21 (5.6)	14 (2.5)	− (−)
75〜79	29 (3.0)	18 (3.1)	11 (3.0)	− (−)	16 (4.3)	11 (2.0)	1 (2.9)
80〜89	49 (5.1)	25 (4.3)	24 (6.5)	− (−)	28 (7.5)	20 (3.6)	1 (2.9)
90歳以上	5 (0.5)	1 (0.2)	4 (1.1)	− (−)	4 (1.1)	1 (0.2)	− (−)
年齢不詳	18 (1.9)	6 (1.0)	6 (1.6)	5 (62.5)	6 (1.6)	10 (1.8)	1 (2.9)

資料：厚生労働省「生活のしづらさなどに関する調査」（2016 年）
注　：推計のため，千人未満を四捨五入しているため，必ずしも総数と一致しない．
（厚生労働統計協会編：2021 [2]）

設置する口腔保健センターなどに障害児者のための歯科治療部門が設置されてきた．また，歯科衛生士養成校の臨床実習教育の一環として，身体障害者福祉施設への巡回臨床実習教育も行われている．歯科保健サービスを受ける機会に恵まれない在宅の心身障害児者を対象に，在宅心身障害児者歯科保健推進事業（1997 年度から要介護者歯科保健推進事業）が1993 年度より行われている．

　障害者の口腔保健管理を行う際は，障害の種類と程度によって口腔衛生状態が著しく異なることに留意する必要がある．たとえば，脳性麻痺で緊張が強いタイプの場合には，開口困難から清掃は不十分になりやすいうえに，摂食嚥下の機能障害も重度であることが多いため，自浄作用が十分に働かず食物残渣が停留しやすい．

　また，知的障害者は歯磨きを嫌がる者だけではなく，自分で磨く場合でも清潔を意識した

歯磨きではなく，不潔のままになりやすい．特に自分で歯磨きを行う場合は，磨いているだけで周囲が安心してしまい，実際には磨けていないことを見逃してしまいやすい．食事においても，自分1人で食べられてはいても，咀嚼不全のような摂食機能の未熟な者が多くみられる．

さらに，障害者総合支援法の整備により，施設利用の障害者や在宅の障害者に対する口腔保健サービスも広がっている．特に施設利用者の場合には施設職員との連携が不可欠であり，また居宅管理でも保護者や家族との密な連携が必要である．この分野に関しては，高齢者の口腔保健と異なる対応が必要となる．

この他，リウマチ性関節炎では，指で歯ブラシを持つことが困難となり，効果的な歯磨きができないばかりか，歩行困難になることから歯科医院への通院が不可能となり，さまざまな歯科疾患が進行することも多い．

このように，障害が口腔衛生状態に直接関係することは障害者の口腔保健の特徴であり，この困難性を解決する努力が望まれている．

障害者のための口腔保健管理を確立するのは，次のようなことが必要となる．

① 障害者との日常的な交流を活発にして，互いの生活スタイルやライフサイクルなどについての理解を深める．

② 歯科医師，歯科衛生士に対して，障害者の口腔保健に対する卒前，卒後教育の充実をはかる．

③ 地域社会において，それぞれの地域社会に適した障害者の口腔保健システムを，医療側，行政側，住民側が協力してつくる．

④ 地域社会における口腔保健システムの核となる一次，二次，三次歯科医療機関の整備とその有機的連携をはかり，患者側と医療側の双方にとって効率のよい患者紹介システムを確立する．

⑤ 全身の保健管理の一部として，常に全身の健康と口腔の健康を関連させながら，口腔保健システムを組織するよう努力する．

⑥ 口腔保健管理は，予防，治療，予後管理を一体化した，定期的な管理により予防に重点をおいて，口腔の健康状態の変化に留意する．

⑦ 介護者に対する口腔保健の教育，指導を十分に行い，ホームケアの充実をはかる．

⑧ 重度の障害者に対しては，診療室で来院を待つ診療から，居宅へ訪問する診療や保健指導への転換をはかる．

障害者総合支援法を基盤として，地域社会にそれぞれの地域の特性に合った障害者のための口腔保健管理システムが定着することが望まれる．しかしながら，障害者が定期的に検診を受けられる環境の整備を歯科口腔保健の推進に関する法律でも明記されている．地域社会での迅速な対応が求められている．

3）障害者の特性

口腔に発生する疾病や異常は，その主たる障害の種類や程度によって，特徴的，特異的な口腔症状として現れることが多い．障害者の口腔保健の困難性を日常生活という観点からみ

ると，障害者個人，生活環境，歯科医療環境の３つの因子に分けることができる．このような障害の因子を中心にして，障害者の口腔保健の困難性をみると，多くみられる疾病においては次のような問題点と特徴が認められる．

（1）肢体不自由（脳性麻痺など）

　脳性麻痺などの肢体不自由児（者）における困難性は，その疾病の特徴から運動制限に加えて効果的な協調動作ができないことに起因することが多い．このような疾病の特徴から，過緊張により口腔清掃では効果的な方法で刷掃を行うことができない場合が多く，そのために歯ブラシやほかの清掃器具の形の改良や工夫などが必要となる．

　口腔領域の筋の非協調による歯列と咬合の不正は，歯肉炎や歯周病，咬合性外傷による歯の動揺や咬耗・破折などを起こしやすい．しかし，齲蝕に関しては，早期からの管理によって予防が可能である．そのため積極的なフッ化物の応用を考慮すべきである．

　咀嚼・嚥下を中心にした口腔機能においては，口唇，顎，舌の運動の非協調や上肢や手指の運動制限のために捕食（口腔に食物を取り込む動き）機能不全や咀嚼・嚥下運動に制限がみられる．そのため，運動機能を促す訓練指導や咀嚼・嚥下機能に応じた食事時の保健指導が必要となる．

（2）知的障害（知的能力障害）

　知的障害児（者）は，口腔の健康について理解するのに時間がかかるため，具体的で根気強い指導を繰り返し必要とするのが特徴である．口腔清掃については，効果的な歯磨きを学習できない場合も多い．食事にかかわる機能は，繰り返して覚え獲得する機能であるため，食べる意欲が優先して，食物の押し込み，丸飲みなどの咀嚼機能不全がよくみられ，窒息事故も近年報告が多い．これらは障害者個人の困難性による因子である．

　生活環境因子としては，施設や寄宿舎といった集団での生活や，保護者が障害児の療育に無関心であることなどによって生じる口腔保健の困難性もある．施設では１人の介護者が数人以上の入所者の介助を担当していることが多く，口腔保健に対する理解の欠如と合わせて困難因子となることが多い．

（3）脳血管疾患

　脳血管疾患の後遺障害として，半身麻痺，片麻痺などがみられることが多い．障害の程度はさまざまであるが，中途障害のため患者本人の精神的なダメージが大きく，精神状態が不安定になりやすい．

　患側に感覚麻痺も生じるため，食物残渣や多量のプラークの付着などに気づきにくい．上肢の機能障害による清掃不良や，口腔領域の筋の運動麻痺による摂食嚥下障害が認められる．全身的な介護や介助が優先されることが多いため，口腔清掃や摂食嚥下障害などについての対応は後回しにされ，不潔な口腔状態，口臭などの問題が多い．

　障害者の口腔保健に対して直接的に援助するのは，生活圏内の歯科医療活動である．障害者の良好な口腔保健状態を維持するうえで，地域のかかりつけ歯科医を中心にした医療援助システムが必要である．障害児については，通園施設や特別支援学校などと連携した歯科医療援助システムもみられるが，成人障害者については，十分に整っていないのが現状である．

（4）精神障害

　精神障害者の口腔保健については，精神疾患のある人の多くに，口腔乾燥，口腔疾患の多発，摂食状態の異常など，口腔の健康状態の不良や機能異常が指摘されている．特に抗精神薬の副作用による口腔乾燥は，歯周炎や齲蝕の大きな要因であることが報告されており，精神障害者の歯科疾患の原因となっている．

　統合失調症などの精神疾患の急性期には，口腔清掃の実施がほとんど不可能なこと，歯科医療サービスの受けにくさなどから，口腔疾患の多発と関連するものと考えられている．

　このように問題点は明らかになってきてはいるが，口腔の健康障害と精神疾患の内容との関連性も十分に明らかにされていないため，その効果的な保健対応は進んでおらずこれからの課題である．

（弘中祥司）

第**4**編

国際口腔保健と災害時口腔保健

第4編　国際口腔保健と災害時口腔保健

第1章　国際口腔保健

本章の要点
- 国際協力には，国際交流と国際協力がある．
- 口腔保健に関する多国間協力は WHO を軸に行われている．
- 国際協力として，人材の育成や資源の確保，歯科保健医療システムの構築を含めた包括的な支援を進めていく必要がある．
- 口腔疾患と NCDs のリスクファクターは重複しているものが多いので，共通のリスクファクターへのアプローチが求められている．
- WHO の世界保健戦略には，すべての人が口腔保健を享受できること，ユニバーサル・ヘルス・カバレッジの達成を目指すことが明記されている．

Keywords　国際協力，国際保健，世界の口腔保健

1　国際協力

　国際協力は，行政上の調整，技術・情報の交換，人的交流などを通じて自国の向上を目指す広義の「国際交流」と，開発途上国に対して日本が有する人的・物的・技術的資源を提供し，当該国の向上を目指す「国際協力（狭義）」に大別される．さらにそれぞれ，多国間交流・協力と二国間交流・協力に細分される（図 1-1）．

　国際協力には，国が行う政府開発援助 Official Development Assistance（ODA）や多国間で行われる支援以外にも，さまざまな組織，団体，機関，民間人がかかわっている．保健医療分野の国際協力では，ODA による無償資金協力，有償資金協力，技術協力，国際機関への拠出が主流を占めている．

2　国際協力機関

1）世界保健機関（WHO）

　世界保健機関 World Health Organization（WHO）は，1946 年にニューヨークで開催さ

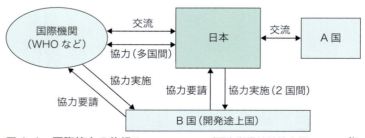

図 1-1　国際協力の仕組み　　　　　　　　（厚生労働統計協会編：2021[1)]）

れた国際保健会議で採択された世界保健機関憲章に基づき，世界のすべての人々の健康の保護，増進のための国際保健活動を計画，実施，調整することを目的に，国際連合 United Nations（UN）の1つの専門機関として1948年4月7日に設立された．現在194カ国の加盟国で構成され，毎年5月開催の世界保健総会 World Health Assembly（WHA）では，WHO の活動内容を審議し，基本方針，事業計画，予算を決定している．

　総会を補う組織として執行理事会 Executive Board（EB）が毎年1月と5月に開催され，総会に提出する重要議題の準備，総会で審議されない細かな問題を審議する．総会や理事会で決定されたことを実施するのが事務局で，事務局の本部はスイス・ジュネーブにある．

　世界をアフリカ，アメリカ，東地中海，ヨーロッパ，東南アジア，西太平洋の6か所に区分し，それぞれに地域事務局があり，各国はその所属地域の事務局に属する．日本は西太平洋地域に属している．本部直轄の研究機関として神戸市に WHO 健康開発総合研究センター，外部専門機関としてフランス・リヨンに国際がん研究機関があり，保健や医療に関する研究支援を行っている．

　WHO の基本的な役割は，国際的な視点での保健政策の提言やそのガイドラインを制定することである．世界の研究機関や大学などが WHO 協力センターとして認可され，各専門分野について政策のもとになる研究や政策構築へのエビデンス提供を行っている．口腔保健分野では，10の WHO 協力センターがあり（2022年時点），日本では新潟大学が指定されている．

2）政府援助機関

　政府が開発途上国に行う ODA の実績は，176億ドル（2021年）と世界第3位である．ODA は二国間援助，国際機関への出資・拠出（多国間援助）に分けられ，二国間援助の形態である技術協力，有償資金協力，無償資金協力を担っているのが独立行政法人国際協力機構 Japan International Cooperation Agency（JICA）である．JICA は「すべての人々が恩恵を受けるダイナミックな開発」というビジョンを掲げ，多様な援助手法のうち最適な手法を使い，地域別・国別アプローチと課題別アプローチを組み合わせて，開発途上国が抱える課題解決を支援している．

3）非政府機関（NGO/NPO）

　民間人や民間団体のつくる機構・組織であり，ボランティア，慈善，学術と多様にある．国際歯科連盟 World Dental Federation（FDI）は，歯科医師会や歯科関連団体で構成される連盟組織で，133か国の189組織が参加している．国際歯科研究学会 International Association for Dental Research（IADR）は，学際的な歯学系学会で1万人以上の会員で構成されている．FDI も IADR も WHO の公式パートナーとして，WHO への意見具申などを通じ，グローバルな健康増進政策などを支えている．

第4編 | 国際口腔保健と災害時口腔保健

3 国際保健

1）開発途上国における健康問題

　世界の総人口は78億人を超えたが，その8割以上が開発途上国に居住している．WHOによると，2017年の時点で世界人口の約半数が基礎的な医療サービスを受けることができずに苦しんでおり，開発途上国の中でも地方部・へき地居住者，低所得者，社会的弱者などが多いとされる．貧困とともに栄養失調や不衛生な生活環境による下痢，肺炎，HIV/エイズ，マラリア，結核など感染症の脅威にさらされている．また，乳幼児や妊婦の死亡率が高いほか，心臓病，がんなどいわゆる非感染性疾患（NCDs）も急速に広がっており，二重の負荷を強いられている．財政的にも資源的にも慢性的な不足状況下の開発途上国では，助かるはずの命が助からないことも多く，健康水準や保健医療の確保が大きな課題である．

2）日本における保健問題

　日本では基礎的な保健サービスや予防接種，安全な飲料水や衛生施設を利用できるようになって幼児の死亡率が下がり，人々の寿命は大きく延伸している．しかしながら，グローバル化による人や物の移動に伴い，生活の場が内外に広がったことで疾病のボーダレス化が進み，国内だけで健康問題が完結する時代は過ぎ去っている．新型コロナウイルス感染症のようにある地域で発生した疾病がすぐに伝播，拡大する可能性が高くなっていることから，各国の健康問題を国際的な視野で対応し，地域間で協力体制を構築することが求められている．

　国際保健は，保健医療を取り巻くあらゆる環境に目を向け，これらを総合的に解決する必要がある．21世紀の国際社会の目標である持続可能な開発目標Sustainable Development Goals（SDGs）にも，あらゆる年齢のすべての人の健康的な生活を確保し，福祉を推進することが盛り込まれている（図1-2）．

3）開発途上国に必要な口腔保健

　多くの開発途上国は，歯科医療設備，歯科医療人材など必要十分な環境下になく，十分な歯科保健医療サービスを享受できない人々が数多くいる．そのため，先進国は治療を主とした歯科医療や設備物資の支援だけでなく，人材の育成や資源の確保，さらには歯科保健医療システムの構築を含めた包括的な援助が必要であり，現地の人々が自立して実施できるような中長期的保健医療協力が求められる．すなわち，病院医療型支援から地域保健型支援の実践である．そのための方策として，プライマリヘルスケアに歯科保健を融合することが重要であり，社会生活における口腔健康の重要性の認識とそれを実現するための社会システムの構築が不可欠である．

図 1-2　持続可能な開発目標（GOALS）の内訳　　（国際連合広報センターホームページ [8]）

4　世界の口腔保健状況と口腔保健従事者

1）口腔保健状況の国際比較

（1）齲蝕/DMFT

　世界的には 12 歳児の DMFT は減少傾向であり，DMFT が 3 歯以下を達成している国は 130 か国を超えている．一方で，世界人口の約 1/3 は未処置の永久歯齲蝕を有しており，高齢化による根面齲蝕の増加が影響している．また，開発途上国を中心に 5 億人を超える子どもに乳歯齲蝕の未処置が常態化しており，齲蝕は世界的に重要な公衆衛生問題である．齲蝕予防には，過剰な砂糖消費の抑制や効果的なフッ化物応用の推進が必要である．

（2）歯周病

　世界人口の 10％程度が 6 mm 以上の歯周ポケットで示される重度の歯周病に罹患しており，40 歳前後の年齢群の 50％以上が 4 mm 以上の歯周ポケットを有している（**図 1-3**）．また，地域的な差はあまり顕著でないものの，多くの若年者が歯石沈着を含む歯肉炎の徴候を示している．また，一部のアフリカやアジアなどで青少年期に発症する重篤な侵襲性歯周炎は，早期に歯の喪失を誘発することが報告されている．歯周病に関する有病情報は齲蝕に比べて不足しており，歯周病のモニタリングは世界的な課題である．

（3）口腔がん

　口腔がんは 15 番目に多いがんとして約 50 万の発症が報告されている．口腔がんの発生率は男性に高く，人口 10 万人に対しアジアでは 7.9 である．インドやスリランカでは口腔がんによる死亡が多い．喫煙や紙巻タバコ（betel nut や miang）を噛む習慣，飲酒などのリスクの高い行動と関連している．近年は，欧米はじめ日本でも増加の徴候があり，世界的なレベルでの有病状況の把握が必要である．

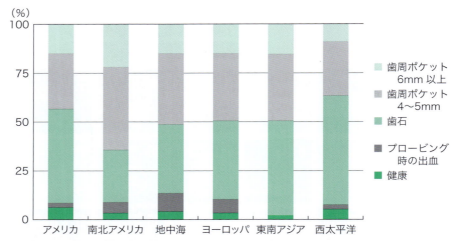

図1-3　35〜44歳のCPI世界概況（WHO地域別）

（4）その他の疾患

　開発途上国では，NOMA（水がん），急性壊死性潰瘍性歯周炎，前がん病変などの口腔疾患への対応が不可避である．3〜5歳児のNOMAの症例では，その90%が治療をまったく受けることなく死亡していると報告されている．さらに，アフリカやアジアではHIV/エイズの罹患者が多く，カンジダ感染，毛状白板症，口腔潰瘍，歯肉出血，壊死性歯周炎，白板症，Kaposi肉腫などが口腔内症状として頻発する．不正咬合，唇裂や口蓋裂などもQOLに悪影響を及ぼすことから，世界的なレベルでの発生率や有病率を把握することが課題である．

2）歯科医師数の国際比較

　日本における歯科医師数は，2020年時点で107,443人である．中国，インド，米国，ブラジルに次ぐ数であるが，調査方法や時期が異なるため，国際比較を行うことは容易ではない．近年は，アジアや南米などの開発途上国において歯学部の新規開設が増えており，歯科医師数は増加傾向にあることがうかがえる．その一方，国家資格としての歯科医師の地位不確立や，紛争などによる歯科医師の流出によって，提供される歯科医療サービスの質の確保が国際課題となっている．特に歯科医師が少ない国では，歯科衛生士，デンタルセラピスト，歯科看護師，歯科技工士など口腔保健従事者が，プライマリケアとして口腔保健を推進する原動力になることが求められている．

3）WHO STEPwiseによるサーベイランス

　WHOのNCDs予防には，口腔疾患のコントロールや予防・管理を有機的かつ包括的に遂行することが位置づけられており，学校保健や老人保健などさまざまな分野と施策を共有させている．歯科保健医療従事者は，一般保健医療関係者や教育関係者，地域のリーダーなどと協力して，口腔保健をプライマリヘルスケアの一環として実践することが求められており，疾病の予防や健康教育に重点をおいた内容を実施することが必要である．口腔疾患の予

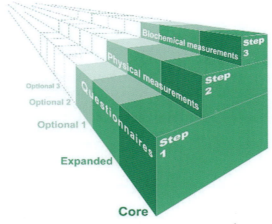

図 1-4 慢性疾患調査に対する WHO STEPwise アプローチの枠組み
サーベイランスへの WHO STEPS は，連続した逐次過程である．質問紙を用いた自己健康観とリスク要因に関する情報の収集から始まり，身体的・生理的検査に移り，最終的には唾液検査に至る．この手段には，Core（中心），Expanded（拡張），Optional（追加）の情報が含まれる．

(小川ほか：2016[18])

防と管理において，リスクファクターが系統的に把握され，リスクコントロールが実践できるように，WHO STEP wise approach to Surveillance（WHO STEPS）が推奨されている（**図 1-4**）．Step 1 は健康習慣やリスク要因の質問紙による収集，Step 2 は身体検査や診査，Step 3 は血液生化学等検査となる．これを歯科保健医療従事者が行うべき内容に置き換えると，Step 1 は口腔清掃習慣，食生活，喫煙，飲酒，社会生活の情報とともに身長，体重，肥満，糖尿病や HIV 既往など全身健康状態の収集，Step 2 は口腔内診査と可能であればエックス線撮影，Step 3 は唾液検査による緩衝能やミュータンスレンサ球菌などの口腔細菌数の同定，舌圧などの口腔機能診査となる．Step 1 と 2 は原則すべての国を対象とし，Step 3 は状況に応じてのオプションである．これから得られる情報が，公衆衛生施策の中における口腔保健内容の融合をもたらすエビデンスになると期待されている．

5 国際口腔保健の推進

1）WHO 口腔保健決議

　口腔疾患は先進国・開発途上国を問わず人々の QOL を損ね，公衆衛生上大きな問題である．2021 年に開催された第 74 回世界保健総会では，14 年ぶりに口腔保健が主要議題として提案され，194 の WHO 加盟国により決議が行われた．この決議が成立した背景として，2011 年の国連総会非感染性疾患（NCDs）ハイレベル会合政治宣言において，NCDs との共通リスクファクター対策が，NCDs ならびに口腔疾患対策に効果的である旨が示されたこと，また，2019 年の国連総会ユニバーサル・ヘルス・カバレッジ（UHC ☞ p.9 参照）ハイレベル会合政治宣言において，口腔保健対策を UHC 達成の一部として強化する必要性が指摘されたことがあげられる．

第4編 | 国際口腔保健と災害時口腔保健

表1-1 WHO総会決議における加盟国からの要求と，加盟国に対する要請と呼びかけ

WHOに対する加盟国からの要求
①世界口腔保健戦略を2022年までに作成
②前述の世界口腔保健戦略を実践に移すための世界行動計画．さらに2030年までの進行状況を計測するためのモニタリングフレームワークを2023年までに作成
③水俣水銀条約を実施するための，環境に配慮した侵襲性の低い指針を作成
④新型コロナウイルス感染症拡大など，健康危機下においても口腔保健サービスを崩壊させないための指針を作成
⑤費用対効果の高い口腔保健政策オプション（Best-buys）を作成
⑥2023年の「顧みられない熱帯病に関する疾患リスト」の見直しの過程において，NOMA（水がん）を顧みられない熱帯病に統合すること
⑦口腔保健推進に関する進行状況について，2031年まで世界慢性疾患予防・管理に関する進捗状況報告の一部として毎年報告すること

2022　　　2023　　　　　　　　　　　　　　　　　　　2030　　　2031

加盟国に対する要請
①口腔疾患や関連する疾患の主なリスクファクターの理解・対応
②各国の厚生労働省内だけではなく他省庁との協力を通して，国の政策への口腔保健統合強化
③従来の伝統的な治療中心の取り組みから，より予防・口腔保健推進に向けた取り組みへ
④口腔保健サービス提供のため効率的な保健人材モデルを推進する政策立案ならびに実施
⑤効果的な口腔保健のサーベイランスやモニタリングシステムの構築ならびに実践
⑥飲料水におけるフッ化物濃度のマッピングならびに追跡調査
⑦ユニバーサル・ヘルス・カバレッジ達成のために，口腔保健サービスを必要不可欠な保健サービスへ統合
⑧口腔保健推進のための環境作り，リスクファクター軽減，質の高い口腔保健サービス，良い口腔状態の利点を一般に対して啓蒙することにより，全世界における口腔保健状態改善を図る

加盟国に対する呼びかけ
①持続可能な開発のための2030アジェンダに沿って，人々の口腔保健に対する希望に基づいた口腔保健政策・計画・プロジェクトを構築
②口腔保健を推進するうえでの重要な場（例：学校・地域・職場）において，分野横断的な協力体制を強化し，学校の先生や家族等と共に健康習慣を推進する
③虐待や放置の可能性のある症例を発見し，そのような症例を然るべき機関に報告できるよう口腔保健専門家の能力強化

（WHO第74回総会決議をもとに牧野由佳先生作成，提供）

決議の内容は，加盟国からWHOに対する要求，またWHO加盟国に対する要請や呼びかけと多岐にわたっている（**表1-1**）．2030年までに持続可能な開発目標（SDGs）を達成していくうえでは，国際社会が連携して口腔保健の推進を加速していく必要がある．

2）WHO世界口腔保健戦略

2022年に開催された第75回世界保健総会では，世界口腔保健戦略が採択された．戦略の目標は，加盟国が口腔保健を推進する政策を策定し，口腔疾患を減少させて口腔健康の格差を是正し，口腔保健のUHCへの統合を強化できるようにすることである．各国の状況を踏まえて，2030年までに口腔保健を推進するうえでの優先事項を決定し，進行状況を評価するための目標ならびに指標の設定が行われる．

世界口腔保健戦略は以下の6つの柱によって構成される．

（1）口腔保健ガバナンス

口腔保健をUHC，NCDs対策などに統合することにより，口腔保健に対する政治的・物資的優先度を上げる．

リーダーシップ（保健省における歯科技官の統率力）を強化して，保健分野内外でお互いが利益を得られるパートナーシップを構築する．

（2）口腔保健推進・口腔疾患予防
すべての人が可能な限り最善の口腔保健を達成できるようにする．
口腔の健康の社会的・商業的決定要因とリスク要因に対応する．

（3）口腔保健人材
革新的な人材を育成し，従来型の知識・技術・態度の習得を目指した教育から，知識・技術・態度を統合，活用する．
人々の口腔保健のニーズに応えられるような行動特性を養う教育制度に変革する．

（4）口腔保健サービス
必須な口腔保健サービスをプライマリヘルスケアに統合する．
財政的支援と物資の確保を行う．

（5）口腔保健情報システム
サーベイランスと情報システムを強化する．
エビデンスベースでの政策決定ができるように，適時で信頼できる口腔疾患情報の収集と管理をする．

（6）口腔保健に関する研究
公衆衛生に寄与する口腔保健の研究を推奨して，エビデンスの更新を行う．

3）今後の動き

2022年11月には，19年ぶりに世界口腔保健レポート Global Oral Health Status Report が発刊された（図1-5）．2030年までに口腔保健の UHC 達成に向けて，世界的な公衆衛生問題である口腔疾患への対応について指針を提示している（https://www.who.int/team/noncommunicable-diseases/global-status-report-on-oral-health-2022/）．また，2023年の第76回世界保健総会では，世界口腔保健戦略を踏まえた世界口腔保健アクションプラン（行動計画）が採択された．この世界口腔保健アクションプランには，加盟国が口腔保健を推進するための基本方針や目標設定が盛り込まれている．水俣条約にある歯科アマルガム使用のフェーズダウン（段階的削減）に向けた取り組みの加速も重要事項である．

（小川祐司）

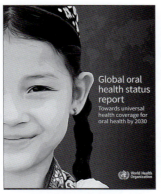

図1-5　世界口腔保健レポート

第4編　国際口腔保健と災害時口腔保健

災害時の口腔保健

- 災害時における歯科の役割は，歯科所見による身元確認への協力，歯科医療体制の継続，および，健康維持のための地域歯科保健活動であり，フェーズに応じて推移する．
- 災害時の体制は，災害対策基本法に基づく地域防災計画および医療法に基づく医療計画により定められ，自治体と歯科医師会との災害時協定によって実施される．
- 活動は，アセスメントに応じて災害医療コーディネーターなどにより調整される．
- 災害時要配慮者における誤嚥性肺炎とフレイルの予防は重要である．

Keywords　フェーズ，地域防災計画，アセスメント，災害医療コーディネーター，災害時要配慮者，誤嚥性肺炎

1　災害時における医療救護・保健医療体制

　災害時の医療救護においては，傷病者などのニーズは増大するものの，対応する資器材（医療施設・医療者・医薬品）は不足するため，効率的な対応が重要となる．緊急性や重症度の高い傷病者を優先的に適切な治療に結びつける必要があり，その選別方法をトリアージとよぶ．標準的な一次トリアージ法としてはSTART法が代表的であり，歩行の可否，呼吸の可否，循環状態，意識レベルにより，4つに色分けして区分され，そのタグを体につけて対応の優先度を示す（表2-1）．傷病者の状態は変化するため，トリアージは繰り返し行われ，引き続く二次トリアージも踏まえて，優先順位の高い傷病者を迅速に適切な医療につなぐことを目的としている．
　災害時の保健医療体制は，災害救助法が適応になるような甚大な災害においては，都道府県庁に設置される保健医療福祉調整本部により外部からの保健医療活動チームも含めて調整され，保健所および市町村により管理される．

2　災害時の歯科医師の責務

　歯科医師法第一条には「歯科医師は，歯科医療及び保健指導を掌ることによって公衆衛生の向上及び増進に寄与し，もつて国民の健康な生活を確保するものとする」とあり，この記載は医師法第一条と同様である．また，医療法第一条の四には「医師，歯科医師，薬剤師，看護師その他の医療の担い手は，第一条の二に規定する理念に基づき，医療を受ける者に対し，良質かつ適切な医療を行うよう努めなければならない」とあり，災害時であろうとも，平常時同様に国民の健康を維持するよう活動することは歯科医師の責務といえる．

表2-1　START法トリアージ

区分	緊急度表現例	識別色
Ⅰ	緊急治療群	赤
Ⅱ	非緊急治療群	黄
Ⅲ	治療不要もしくは軽処置群	緑
0	死亡あるいは救命困難群	黒

表2-2　災害時の歯科の役割

役　割	対　　象	連　携
個人識別への協力	犠牲者	警察 海上保安庁 監察医　　など
歯科医療活動	歯・口腔の健康問題を抱える人 痛みのある人 義歯破損・不適合の人 通院中だった人	災害拠点病院 DMAT／JMAT 日本赤十字社 災害医療コーディネーターなど
歯科保健活動	歯・口腔の健康問題のない人 特に重要なのは要配慮者 高齢者（摂食・嚥下障害） 有病者（糖尿病など） 乳幼児・小児など	自治体／保健所 保健センター 地域の事業所 地域包括支援センター　　など

（中久木ほか：2015[1]を改変）

3 災害時の歯科の役割

　地震，津波や航空機事故などにおいて多数遺体が発生した際には，歯科所見による身元確認を組織的に行う必要がある（**表2-2**）．特に，着衣や容姿からの身元確認が困難な多数遺体への対応が求められる大災害においては，迅速かつ低コストでの照合が可能なため重要な役割を担っている．同時に，生前データを入手し，歯科診療情報とのマッチングが行われる．

　また，大規模災害の中でも，地域インフラが長期的に途絶える場合には，歯科保健医療支援活動が必要とされる．災害対策基本法に基づいた防災基本計画に則る地域防災計画において，多くの自治体では歯科医師会との間で災害時協定を結んでおり，自治体主導のもと，歯科医師会・歯科衛生士会が主体となって実施される．災害時の歯科救護においては，地域における歯科医療提供体制を確保するという観点から，必要に応じて，歯科診療バスの配備や仮設歯科診療所の設置が行われる．これには，歯科の人的資源が必要となるが，歯科医療の中心は歯科診療所であるため，歯科診療所における防災対策が前提となる．

　内閣府は事業継続ガイドラインを提示して企業や組織に対策を求めており，歯科診療所もその患者とスタッフの安全を確保し，地域の救護所としての役割を果たすべく，平時より災害時の行動計画を見直して事業継続計画 business continuing plan（BCP）を策定し，実効的な訓練をしておくことが望まれる．

4 フェーズごとの歯科保健医療対策

　災害による特徴とライフラインなどの復旧状況に応じ，災害後のフェーズは日々変化していくため，フェーズに合わせた対応と体制の修正をし続けることが必要とされる．発災後数日間のフェーズ1（緊急対策期）では救急救命活動とともに情報収集が行われ，フェーズ2（応急対策期）につないで応急歯科診療が行われる．慢性疾患への対応とともに，整わない環境下で体調を保つための保健活動が行われながらフェーズ3（復旧・復興対策期）以降へ

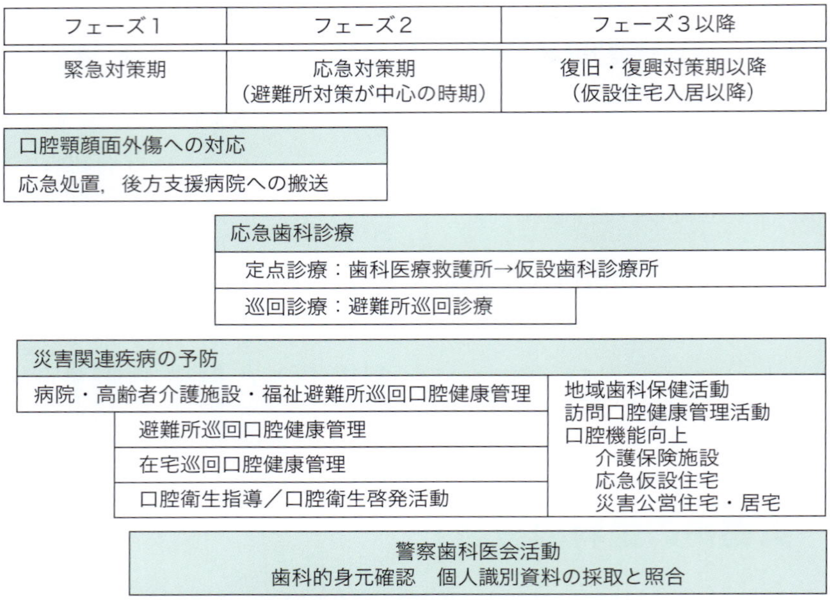

フェーズ1	フェーズ2	フェーズ3以降
緊急対策期	応急対策期 （避難所対策が中心の時期）	復旧・復興対策期以降 （仮設住宅入居以降）

口腔顎顔面外傷への対応
応急処置，後方支援病院への搬送

応急歯科診療
定点診療：歯科医療救護所→仮設歯科診療所
巡回診療：避難所巡回診療

災害関連疾病の予防
病院・高齢者介護施設・福祉避難所巡回口腔健康管理
避難所巡回口腔健康管理
在宅巡回口腔健康管理
口腔衛生指導／口腔衛生啓発活動

地域歯科保健活動
訪問口腔健康管理活動
口腔機能向上
　介護保険施設
　応急仮設住宅
　災害公営住宅・居宅

警察歯科医会活動
歯科的身元確認　個人識別資料の採取と照合

図 2-1　時間的経過と歯科保健医療支援活動　　（中久木ほか：2015[1] を改変）

と移行し，居住環境の改善とともに災害時体制を脱する．応急仮設住宅に入居する高齢者などに対する歯科保健活動は，大規模災害後数年にわたって継続される（**図 2-1**）．

　災害時対応は，避難所・福祉避難所・応急仮設住宅，さらには移行する災害公営住宅への対策が中心となるものの，高齢者介護施設や在宅療養者などへの対策も遅延なく取り組まなければいけない．このためには地域保健や地域包括ケアの中に歯科が体系的に組み込まれ平常時から連携が取れていることが大切である．そのうえで，迅速に体制をつくり，効果的な活動を行うため，歯科口腔保健に関するアセスメントが行われる（**表 2-3**）．

5 多職種連携とコーディネーターの役割

　得られたニーズに応じた活動調整はコーディネーターにより行われ，歯科医療活動が必要なのか歯科保健活動が必要なのか，あるいは歯科衛生士が必要なのか歯科技工士が必要なのかなどをみきわめ，適切な時期に適切な内容の歯科支援活動を行う．また，復旧・復興の状況に合わせて日々変化する避難者の動向に対応するために，継続的に対策を見直す．

　歯科の支援は，「食べる」機能の支援でもある．当然ながら，咀嚼や摂食という機能の支援，たとえば，義歯を失くした者への即時義歯の製作などは，重要な支援である．一方で，「口腔健康管理」も重要である．災害直後には，口内炎，智歯周囲炎，歯周炎の急発などの歯性感染症の発生が多く，口腔衛生管理は大切である．また，口腔清掃状態が不良であれば，災害関連死の大きな原因にもなる誤嚥性肺炎の発症にも結びつく．これらにおいては，歯科的要因のみならず，体調管理の難しさ，水分の摂取不足，栄養不足，生活不活発，ストレスなどの，多様な要因が関係している．このような環境下での生活が長期化することはフ

表2-3 避難所などにおける口腔保健のアセスメント項目

対象者	避難者数 高リスク者数		
(1) 歯科保健 医療の確保	a 受診可能な近隣の歯科診療所・ 歯科救護所・仮設歯科診療所など b 巡回歯科チームの訪問	(4) 口腔清掃や 介助などの状況 全体状況	a 歯磨き b 義歯清掃 c 乳幼児の介助 d 障がい児者・要介護者の介助
(2) 口腔清掃 などの環境	a 歯磨き用の水 b 歯磨きなどの場所	(5) 歯や口の訴え 義歯の問題 食事等の問題	a 痛みがある者 b 義歯紛失や義歯破折 c 食事などで不自由な者
(3) 口腔清掃 用具などの確保	a-1 歯ブラシ（成人用） a-2 歯ブラシ（乳幼児用） b 歯磨き剤 c うがい用コップ d 義歯洗浄剤 e 義歯ケース	その他の問題	具体的に

(日本歯科医師会・災害歯科保健医療連絡協議会：2021[2)]を改変)

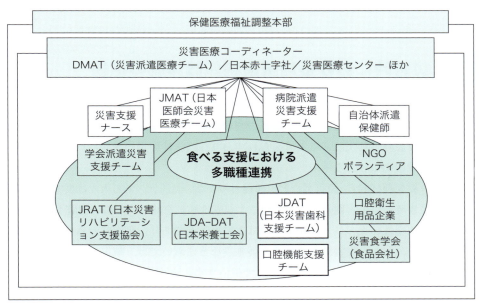

図2-2 災害時の食べる支援における多職種連携

レイル（虚弱）となるリスクともなるため、オーラルフレイルの予防という観点での働きかけも必要とされる．このため、多職種が連携してアプローチする必要があり、保健医療福祉調整本部によりコーディネートされた、それぞれの専門性のある多くの組織が連携して支援にあたることが好ましい（**図2-2**）．

災害時の歯科支援活動は、地域の自治体が中心となって、歯科医師会、歯科衛生士会、歯科技工士会、そして、大学歯学部などの連携により行われる．全国的には2015年には日本災害歯科保健医療連絡協議会が設立され、JDAT（Japan Dental Alliance Team：日本災害歯科支援チーム）を中心とした支援体制を構築し、指針や様式を統一し、標準化した研修会を展開している．

第4編　国際口腔保健と災害時口腔保健

表2-4　災害時の口腔健康管理

時　期	対　象	場　所	問題点	内　容	対応者
超急性期〜急性期	有病者	病院	易感染性	徹底した個別口腔健康管理の提供	看護師，歯科衛生士，歯科医師，など
超急性期〜中長期	要配慮者	福祉避難所／高齢者・障害者施設	介護力ダウン，ライフラインダウン	個別口腔健康管理・指導，口腔健康管理用品の提供	歯科衛生士，歯科医師，言語聴覚士，介護福祉士，など
		在宅	孤立（情報不足，交通手段不足）		
急性期〜慢性期	一般	避難所	環境の不備（洗面所，うがい水，など）	口腔健康管理の啓発，口腔健康管理用品の提供	歯科衛生士，歯科医師，保健師，など
慢性期〜中長期	一般要配慮者	応急仮設住宅災害公営住宅	孤立（情報不足，交通手段不足）	口腔健康管理の啓発，口腔機能の維持・向上	歯科衛生士，保健師，など

(中久木：2014[3]を改変)

6 — 災害時における地域歯科保健体制の継続

　広範囲の被災によりインフラが整わず，かつ復旧までに長期間を要するような災害においては，災害関連死における肺炎の割合が約4分の1を占める．高齢者における肺炎のほとんどは誤嚥性肺炎であると考えられており，誤嚥性肺炎の予防は災害関連死対策における最重要課題の1つとなっている．

　要介護高齢者・障害者など，許容力の少ない脆弱性のある人々は災害時要配慮者ともよばれ，災害時には災害関連死を引き起こす誤嚥性肺炎を減らすための口腔ケア活動の対象となる．

　誤嚥性肺炎のリスクが高いのは主に高齢者であり，平常時から口腔健康管理が提供されている．しかし災害時の高齢者介護施設などにおいては，被災によりスタッフが減少することもあり，さらには，避難所などで生活することが困難な人も施設へ入所して介護者が不足し，口腔健康管理が十分行われない状況になる．介護の必要な高齢者や障害者など，避難所で生活するには支障がある方々を受け入れるための施設は福祉避難所とよばれ，自治体が主に社会福祉施設を中心に指定している．また，在宅療養者においても，災害によりケアマネジャーやホームヘルパー，訪問看護ステーション，そして介護していた家庭などが影響を受けることによって介護力が落ち，口腔健康管理の支援が必要となる．

　避難生活が長期化するとフレイルが進行してADLが低下し，新たに介護保険申請となることも少なくなく，口腔機能の維持・向上のための積極的な口腔健康管理を提供することが必要となる（表2-4）．

　災害時の支援は地域の保健医療体制，介護福祉体制の補完であり，地域の体制の回復とともに，段階的に地域に戻していくことを意識しながら支援することが大切である．

(中久木康一)

本書で使用した英語略称

略称	英語	日本語	掲載編／章
3 DS	dental drug delivery system	歯面薬物送達システム	2 編 1 章
ANUG	acute necrotizing ulcerative gingivitis	急性壊死性潰瘍性歯肉炎	1 編 8 章
BCP	business continuing plan	事業継続計画	4 編 2 章
BMI	body mass index	ボディマス指数	1 編 8 章ほか
BOP	bleeding on probing	プロービング時の出血	1 編 5 章, 2 編 2 章
CAL	clinical attachment level	アタッチメントレベル	2 編 2 章
CAMBRA	Caries Management By Risk Assessment	リスク評価に基づく齲蝕管理方法	2 編 1 章
CKD	chronic kidney disease	慢性腎臓病	1 編 8 章, 2 編 6 章
COPD	chronic obstructive pulmonary disease	慢性閉塞性肺疾患	3 編 1 章ほか
CPI	community periodontal index	CPI，地域歯周疾患指数	1 編 11 章ほか
CRA	Caries Risk Assessment	カリエスリスク評価	2 編 1 章
CRH	corticotropin-releasing hormone	副腎皮質刺激ホルモン放出ホルモン	1 編 8 章
EB	Executive Board	執行理事会	4 編 1 章
EBM	evidence based medicine	根拠に基づく医療	1 編 10 章
EGF	epidermal growth factor	上皮成長因子	1 編 2 章
eGFR	estimate glomerular filtration rate	糸球体濾過量	1 編 8 章
EPS	extracellular polysaccharides	菌体外多糖	1 編 3 章
FDI	Federation Dentaire Internationale, World Dental Federation	国際歯科連盟	4 編 1 章ほか
FGF	fibroblast growth factor	線維芽細胞成長因子	1 編 2 章
FTF	frucutosyltransferase	フルクトシルトランスフェラーゼ	1 編 3 章
GCP	Good Clinical Practice	医薬品の臨床試験の実施の基準に関 する省令	1 編 10 章
GRADE	grading of recommendations assessment, development and evaluation	GRADE	1 編 10 章
GTF	glucosyltransferase	グルコシルトランスフェラーゼ	1 編 3 章
HPA	hypothalamic-pituitary-adrenal axis	視床下部 - 下垂体 - 副腎系	1 編 8 章
IADR	International Association for Dental Re- search	国際歯科学研究学会	4 編 1 章

ICDAS	International Caries Detection and Assessment System	国際的な齲蝕検出・評価システム	2編1章ほか
ICF	International Classification of Functioning, Disability and Health	生活機能，障害，健康の国際分類	3編7章
ICIDH	International Classification of Impairment, Disability and Handicap	国際障害分類初版	3編7章
IL-1	interleukin-1	インターロイキン-1	1編5・8章ほか
JDAT	Japan Dental Alliance Team	日本災害歯科支援チーム	4編2章
JICA	Japan International Cooperation Agency	独立行政法人国際協力機構	4編1章
LOC	locus of control	人格変数	1編9章
LPS	lipopolysaccharide	リポ多糖	1編3章
MMPs	matrix metalloproteinase	マトリックスメタロプロテアーゼ	1編5章
MRONJ	medication related osteonecrosis of the jaw	薬剤関連顎骨壊死	2編7章ほか
NCDs	non-communicable diseases	非感染性疾患	3編1・4章ほか
NHANES	National Health and Nutrition Examination Survey	国民健康栄養調査	1編8章
NST	nutrition support team	栄養サポートチーム	2編6章
ODA	Official Development Assistance	政府開発援助	4編1章
OGTT	oral glucose tolerance test	経口ブドウ糖負荷試験	1編8章
OLS	organoleptic score	官能検査	2編3章
OTC	over the counter	一般用医薬品	2編1・5章
PCR	plaque control record	プラークコントロールレコード	1編10章
PEG	percutaneous endoscopic gastrostomy	胃瘻	2編7章
PHC	primary health care	プライマリヘルスケア	1編1章
PISA	periodontal inflamed surface area	歯周炎症表面積	2編2章
PMTC	professional mechanical tooth cleaning	専門家による機械的歯面清掃	2編1・4章ほか
PPD	probing pocket depth	プロービングポケット深さ	2編2章
PRGP	proline-rich glycoproteins	高プロリン糖タンパク質	1編3章
PRP	prolin-rich proteins	高プロリンタンパク質	1編3章
PTC	professional tooth cleaning	専門家による歯面清掃	1編3章，2編4章ほか

QOL	quality of life	生活の質	3 編 1 章ほか
SDGs	Sustainable Development Goals	持続可能な開発目標	4 編 1 章
SDH	social determinants of health	健康の社会的決定要因	1 編 4 章
SPT	supportive periodontal therapy	サポーティブペリオドンタルセラピー	2 編 2 章
ST	speech therapist	言語聴覚士	2 編 7 章
TN	treatment needs	治療必要性	1 編 6 章
TNF-α	tumor necrosis factor-α	ヒト腫瘍壊死因子 - α	1 編 5・8 章 ほか
UHC	Universal Health Coverage	ユニバーサル・ヘルス・カバレッジ	1 編 1 章ほか
UN	United Nations	国際連合	4 編 1 章
VAP	ventilator associated pneumonia	人工呼吸器関連肺炎	2 編 7 章
VSC	volatile sulfur compounds	揮発性硫黄化合物	1 編 6 章, 2 編 3 章
WHA	World Health Assembly	世界保健総会	4 編 1 章
WHO	World Health Organization	世界保健機関	4 編 1 章

文　献

文　献

第 1 編　口腔保健・予防歯科学総論

第 1 章　序　論
1)　歯科大学長・歯学部長会議編：平成 19（2007）年改訂版　歯科医学教授要綱．医歯薬出版，東京，2008.
2)　川端重忠ほか編：口腔微生物学・免疫学．第 5 版．医歯薬出版，東京，2021.
3)　大野博司，服部正平編：常在細菌叢が操るヒトの健康と疾患．実験医学増刊，**32**，2014.
4)　Yamashita Y，Takeshita T：The oral microbiome and human health. *J Oral Sci*，**59**：201 ～ 206，2017.
5)　日本口腔衛生学会フッ化物応用研究委員会編：フッ化物応用と健康―う蝕予防効果と安全性―．口腔保健協会，東京，1998.
6)　Löe H et al.：Experimental gingivitis in man. *J Periodontol*，**36**：177 ～ 187，1965.
7)　Rose G：Sick individuals and sick population. *Int J Epidemiol*，**14**：32 ～ 38，1985.
8)　Watt RG et al.：Ending the neglect of global oral health: time for the radical action. *Lancet*，**394**：261 ～ 272，2019.
9)　厚生科学審議会地域保健健康増進栄養部会次期国民健康づくり運動プラン策定専門委員会編：健康日本 21（第 2 次）の推進に関する参考資料．厚生労働省，2012.
10)　Leavell HR，Clark EG：Preventive medicine for the doctor in his sommunity.3 rd ed. McGraw-Hill，New York，1965，14 ～ 38，305 ～ 325.
11)　末高武彦ほか編：新口腔保健学．医歯薬出版，東京，2009.

第 2 章　口腔の組織と発育・機能
1)　Schour I，Massler M：Studies in tooth development: the growth pattern of human teeth. *JADA*，**27**：1778 ～ 1793，1918 ～ 1931，1940.
2)　日本小児歯科学会：日本小児における乳歯・永久歯の萌出時期に関する調査研究 II―その 1．乳歯について―．小児歯誌，**57**：45 ～ 53，2019.
3)　日本小児歯科学会：日本小児における乳歯・永久歯の萌出時期に関する調査研究 II―その 2．永久歯について―．小児歯誌，**57**：363 ～ 373，2019.
4)　Pedersen AML et al.：Salivary secretion in health and disease. *J Oral Rehabil*，**45**：730 ～ 746，2018.

第 3 章　口腔細菌の病原性
1)　Costerton JW et al.：Bacterial biofilms: a common cause of persistent infections. *Science*，**284**：1318 ～ 1322，1999.
2)　Stewart PS，Costerton JW：Antibiotic resistance of bacteria in biofilms. *Lancet*，**358**：135 ～ 138，2001.
3)　Mukherjee S，Bassler BL：Bacterial quorum sensing in complex and dynamically changing environments. *Nat Rev Microbiol*，**17**：371 ～ 382，2019.
4)　Rickard AH et al.：Autoinducer 2: a concentration-dependent signal for mutualistic bacterial biofilm growth. *Mol Microbiol*，**60**：1446 ～ 1456，2006.
5)　Yan J，Bassler BL：Surviving as a Community: Antibiotic Tolerance and Persistence in Bacterial Biofilms. *Cell Host Microbe*，**26**：15 ～ 21，2019.
6)　服部正平：ヒト腸内マイクロバイオーム解析のための最新技術．*Jpn J Clin Immunol*，**37**：412 ～ 422，2014.
7)　Lendenmann U et al.：Saliva and dental pellicle- a review. *Adv Dent Res*，**14**：22 ～ 28，2000.
8)　Hay DI：The interaction of human parotid salivary proteins with hydroxyapatite. *Arch Oral Biol*，**18**：1517 ～ 1529，1973.
9)　Jensen JL et al.：Adsorption of human salivary proteins to hydroxyapatite: a comparison between whole saliva and glandular salivary secretions. *J Dent Res*，**71**：1569 ～ 1576，1992.
10)　Vacca Smith AM，Bowen WH：In situ studies of pellicle formation on hydroxyapatite discs. *Arch Oral Biol*，**45**：277 ～ 291，2000.
11)　Hanning M：Ultrastructural investigation of pellicle morphogenesis at two different intraoral sites during a 24-h period. *Clin Oral Investig*，**3**：88 ～ 95，1999.
12)　Siqueira WL，Dawes C：The salivary proteome: challenges and perspectives. *Proteomics Clin Appl*，**5**：575 ～ 579，2011.
13)　Lamkin MS et al.：New in vitro model for the acquired enamel pellicle: pellicles formed from whole saliva show inter-subject consistency in protein composition and proteolytic fragmentation patterns. *J Dent Res*，**80**：385 ～ 388，2001.
14)　Hanning C et al.：Enzymes in the acquired enamel pellicle. *Euro J Oral Sci*，**113**：2 ～ 13，2005.

15) Siqueira WL et al.：Evidence of intact histatins in the in vivo acquired enamel pellicle. *J Dent Res*, **89**：626～630, 2010.

16) Yao Y et al.：Identification of protein components in human acquired enamel pellicle and whole saliva using novel proteomics approaches. *J Biol Chem*, **278**：5300～5308, 2003.

17) Hara AT et al.：Protective effect of the dental pellicle against erosive challenges in situ. *J Dent Res*, **85**：612～616, 2006.

18) Siqueira WL et al.：New insights into the composition and functions of the acquired enamel pellicle. *J Dent Res*, **91**：1110～1118, 2012.

19) 天野敦雄：第5章口腔微生物学および免疫学 6. デンタルプラーク. 口腔微生物学・免疫学. 第1版（浜田茂幸編）. 医歯薬出版, 東京, 2000, 245～259.

20) Kolenbrander PE, London J：Adhere today, here tomorrow: oral bacterial adherence. *J Bacteriol*, **175**：3247～3252, 1993.

21) Marsh PD, Martin MV：Chapter 5 Dental Plaque. Oral microbiology. Fifth ed, Churchill Livingstone Elsevier, London, 2009, 74～102.

22) Ooshima T et al.：Contributions of three glycosyltransferases to sucrose-dependent adherence of Streptococcus mutans. *J Dent Res*, **80**：1672～1677, 2001.

23) 藤原 卓：Ⅲ齲蝕の病因 4. ミュータンスレンサ球菌のグルカン合成酵素. 新・う蝕の科学. 第1版（浜田茂幸, 大島 隆編）. 医歯薬出版, 東京, 2006, 77～86.

24) Ritz HL：Microbial population shifts in developing human dental plaque. *Arch Oral Biol*, **12**：1561～1568, 1967.

25) 井上昌一：口腔レンサ球菌の産生する菌体外多糖の化学構造と微細形態. 齲蝕と歯周病-研究の進歩 第2巻（浜田茂幸編）. 日本歯科評論社, 東京, 1982, 31～68.

26) 浜田茂幸：ミュータンスレンサ球菌（mutans streptococci）の細菌学的性状とビルレンス因子. 医学細菌学, **4**：271～314, 1989.

27) Stephan RM：Intre-oral hydrogen-ion concentrations associated with dental caries activity. *J Dent Res*, **23**：257～266, 1944.

28) Paster BJ et al.：Bacterial diversity in human subgingival plaque. *J Bacteriol*, **183**：3770～3783, 2001.

29) Kroes I et al.：Bacterial diversity within the human subgingival crevice. *Proc Nat Acad Sci USA*, **96**：14547～14552, 1999.

30) Center for Biofilm Engineering, Montana State University. https://www.biofilm.montana.edu/

31) Fitzgerald RJ, McDaniel EG：Dental calculus in the germ-free rat. *Arch Oral Biol*, **2**：239～240, 1960.

32) Kazor CE et al.：Diversity of bacterial populations on the tongue dorsa of patients with halitosis and healthy patients. *J Clin Microbiol*, **41**：558～563, 2003.

33) Aas JA et al.：Defining the normal bacterial flora of the oral cavity. *J Clin Microbiol*, **43**：5721～5732, 2005.

34) 高橋信博：第8章プラークの生化学 Ⅳ舌苔. 口腔生化学. 第5版（早崎太郎, 須田立雄, 木崎治俊監修）. 医歯薬出版, 東京, 2011, 207～228.

35) Ren W et al.：Tongue coating and the salivary microbial communities vary in children with halitosis. *Sci Rep*, **6**：24481, 2016.

36) Addy M, Moran J：Mechanisms of stain formation on teeth, in particular associated with metal ions and antiseptics. *Adv Dent Res*, **9**：450～456, 1995.

37) Watts A, Addy M：Tooth discolouration and staining: a review of the literature. *Br Dent J*, **190**：309～316, 2001.

38) Li Y et al.：Analysis of the microbiota of black stain in the primary dentition. *PLoS one*, **10**：e0137030, 2015.

第4章 齲蝕
1. 齲蝕の概念, 2. 齲蝕の発生要因

1) 小川祐司（監訳）：口腔診査法. 第5版. 口腔保健協会, 東京, 2016, 15～16.

2) Ismail AI et al: The International caries detection and assessment system（ICDAS）：an integrated system for measuring dental caries. Community Dent. *Oral Epidemio*, **35**：170～178, 2007.

3) 熊谷 崇ほか：クリニカルカリオロジー. 医歯薬出版, 東京, 1996, 16.

4) 浜田茂幸, 大嶋 隆編：新・う蝕の科学. 医歯薬出版, 東京, 2006, 26.

5) Barbakow F et al.：Enamel remineralization: how to explain it to patients. *Quintessence Int*, **22**：341～347, 1991.

6) Arends J et al.：Rate and mechanism of enamel demineralization in situ. *Caries Res*, **26**：18～21, 1992.

7) Orland FJ et al.：Experimental caries in germfree rats inoculated with enterococci. *J Am Dent Assoc*, **50**：259～272. No abstract available, 1955.

8) Fitzgerald RJ, Keyes PH：Demonstration of the etiologic role of streptococci in experimental caries in the hamster. *J Am Dent Assoc*, **61**：9～19, 1960.

文　献

9)　de Soet JJ et al.：Strain-related acid production by oral streptococci. *Caries Res*, **34**：486〜490, 2000.

10)　Marsh PD, Martin MV：Oral Microbiology, 4 th Edn. Oxford, Wright, 1999.

11)　Marsh PD：Are dental diseases examples of ecological catastrophes? *Microbiology*, **149**：279〜294, 2003.

12)　Fejerskov O, Manji F：Risk assessment in dental caries. In: Bader J, ed. Risk assessment in dentistry. Chapel Hill, NC: University of North Carolina Dental Ecology, 1990, 215〜217.

13)　Dawes C, Dong C：The flow rate and electrolyte composition of whole saliva elicited by the use of sucrose-containing and sugar-free chewing-gums. *Arch Oral Biol*, **40**：699〜705, 1995.

14)　Axelsson P 著, 高江洲義矩監訳：齲蝕の診断とリスク予測―実践編―. 医歯薬出版, 東京, 2003, 159〜160.

15)　Bowden GH：Microbiology of root surface caries in humans. *J Dent Res*, **69**：1205〜1210, Review, 1990.

16)　坂本征三郎, 小澤雄樹：第 13 章 歯科疾患の検出基準（岡田昭五郎ほか編：新予防歯科学 第 2 版）. 医歯薬出版, 東京, 1996, 247〜254.

17)　Marsh PD, Martin MV：Chapter 5 Dental Plaque. Oral Microbiology. Fifth ed, Churchill Livingstone Elsevier, London, 2009.

18)　Keyes PH：Present and future measures for dental caries control. *J Am Dent Assoc*, **79**：1359〜1404, 1969.

19)　Newbrun E：Chaptor 2. Current concepts of caries etiology. Cariology, Wiiliams & Wilkins Co, Baltimore, 1978, 290.

20)　花田信弘, 井上昌一：齲蝕とその予防（米満正美ほか編：新予防歯科学　第 4 版）. 医歯薬出版, 東京, 2010, 66.

21)　Axelsson P 著, 西　真紀子訳：本当の PMTC －その意味と価値. オーラルケア, 東京, 2009, 10.

22)　Ole F, Edwina K 編, 髙橋信博, 恵比須繁之監訳：デンタルカリエス　その病態と臨床マネージメント. 原著第 2 版. 医歯薬出版, 東京, 2013, 164.

23)　Moynihan P, Petersen PE：Diet, nutrition and the prevention of dental diseases. *Public Health Nutr*, **7**：201〜226, 2004.

24)　Sheiham A, James WP：Diet and Dental Caries: The Pivotal Role of Free Sugars Reemphasized. *J Dent Res*, **94**：1341〜1347, 2015.

25)　Miyazaki H, Morimoto M：Changes in caries prevalence in Japan. *Eur J Oral Sci*, **104**：452〜458, 1996.

26)　Sreebny LM：Sugar availability, sugar consumption and dental caries. Community *Dent Oral Epidemiol*, **10**：1〜7, 1982.

27)　Malmö University：Oral Health Database. https://www.mah.se/CAPP/

28)　農畜産業振興機構：主要国の 1 人当たり砂糖消費量. https://sugar.alic.go.jp/japan/data/wj-7.pdf

29)　Bernabé E et al.：The Shape of the Dose-Response Relationship between Sugars and Caries in Adults. *J Dent Res*, **95**：167〜172, 2016.

30)　WHO ガイドライン「Sugars intake for adults and children」.
http://apps.who.int/iris/bitstream/10665/149782/1/9789241549028_eng.pdf?ua=1

31)　Neff D：Acid production from different carbohydrate sources in human plaque in situ. *Caries Research*, **1**：78〜85, 1967.

32)　Mäkinen KK, Scheinin A：Turku sugar studies. VI. The administration of the trial and the control of the dietary regimen. *Acta Odontol Scand*, **34**：217〜239, 1976.

33)　Scheinin A et al.：Turku sugar studies. V. Final report on the effect of sucrose, fructose and xylitol diets on the caries incidence in man. *Acta Odontol Scand*, **34**：179〜216, 1976.

34)　Mäkinen KK et al.：Xylitol chewing gums and caries rates: a 40-month cohort study. *J Dent Res*, **74**：1904〜1913, 1995.

35)　König KG, Mühlemann HR: The cariogenicity of refined and unrefined sugar in animal experiments. *Arch Oral Biol*, **12**：1297〜1298, 1967.

36)　Bibby BG et al.：Evaluation of caries-producing potentialities of various foodstuffs. *J Am Dent Assoc*, **42**：491〜509, 1951.

37)　小西浩二：日本食品の潜在脱灰能. 図説口腔衛生学（飯塚喜一ほか）. 学建書院, 東京, 1983, 32.

38)　Gustafsson BE et al.：Vipeholm dental caries study; the effect of different levels of carbohydrate intake on caries activity in 436 individuals observed for five years. *Acta Odontol Scand*, **11**：232〜264, 1954.

39)　Weiss RL, Trithart AH：Between-meal eating habits and dental caries experience in preschool children. *Am J Public Health Nations Health*, **50**：1097〜1104, 1960.

40)　Vanobbergen J et al.：Assessing risk indicators for dental caries in the primary dentition. *Community Dent Oral Epidemiol*, **29**：424〜434, 2001.

41)　Bernabé E et al.：Sugar-sweetened beverages and dental caries in adults: a 4-year prospective study. *J Dent*, **42**：952〜958, 2014.

42)　Tsutsui A et al.：The prevalence of dental caries and fluorosis in Japanese communities with up to 1.4 ppm of naturally occurring fluoride. *J Public Health Dent*, **60**：147〜153, 2000.

43)　WHO：Equity, social determinants and public health programmes.
https://apps.who.int/iris/bitstream/handle/10665/44289/9789241563970_eng.pdf, p.163.

44) 相田　潤ほか：健康長寿社会に寄与する歯科医療・口腔保健のエビデンス 2015 課題別 8. 口腔保健と社会的決定要因－口腔の健康格差と社会的決定要因－. 日本歯科医師会, 2015.

45) Schwendicke F et al.：Socioeconomic inequality and caries: a systematic review and meta-analysis. *J Dent Res*, **94**：10 ～ 18, 2015.

46) Aida J et al.：Contributions of social context to inequality in dental caries: a multilevel analysis of Japanese 3-year-old children. *Community Dent Oral Epidemiol*, **36**：149 ～ 156, 2008.

47) World Health Organization. Social determinants of health.
http://www.who.int/social_determinants/en/

48) Reisine ST, Psoter W：Socioeconomic status and selected behavioral determinants as risk factors for dental caries. *J Dent Educ*, **65**：1009 ～ 1016, 2001.

49) Matsuyama Y et al.：School-Based Fluoride Mouth-Rinse Program Dissemination Associated With Decreasing Dental Caries Inequalities Between Japanese Prefectures: An Ecological Study. *J Epidemiol*, **26**：563 ～ 571, 2016.

3. フッ化物の応用

1) 磯崎篤則：フッ化物応用法. 新口腔保健学（末高武彦ほか編）. 医歯薬出版, 東京, 2009, 105.

2) Dean HT et al.：Domestic water and dental caries. *Pub Health Report*, **56**：761 ～ 793, 1941. **57**：1155 ～ 1179, 1942.

3) Murray JJ et al.：Fluoride in Caries Prevention. 3 rd ed. Butterworth-Heineman Ltd, Oxford, 1991.

4) 可児瑞夫ほか：PREVENTIVE DENTISTRY AND DENTAL HEALTH. 日本医事新報社, 東京, 1991, 94.

第 5 章　歯周病

1) 小関健由, 雫石　聰：歯周疾患とその予防. 新予防歯科学. 第 4 版（米満正美ほか編）. 医歯薬出版, 東京, 2010.

2) 日本歯周病学会編：歯周治療のガイドライン 2022. 日本歯周病学会, 東京, 2022, 12 ～ 17.

3) 天野敦雄：歯周病の発症. ビジュアル 歯周病を科学する（天野敦雄, 村上伸也, 岡　賢二編）. クインテッセンス出版, 東京, 2012, 12 ～ 32.

4) Socransky SS, Harffajee AD：Dental biofilms : difficult therapeutic targets. *Periodontol 2000*, **28**：12 ～ 55, 2002.

5) 天野敦雄：歯科衛生士のための 21 世紀のペリオドントロジーダイジェスト【増補改訂版】. クインテッセンス出版, 東京, 2020, 14 ～ 101.

6) Sedghi LM et al.：Periodontal Disease: The good, the bad, and the unknown. *Front Cell Infect Microbiol*, **11**：766944, 2021.

7) Hajishengallis G, Lamont RJ：Polymicrobial communities in periodontal disease: Their quasi-organismal nature and dialogue with the host. *Periodontol 2000*, **86**：210 ～ 230, 2021.

8) Liu YCG et al.：Cytokine responses against periodontal infection: protective and destructive roles. *Periodontol 2000*, **52**：163 ～ 206, 2010.

第 6 章　口　臭

1) 宮崎秀夫ほか：口臭症分類の試みとその治療必要性. 新潟歯学会雑誌, **29**：11 ～ 15, 1999.

2) Tonzetich J：Oral malodour : an indicator of health status and oral cleanliness. *Int Dent J*, **28**：309 ～ 319, 1978.

第 7 章　その他の口腔疾患と予防

1) 北迫勇一：各種飲食物の酸性度と酸蝕歯の関係. 日歯医師会誌, **63**：19 ～ 27, 2010.

2) 日本スポーツ振興センター編：第三編基本統計（負傷・疾病の概況と帳票）. 学校の管理下の災害　令和 3 年版. 日本スポーツ振興センター, 東京, 2021, 154 ～ 157.

3) 中村誠司：第 3 章 5 口腔粘膜疾患. 最新口腔外科学. 第 5 版（榎本昭二ほか監修）. 医歯薬出版, 東京, 2017, 215.

4) 国立がん研究センター：がん種別統計情報 口腔・咽頭がんの統計.
https://ganjoho.jp/reg_stat/statistics/stat/cancer/3_oral.html

5) 国立がん研究センターがん対策研究所：日本人のためのがん予防法の提示　2022 年 8 月 3 日改訂版. 科学的根拠に基づくがんリスク評価とがん予防ガイドライン提言に関する研究.
https://epi.ncc.go.jp/can_prev/93/8969.html

6) 日本顎関節学会：「顎関節症の概念（2013 年）」「顎関節症と鑑別を要する疾患あるいは障害（2014 年）」「顎関節・咀嚼筋の疾患あるいは障害（2014 年）」および「顎関節症の病態分類（2013 年）」の公表にあたって. 日顎関節会誌, **26**：40 ～ 45, 2014.

7) 日本顎関節学会編：2) リスク因子. 1-4 顎関節症の発症メカニズムと症候, 継続する病態. Ⅰ顎関節症の疾病概念. 新編　顎関節症. 改訂版. 永末書店, 京都, 2018.

文　献

第8章　口腔と全身の健康

1. ライフスタイルと口腔保健

1）Saito T, Shimazaki Y：Metabolic disorders related to obesity and periodontal disease. *Periodontol 2000*, **43**：254 ～ 266, 2007.

2）埴岡　隆：喫煙（吉江弘正，高柴正悟編：ひとめでわかる−歯周病と7つの病気8つのNEWS）．永末書店，京都，2006，154 ～ 158.

3）Shimazaki Y et al.：Relationship between drinking and periodontitis: the Hisayama study, *J Periodontol*, **76**：1534 ～ 1541, 2005.

4）Nishida N et al.：Association of ALDH（2）genotypes and alcohol consumption with periodontitis. *J Dent Res*, **83**：161 ～ 165, 2004.

5）吉成伸夫ほか：ストレスと歯周病の関連（ライオン歯科衛生研究所編：歯周病と全身の健康を考える）．医歯薬出版，東京，2004，122 ～ 131.

6）新見道夫：ストレスに関連した神経ペプチドの役割．香川県立保健医療大学雑誌，**5**：1 ～ 6，2014.

7）Gimeno D et al.：Associations of C-reactive protein and interleukin-6 with cognitive symptoms of depression: 12-year follow-up of the Whitehall II study. *Psychol Med*, **39**：413 ～ 423, 2009.

8）Ishisaka A et al.：Association of salivary levels of cortisol and dehydroepiandrosterone with periodontitis in older Japanese adults. *J Periodontol*, **78**：1767 ～ 1773, 2007.

2. 全身の疾患・異常と口腔保健

1）Nelson RG et al.：Periodontal disease and NIDDM in Pima Indians. *Diabetes Care*, **13**：836 ～ 840, 1990.

2）Khader YS et al.：Periodontal status of diabetics compared with nondiabetics: a meta-analysis. *J Diabetes Complications*, **20**：59 ～ 68, 2006.

3）Borgnakke WS et al.：Effect of periodontal disease on diabetes: systematic review of epidemiologic observational evidence. *J Periodontol*, **84**：S135 ～ 152, 2013.

4）日本歯周病学会編：糖尿病患者に対する歯周治療ガイドライン．改訂第3版．医歯薬出版，東京，2023.

5）日本糖尿病学会編：糖尿病診察ガイドライン2019．南江堂，東京，2019，219 ～ 228.

6）日本老年医学会編：高齢者糖尿病診療ガイドライン2023．南江堂，東京，2023，71 ～ 72.

7）日本糖尿病協会：糖尿病連携手帳．第4版，2020.

8）Huang ST et al.：Intensive periodontal treatment reduces risk of infection-related hospitalization in hemodialysis population：a nationwide population-based cohort study. *Medicine*（Baltimore），**94**：e1436, 2015.

9）Chen YT et al.：Periodontal disease and risks of kidney function decline and mortality in older people：a community-based cohort study. *Am J Kidney Dis*, **66**：223 ～ 230, 2015.

10）Haraszthy VI et al.：Identification of periodontal pathogens in atheromatous plaques. *J Periodontol*, **71**：1554 ～ 1560, 2000.

11）Tonetti MS et al.：Treatment of periodontitis and endothelial function. *N Engl J Med*, **356**：911 ～ 920, 2007.

12）Lockhart PB et al.：Periodontal disease and atherosclerotic vascular disease: does the evidence support an independent association?: a scientific statement from the American Heart Association. *Circulation*, **125**：2520 ～ 2544, 2012.

13）Saito T et al.：Obesity and periodontitis. *N Engl J Med*, **339**：482 ～ 483, 1998.

14）Nibali L et al.：Clinical review: Association between metabolic syndrome and periodontitis: a systematic review and meta-analysis. *J Clin Endocrinol Metab*, **98**：913 ～ 920, 2013.

15）Morita T et al.：A cohort study on the association between periodontal disease and the development of metabolic syndrome. *J Periodontol*, **81**：512 ～ 519, 2010.

16）Takeuchi K et al.：Periodontitis is associated with chronic obstructive pulmonary disease. *J Dent Res*, **98**：534 ～ 540, 2019.

17）Shen TC et al.：Periodontal treatment reduces risk of adverse respiratory events in patients with chronic obstructive pulmonary disease: a propensity-matched cohort study. *Medicine*（Baltimore），**95**：e3735, 2016.

18）Yoneyama T et al.：Oral care and pneumonia. Oral Care Working Group. *Lancet*, **354**：515, 1999.

19）Abe S et al.：Professional oral care reduces influenza infection in elderly. *Arch Gerontol Geriatr*, **43**：157 ～ 164, 2006.

20）田口　明：パノラマX線写真による骨粗鬆症スクリーニング法．*Anti-aging Science*, **7**：18 ～ 22，2015.

21）Otto S et al.：Tooth extraction in patients receiving oral or intravenous bisphosphonate administration: A trigger for BRONJ development? *J Craniomaxillofac Surg*, **43**：847 ～ 854, 2015.

22）Shudo A et al.：Long-term oral bisphosphonates delay healing after tooth extraction: a single institutional prospective study. *Osteoporos Int*, **29**：2315 ～ 2321, 2018.

23）Tak IH et al.：The association between periodontal disease, tooth loss and bone mineral density in a Korean population. *J Clin Periodontol*, **41**：1139 ～ 1144, 2014.

24）Hiraki A et al.：Teeth loss and risk of cancer at 14 common sites in Japanese. *Cancer Epidemiol Biomarkers Prev*, **17**：1222 ～ 1227, 2008.

25) Jacob JA：Study links periodontal disease bacteria to pancreatic cancer risk. JAMA, **315**：2653 〜 2654, 2016.

26) Deng J et al.：Dental demineralization and caries in patients with head and neck cancer. *Oral Oncol*, **51**：824 〜 831, 2015.

27) Ide M, Papapanou PN: Epidemiology of association between maternal periodontal disease and adverse pregnancy outcomes-systematic review. *J Clin Periodontol*, **40** Suppl 14: S181 〜 194, 2013.

28) Miyoshi J et al.：Efficacy of a prospective community-based intervention to prevent preterm birth. *J Perinat Med*, 2016 Apr 18 [Epub ahead of print].

29) 原田 敦：ロコモティブシンドロームとフレイル・認知機能. *Medical Practice*, **33**：1263 〜 1265, 2016.

30) 神﨑恒一ほか：オーラルフレイルに関する 3 学会合同ステートメント. 老年歯科医学, **38**, 2024.

第 9 章 行動科学と健康教育

1) 宗像恒次：第 1 章医療行動科学：新しい医学のパラダイム. 講座人間と医療を考える 第 3 巻 行動科学と医療（長谷川 浩, 宗像恒次監修）. 弘文堂, 東京, 1991, 7 〜 36.

2) 日本保健医療行動科学会監修：保健医療行動科学辞典. メヂカルフレンド, 東京, 1999, 47, 93 〜 94, 105 〜 106, 111, 115, 119, 127, 129 〜 130, 280 〜 281, 282.

3) 土井由利子, 渡邉正樹：第 1 章行動科学と行動変容, 第 2 章学習理論, 第 3 章行動変容のモデル. 行動科学―健康づくりのための理論と応用. 改訂第 2 版（畑 栄一, 土井由利子 編）. 南江堂, 東京, 2009, 3 〜 35.

4) 宗像恒次：最新 行動科学から見た健康と病気. メヂカルフレンド, 東京, 1996, 84 〜 94.

5) 松本千明：医療・保健スタッフのための健康行動理論の基礎 生活習慣病を中心に. 医歯薬出版, 東京, 2002, 1 〜 36.

6) Becker MH, Maiman LA：Sociobehavioral determinants of compliance with health and medical care recommendations. *Medical Care*, **13**：10 〜 24, 1975.

7) 渡邉正樹：6 章 健康と病気についての学習理論. 応用心理学講座 13 医療・健康心理学（中川米造, 宗像恒次編）. 福村出版, 東京, 1989, 106 〜 116.

8) Bandura A：Theoretical perspectives. In A Bandura, Self-efficacy: the exercise of control. NY: WH Freeman and Company, New York, 1997, 1 〜 35.

9) Green LW, Kreuter MW, 神馬征峰ほか訳：ヘルスプロモーション PRECEDE - PROCEED モデルによる活動の展開. 医学書院, 東京, 1997, 31 〜 41.

10) 藤内修二：日本における PRECEDE-PROCEED Model 適用の課題とその克服. 厚生の指標, **47**：3 〜 11, 2000.

11) Prochaska JO, DiClemente CC：Stages and processes of self-change of smoking:toward an integrative model of change. *J Consult Clin Psychol*, **51**：390 〜 395, 1983.

12) 吉田 亨：第 1 部 I 健康教育理論の展開. 保健社会学 II 健康教育・保健行動（園田恭一, 川田智恵子, 吉田亨編）. 有信堂, 東京, 1993, 18 〜 30.

13) 佐々木周作：医療現場の行動経済学の "過去・現在・未来". 週刊 医学のあゆみ, **275**：861 〜 865, 2020.

14) 吉田 亨：健康教育と栄養教育（1）. 健康教育の歴史と栄養教育. 臨床栄養, **85**：313 〜 323, 1994.

15) 吉田 亨：健康教育と栄養教育（2）. 指導型健康教育と栄養教育. 臨床栄養, **85**：621 〜 627, 1994.

16) 吉田 亨：健康教育と栄養教育（3）. 健康の方法. 臨床栄養, **85**：741 〜 747, 1994.

17) 吉田 亨：健康教育と栄養教育（4）. 健康教育の評価とヘルスプロモーション. 臨床栄養, **85**：853 〜 859, 1994.

18) 有川量崇, 田口千恵子：第 12 章ヘルスプロモーションと健康教育. 保健医療におけるコミュニケーション・行動科学. 第 2 版（高江洲義矩監修, 深井穫博編）. 医歯薬出版, 東京, 2022, 204 〜 216.

19) Sorensen K et al.：Consortium Health Literacy Project European. Health literacy and public health: a systematic review and integration of definitions and models. *BMC Public Health*, **12**：80, 2012.

20) Nutbeam D：Health promotion glossary. *Health promotion international*, **13**：349 〜 364, 1998.

21) 大嶋美登子, 矢島潤平：エンパワメントアプローチ. 現代のエスプリ No.431 医療行動科学の発展（津田 彰, 坂野雄二編）, 至文堂, 東京, 2003, 88 〜 97.

第 10 章 口腔保健と疫学

1) Loesche WJ：Role of Streptococcus mutans in human dental decay. *Microbiological Reviews*, **50**：353 〜 380, 1986.

2) 厚生労働省：平成 28 年歯科疾患実態調査. http://www.mhlw.go.jp/toukei/list/62-28.html

3) 厚生労働省：令和 3 年度地域保健・健康増進事業報告. 2021.

4) 8020 推進財団：第 2 回永久歯の抜歯原因調査報告書. 2018.

5) Löe H et al.：Experimental Gingivitis in Man. *J Periodontol*, **36**：177 〜 187, 1965.

6) 小川祐司監訳：口腔診査法. 第 5 版. 口腔保健協会, 東京, 2016.

7) 豊嶋義博ほか編：学びなおし EBM GRADE アプローチ時代の臨床論文の読みかた. クインテッセンス出版, 東京, 2015.

8) Richmond S et al.：The development of the PAR Index（Peer Assessment Rating）: reliability and validity. *Eur J Orthod*, **14**：125 〜 39, 1992.

文　献

9）　山下喜久，嶋﨑義浩：口腔保健の指標．新口腔保健学（末髙武彦ほか編）．医歯薬出版，東京，2009.

第11章　国民の口腔保健の状況

1）　厚生労働省：令和4年歯科疾患実態調査結果の概要．2023.
https://www.mhlw.go.jp/content/10804000/001112405.pdf
2）　文部科学省：学校保健統計調査－令和4年度（確報値）の結果の概要．2024.
https://www.mext.go.jp/b_menu/toukei/chousa05/hoken/kekka/k_detail/1411711_00007.htm
3）　厚生労働省：2022（令和4）年　国民生活基礎調査の概況．2023.
https://www.mhlw.go.jp/toukei/saikin/hw/k-tyosa/k-tyosa22/index.html
4）　厚生労働省：令和元年国民健康・栄養調査．2020.
https://www.mhlw.go.jp/bunya/kenkou/kenkou_eiyou_chousa.html

第2編　予防歯科臨床

第1章　齲蝕予防

1. 検査・診断，2. 予防・管理

1）　花田信弘：第2編　第1章　齲蝕予防．1 検査・診断　2予防・管理．口腔保健・予防歯科学．第1版．医歯薬出版，東京，2017，132 ～ 136.
2）　伊藤博夫：第4章　齲蝕とその予防　3 齲蝕のリスク診断．新予防歯科学［上］．第3版．医歯薬出版，東京，2003，164 ～ 167.
3）　飯塚喜一ほか：第5章　歯科疾患とその予防　5 齲蝕活動性試験．要説口腔衛生学．第6版．学建書院，東京，1980，99 ～ 101.
4）　橋口綽徳ほか：Wach test および Rickles test に関する二，三の考察．口衛誌，**5**：142 ～ 146.
5）　眞木吉信ほか：唾液による齲蝕活動性迅速判定法としての Resazurin Disc の変色特異性．口衛誌，**33**：61 ～ 74.
6）　Kanehira T et al.：The ICDAS (International Caries Detection & Assessment System)：a new set of caries assessment criteria. *Hokkaido J Dent Sci*, **38**：180 ～ 183, 2017.

2. 予防・管理　3）CAMBRA™

1）　安井利一監訳，竹下　玲ほか訳：Balance バランス：患者と歯科医師のためのう蝕管理ガイド．クインテッセンス出版，東京，2015.
2）　Featherstone JDB, Chaffee BW：The Evidence for Caries Management by Risk Assessment (CAMBRA®). *Adv Dent Res*, **29**：9 ～ 14, 2018.

3. フッ化物の局所応用

1）　飯島洋一：第2章フッ化物とう蝕予防効果．フッ化物についてよく知ろう．第1版．デンタルダイヤモンド，東京，2010，81 ～ 87.
2）　JDMA 日本歯磨工業会：4.「練及び潤製・粉・他歯磨」の合計に対するフッ化物配合歯磨の割合．
https://www.hamigaki.gr.jp/hamigaki1/toukei01.html
3）　Matsuyama Y et al.：School-based Fluoride Mouth-Rinse Program Dissemination Associated With Decreasing Dental Caries Inequalities Between Japanese Prefectures :An Ecological Study. *J Epidemiol*, **26**：563 ～ 571, 2016.
4）　厚生労働省：フッ化物洗口ガイドライン．
https://www.mhlw.go.jp/file/06-Seisakujouhou-10900000-Kenkoukyoku/0000212201.pdf
5）　厚生労働省：各都道府県におけるフッ化物洗口の実施状況．う蝕対策等歯科口腔保健の推進に係る調査．
https://www.mhlw.go.jp/content/000711481.pdf
6）　厚生労働省：歯科口腔保健関連情報．平成28年歯科疾患実態調査．
https://www.mhlw.go.jp/toukei/list/dl/62-28-02.pdf
7）　Ahovuo-Saloranta A et al.：Pit and fissure sealants for preventing dental decay in permanent teeth. Cochrane Database of Systematic Reviews 2017, Issue 7. Art. No.: CD001830. DOI: 10.1002/14651858.CD001830.pub5.
8）　Sjögren K et al.：Effect of a modified toothpaste technique on approximal caries in preschool children. *Caries Res*, **29**：435 ～ 441, 1995.

第2章　歯周病予防

1）　Lie MA et al.：Evaluation of 2 methods to assess gingival bleeding in smokers and non-smokers in natural and experimental gingivitis. *J Clin Periodontol*, **25**：695 ～ 700, 1998.
2）　American Academy of Periodontology：Consensus report for periodontal diseases: epidemiology and diagnosis. *Ann Periodontol*, **1**：216 ～ 222, 1996.
3）　日本歯周病学会編：歯周病の検査，診断，治療計画のガイドライン．医歯薬出版，東京，2022.
4）　Chapple ILC et al.：Periodontal health and gingival diseases and conditions on an intact and a reduced periodontium: Consensus report of workgroup 1 of the 2017 World Workshop on the Classification of Periodontal and

Peri-Implant Diseases and Conditions. *J Clin Periodontol*, **45**：S68 〜 S77, 2018.
5) Caton J et al.：A new classification scheme for periodontal and peri‐implant diseases and conditions – Introduction and key changes from the 1999 classification. *J Clin Periodontol*, **45**：S1 〜 S8, 2018.
https://doi.org/10.1111/jcpe.12935
6) Nesse W et al.：Periodontal inflamed surface area：quantifying inflammatory burden. *J Clin Periodontol*, **35**：668 〜 673, 2008.

第3章　口臭予防
1) 日本口臭学会編：口臭への対応と口臭症治療の指針 2014. 日本口臭学会, 東京, 2015, 6, 15.
2) 宮崎秀夫ほか：口臭症分類の試みとその治療必要性. 新潟歯学会誌, **29**：11 〜 15, 1999.
3) 山賀孝之, 宮崎秀夫：歯科外来における口臭測定. におい・かおり環境学会誌, **36**：261 〜 265, 2005.
4) 八重垣　健, 末高武彦：塩化亜鉛洗口剤の口臭産生および唾液細胞成分ならびにタンパク質の分解に及ぼす影響. 口腔衛会誌, **39**：377 〜 386, 1989.

第4章　プラークコントロール
1) 埴岡　隆：歯科関連疾患の予防マニュアル―オーラルケア製品の解説―. （株）法研.
2) Sicilia A et al.：A systematic review of powered vs manual toothbrushes in periodontal cause-related therapy. *J Clin Periodontol*, 29 （Suppl 3）：39 〜 54, 2002. discussion 90-1. doi: 10.1034/j.1600-051 x.29.s-3.1.x.
3) Yankell SL, Saxer UP：Toothbrushes and toothbrushing methods. Primary Preventive Dentistry （Norman O Harris & Franklin Garcia-Godoy eds.）. Pearson Education, New Jersey, 2004, 93 〜 117.
4) Morita M et al.：Comparison of 2 toothbrushing methods for efficacy in supragingival plaque removal. The Toothpick method and the Bass method. *J Clin Periodontol*, **25**：829 〜 831, 1998.
5) Wilder RS, Bray KS：Improving periodontal outcomes: merging clinical and behavioral science. *Periodontol 2000*, **71**：65 〜 81, 2016.
6) 小関健由：口腔の清掃. 新口腔保健学 （末髙武彦ほか編）. 医歯薬出版, 東京, 2009, 81.
7) 厚生労働省医薬食品局長：薬用歯みがき類製造販売承認基準. 2015.

第5章　禁煙支援・指導
1) Ikeda N et al.：Adult mortality attributable to preventable risk factors for non-communicable diseases and injuries in Japan: a comparative risk assessment. *PLoS Med*, **9**：e1001160, 2012.
2) Fiore MC et al.：Treating Tobacco Use and Dependence: 2008 Update. Clinical Practice Guideline. Rockville, MD: U.S. Department of Health and Human Services. Public Health Service, 2008.
3) 喫煙の健康影響に関する検討会編：喫煙と健康, 喫煙の健康影響に関する検討会報告書. 2016.
https://www.mhlw.go.jp/file/05-Shingikai-10901000-Kenkoukyoku-Soumuka/0000172687.pdf
4) Akinkugbe AA et al.：Systematic review and meta-analysis of the association between exposure to environmental tobacco smoke and periodontitis endpoints among nonsmokers. *Nicotine Tob Res*, **18**：2047 〜 2056, 2016.
5) 小川祐司監訳, 埴岡　隆ほか訳：歯科における簡易禁煙支援 -WHO によるグローバルスタンダード, WHO monograph on tobacco cessation and oral health integration. 口腔保健協会, 東京, 2021.
6) Hanioka T et al.：Smoking and periodontal microorganisms. *Jpn Dent Sci Rev*, **55**：88 〜 94, 2019.
7) 中村正和ほか：加熱式たばこ製品の使用実態, 健康影響, たばこ規制への影響とそれを踏まえた政策提言. 日本公衛誌, **67**：3 〜 14, 2020.
8) World Health Organization：Strengthening health systems for treating tobacco dependence in primary care. Part III: Training for primary care providers: brief tobacco interventions. World Health Organization, Geneva, 2013.
9) 日本学術会議：報告「加熱式タバコの毒性を知り科学的根拠に基づく施策の実現を」. 2023.
10) 片野田耕太ほか：たばこハームリダクションは可能か？：国際的動向と日本の論点. 日本公衛誌, **71**：141 〜 152, 2024.

第6章　栄養・食生活指導
1) 三浦宏子：高齢者のフレイル予防を目的とした歯科口腔保健分野の取り組み. 保健医療科学, **69**：365 〜 372, 2020.
2) 文部科学省, 厚生労働省, 農林水産省：食生活指針について.
https://www.maff.go.jp/j/syokuiku/shishinn.html
3) 農林水産省：「食事バランスガイド」について.
https://www.maff.go.jp/j/balance_guide/
4) 厚生労働省：「日本人の食事摂取基準（2025 年版）」策定検討会報告書.
https://www.mhlw.go.jp/stf/newpage_44138.html
5) 消費者庁：特別用途食品について.
https://www.caa.go.jp/policies/policy/food_labeling/foods_for_special_dietary_uses/

文　献

6）厚生労働省：第4次食育推進基本計画.
https://www.mhlw.go.jp/content/000770380.pdf

第7章　高齢者・有病者の口腔健康管理
1）国立長寿医療研究センター：平成25年度 老人保健事業推進費等補助金　老人保健健康増進等事業　食（栄養）および口腔機能に着目した加齢症候群の概念の確立と介護予防（虚弱化予防）から要介護状態に至る口腔ケアの包括的対策の構築に関する調査研究事業. 2014.
2）国立研究開発法人国立がん研究センター：全国共通がん医科歯科連携講習会テキスト（第二版）
https://ganjoho.jp/med_pro/cancer_control/medical_treatment/dental/koshukai_text2.html
3）日本歯科医師会・日本歯科総合研究機構：高齢者の口腔機能管理―高齢者の心身の特性を踏まえた在宅歯科医療を進めるためには―　平成20年5月. 2008.
4）日本歯科医学会：『「口腔ケア」に関する検討委員会』取りまとめ. 2015.
5）厚生労働省：基本チェックリスト.
https://www.mhlw.go.jp/topics/2009/05/dl/tp0501-1f_0005.pdf

第3編　地域口腔保健

第1章　地域口腔保健序論
1. 地域保健の概要
1）島内憲夫1987/島内憲夫・鈴木美奈子2011（改変）：ヘルスプロモーションとは. 日本ヘルスプロモーション学会.
http://plaza.umin.ac.jp/~jshp-gakkai/intro.html
2）厚生労働省：地域保健に関連する様々な施策.
http://www.mhlw.go.jp/stf/seisakunitsuite/bunya/tiiki/
3）厚生労働省：地域包括ケアシステム.
http://www.mhlw.go.jp/stf/seisakunitsuite/bunya/hukushi_kaigo/kaigo_koureisha/chiiki-houkatsu/
2. 健康増進法と国民健康づくり
1）厚生労働省：令和6年度厚生労働白書.
https://www.mhlw.go.jp/wp/hakusyo/kousei/23/dl/zentai.pdf
2）厚生労働省：地域保健対策の推進に関する基本的な指針（令和6年3月29日厚生労働省告示第161号）.
http://www.mhlw.go.jp/stf/seisakunitsuite/bunya/tiiki/
3）厚生労働省：国民の健康の増進の総合的な推進を図るための基本的な方針（令和5年5月31日厚生労働省告示第207号）.
https://www.mhlw.go.jp/stf/seisakunitsuite/bunya/kenkou_iryou/kenkou/kenkounippon21_00006.html
4）厚生労働省：歯科口腔保健の推進に関する法律の概要.
https://www.mhlw.go.jp/stf/seisakunitsuite/bunya/kenkou_iryou/kenkou/shikakoukuuhoken/index.html
5）厚生労働省：歯科口腔保健の推進に関する基本的事項の全部改正について（令和5年10月5日付け医政発1005第2号）.
https://www.mhlw.go.jp/content/001154214.pdf
6）水嶋春朔：地域診断のすすめ方　根拠に基づく生活習慣病対策と評価. 第2版. 医学書院，東京，2006.
7）相田　潤ほか：口腔保健と社会的決定要因―口腔の健康格差と社会的決定要因―. 健康長寿社会に寄与する歯科医療・口腔保健のエビデンス2015（深井穫博ほか）. 日本歯科医師会，東京，2015，216〜228.

第2章　母子の口腔保健
1. 母子保健の概要，2. 妊産婦の口腔保健
1）大木秀一，彦　聖美：ライフコース疫学研究の興隆と展望. 石川看護雑誌，9：1〜11，2012.
2）厚生労働統計協会編：厚生の指標　増刊　国民衛生の動向　2024/2025，71：2024.
3）Hasegawa S et al.：A longitudinal study from prepuberty to puberty of gingivitis. Correlation between the occyrrence of *Prevotella intermedia* and sex hormones. *J Clin Periodontol*，**21**：658〜665，1994.
3. 乳幼児の口腔保健
1）国立保健医療科学院歯科口腔保健の情報提供サイト：全国乳幼児歯科健診結果，国立保健医療科学院ホームページ.
2）口腔保健協会：2003年版歯科保健関係統計資料，2003，口腔保健協会.
3）厚生労働省授乳・離乳の支援ガイド改定に関する研究会編：授乳・離乳の支援ガイド，東京，2019，厚生労働省ホームページ.
4）厚生省健康政策局長通知：妊産婦，乳児および幼児に対する歯科健康診査及び保健指導の実施について，2018年版　歯科保健指導関係資料. 口腔保健協会，東京，2018，197〜209.
5）厚生省健康政策局長通知：幼児期における歯科保健指導の手引き，2016年版　歯科保健指導関係資料. 口腔保健協会，東京，2016，154〜202.

第3章　学校での口腔保健

1) 文部科学省：教職員のための子どもの健康相談及び保健指導の手引. 平成 23（2011）年 8 月.
2) 日本学校保健会：「生きる力」を育む学校での歯・口の健康づくり. 令和元年度改訂. 2020.
3) 文部科学省：令和 4 年度学校保健統計調査　e-stat 政府統計の総合窓口. 令和 5（2023）年 11 月.
4) 日本学校歯科医会：学校歯科医の活動指針　平成 27 年改訂版. 平成 27（2015）年 3 月.
5) 文部科学省：令和 5 年度児童生徒の問題行動・不登校等生徒指導上の諸問題に関する調査. 令和 6（2024）年 10 月.

第4章　成人の口腔保健

1) 厚生労働省：令和 2 年（2020）人口動態統計月報年計（概数）の概況. 結果の概要.
   https://www.mhlw.go.jp/toukei/saikin/hw/jinkou/geppo/nengai20/dl/kekka.pdf
2) Tanaka H et al.：Risk factors for cerebral hemorrhage and cerebral infarction in a Japanese rural community. *Stroke*, **13**：62 〜 73, 1982.
3) Collins R et al.：Blood pressure, stroke, and coronary heart disease. Part 2, Short-term reductions in blood pressure：overview of randomised drug trials in their epidemiological context. *Lancet*, **335**：827 〜 838, 1990.
4) Wolf PA et al.：Probability of stroke：a risk profile from the Framingham Study. *Stroke*, **22**：312 〜 318, 1991.
5) Shinton R, Beevers G：Meta-analysis of relation between cigarette smoking and stroke. *BMJ*, **298**：789 〜 794, 1989.
6) Sakata K et al.：Smoking, alcohol drinking and esophageal cancer: findings from the JACC Study. *J Epidemiol*, **15**：S212 〜 219, 2005.
7) 厚生労働省保険局：第 3 期全国医療費適正化計画について（報告）
   https://www.mhlw.go.jp/content/12401000/000517333.pdf
8) 厚生労働省保険局：特定健康診査・特定保健指導の円滑な実施に向けた手引き.
   http://www.mhlw.go.jp/stf/seisakunitsuite/bunya/0000172888.html
9) 厚生労働省：令和元年 国民健康・栄養調査結果の概要.
   https://www.mhlw.go.jp/content/10900000/000687163.pdf
10) 厚生労働省：平成 28 年歯科疾患実態調査報告.
   https://www.e-stat.go.jp/stat-search/files?page=1&layout=dataset&toukei=00450131&stat_infid=000031607230
11) 8020 推進財団：第 2 回永久歯の抜歯原因調査報告書 平成 30 年.
   https://www.8020zaidan.or.jp/pdf/Tooth-extraction_investigation-report-2nd.pdf
12) Salvi GE et al.：Effects of diabetes mellitus on periodontal and peri-implant conditions: update on associations and risks. *J Clin Periodontol*, **35**：398 〜 409, 2008.
13) Teeuw WJ et al.：Effect of periodontal treatment on glycemic control of diabetic patients: a systematic review and meta-analysis. *Diabetes Care*, **33**：421 〜 427, 2010.
14) Demmer RT, Desvarieux M：Periodontal infections and cardiovascular disease: the heart of the matter. *J Am Dent Assoc*, **139**：252, 2008.
15) Kishi M et al.：Prevalence of tongue cleaning habit and related factors in healthy individuals in Iwate Prefecture, Japan. *J Dent Hlth*, **62**：14 〜 22, 2012.
16) 小川祐司監訳. 真木吉信ほか訳：口腔診査法—WHO によるグローバルスタンダード—. 第 5 版. 口腔保健協会, 東京, 2016, 56 〜 58.
17) 厚生労働省：令和 2 年（2020）患者調査の概況.
   http://www.mhlw.go.jp/toukei/saikin/hw/kanja/20/index.html
18) 厚生労働省：歯周病検診マニュアル 2015.
   https://www.mhlw.go.jp/file/06-Seisakujouhou-10900000-Kenkoukyoku/manual2015.pdf
19) 厚生労働省：歯科保健医療に関するオープンデータ
   https://www.mhlw.go.jp/stf/seisakunitsuite/bunya/0000158505_00001.html
20) 厚生労働省健康局：標準的な健診・保健指導 プログラム. 平成 30 年度版.
   https://www.mhlw.go.jp/file/06-Seisakujouhou-10900000-Kenkoukyoku/00_3.pdf
21) 日本歯科医師会：特定健診・特定保健指導　歯科受診を勧奨された方への歯科医師向け解説資料.
   https://www.jda.or.jp/metabolic/pdf/special-health-check-up_v01.pdf
22) 厚生科学審議会地域保健健康増進栄養部会　次期国民健康づくり運動プラン策定専門委員会：健康日本 21（第 2 次）の推進に関する参考資料. 2012, 135.

第5章　職域での口腔保健

1) 厚生労働統計協会編：国民衛生の動向　2021/2022. 厚生労働統計協会, 東京, 2021, 319 〜 330.
2) 厚生労働統計協会編：国民衛生の動向　2023/2024. 厚生労働統計協会, 東京, 2023, 312 〜 325.
3) 中央労働災害防止協会編：労働衛生のしおり　令和 5 年度. 中央労働災害防止協会, 東京, 2023.
4) 中央労働災害防止協会編：衛生管理（上）＜第 1 種用＞第 12 版. 中央災害防止協会, 東京, 2022.
5) 日本歯科医師会編：産業歯科衛生. 一世出版, 東京, 1982. 61.

文　献

　6）日本歯科医師会監修：歯科医師のための産業保健入門　第7版．口腔保健協会，東京．2016.

第6章　高齢者の口腔保健
　1）厚生労働統計協会：国民の福祉と介護の動向．2021/2022年．厚生労働統計協会，東京，2015，174～188.
　2）医療情報科学研究所：公衆衛生がみえる．第4版．メディックメディア，東京，2020，230～253.
　3）厚生労働統計協会：国民衛生の動向．2021/2022年．厚生労働統計協会，東京，2021，129～133.
　4）森戸光彦，山根源之，櫻井薫ほか編著：老年歯科医学．医歯薬出版，東京，2015，6～140.
　5）末高武彦，雫石　聰，安井利一ほか編：新口腔保健学．医歯薬出版，東京，2009，204～224.
　6）厚生労働省：2022年国民生活基礎調査の概況．
　　　http://www.mhlw.go.jp/toukei/saikin/hw/k-tyosa/k-tyosa22/index.html
　7）厚生労働省：認知症施策．
　　　http://www.mhlw.go.jp/stf/seisakunitsuite/bunya/hukushi_kaigo/kaigo_koureisha/ninchi/
　8）厚生労働省：令和4年度介護保険事業状況報告（年報）．
　　　http://www.mhlw.go.jp/topics/kaigo/osirase/jigyo/22/index.html
　9）厚生労働省：令和4年　歯科疾患実態調査結果の概要．
　　　https://www.mhlw.go.jp/content/10804000/001112405.pdf
　10）厚生労働省：国民健康・栄養調査．
　　　http://www.mhlw.go.jp/bunya/kenkou/kenkou_eiyou_chousa.html
　11）日本歯科医師会：健康長寿社会に寄与する歯科医療・口腔保健のエビデンス2015．日本歯科医師会，東京，2015，43～69，145～178.
　12）江面　晃：新潟県要介護者歯科治療連携推進事業における調査に関する報告－特別養護老人ホームを対象とした全身・口腔内状況，歯科治療診療の必要性及び病診連携の状況に関する調査．2000.
　13）全国国民健康保険診療施設協議会：介護保険制度の適正円滑な実施に資するための歯科口腔情報提供モデル事業報告書．2000.
　14）厚生労働省：令和5年簡易生命表の概況．
　　　https://www.mhlw.go.jp/toukei/saikin/hw/life/life23/index.html
　15）厚生労働省：地域包括ケアシステム．
　　　http://www.mhlw.go.jp/stf/seisakunitsuite/bunya/hukushi_kaigo/kaigo_koureisha/chiiki-houkatsu/
　16）厚生労働省：介護予防・日常生活支援総合事業のサービス利用の流れ．
　　　https://www.kaigokensaku.mhlw.go.jp/commentary/flow_synthesis.html
　17）中村好一，佐伯圭吾編：公衆衛生マニュアル．南山堂，東京，2024，158～161.
　18）厚生労働省：第16回健康日本21（第二次）推進専門委員会（令和3年12月20日）資料3-1.
　　　https://www.mhlw.go.jp/content/10904750/000872952.pdf
　19）認知症施策推進関係者会議（第2回）（令和6年5月8日）資料9
　　　https://www.cas.go.jp/jp/seisaku/ninchisho_kankeisha/dai2/siryou9.pdf
　20）オーラルフレイルに関する3学会合同ステートメント．
　　　https://www.jpn-geriat-soc.or.jp/info/important_info/pdf/20240401_01_01.pdf

第7章　障害児・者の口腔保健
　1）向井美惠：障害者の口腔保健管理（末髙武彦ほか編：新口腔保健学）．医歯薬出版，東京，2009，236.
　2）厚生労働統計協会編：国民衛生の動向 厚生の指標　増刊2021/2022．**68**：2021.
　3）酒井信明ほか編：障害者の歯科医療．医学情報社，東京，1998，28.
　4）中村　博：臨床障害児学入門．相川書房，東京，1997.
　5）向井美惠編：食べる機能を促す食事―障害児のための栄養，調理，介助―．医歯薬出版，東京，1994.
　6）上田　敏：新しい障害概念と21世紀のリハビリテーション医学―ICIDHからICFへ―．リハビリテーション医学，**39**：123～127，2002.

第4編　国際口腔保健と災害時口腔保健

第1章　国際口腔保健
　1）厚生労働統計協会編：国民衛生の動向2021/2022．厚生労働統計協会，東京，2021.
　2）WHO World Health Organizationホームページ：Collaborating centres.
　　　https://www.who.int/about/collaboration/collaborating-centres
　3）国際協力機構ホームページ：ODAとJICA.
　　　http://www.jica.go.jp/aboutoda/jica/
　4）外務省ホームページ：ODA（政府開発援助）　ODA実績．
　　　https://www.mofa.go.jp/mofaj/gaiko/oda/shiryo/jisseki.html
　5）FDI World Dental Federationホームページ．

https://www.fdiworlddental.org/
6) IADR International Association for Dental Research ホームページ
https://www.iadr.org/
7) Tracking universal health coverage: 2017 global monitoring report. World Health Organization and International Bank for Reconstruction and Development / The World Bank; 2017. Licence: CC BY-NC-SA 3.0 IGO.
8) 国際連合広報センターホームページ：持続可能な開発 2030 アジェンダ.
http://www.unic.or.jp/activities/economic_social_development/sustainable_development/2030agenda/
9) Peres MA et al.：Oral diseases: a global public health challenge. *Lancet*, **394**：249 ～ 260, 2019.
10) 小川祐司：WHO 国際口腔保健プログラム―グローバルオーラルヘルスプロモーションへの挑戦―. 日歯医師会誌, **67**：1 ～ 12, 2014.
11) Bray F et al.：Global cancer statistics 2018: GLOBOCAN estimates of incidence and mortality worldwide for 36 cancers in 185 countries. *CA Cancer J Clin*, **68**：394 ～ 424, 2018.
12) NIDCR ホームページ. https://www.nidcr.nih.gov/research/data-statistics/oral-cancer/incidence
13) World Health Organization: Promoting Oral Health in Africa. World Health Organization Regional Office for Africa, Brazzaville, 2016, 26 ～ 31.
14) 厚生労働省ホームページ：令和 2（2020）年医師・歯科医師・薬剤師統計の概況.
https://www.mhlw.go.jp/toukei/saikin/hw/ishi/20/index.html
15) World Health Organization ホームページ：STEPwise approach to NCD risk factor surveillance（STEPS）
https://www.who.int/teams/noncommunicable-diseases/surveillance/systems-tools/steps
16) World Health Organization ホームページ：SEVENTY-FOURTH WORLD HEALTH ASSEMBLY WHA74.5 - Agenda item 13.2
https://apps.who.int/gb/ebwha/pdf_files/WHA74/A74_R5-en.pdf
17) World Health Organization ホームページ：SEVENTY-FIFTH WORLD HEALTH ASSEMBLY A75/10 Add.1
https://apps.who.int/gb/ebwha/pdf_files/WHA75/A75_10Add1-en.pdf
18) 小川祐司監訳, 眞木吉信ほか訳：口腔診査法. 第 5 版. 口腔保健協会, 東京, 2016, 5 ～ 7.
19) World Health Organization ホームページ：Global oral health status report: towards universal health coverage for oral health by 2030.
https://www.who.int/publications/i/item/9789240061484

第 2 章　災害時の口腔保健
1) 中久木康一ほか：災害時の歯科保健医療対策　連携と標準化に向けて. 一世出版, 東京, 2015, **15**, 18.
2) 日本歯科医師会・災害歯科保健医療連絡協議会編：災害歯科保健医療標準テキスト. 一世出版, 東京, 2021.
3) 中久木康一：歯科医院の防災対策ガイドブック. 医歯薬出版, 東京, 2014.
4) 槻木恵一, 中久木康一編：災害歯科医学. 医歯薬出版, 東京, 2018.
5) 日本歯科医師会・日本災害歯科保健医療連絡協議会編：災害歯科保健医療標準テキスト. 第 2 版. 医歯薬出版, 東京, 2024.

索 引

数 字

1歳6か月児健診　117, 118
1歳6か月児歯科健康診査　237
　　——の問診項目　239
2型糖尿病　90
2数字並記法　120
3DS　153
3歳児健診　117, 119
3歳児歯科健康診査　235, 240
4 mm 以上の歯周ポケット　140
12歳児の1人平均DMF歯数　252, 254
12歳児のDMFT　42, 309
12歳児のDMFT指数　46
21世紀における国民健康づくり運動　9, 210, 211, 212
8020運動　5, 196, 214, 272
8020達成者　139

和 文

あ

アウトカム　122
アウトカム指標　220
アウトプット指標　221
赤い複合体　63
悪習癖　82
悪性腫瘍　79
悪性新生物　94
アクティブ80ヘルスプラン　9, 210
アグルチニン　17
アジア太平洋障害者の10年　297
アスパルテーム　195
アセスルファムカリウム　195
アセスメント　220
アセトアルデヒド　88
アセトン臭　72
アタッチメントレベル　161
アタッチメントロス　61, 130, 161
アタッチメントロスコード　130
アディポカイン　85
アディポネクチン　92
アドヘジン　17, 23
アドレナリン　88
甘味　14
アミノ酸　22
アミラーゼ　21, 23
アミン類　30
アルコール依存症　87
アルコール性脂肪肝　87
アルコール代謝　88
アルブミン　21
アルマ・アタ宣言　8, 204
アンモニア　30
アンモニア臭　72

い

イエテボリテクニック　156
イエテボリ法　156
イオン結合　23
イオン導入法　52
医科との連携　171
易感染状態　202
生きる力をはぐくむ健康づくり　245
育児・介護休業法　230
育児休業, 介護休業等育児又は家族介護を行う労働者の福祉に関する法律　230
育成医療　231
医師　223
医師・歯科医師・薬剤師統計　136
いじめ　248
異常顎運動　82
胃食道逆流症　75
イソマルチトール　195
一次生活圏　206
一次性咬合性外傷　162
一次トリアージ法　314
一次予防　4, 7, 166, 273
一酸化炭素　86
一般介護予防事業　198, 293
一般健康診断　280
一般統計調査　145
一般法　52
遺伝疾患を伴う歯周炎　61
イヌリン型　27
医の倫理　10
医薬品, 医療機器等の品質, 有効性及び安全性の確保等に関する法律　51, 115, 156, 181
医薬品の臨床試験の実施の基準に関する省令　115
医薬部外品　51, 182
医療・介護関係事業者における個人情報の適切な取扱いのためのガイダンス　222
医療施設調査　136
医療的ケア児　298
医療的ケア児及びその家族に対する支援に関する法律　298
医療的ケア児支援法　298
医療費適正化計画　266
医療面接　163, 164
飲酒　80, 87
飲食物　150
インターロイキン-1　89
インターロイキン-6　89
インドール　29, 30
インフォームド・コンセント　10
インプラント　141
飲料水中のフッ化物濃度　45, 48

う

ウィットロカイト　31
ウェルネス行動　99
齲窩　35
齲歯　239, 240, 241, 246
齲蝕　3, 19, 26, 35, 110, 111, 118, 138, 143, 233, 235, 252, 309
　　——の3要因　148
　　——の活動性　151
　　——の好発部位　40
　　——の指標　123
　　——の指標の尺度　116
　　——の被患率　111
　　——の病因論　37
　　——の免疫域　40
　　——の予防・管理　194
　　——のリスク　148
　　——を有する者の割合　291
齲蝕活動性試験　148, 151
齲蝕感受性　112
齲蝕経験　110, 112, 150
齲蝕経験指数　48
齲蝕誘発性　150
齲蝕誘発能　29
齲蝕有病者率　235, 253, 254
齲蝕予防　4, 148
齲蝕予防機序　53, 155
齲蝕予防効果　49, 157
齲蝕予防法　48, 158
齲蝕罹患型　240, 241, 242
後ろ向きコホート研究　108
うま味　14
運動器症候群　95, 198
運動器の機能向上プログラム　199
運動性桿菌　65

え

永久歯齲蝕有病者　138
永久歯の咬合　13
永久歯1人平均齲蝕経験歯数　143
衛生委員会　278
衛生管理者　278
栄養　191
栄養改善プログラム　199
栄養管理　212
栄養機能食品　194
栄養教諭　249
栄養サポートチーム　196
栄養士　223
疫学　106
　　——の倫理　114
疫学研究　107
疫学研究において研究者が遵守すべき倫理の基本原則　115
壊死性潰瘍性歯周炎　61
壊死性歯周疾患　61

エストロゲン　232
エックス線画像検査　162
エナメル質　11
エバチップ　181
エビデンス　121
エリスリトール　195
塩化亜鉛　170
塩化セチルピリジニウム　170
塩化ベンゼトニウム　170
嚥下　13
炎症性サイトカイン　89
炎症性バイオマーカー　164
炎症反応　65
エンゼルプラン　231
エンパワーメント　105
塩味　14

○ お

応急対策期　315
応急手当　263
黄色環　33，286
横断研究　107，110
嘔吐　75
オーバージェット　138
オーバーバイト　138
オーラルフレイル　96，294，295
オタワ憲章　204，245
オッズ　108
オッズ比　108
オレンジプラン　288
音波歯ブラシ　176

○ か

カーボニックアンヒドラーゼ　17
外因性着色　33
外因性の歯の酸蝕症　76
介護医療院　292
介護給付　292
介護サービス　293
介護支援専門員　292
介護認定審査会　292
介護保険法　210，288，289
介護予防　198
介護予防ケアマネジメント　293
介護予防サービス　292
介護予防サービス計画　292
介護予防・生活支援サービス事業
　198，293
介護予防・日常生活支援総合事業
　198，292
介護老人福祉施設　292
介護老人保健施設　292
外傷　76
介入群　109
介入研究　107，109，111
開発途上国　308
化学細菌説　38
化学的除去　19
化学的プラークコントロール
　173
化学療法　201，202
かかりつけ歯科医　223，302
　──の機能　224
顎関節症　82

顎骨壊死　202
格差問題　223
学習援助型健康教育　105
獲得被膜　16
過酸化酵素　15
菓子屋齲蝕　286
ガスクロマトグラフ　168
ガスクロマトグラフィ　71，165
ガスクロマトグラフィ検査　168
ガスセンサー　165
ガスチン　15
仮性口臭症　70
仮性ポケット　161
家族内集積性　61
学校安全対策　263
学校医　250
学校環境衛生　248
学校感染症　249
学校給食法　249
学校教育法　246，249
学校歯科医　250，255，261，
　262，263
　──の職務　255
学校歯科健康診断　119，120
学校歯科保健教育　250
学校設置者　249
学校長　249
学校保健　245
学校保健安全法　117，119，120，
　143，209，210，218，246，248，
　255，256，261，262
学校保健関係者　249
学校保健技師　250
学校保健計画　246，248
学校保健統計調査　110，111，
　112，136，142，246
学校薬剤師　250
カットオフ値　119
カドミウム　286
カドミウムリング　286
加熱式タバコ　184，190
紙巻タバコ　184
噛ミング30　196
通いの場　222
ガラクトース血症　231
カリオロジー　85
過量フッ化物　55
カルシウムイオン　15，30
加齢　288
過労死　277
がん　94，268
簡易ガスクロマトグラフィ　169
簡易禁煙支援　186
簡易防湿　158
肝炎ウイルス検診　212，270
間隔尺度　116
がん基本対策推進基本計画　201
環境要因　67
がん検診　212，270
還元パラチノース　195
還元水飴　195
肝硬変　87
観察研究　107
カンジダ性口内炎　202

肝疾患　72，168
患者調査　90，136，144
緩衝作用　15
緩衝能　22
間食　85
間接訓練　201
関節雑音　82
関節痛　82
感染症　106
感染症発生動向調査　136
感染性心内膜炎　202
肝臓がん　87
含嗽剤　183
感度　119
官能検査　167，168
顔面頭蓋　13
管理栄養士　223

○ き

偽陰性　119
偽陰性率　119
機械学習型検査機器　169
機械的除去　19
機械的プラークコントロール
　173
基幹統計調査　143，144
義歯洗浄剤　183
義歯専用ブラシ　176
記述疫学　107，110
基準値　119
キシリトール　43，152，195
喫煙　68，80，86，92，166
喫煙率　184
機能回復　8
機能障害　297
機能性表示食品　194
機能喪失防止　8
揮発性硫黄化合物　29，30，71，
　73，165，167
偽膜　61
キャリブレーション　119
救急処置　56
臼歯腺　12
急性壊死性潰瘍性歯肉炎　86，89
急性中毒　56
急速進行性歯周炎　89
給付　292
共凝集　19，24
偽陽性　119
偽陽性率　119
共通リスクファクター　5
業務上疾病　276
寄与危険度　108
局所応用法　48，156
極相群落　20
虚血性心疾患　268
虚弱　198
居宅介護支援事業者　292
居宅サービス　292
居宅サービス計画　292
居宅療養管理指導　292
禁煙介入　184
禁煙支援　184
禁煙指導　87，166，184

索　引

禁煙治療　188
禁煙補助薬　188
緊急対策期　315
菌体外多糖　18，19，21
菌体内多糖　27

く

空隙　138
クオラムセンシング　64
クモ膜下出血　87
グラスアイオノマー系填塞材　158
クリアランス性　44
グリコーゲン様多糖　27
クリニカルパス　208
グルカン　18，21
グルコース　43
グルコシルトランスフェラーゼ　24，26
グレード　61
クロルヘキシジン　33，170

け

経管栄養　13
経口摂取　13
軽度齲蝕　137
化粧品　182
血圧　268
血液検査　164
結核児童療育給付　231
結晶学的齲蝕　36
血中コレステロール　268
血糖値　90
ケトン体　72
限局型　59
健康　6
　──の保持・増進　47，193
健康栄養調査　86
健康格差の縮小　47，213，273
健康管理　117，275，279
健康教育　103
健康行動理論　99
健康指導　279
健康寿命の延伸　213，222，273
健康診査　118，218，230
健康診査等指針　212
健康診断　118，143，248，258，279，280
　──の事後措置　281
健康信念モデル　99
健康増進　8
健康増進計画　212
健康増進事業　93，212，270，272
健康増進事業実施者　212
健康増進事業実施者に対する健康診査の実施などに関する指針　212
健康増進法　9，86，93，117，119，166，189，191，193，207，209，210，211，212，266，272，283
健康相談　248，261
健康測定　279
健康づくり対策　210，211

健康な減少歯周組織　165
健康な歯周組織　57
健康な歯肉　160
健康日本21　210，211
健康日本21（第一次）　9
健康日本21（第三次）　213，215
健康日本21（第二次）　9，47，92，211，212，252，268，273，288
言語障害　14
言語聴覚士　201
現在歯　137
現在歯数　291
健診　118
検診　118
健全歯　137
検体検査　164
原発性骨粗鬆症　93
研磨剤　182

こ

降圧剤　59
抗齲蝕性食品　150
構音　13，15
口蓋裂　231
後期高齢者医療広域連合　288，294
後期高齢者医療制度　288
後期高齢者の質問票　294
後期定着細菌　19，24
抗菌作用　15
口腔咽頭がん　87
口腔衛生管理　197
口腔疫学　106
口腔外傷　76
口腔がん　79，86，185，309
口腔乾燥　72，171，303
口腔機能管理　197
口腔機能向上サービス　198
口腔機能向上事業　198
口腔機能向上プログラム　198，199
口腔機能低下症　96，198，294
口腔ケア　197
口腔健康管理　197，201
口腔細菌　16，26
口腔疾患　5，311
口腔習癖　81
口腔診査　120
口腔診査法　119
口腔清掃　166，170，237
口腔洗浄器　180
口腔粘膜炎　201
口腔粘膜疾患　79
口腔バイオフィルム　18，29，57，63
口腔バイオフィルム感染症　19，26
口腔保健学　2
口腔保健ガバナンス　312
口腔保健行動　98
口腔保健支援センター　267
口腔保健指導　233
口腔保健・予防歯科学　2

口腔由来の病的口臭　70
高血圧　92，268
高血圧症　268
高血糖　92
咬合　13
咬合性外傷　67，90
口臭　30，69
口臭強度の日内変動　73
口臭恐怖症　70，171
口臭検査　165
口臭症　69
口臭予防　167
抗精神薬　303
抗体　21
高チロシンペプチド　17
抗てんかん剤　59
行動科学　97
行動科学的アプローチ　166
行動変容　98
更年期性歯肉炎　59
高濃度フッ化物応用　54
広汎型　59
紅板症　80
公費医療費負担制度　229
高ヒスチジンペプチド　17
高プロリンタンパク質　15，16，17，23，32
高プロリン糖タンパク質　23
香味剤　182
咬耗症　75
交絡要因　108
高齢化社会　287
高齢化率　287
高齢者医療確保法　266
高齢社会　287
高齢者の医療の確保に関する法律　210，266，275，284，288，289
高齢者保健　287
高齢者保健福祉推進十か年戦略　287
誤嚥性肺炎　93，201，318
コーディネーター　316
コーピング　104
ゴールドプラン　287
呼吸器疾患　92
国際協力　306
国際協力機関　306
国際協力機構　307
国際口腔保健　311
国際歯科研究学会　307
国際歯科連盟　307
国際障害分類　297
国際保健　308
国勢調査　136
国民健康・栄養調査　90，136，145，212，291
国民生活基礎調査　136，144
国連・障害者の10年　296
国連対がん連合　79
個人情報保護指針　222
個人情報保護法　221
固着　19
骨修飾薬　202
骨粗鬆症　84，93，202

336

骨粗鬆症検診　93, 212, 270
骨のフッ素症　56
骨密度　93
個別の保健指導　262
コホート研究　107, 110
コミュニティケア　153, 166, 172, 173
コロラド褐色斑　48
コンプライアンス行動　98
根分岐部　162
根面齲蝕　35, 52, 309
根面齲蝕予防　156, 157

さ

サービング　192
災害時　314
　──の歯科医師の責務　314
　──の歯科の役割　315
災害時要配慮者　318
災害対策基本法　315
細菌検査　164
細菌要因　149
再検査　119
再石灰化　15, 32, 36, 53, 150, 155, 156
在宅心身障害児者歯科保健推進事業　300
在宅訪問指導　199
再発防止　8
作業環境管理　275, 279
作業環境測定法　276
作業管理　275, 279
砂糖　42
サブスタンスP　88
サルコペニア　95, 198
産業医　277
産業衛生　276
産業衛生行政　275
産業歯科医　278
産業歯科保健　274
産業保健　274
産業保健活動　274, 277
産業保健管理　279
産業保健管理体制　277
産後ケア事業　230
酸蝕　36
三次予防　7, 8
酸性食品　76
酸味　14

し

仕上げ磨き　243
シーラント　158, 243
子音　14
歯科医師　201, 223
歯科医師数　310
歯科医師認知症対応力向上研修事業　288
歯科医師法第1条　7
歯科衛生士　201, 223
歯科健診　145
歯科検診　153
　──を受けた者の割合　271
歯科健診プログラム　164

歯科口腔保健の推進に関する法律　47, 209, 216, 267, 273
歯科口腔保健法　166, 209, 210, 216, 223, 267
歯科疾患実態調査　6, 110, 113, 117, 118, 136, 137, 271, 291
歯科専門職　223
歯科訪問診療　199
歯科保健医療ビジョン　295
歯科保健行動　98, 142
歯科保健指導　273
歯冠齲蝕　35
歯間刺激子　180
歯間清掃　177
歯間ブラシ　142, 179
事業継続計画　315
事業場における労働者の健康保持増進のための指針　282
シクロスポリン　59
歯口清掃　172
歯口清掃指導　233
自己効力感　100
事後指導　119
事後措置　259, 279
事後措置票　260
歯根付着プラーク　23
死産　226
死産率　226
脂質異常　92
脂質異常症　268
歯周炎　57, 59, 113
　──のグレード分類　62
　──のステージ分類　62
　──の特徴　58
　──の評価　117
歯周炎症表面積　165
歯周疾患　57, 140
歯周疾患要観察者　259
歯周組織　11, 165
歯周病　3, 4, 6, 19, 29, 57, 86, 89, 94, 110, 113, 171, 185, 271, 309
　──の指標　125
　──の指標の尺度　116
　──の新国際分類　165
　──の発症要因　63
　──の分類　59
　──の予防・管理　166
　──のリスクファクター　67, 163
歯周病安定期治療　166
歯周病菌　63
歯周病原細菌　63, 94, 165
歯周病（疾患）検診　117, 212, 270, 272
歯周病診断　165
歯周病分類　61
歯周病分類システム　59
歯周病予防　160
歯周プローブ　160, 161
歯周ポケット　65, 161, 174, 309
歯周ポケットスコア　129
歯周ポケット深さ　116, 117

歯種別DMF歯率　112
思春期性歯肉炎　59
自浄域　173
糸状乳頭　11
茸状乳頭　11, 14
シスタチン　16, 17
システマティック・レビュー　121
歯石　30, 130
歯石除去　172
施設サービス　292
施設サービス計画　292
施設訪問指導　200
自然死産　226
事前指示書　200
事前指導　256
歯槽骨吸収　58, 61
歯槽骨破壊　66
持続可能な開発目標　308, 309, 312
肢体不自由　302
肢体不自由児（者）　302
市町村　209
市町村保健センター　210, 218, 229
悉皆調査　118
実質欠損　36
湿潤剤　182
質的データ　116, 220
疾病予防　3, 7
至適フッ化物濃度　49
指導型健康教育　105
児童虐待　243, 263
児童虐待にかかる通告義務　264
児童虐待の防止等に関する法律　229, 264
児童虐待防止法　243
児童憲章　263
児童・生徒・学生の歯科健診　117
児童相談所　229
児童福祉法　229, 231
シドニー宣言　10
歯肉炎　57, 58, 59, 113
歯肉縁下　174
歯肉縁下歯石　30
歯肉縁下プラーク　22, 63
歯肉縁下プラークコントロール　173
歯肉縁上歯石　30
歯肉縁上プラーク　20, 23
歯肉縁上プラークコントロール　173
歯肉溝　57
歯肉歯槽粘膜境　160
歯肉出血　140
歯肉出血スコア　129
歯肉増殖　59
歯肉病変　59
歯肉付着プラーク　23
歯肉ポケット　161
歯肉マッサージ　174
歯肉メラノーシス　185
歯胚・歯冠の形成　12

索引

自発遷移　25
ジペプチド　22
歯磨剤　152，170，173，181
ジメチルサルファイド　30，71，72，168
社会的・経済的要因　151
社会的不利　297
若年性歯周炎　89
週1回法　51，157
週5回法　51
週5日法　51
就学時健康診断　249
就学時健診　117
臭気成分　168
周産期死亡　227
周産期死亡数　228
周産期死亡率　227，228
周術期等の口腔健康管理　201
周術期における口腔機能の管理　94
重症化予防　8
集団応用　51
集団口腔診査　117
重炭酸イオン　15
重炭酸塩　36
重度齲蝕　137
終末期　200
宿主　148
宿主感受性　67
宿主要因　67，149
出生　226
出生数　226
出生率　226
出席停止　249
受動喫煙　86，186，189
　──の防止　86，212
受動喫煙防止対策　189
授乳・離乳の支援ガイド　237
ジュネーブ宣言　10
手用歯ブラシ　174
受療率　144
潤滑作用　14
循環器疾患　91，268
順序尺度　116
漿液細胞　12
障害　296
障害児　231
障害者基本計画　296
障害者基本法　296
障害者虐待の防止，障害者の養護者に対する支援等に関する法律　298
障害者虐待防止法　298
障害者差別解消法　298
障害者歯科医療　298
障害者自立支援法　296
障害者総合支援法　229，231，296，301
障害者対策に関する新長期計画　296
障害者対策に関する長期計画　296
障害者の権利に関する条約　298
障害者の日常生活及び社会生活を総

合的に支援するための法律　229，231，296
障害を理由とする差別の解消の推進に関する法律　298
上顎複合体　13
消化作用　15
小窩裂溝　158，174
小窩裂溝塡塞法　243
上気道・中咽頭がん　168
上皮真珠　236
上皮成長因子　15
上皮付着の喪失　58
症例　108
症例対照研究　108，110
除外診断　119
初期齲蝕　35，36，53
初期付着　19
初期付着能　28
食育　84，191，196
食育基本法　84，191，196
食育推進基本計画　196
職業性疾患　274，278，283
職業性疾病　274，276，277
職業性の歯の酸蝕症　76
食事　84
食事性の歯の酸蝕症　76
食事摂取基準　193，212
食事バランスガイド　191，192
食生活　84，191
食生活指針　191，192
食道がん　87，266
食品衛生法　191
食品表示法　191
女性ホルモン　232
処置歯　137
食塊形成作用　15
自立支援医療　229，231
歯列不正　13
真陰性　119
新オレンジプラン　288
唇顎口蓋裂　231
新型コロナウイルス感染症　308
新型タバコ　190
神経ペプチド　88
新健康フロンティア戦略　9
人工呼吸器関連肺炎　201
人工死産　226
人口動態調査　136
人口動態統計　226
人工妊娠中絶　229
新国際分類　59，61
診査環境　120
診査器具　120
診査記録　120
診査項目　120
診査者間再現性　120
診査者内再現性　120
心疾患　91，266
腎疾患　72，90
ジンジパイン　64
侵襲性歯周炎　61，89，309
心身障害者対策基本法　296
真性口臭症　70
新生児　229

新生児マススクリーニング　231
真性ポケット　161
身体障害者数　298
身体的虐待　243
身体的フレイル　95
身長　246
じん肺法　276
審美性　14
腎不全　91，168
真陽性　119
心理的虐待　243

● す

膵炎　87
水がん　310
推奨量　193
水素結合　23
推定平均必要量　193
水道水フッ化物濃度調整　49
スカトール　30
スクラビング法　177，178
スクリーニング　118
スクロース　24，42，43，112
スケーリング　166，172
健やか親子21（第二次）　231
スタセリン　16，17，23，32
スティップリング　160
スティルマン改良法　177，178
ステイン　33
ステージ　61
ステビア　195
ステビオサイド　195
ストレス　68，88，89，104
ストレスコーピング　104
ストレスチェック　280
ストレス反応　88
ストレッサー　88
スピロヘータ　29，65
スポンジブラシ　176

● せ

生活機能　297
生活機能，障害，健康の国際分類　297
生活圏　206
生活歯援プログラム　164
生活習慣病　68，92，106，193，210，213，268，273
生歯　239，240，241
成熟バイオフィルム　19
精神障害　303
精神障害者　303
成人病　210
成人保健　265
生態学的研究　109，110
生態学的プラーク説　38
正中のずれ　138
性的虐待　243
政府援助機関　307
政府開発援助　306
精密検査　119
生理的口臭　70
世界口腔保健アクションプラン　313

世界口腔保健レポート　313
世界保健機関　306
世界保健機構憲章　6，307
世界保健総会　307
セカンドオピニオン　10
舌　11
舌下腺　12
積極的支援　92，269
摂食　13
摂食嚥下　13
摂食嚥下訓練・指導　201
摂食嚥下指導　200
摂食障害　75
舌苔　18，29，71，170
舌乳頭　29
舌ブラシ　176
セルフ・エフィカシー　100
セルフケア　152，166，170，
　172，173
セルフケア行動　98
線維芽細胞成長因子　15
洗口液　152，170，173，174，
　182
洗口剤　182
潜在脱灰能　44，45
洗浄作用　14
全身因子関連歯肉炎　59
全身応用法　48
全身由来の病の口臭　70
全数調査　118
選択バイアス　220
先天性甲状腺機能低下症　231
先天性歯　236
先天性代謝異常症　231
先天性内分泌疾患　231
先天性副腎皮質過形成症　231
全部床義歯　141

○ そ

増悪因子　163
総括安全衛生管理者　278
早期新生児死亡　227
早期定着細菌　18，23
早期発見・早期治療　8
象牙質　11
早産　94
喪失歯　137
叢生　138
相対危険度　108
組織学的齲蝕　36
組織修復作用　15
咀嚼　13
ソルビトール　195

○ た

タール　86
第1次国民健康づくり対策　9，
　210
第2次国民健康づくり対策　9，
　210
第3次国民健康づくり対策　9，
　210，211
第3類医薬品　157
第4次食育推進基本計画　196

第一大臼歯　243
代謝性アシドーシス　72
代謝性口臭　72
体重　246
対照　108
対人保健　206
対人保健サービス　218
対物保健　206
代用甘味料　194
耐容上限量　193
唾液　12，14
唾液緩衝能　36
唾液検査　164
唾液分泌促進　171
多機関共同研究　115
多国間援助　307
多職種チームアプローチ　208
多職種連携　208，316
脱灰　27，35，36，155，156
脱臼　77
タバコ　184
たばこの規制に関する世界保健機関
　枠組条約　184
炭酸　36
炭酸脱水素酵素　17
炭水化物　150
単糖類　150

○ ち

地域介入試験　110
地域格差の縮小　235
地域口腔保健活動　2，218
地域産業保健センター　218
地域歯周疾患指数　128
地域社会　205
地域診断　219
地域包括ケアシステム　222，289
地域保健　204
地域保健法　206，209，210，
　218，229
地域密着型サービス　292
地域連携クリティカルパス　207
チーム医療　201
知的障害　302
知的障害児（者）　300，302
知的能力障害　302
地方生活圏　206
チャーターズ法　177，178
超音波歯ブラシ　176
超高齢社会　287
調査研究　117
直接訓練　201
直接的プラークコントロール
　166
治療必要性　69

○ つ

通院者率　144，289
通所介護　292
つまようじ法　177，178

○ て

低栄養　196
低カルシウム血症　56

定期健康診断　248，256
低出生体重児　94，226
定性的データ　116
低濃度フッ化物局所応用　53
定量的データ　116
デキストラン　26
テトラサイクリン系抗菌薬　34
電子タバコ　190
デンタルプラーク　20
デンタルフロス　142，177
デンタルリンス　183
デンチャープラーク　176
電動歯ブラシ　175

○ と

糖アルコール　43
トゥースウェア　75
動機づけ　180
動機づけ支援　92，186，187，
　269
統計調査　136
統計法　117
統合失調症　303
糖質系甘味料　195
糖タンパク質　21
糖尿病　68，72，87，90，168，
　268，271
糖尿病関連歯肉炎　59
糖尿病性ケトアシドーシス　72
頭部　174
動脈硬化　91
動脈硬化性疾患　266
糖類摂取量　42
糖－レクチン結合　23
トータルヘルスプロモーション
　268
トータルヘルスプロモーションプラ
　ン　281
特異的細菌説　38
特異的予防　8
特異度　119
特殊健康診断　280，283
特定健康診査（特定健診）　92，
　268，272，284
特定健康診査等実施計画　268
特定健康診査等実施指針　268
特定健康診査（特定健診）・特定保
　健指導　275，288
特定疾病　291
特定保健指導　92，268，272，
　284
特定保健用食品　191，194
　──のマーク　195
特別活動による保健指導　262
特別養護老人ホーム　292
特別用途食品　195
特別用途表示　212
トクホ　194
ドライマウス　72
トリアージ　314
トリクロサン　170
トリメチルアミン尿症　72，168
トレー法　52
とろみ調整用食品　195

339

索引

な

内因性着色　34
内因性の歯の酸蝕症　75
内臓脂肪型肥満　92
内臓脂肪症候群　92, 269
ナッジ理論　102
軟組織の損傷　77

に

苦味　14
二国間援助　307
ニコチン　86
ニコチン依存症　188
ニコチン依存度テスト　188, 189
二次生活圏　206
二次性咬合性外傷　162
二次トリアージ　314
二重盲検法　110
二次予防　4, 7, 8, 166, 273
日内変動　169
ニッチ　22
二糖類　150
ニフェジピン　59
日本国憲法第25条　6, 209
日本歯周病学会による歯周病分類システム　59, 60
日本人の食事摂取基準　234
乳がん　87
乳酸桿菌　28
乳酸菌　111, 170
乳児　229
乳歯齲蝕　236
乳歯齲蝕有病者　138
乳歯齲蝕罹患型　240
乳児死因　227
乳児死亡　227
乳児死亡率　227
乳歯の咬合　13
乳幼児健康診査　145
乳幼児口腔保健　235
ニュルンベルグ綱領　10
妊産婦　228
妊産婦検診　231
妊産婦死亡　226
妊産婦死亡率　226
妊産婦に対する歯科健康診査　233
妊産婦保健事業　230
妊娠　232
妊娠性エプーリス　233
妊娠性歯肉炎　59, 232, 233
認知症　288
認知症施策推進5か年計画　288
認知症施策推進総合戦略　288

ね

ネグレクト　243
ネック　174
粘液細胞　12
粘結剤　182
燃焼式タバコ　190

の

脳血管疾患　91, 266, 268, 302
脳出血　87
脳性麻痺　300, 302
膿栓　72
脳卒中　87
脳頭蓋　13
能力障害　297
ノルアドレナリン　88

は

歯　11
パームグリップ　174
バイアス　109
肺炎　93
バイオフィルム　18, 26, 172
倍加年数　287
肺がん　168
ハイドロキシアパタイト　54, 155
廃用性機能低下　13
ハイリスクアプローチ　4, 5, 282
歯・口の健康づくり　250, 282
バクテリオシン　65
白板症　80, 185
曝露群　108
歯・口腔の外傷　263
歯・口腔の健康　273
把持部　174
バス法　177, 178
破折　77
パターナリズム　10
働き方改革関連法　275
白血病関連歯肉炎　59
発声　13
発生率　108
発泡剤　182
歯の外傷　77, 236
歯の酸蝕症　75, 285, 286
歯の喪失　139, 185
歯の着色　32
歯の動揺　162
歯のフッ素症　48, 54
歯の萌出時期　12
歯の保存液　263
母親学級　233
歯ブラシ　174
歯ブラシ塗布法　52
歯磨き　142
歯磨き回数　271
歯を丈夫で健康にする食品　194
斑状歯　48
半導体ガスセンサー検査　169
ハンドル　174

ひ

非介入群　109
非感染性疾患　4, 191, 265, 273, 308, 311
被災　318
非水溶性グルカン　24, 26, 28, 41, 43

ヒスタチン　16, 17
ビスホスホネート系製剤　93, 202
非政府機関　307
微生物　150
ビタミンC欠乏による歯肉炎　59
非糖質甘味料　195
非特異的細菌説　38
ヒト腫瘍壊死因子-α　92
1人あたりdef歯数　45
1人平均DMF歯数　252
1人平均齲歯数　235
1人平均齲蝕経験歯数　138
1人平均喪失歯数　139
1人平均乳歯齲蝕経験歯数　138
人を対象とする生命科学・医学系研究に関する倫理指針　115
非曝露群　108
非付着性プラーク　23
非プラーク性歯肉炎　59
ヒポクラテスの誓い　10
被保険者　291
ヒポチオシアンイオン　15
被膜形成作用　15
肥満　84, 92, 114, 248
肥満者　267
描円法　178
表層下脱灰　36, 53, 155, 156
標本調査　118
比例尺度　116
敏感度　119

ふ

ファンデルワールス力　23
フェーズ　315
フェニトイン　59
フェニルケトン尿症　231
フォーンズ法　177, 178
複合プログラム　199
福祉避難所　318
副腎皮質刺激ホルモン　88
副腎皮質刺激ホルモン放出ホルモン　88
副流煙　189
不潔域　174
不正咬合　81, 134
付着素　17
付着の位置　161
付着の喪失　161
付着プラーク　23
フッ化カルシウム　54, 155
フッ化カルシウム様物質　54
フッ化ジアンミン銀溶液　240
フッ化水素　56
フッ化第一スズ　51, 156
フッ化第一スズ溶液　156
フッ化ナトリウム　51, 156, 157
フッ化ナトリウム溶液　53
フッ化物　48, 150, 155
　――の吸収　55
　――の急性中毒　56
　――の局所応用　155
　――の代謝　55
　――の排泄　55

フッ化物液剤　50
フッ化物応用　142
フッ化物応用法　48
フッ化物局所応用法　50
フッ化物歯面塗布　52, 152, 153, 155, 157, 240, 243
フッ化物歯面塗布製剤　52
フッ化物歯面塗布法　48
フッ化物錠剤　50
フッ化物徐放性歯科材料　53
フッ化物徐放性填塞材　158
フッ化物製剤　157
フッ化物洗口　51, 52, 142, 155, 157
フッ化物洗口液　157
フッ化物洗口法　48
フッ化物全身応用法　49
フッ化物添加食塩　50
フッ化物添加デンタルフロス　53
フッ化物添加トゥースピック　53
フッ化物塗布　142
フッ化物塗布経験者　157
フッ化物バーニッシュ　53
フッ化物配合歯磨剤　48, 50, 52, 142, 155, 156
復旧・復興対策期　315
フッ素　48
不登校　248
不妊手術　229
部分床義歯　141
浮遊細菌　18, 19
プラーク　18, 20, 21, 57, 130, 150, 172
——の付着状態　162
プラークコントロール　172
プラーク性歯肉炎　59
プラークマトリックス　20, 26
プラークリテンションファクター　162, 166
プライマリヘルスケア　8, 204, 308, 310
ブラキシズム　82, 90
ブラッシング　166, 174, 176
プリシード・プロシードモデル　101
ブリッジ　141
フルオロアパタイト　53
フルクタン　21, 27
フルクトース　43
フルクトシルトランスフェラーゼ　27
フレイル　84, 95, 198, 294
フレイル健診　294
フレイル予防　191, 294
プロービングポケット深さ　161
プロゲステロン　232
プロテアーゼ　22, 29
プロバイオティクス　170
プロフェッショナルケア　4, 152, 166, 172, 173, 181
フロリデーション　48, 49, 50
分子生物学的細菌検査　164
分析疫学　107, 110
分泌型IgA　17

◯へ

平均寿命　289
ヘッド　174
ペプチダーゼ　22
ペプチド　22
ペリクル　16
ペルオキシダーゼ　17
ヘルシンキ宣言　10, 114
ヘルスケア　204
ヘルスプロモーション　4, 8, 204, 205, 245
ヘルスリテラシー　104
ヘルス・ローカス・オブ・コントロール　100
ヘルペス性口内炎　202
変化のステージモデル　101
ペングリップ　174
扁平上皮がん　79

◯ほ

母音　14
放射線性骨障害　202
放射線性ランパントカリエス予防　202
放射線療法　201, 202
萌出後エナメル質成熟　11
萌出困難　236
萌出性歯肉炎　236
萌出遅延　236
訪問介護　292
訪問看護　292
訪問指導　199, 230
保健学習　246
保健管理　246
保健機能食品　191, 194
保健機能食品制度　191
保健教育　246
保健行動のシーソーモデル　99
保健師　223
保健指導　119, 166, 242, 246, 248, 261, 262, 268
保険者　291
保健主事　249
保健所　208, 209, 210, 218, 229
保健信念モデル　99
保健組織活動　246
保健調査　256
保健調査票　256
保護者　229
母子健康手帳　94, 229, 230, 233
母子健康包括支援センター　230
母子保健　225
母子保健事業　230
母子保健施策　231
母子保健統計　226
母子保健法　117, 118, 209, 210, 228, 231, 237, 240
補助清掃具　174, 177
保存剤　182
母体保護法　226, 229
補綴　137, 141

補綴物　141
母乳栄養　237
哺乳瓶齲蝕　237
ポビドンヨード　170
ポピュレーションアプローチ　4, 5, 173, 282
ホメオスタシス　88
ホモスチン尿症　231
ポリフェノール　88
ポンティック基底部　174

◯ま

マイクロコロニー　19
マイクロバイオーム　19
毎日法　51, 157
マウスウォッシュ　183
マウスガード　77, 201, 263
マウスフォームドタイプ　78
前向きコホート研究　108
マトリックスメタロプロテアーゼ　66
摩耗症　75, 286
マルチトール　195
慢性歯周炎　61, 86, 89
慢性腎臓病　90
慢性中毒　55
慢性剝離性歯肉炎　59
慢性閉塞性肺疾患　92, 268
マンニトール　195

◯み

味覚　14
味覚作用　15
味覚情報　14
未熟児　229
未熟児訪問指導　230
未熟児養育医療　230
未処置歯　137
未処置歯齲蝕　111
身元確認　315
ミュータンスレンサ球菌　26, 28, 38, 41, 43, 150, 152
ミュータンスレンサ球菌群　111
味蕾　14

◯む

むし歯の原因になりにくい食品　194
ムタン　24, 26, 41
ムチン　15, 16, 17

◯め

名義尺度　116
メインテナンス　166
メープルシロップ尿症　231
メタアナリシス　122
メタボリックシンドローム　85, 92, 114, 269
メチルメルカプタン　30, 71, 73, 165, 168
目安量　193
免疫応答　65
免疫グロブリン　15
免疫抑制剤　59

341

索 引

メンタルヘルス対策　280

● も

目標量　193
モノフルオロリン酸ナトリウム　51，156
問診　163

● や

野外試験　110
薬剤関連顎骨壊死　93，202
薬物性歯肉増殖症　59
やせ　248
薬機法　51，115，181

● ゆ

有害業務に対する特殊健診　117
有郭乳頭　11，14
有訴者率　289
有病率　107
遊離糖類　43
遊離プラーク　23
ユニバーサル・ヘルス・カバレッジ　9，311

● よ

要介護者歯科保健推進事業　300
要介護状態　291
要介護認定　292
要介護認定者数　289
要観察歯　257
養護教諭　249
幼児　229
要支援状態　291
要支援認定者数　289
幼児死亡　228
葉状乳頭　11，14
予防　7
予防給付　198
予防歯科学　2
予防歯科臨床　2
予防填塞　153，158

● ら

ライフコースアプローチ　225
ライフスタイル　84
ライフステージ　223
裸眼視力　143
ラクトフェリン　15，16，17，21
ラバーダム　158
ランダム化比較試験　109

● り

リウマチ性関節炎　301
罹患率　108
離散変数　116
リスク診査　120
リスク診断　166
リスクファクター　62，86，114，120，163，166
リスボン宣言　10
リゾチーム　15，16，17，21
離乳食　237，238
リハビリテーション　8

リビングウィル　200
リポ多糖　29
硫化水素　30，71，165，168
療育医療　231
量的データ　116，220
臨界 pH　21，36
リン酸イオン　15，30
リン酸酸性フッ化ナトリウム　157
リン酸酸性フッ化ナトリウムゲル　53
リン酸酸性フッ化ナトリウム溶液　53
臨時休業　249
臨時健康診断　249
臨時の健康診断　281
臨床試験　110
臨床的アタッチメントレベル　117
隣接面　174
倫理指針　114
倫理審査委員会　115

● れ

レジン系填塞材　158
レッドコンプレックス　63
レバン型　27
連続変数　116

● ろ

ロイコトキシン　29
老化　288
労災保険法　276
老人福祉法　287，289
老人保健法　287
労働安全衛生法　117，189，209，210，218，275，276，277，278
労働安全衛生マネジメントシステム　278
労働衛生コンサルタント　278
労働衛生の3管理　275
労働基準法　229，275，276
労働災害　277
労働者災害補償保険法　276
労働者の心の健康の保持増進のための指針　280
ローリング法　177，178
ロコモティブシンドローム　95，198

● わ

ワンタフトブラシ　175

欧 文

α -1,3 グリコシド結合　26
α -1,6 グリコシド結合　26
α -アミラーゼ　15，16，17
β -2,1 グリコシド結合　27
β -2,6 グリコシド結合　27
β -第3リン酸カルシウム　31

● A

ACTH　88

Actinomyces　111
Actinomyces naeslundii　41
Aggregatibacter actinomycetemcomitans　29，94
AI　193
AL　161
ANUG　86，89
APF　157
APF ゲル　53
APF 溶液　53
A 型　239，240，242

● B

BCP　315
BMI　68，193，267
Body Mass Index　68
BOP　160
BOP 陽性部位率　161
BP 製剤　93
BS　128
B 型　239，240，242
B 型肝炎母子感染防止対策事業　231

● C

C　258
C1 型　239，242
C2 型　239，242
CAL　161
CAMBRA™　153
CFI　134
Ch　137
CI　130，131，137
CI-S　132
CKD　90
CO　257，258
COPD　92，268
Corynebacterium matruchotii　32
CPC　170
CPI　128，129
CPI プローブ　35，128，129，134，138
CRH　88
C 型　239，240，242

● D

D　111，123，123
DAI　134
Dean の分類　134
def　123
def 歯率　124
df　123，150
dft　235
dft 指数　124，138
df 者率　124，138
dmf　112，112，116，116，123，123，150
DMFS 指数　124
DMFT　309

DMFT 指数　48, 124, 138, 143, 254
DMF 歯面率　124
DMF 者率　124, 138
DMF 歯率　124
dysbiosis　3, 65

E

e　123
EAR　193
EBM　120
EGF　15
EPS　18

F

f　111, 111, 123, 123
FDI　120, 307
FGF　15
FTF　27
FTND　189

G

G　258
GB　127
GB count　128
GCP　115
GI　126
GO　258, 259
GOALS　309
GRADE システム　122
GS　128
GTF　24, 26

H

HbA1 c　90
HBs 抗原検査　231

I

IADR　307
ICDAS　124, 151, 152
ICF　297
ICIDH　297
IL-1　66

J

JICA　307
J カーブ　88

K

KAB モデル　99
KAP モデル　99
Keyes の 3 つの輪　39
keystone pathogen　64

L

Lactobacillus　41
Leavell and Clark　7
LPS　29

M

m　111, 111, 123, 123

MAD-TEA　189
MMPs　66
MRONJ　93, 202
Multidisciplinary 型チーム医療　200

N

NaF　157
NaF 溶液　53
NCD　184
NCDs　4, 5, 92, 191, 265, 308, 311
Newbrun の 4 つの輪　39
NGO　307
NHANES Ⅲ　86
NOMA　310
non communicable diseases　4
NPO　307
NST　196
nterleukin-1　66

O

O'Leary　133
O'Leary のプラークコントロールレコード　162
O_1 型　239, 240
O_2 型　239, 240
OARS　188
ODA　306
OHI　130, 131
OHI-S　131, 132
OLS　168
OSHMS　278
O 型　239, 240, 242

P

Palmer の 4 分画歯種表記法　120
PAR　135
PCR　133
PDCA サイクル　219, 278
PDI　126, 127
PGE_2　66
PHC　8
PHP　133
PI　126
PISA　165
PlI　132
PMA index　125
PMTC　153, 166, 173, 181
Porphyromonas gingivalis　29, 63, 64, 91
PPD　161
Prevotella intermedia　233
Prevotella nigrescens　233
PRGP　23
PRP　32
PTC　173, 181

R

RCI　125
RDA　193

RID 指数　124
Riga-Fede 病　236

S

SDGs　308, 312
SDH　46
Sjögren 症候群　72
SnF_2 溶液　53
SPT　166
ST　201
STAR　188
START 法　314, 315
Stephan のプラーク pH 曲線　44
Streptococcus mutans　18, 24, 38, 41
Streptococcus sanguinis　41
Streptococcus sobrinus　38, 41
Streptococcus 属細菌　20
SV　192
symbiosis　64

T

Tannerella forsythia　29, 63
THP　281
THP 指針　282, 283
TN　69
TNF-α　66, 92
Tooth wear　75
Transdisciplinary 型チーム医療　199, 200
Treponema denticola　29, 63
tumor necrosis factor-α　66
Turku study　43

U

UHC　9
UICC　79
UL　193

V

VAP　201
Veillonella　41
Veillonella 属　38
Vipeholm 研究　45
VSC　71, 167

W

WHA　307
WHO　204, 306
WHO STEPS　311
WHO STEPwise　310
WHO 憲章　6
WHO 口腔保健決議　311
WHO 世界口腔保健戦略　312
WHO の簡易的禁煙支援　186
WHO の質問表　135

Z

ZS　258

【編者略歴】

安井利一
1981年　城西歯科大学（現：明海大学）大学院修了
1997年　明海大学歯学部教授
2008年　明海大学学長
2023年　日本歯科大学客員教授
2023年　明海大学名誉教授

山下喜久
1986年　九州歯科大学大学院修了
2003年　九州大学大学院歯学研究院教授
2023年　九州歯科大学客員教授
2023年　九州大学名誉教授

廣瀬公治
1989年　明海大学大学院修了
2006年　奥羽大学歯学部教授

小松﨑明
1993年　日本歯科大学大学院修了
2013年　日本歯科大学新潟生命歯学部教授

山本龍生
1993年　岡山大学大学院修了
2015年　神奈川歯科大学教授

弘中祥司
1994年　北海道大学歯学部卒業
2013年　昭和大学歯学部教授

本書の内容に訂正等があった場合には，弊社ホームページに掲載いたします．下記URL，またはQRコードをご利用ください．

https://www.ishiyaku.co.jp/corrigenda/details.aspx?bookcode=458970

口腔保健・予防歯科学　第2版　　ISBN978-4-263-45897-6

2017年 2月20日　第1版第1刷発行
2022年 1月20日　第1版第6刷発行
2023年 3月10日　第2版第1刷発行
2025年 2月20日　第2版第4刷発行

編者　安井利一
　　　山下喜久
　　　廣瀬公治
　　　小松﨑明
　　　山本龍生
　　　弘中祥司

発行者　白石泰夫

発行所　医歯薬出版株式会社
〒113-8612　東京都文京区本駒込1-7-10
TEL.（03）5395-7638（編集）・7630（販売）
FAX.（03）5395-7639（編集）・7633（販売）
https://www.ishiyaku.co.jp/
郵便振替番号 00190-5-13816

乱丁，落丁の際はお取り替えいたします　　　印刷・あづま堂印刷／製本・皆川製本所

© Ishiyaku Publishers, Inc., 2017, 2023. Printed in Japan

本書の複製権・翻訳権・翻案権・上映権・譲渡権・貸与権・公衆送信権（送信可能化権を含む）・口述権は，医歯薬出版（株）が保有します．

本書を無断で複製する行為（コピー，スキャン，デジタルデータ化など）は，「私的使用のための複製」などの著作権法上の限られた例外を除き禁じられています．また私的使用に該当する場合であっても，請負業者等の第三者に依頼し上記の行為を行うことは違法となります．

JCOPY ＜出版者著作権管理機構 委託出版物＞
本書をコピーやスキャン等により複製される場合は，そのつど事前に出版者著作権管理機構（電話 03-5244-5088，FAX 03-5244-5089，e-mail：info@jcopy.or.jp）の許諾を得てください．